編集復刻版

「職場の歴史」関係資料集

第4巻

諸資料II

六花出版

序文

竹村民郎

「職場の歴史をつくる」とはどういうことなのか。

一九五〇年代――敗戦前の皇国史観を否定することはもちろん、英雄の活躍や政権の変遷をたどるだけの歴史を批判し、「民衆」「市民」の視点から考察する歴史観が、ようやく主流となっていたが、それでもまだ歴史は学者ら専門家によって叙述されるものであった。

三井三池、日鋼室蘭、近江絹糸などの労働争議とのかかわりあいのなかから誕生した「工場の歴史をつくる会」は、いわゆるブルーカラーの労働者にとどまらず、働く女性たちの積極的な参加をえて、自分たちの歴史は自分たちで書く、という活動をはじめた。これが「職場の歴史をつくる会」の誕生である。歴史学者やその卵である学生たちは「知識の革新」をもとめて運動にどっと参加してきた。

自分たちの歴史を書くということは、働く職場の記録をつづることにとどまらなかった。機関誌『職場の歴史』が一時期「職場と生活」と改題したのもそのためで、職場だけではなく、ひろく「生活」を記録することで、自分たちの現在やこれからを見つめようとしたのである。

一九五八年に書かれた職場の歴史をつくる会品川客車区のサークル誌『仲間には』では、自分の歴史を集団で書くことについて、つぎのようにまとめている。

「自分の歴史を書きあげると、分会機関誌に発表し、それを全会員や職場の人々に読んでもらい、必ず合評会を開いてその中で書いた人の考え方、生き方を自分の問題として考え、又、批判しています。」

こうした批評活動は、職場の歴史をつくる運動におけるすべての職場サークルに共通するものであった。ここで注目することは、集団で「歴史」を書くことが、書き手の対象化をうながし、結果として自己の「発見」になるということである。

近年、全国的に若い研究者や学生の間でひろく一九五〇年代に展開された生活記録運動や多彩なサークル運動と結びついた文化運動の機関誌や文集などを発掘し、その「自立」主義に基礎を置く多くの作品についての研究が目覚しく展開している。

今回復刻された職場の歴史をつくる会の機関誌や運営委員会ニュースを網羅した全四巻の記録集は、時代が大きく動いた一九五〇年代のサークル時代、自らのアイデンティティをもとめて職場に生きた若者たちの真実の姿を直視するものとして、注目に値する。

（編者）

編集復刻版『「職場の歴史」関係資料集』第4巻

刊行にあたって

一、資料集では、一九五〇年代に日本全国各地でおこった生活記録運動のひとつである「職場の歴史をつくる会」の機関誌および関連資料をあつめ、収録した。原資料はすべて竹村民郎所蔵のものである。

一、第1巻巻頭に竹村民郎氏による序文、古川誠氏・稲賀繁美氏による解説、永岡崇氏による年表を掲載した。

一、本資料集は、原寸のまま、あるいは原資料を適宜縮小し、復刻版一ページにつき一面、二面または三面を収録した。

一、資料中の書き込みは原則としてそのままとした。

一、資料中には、ページ数などの表記に誤記と思われる箇所、文字が欠けている箇所、印字が薄い箇所、文章が途中で切れている箇所などがあるが、原本通りである。

一、資料の中の氏名・居住地などの個人情報については、個人が特定されることで人権が侵害される恐れがある場合は、■で伏せ字を施した。

一、原本はなるべく複数を照合して収録するようにしたが、原本の状態が良くないため、印刷が鮮明でない部分がある。

一、資料の中には、人権の視点から見て不適切な語句・表現・論もあるが、歴史的資料の復刻という性質上、そのまま収録した。

（編者・編集部）

［第4巻 目次］

誌名●号数●発行者は未記入のものはすべて「職場の歴史をつくる会」あるいは「職場の歴史をつくる会運営委員会」●発行年月（推定したものは＊）――復刻版ページ

《諸資料Ⅱ》

お知らせ●職場の歴史をつくる会Sサークル●一九五七・一二＊――3
忘年会のお知らせ●一九五七・一二＊――4
あゆみ（職場の歴史）組合結成3周年記念●恩給局職場の歴史を創る会／恩給局文化祭実行委員会●一九五七・一二――5
きかんしゃ●国鉄職歴サークル●一九五七・一二――35
職歴運動三年の経験を大切にしよう●一九五七・一二＊――43
或る組合員の歴史●恩給局職場の歴史をつくる会●一九五七＊――48
職場の歴史を読んで●一九五七＊――55
個人の歴史私の歩んで来た道●一九五八＊――71
あしあと私のあゆみ●菊池一徳●一九五八＊――87
〔入社式〕●〔デパート店員〕●一九五八＊――95
合評会の要点●合評会準備委員●一九五八＊――99
新年宴会のおしらせ●一九五八・一＊――101
アンケート●職場の歴史をつくる会委員会●一九五八・一――102
職歴Sサークル一九五八年度計画案●一九五八・一＊――104
職歴国鉄サークル一九五八年度計画（原案）●一九五八・一＊――108
つぼみ号外●一九五八・二――110
つぼみ●2号●一九五八・二――112
調査会報●第1号号外●職歴国鉄サークル●一九五八・二――116
調査会報●第二号号外●職歴国鉄サークル●一九五八・三＊――118
会報●Sサークル●一九五八・三――120
座標●国鉄品川客車区職場の歴史をつくる会 岡島博●一九五八＊――123
〔総会案内〕●一九五八・五＊――130
〔案内文〕／趣意書●一九五八・五＊――132
合評会のお知らせ●一九五八・六＊――135
職場見学のお知らせ●一九五八・六＊――136
機関誌合評会の討論内容（第十号）●一九五八・六＊――137
つぼみ●職歴運営委員会●一九五八・六――138
趣意書●一九五八・六＊――139
キャンプファイヤーを囲む夕に御参加下さい●一九五八・六――140
みどりの湖は招く若人の集いフェスティバル通信●一九五八・七――142
仲間には●職場の歴史をつくる会品川客車区サークル●一九五八・八＊――147
〝父母の歴史を語る会〟お知らせ●一九五八・八――185
合評会●一九五八・九＊――187
職場の歴史 講座案内●一九五八・九＊――188
職場の歴史をつくる会総会のしおり●一九五八・一〇＊――190
〔案内〕●一九五八・一一＊――196
〔合評会の案内〕●一九五八・一一＊――197
御願い●一九五八・一二＊――198
お知らせ●一九五八・一二＊――199
〔アンケート〕●職場の歴史をつくる会機関誌係●一九五八・一二＊――200

〔案内〕●一九五八・一二*——201
職場の歴史をつくる会のしおり●一九五八*——203
職場の歴史をつくる会年表●一九五九・一——212
合評会のお知らせ●一九五九・一*——224
おさそい●一九五九・三*——226
ピクニックに行こう!●一九五九・四*——227
ごあんない●一九五九・五*——228
六月例会のお知らせ●一九五九・六*——229
〔レジュメ〕●一九五九・六——230
カンパについてのお願い●一九五九・六——232
〔年表〕●一九五九・六——233
私達の手で私達の歴史を書きましょう●一九五九・九*——235
国民文化全国集会速報●No.2●国民文化会議●一九五九・九——246
伊勢湾台風の被害を受けられた藤本委員の御家族にカンパを!
●一九五九・一〇——250
〔カンパ要請〕●一九五九・一二*——251
特急のおしらせ!!●一九六〇・三*——252
出版の案内●一九六〇・三*——253
職場の歴史をつくる会 春季合宿と出版記念御案内
●一九六〇・五*——258
緊急のニュース●No.1●一九六〇・六——259
会員集会を開こう●一九六〇・六*——260
声明●一九六〇・七——261
父の歴史をかたる会に集ろう!!●一九六〇・七——262

第一回作品研究会『N労組の歴史』の研究
●職場の歴史をつくる会作品研究サークル●一九六一・三*——263
第2回作品研究会きみよの手記●一九六一・四——264
全国の労働者の皆さんへ●電機労連/東京地協/ソニー労働組合
●一九六一・五*——265
声明●職場の歴史をつくる会総会●一九六一・六——266
おねがい●一九六一・六*——267
『特別研究集会』のお知らせ●一九六一・七*——269
9月11日運営委員会報告●一九六一・九*——271
戦後生活記録運動資料●一九六五*——272
職場の歴史を作る会年表●一九六八*——283
石川島造船所労働運動史●一九七〇・五——312
職場の歴史を読んで/「歴史評論」第六十六号を読んで
●職場の歴史を作る会/藤田昭造●一九七〇・六*——317
職場の歴史を読んで特集父の歴史●一九七〇・一〇——333
職場の歴史●職場の歴史をつくる会●河出書房●一九五六・五——343
歴史評論職場の歴史特集号●民主主義科学者協会●一九五五・五——419

◉全巻収録内容

第1巻	『職場の歴史』第1号〜第10号	序文＝竹村民郎　解説＝古川誠・稲賀繁美 年表＝永岡崇
第2巻	『職場の歴史』第11号〜第23号	
第3巻	運営委員会ニュース／諸資料Ⅰ	
第4巻	諸資料Ⅱ	

諸資料Ⅱ

お知らせ

日増しに加わる寒さと共に私たちの職場も忙しくなってまいりました。ともすればこの忙しさにおし流されな毎日ですが、その中にあっても、皆さんは生活を豊かにする努力をおつづけになっておいでの事と存じます。

さて、先日、私たちの会では、岩浪さんの評論"怒りの葡萄"を中心にして小説について話し合いました。ほとんどの人がその本を読んでいないにもかかわらず、いろいろの質問や意見が出され、会も最高潮になった時、時間切れとなり止むなく終会致しました。しかし、その後、あの集りはよかったから是非もう一度！という声がありましたので、ここに第二回の集いをお知らせ致します。一回目御出席の方はもちろん、はじめての方もきっとプラスになるものがあると思います。

是非おいで下さい。

記

日時　十二月廿日（土）　七時半より

場所　駿河台　そばや「ときわ」　二階にて

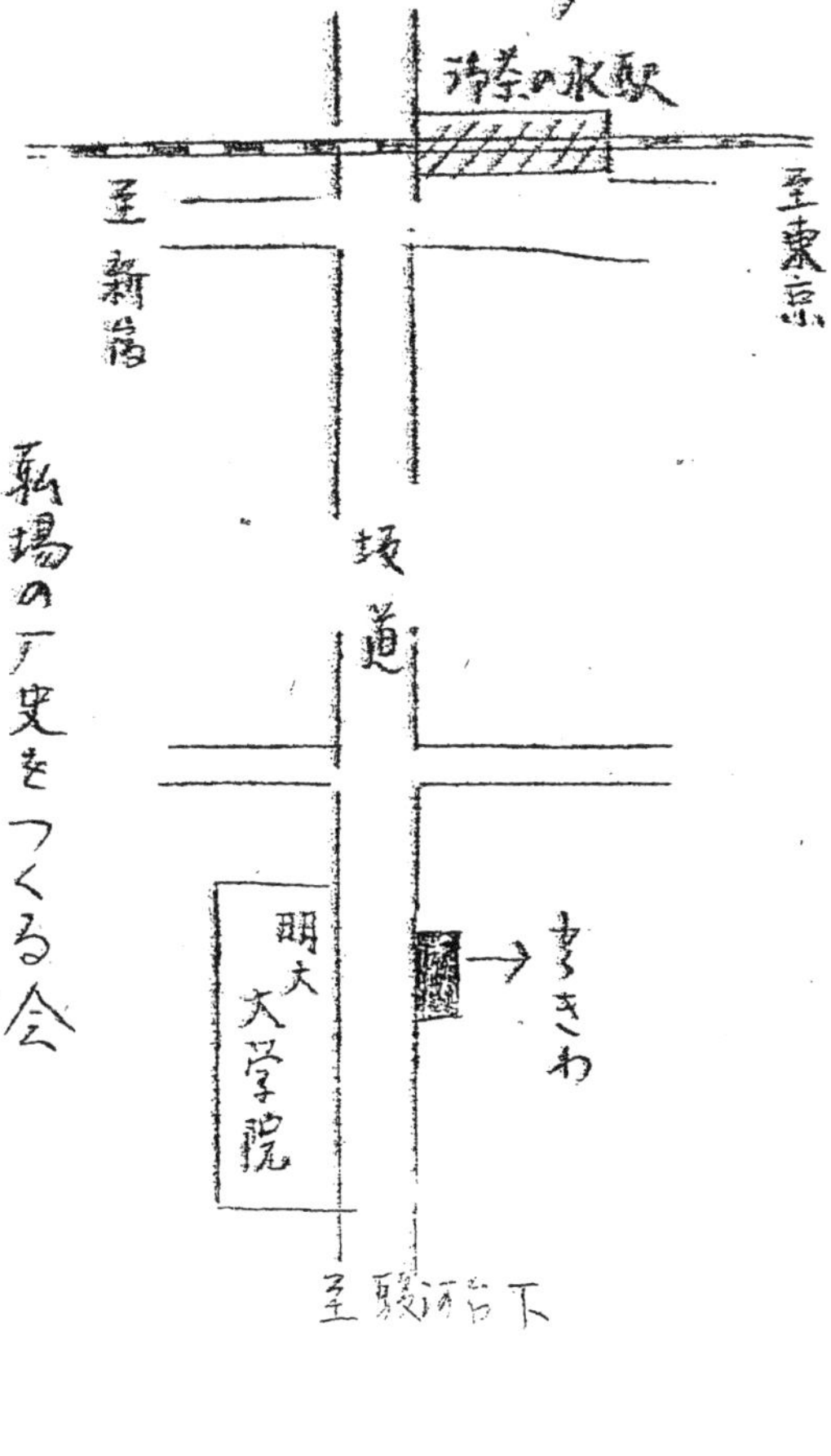

職場の歴史をつくる会
Sサークル

忘年会のお知らせ

[illegible]

記

日時　十二月十八日（木）　午後六、三〇～九、三〇

場所　[illegible]

会費　二百円（[illegible]

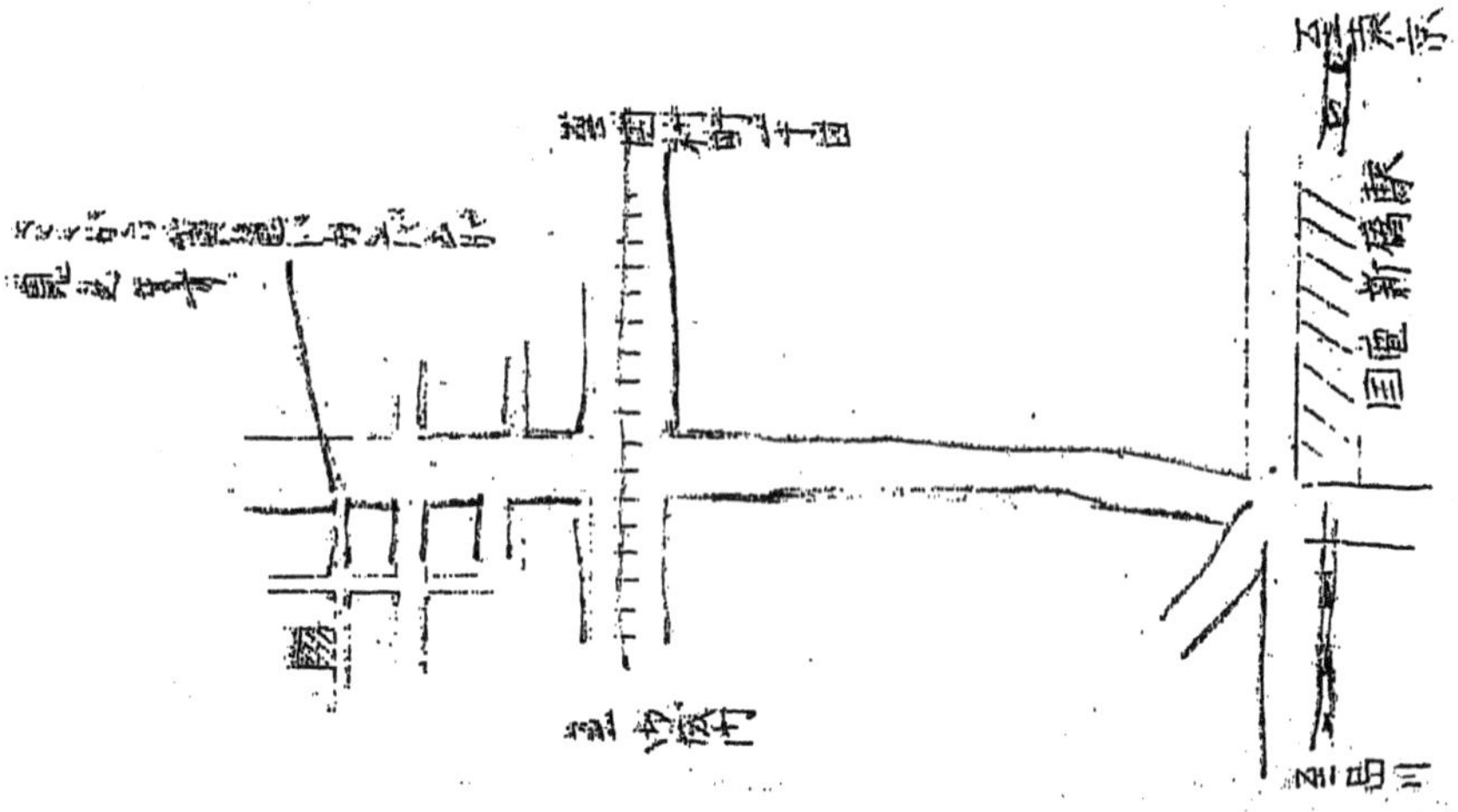

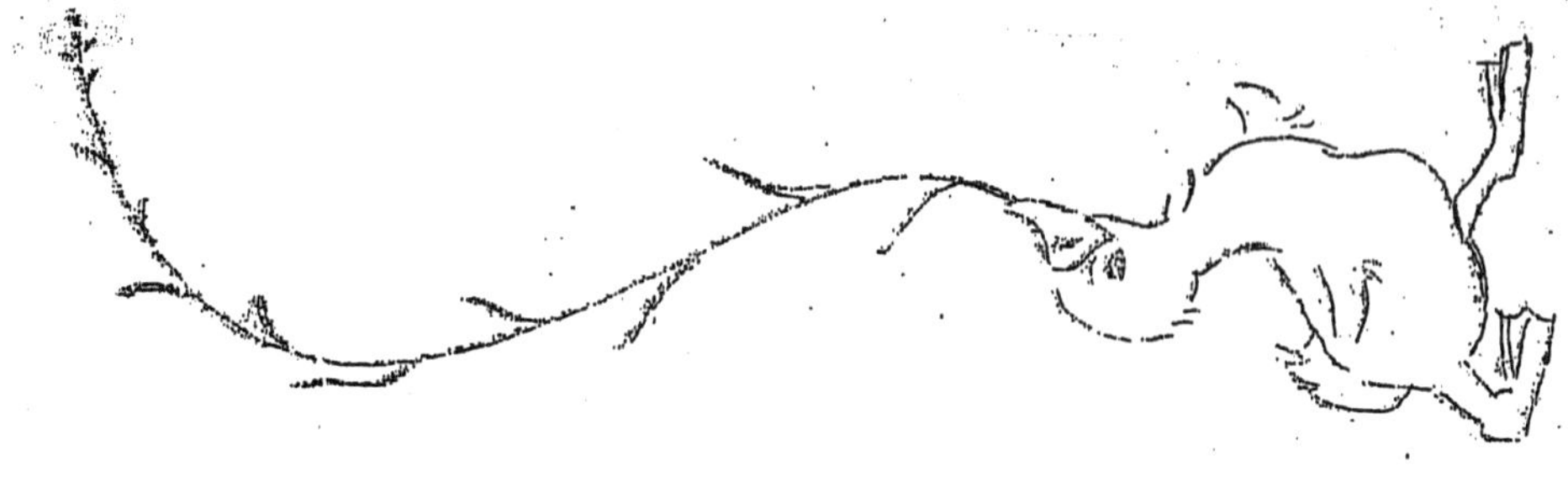

[illegible]

組合結成3周年記念

あゆみ

（職場の歴史）

恩給局職場の歴史を創る会
恩組局文化祭実行委員会

目次

一、〝あゆみ〟発行にあたって …… 1

一、歴史はストップしない …… 八星 …… 2

★サークルの歴史

一、楽友合唱団の歩み …… 津村 …… 3

一、あかしや合唱団の歩み …… 福田 …… 5

一、日ソ協会恩給支部の歴史 …… 河原 …… 9

一、日中友好協会恩給支部のあゆみ …… 高橋 …… 11

詩

一、つぼみの思い（第七号より） …… 一組合員 …… 13

一、劇団熊ん蜂の歩み …… 沼澤 …… 14

★職場の歴史

一、松と壁と原書と（分室に組合が出来るまで） …… みさき・ゆうじ …… 16

一、職場から …… 三田肇 …… 24

★個人の歴史

一、私の歴史 …… 24

あゆみ

発行にあたつて

組合結成三周年おめでとう
第七回文化祭おめでとう

今から丁度三年前の組合結成総決起大会に於て第一期津村委員長は、〃暗い谷間から太陽が昇った〃と云った。そしてこの時以来此の太陽は私達の職場を急げきに変えて行った。組合が出来る前は数限りない不満や苦痛をもっていてもそれをどうしたらよいかわからなかったし、誰れが自分をこんなに苦しめているのかもわからなかった。そして時にはアルバイトだからとか、仕事が簡単だからこれくらいのがまんは当然だろう等と考へることもあった。しかしこの太陽は私たちにすべての不満や苦痛を吐きださせた。そしてそれをまとめて当局に要求した。この時私たちは自分を苦しめているものが誰れであるかを知った。各部屋ではどうしたら要求がとれるかを話し合った。このような中で、サークルもどんどん出来ていった。職場には笑い声が起り、歌声が起っていった。今まで一人ぼっちだと思っていた者は、こんなに沢山の仲間がいることを徐々に知っていった。この仲間は局内だけでなく日本中に世界中に拡がっていった。太陽は職場を変えた。そこに働く僕達自身を変えた。太陽は職場を明るくし、僕達に生きる勇気を与へた。職場の歴史を作る運動とは、このような職場の変化をそこに働く僕たち自身の手でまとめてみようと云うものです。だからこの本に集録されている各サークルの歴史もその一つであり、各部屋の移り変りや、個人が自分の生い立ちや恩給に入ってからどのように変ったかを書くのも一つの運動になります。同時にこの職場の歴史を作る運動は、この移り変りをより正しくとらえるために皆で批評をします。このように実際自分の働いている職場の動きをより正しく理解しそしてその中から僕たちの職場をもっと明るくし僕達の生活をより豊かにするために、どのように生きるかをはっきりつかむ運動です。組合結成三周年を心から祝うと同時により多くの人がこの運動に積極的に参加される事を切に希望します。

詩　歴史はストップしない

—職場から—　八星

歴史は毎日進んで行く　世界の人々は毎日
会議を開いて行く　自分達の道を知るために
新しき発見を得るために　希望にピントを合すために

歴史は毎日変って行く　世界の人々は毎日
企画を編んで行く　自分達の道を拓くために
古きを捨てゝ得るために　かゞやく希望を打出すため

歴史は毎日動いて行く　世界の人々は毎日
斗いを続けて行く　自分達の道を創るため
旧きをふんで築くため　強い希望に生きるため

そして又歴史は進んで行く　会議は続々持たれて行く
道を更に知るために　次の発見を得るため
高い希望を生むために

そして又歴史は変って行く　企画は更に組まれて行く
開拓のための開拓のために　過ぎる者を打つために
創る者の喜びを掴むため

そして又歴史動いて行く　毎日の……、
拡げる斗いの斗いのために　行く手の壁を切るために
テープは歓びを待っている

歴史の進歩はハイスピードだ
　人工の星は地球を睨んで居る
そして又ミサイルは　ボタンの押手を待っている
秒差で事はきまるのか
歴史の変化はハイスピードだ
　人工の思想は地上に氾濫する
そして第三勢力は　時来れりと待期する
悪魔の力が最后を決める
歴史の動きはハイスピードだ
　それなのにおびんづすが居る
石の地蔵さんがいる　五る羅漢や高庫犬が居る
自からをスポイルして
歴史の動き目下で作れ　自己なき本像は哀れだ
そして又其クスタッフは敗れる
　流れを知る者は残るのだ
サンサンたる陽のもとに

2

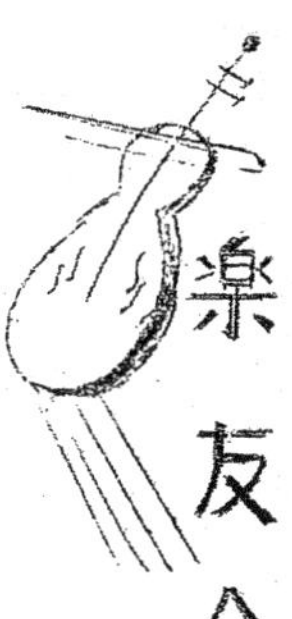

楽友合唱団の歩み

津村

楽友合唱団の出発は一体何時からと云ったら良いのだろうか。楽友合唱団と名のついたのは昭和廿八年十月、即ち局が霞ケ関に引越して来て間もなくである。がそれ以前分室時代にも合唱団はあった。人数こそ余り多くなかったが、ハーモニーの良くとれた気のおけない楽しいコーラスだった。更にもっと古く遡るならば終戦后間もなく宮内庁楽部の人によって指導されていた事もあった。

此処では楽友合唱団と名がついてから組合が結成されて比較的サークル活動が楽になる迄の事を当時の機関紙等を引用しながら書く事にする

コーラスの歴史と云えば練習場の歴史になってしまうと云っても良い位練習する部屋には苦労した。分室から移って来た当時こそあいている部屋もあったが、人数が増えるに従って部屋もなくなり、廊下でやってみれば課長に追い廻をされると云った状態で局内では全く絶望的であった。

そこで当時の東京監察局に頼みこんでそこの自動車小屋を借りる事にした。十二月の頃である。局から約二百米位あるその練習場に毎日通ったものである。

「今日も歌声はひゞく」　せき　かすみ

ホコリをかぶった自動車が二台
洗濯物の干してある物干が二本
高く積んである薪
こわれた椅子　ドラムカン　タライ
そんなわびしい自動車小屋の中で
今日も歌声はひゞく

雨が降っても　風が吹いても　雪が積っても
真赤に凍えた手に　楽譜を持って
二人　三人　四人と集って来る
昼休みのたった三十分
一時のベルを気にしながら
リリラソミド　レレミファソ
「とれるロール」

今日も歌声はひゞく　（トロイメライ二号から）

その自動車小屋も監察局の火災で遂に追い出されてしまい、とうとう青空の下でやらなければならなくなってしまった。[illegible]局内の自動車小

3

屋でうんと身体をくっつけて声が出来るだけ逃げない様にして歌ったものだ。どんな中から「スバラシイ・ハーモニー」が生れたりした時は物凄く喜んだ。

「場所ないか!!」

何処の職場でもそうかもしれないが、僕達のコーラスも本当に場所に恵まれない。始終追われ追われて落着いた練習が過去一回も出来ないと云うのは全く困ったものだ。最近になってからも原書倉庫の二階とか売店の裏の大工小屋とかその他空いていそうな場所を片ぱしから交渉しているのだが思わしい返事を貰う事が出来ない。唯屋外でやっている為に新しく歌いに来る人が日増しに増えている事は不幸中の幸かもしれない。

（トロイメライ三号から）

その頃とったアンケート「コーラスの練習に対するあなたの御希望は」でも練習のやり方に対する希望と共にに場所が固定する事、時に室内を希望するものが非常に多かった。

「私達の課題」　鉤持　正一

音楽をしてその中から私達の若人らしい純粋な、しかも意義のある生活を共に過したいのが根本的なものです。こうした生活から新しい次の社会へ、それぞれが旅立たれた時に、過去のこの短かな時か、その中に花弁の香をただよわす事でしょう。歌う喜びと云う事は私達の大いなる誇として永遠にその姿を保ち続けたいものです。たとえ未完成であっても、そのものが、完成されたもの以上に価するものは、やはりみんなの根本的な気持が動輪となるのではないでしょうか。

（トロイメライ第三号より）

今でもそうなのだが、練習のポイントを何処におくかと云う点では色々の意見があった。唯楽しむだけの為に歌いに来る人と、苦しみを乗り越えてもより高い合唱の会に協力し様と云う人とあった。そして苦しみに耐えられない人は抜けていってしまった。

メンバーは必ずしも一定していないで、時には三十人位集る事もあれば、五六人しか集まらない事もあると云った状態で場所の問題もあったが、その日その日で練習のやり方にも苦労は多かった。

コーラスに限らずサークル活動で最も大事なものはチームワークであろう。そのためにハイキングやレコードコンサートやキャンプ等を良くやった。これ等は今よりもうまくいっていたのではないだろうか。

機関紙トロイメライは三ケ月に一回出す予定で三号

4

迄発行したが、遂に仕事の多忙等で四号はかなりおくれて発行せざるを得なかった。

「編集後記」（第三号）

〝トロイメライ〟そうです夢です。僕等は若いんです。何でも出来るんです。僕達を圧しつぶそうとする凡ゆる力を払いのけるために、そして平和で、自由で豊かな青春を過すために僕達は大いに歌っていきたいと思います。場所の問題やら時間の問題やら困難は未だ未だ続くでしょう。だがその中から青春の良い思い出が生れ、僕達を強く育てる固い意志が生れてくるのだと思います。

（ツムラ）

私達はこんな風にして合唱団を動かして来た。だが何と云ってもあの頃の職場の雰囲気の中でサークル活動を進める事は随分と苦しかった。曲の中途で一時のベルが鳴って、直ぐ止めてしまった事もあった。一寸一時を過ぎてしまって自分の部屋迄走って帰った事もあった。

しかしこの様な苦しみ、物足りなさこそ無くなったが、果してこの四年の間にどれだけの前進をしただろうか。チームワークは未だ〳〵完全とは云えない。練習に来る人も、不勤ではない。更にもっと進んで最も良いサークルとはどんなものか、と云う点になると全く分らなくなってしまう。一体今の何処をどうしたら良いのか、もっとサークルどうしで話し合ってお互いに直していかなければならないのではないだろうか。

あかしや合唱団の歩み

古い言葉だが〝心には太陽を、そして唇には歌を持て〟というのがある。誰れでも一生の間に音楽と名のつくものに接しない人はないだろう。ラジオから流れる甘い歌から、夜遅く寝しずまった路じに反響するチャルメラの音楽にかけても一日として歌なしでは生きられないに相違ない。又口誦する歌にしても自然に出て来る鼻歌から、宴会で顔赤らめて歌う歌にしても何らかの意味で生活に直結してものであろう。

こうした歌に対する取りくみ方の安易さから歌を中心としたサークルが誕生するのは他のどんなサークルよりも早い、それは大部分、自然発生的に楽符と、それを知る指導者によって始められ、歌いたい人はその場所に来て声を出しさえすれば、おのずから楽しい雰囲気になるのだからありがたいものだ。

恩給の場合も例によってコーラスのサークルらしきものが出きたのは組合結成より二ケ月か三ケ月前と憶

えている。本庁に於ては楽友合唱団、分室では白鳥コーラスがそれである。しかし当時はそんな名称は勿論ついてなかった。（名称がつけられたのは第二回目の文化祭の時からと記憶している）楽友合唱団はともかくとして今室ではI君（現在も分室）が中心になって斉唱のコーラスが組織され、その当時外から習い憶えた〝原爆許すまじ〟〝女の園〟とか〝心の歌〟等が十二、三人の者で歌い始められた。組合が結成される前だから二十九年か九月頃だったと記憶している。あの倉庫の階段の日溜りで男女半々位でI君がおぼつかない指揮でやったり、今は恩給に居ないがT君なんか楽符もなく、歌詞だけ書いた紙を学校から持って来て教えたりしていた。それでも結構楽しんで皆よく来て在々として歌っていたが、I君の憶えこんだ歌も、T君の歌も種切れして来るとやはり楽符の読める人が期待されだした。そこに登場して来たのが有名な指揮者H君である。彼は始め余り目立った存在ではなかったがどちらかと云えば女性的な感じのする繊細さはコーラスの指揮者には適任と思われた。それでも指揮は始めてらしく皆のツボを憶えたのは後々の事であったろう。H君の登場によってコーラスは本来の姿を求めて進み出した。コーラスはやはり斉唱では面白味には限界があったのである。H君はやがて二部合唱、四部合唱えと進歩していったのであるが、残念なことに集って来る人々には段々色あせたものに見えて来てコーラスに対する認識不足と、組合結成に忙がしく皆に忘れ去られつゝあった。こうした危機にめげずH君、K君T君等の努力によって職場の中にもコーラスの四部制、二部制が理解されだし、和音の美しさが徐々にではあるが皆に理解され始めた。

新しいメンバーを加えて四部合唱が始められ、前に増して充実して来た。コーラスの良さは唄っているものにも完全に理解出来た。リプラノの音と、アルトの音が和音して自分に感ぜられる時皆互に顔を見合せて微笑んで、〝思い出〟〝家路〟とどん〳〵憶えて来るに従って二人以上集まればどこでも歌った、東京駅のホームと云わず、道の真中でも、仕事中の倉庫の中でも歌った。コーラスのやらない者は已に肩身が狭い想いがした、第二回目の文化祭にはその名も〝白鳥合唱団〟として〝美しき友〟〝うるわしの白百合が唱われ好評を博した。この成功を生かして各大学の文化祭にと延し、日本大学、法政大学、明治大学、早稲田大学等に出演して来た。ある時はまずいこともあったが、大体に於て成功裡に終った、これらの自信は我々を勇気づけ、歌える誇りを感じ合唱に拍車をかけた。

本庁からの移動して来た人達も進んで白鳥コーラス

に参加して来た。七月・白鳥コーラス全員で那須に旅行した。

　やがて十月が来て第三回目の文化祭と同時に本庁の楽友合唱団から、全日本合唱連盟主催の合唱コンクールに参加しようと呼びかけがあった。我々はこれに賛同して早速準備にかゝった。月水金の練習日以外に土曜日はもとより日曜まで出かけて我々は練習した。結果的には良くなかったが我々の目を外に向けさせた点については大いに勉強になった。今でもあの時歌った"風に寄す""ウィーンの森の物語"を歌ったり、その旋律を聞くと我々の苦しかった練習の日々を思い、懐かしくてならない。

　第三回目の文化祭には我々は、ショスタコーヴィッチ作曲「森の歌」第五楽章を歌った。今でも組合全体で歌われているこの歌は、若者の心をゆすぶり、祖国を育てる逞しい姿によって貫ぬかれ、文化祭当日、誰にでも歌える程やさしい旋律と、行進曲風な勇ましさわ若い組合員をとらえた。文化祭の後方づけの時にも歌われ、又組合の動員にもしばしば歌われた。「森の歌」の成功から指揮者のH君は完全に自信を持った。我々歌った者も、この歌に勇気づけられ合唱団は益々発展した。思うにゴールデン・ウィーク斗争のはげしさと組合全体の風潮がこの歌に象徴されていたからであろう。

　第三回の文化祭の大成功に酔っていた我々に大きな打撃をもたらしたのが強制配置転換である。マネージャーのT君、テノールのK君Y君、バスのM君、T君等六人の重要メンバーが本庁に配置されることになった。我々は反対したが駄目だった。悲しみながらも送別会を行い別れた。白鳥合唱団は手足をとられたみたいにしょんぼりしてしまった。それでも新しいマネージャーを決め、ベートーヴェンの"歎きの歌"や、シベリウスの"平和の歌"を唱って白鳥合唱団の伝統を守りぬこうと努力した。暫く人も前と同じ様に補強され本来の姿に帰りはしたが、彼等六人のファイトがやはり必要だった。本庁に行った彼等は"楽々"と云う名の新しい合唱団を組織してT君が指揮をしていた。

　分室の白鳥コーラスの新しいマネージャーになった僕はT君に劣らず白鳥を育てるために努力した。執行委員をしていた僕はコーラスの中に組合色を持ち込みはしないかと心配しながらやって来た。三月になって本庁のT君からメーデー前夜祭の事について聞き、将来日本のうたごえに参加するためには、このあたりで足がためが必要と思いH君に相談して出演することにしようとしたが我々には膨大な人数だった。白鳥の人全部それでも三十人位では都体育館は余りにも広過ぎた。それでも是非とも参加したいと思い総評会館での実行委員会に出席して機会を狙らっていた。メーデー前夜祭と云うのは〃日本のうたごえ〃と違って全国的なものでないので参加団体は十団体位であった。それでも教組の二千人の合唱とか、全逓の千人の合唱と云うのは恩給の三十人、四十人と云うのとはケタが違い過ぎてうらやましくなった。

これでは恩給は出演出来ないと思って（当時五十人以上でないと参加させないと言われていた）いた。しかし出演を申込み、選曲の方はH君に一任することにして僕は毎日の様に足を運んで人数を獲得するためにオンチコーラス、漂々等にかけ合い努力した結果、一緒に出ようと云う事になった。勿論栄友合唱団にも話したが遂に協力を得る所まで行かなかった。分室に帰ってH君に報告するやら、楽譜のスリ加えるやらで大変忙がしかった。そんなことをしているうちに当日近後一週間位になって一緒に練習する日取りを決める事になって、分室と本庁と丁度真中の櫻田門の下がいゝだろうと云うのでそこでやることにしたのだが、何分にも全員集ると七十人位の合唱になったので僕は派出所の巡査に呼び出されて二十分お説教を食うし、後で警察に呼ばれるで大変だった。

しかし当日は都体育館に二万人から三万人集り我々恩給のうたごえ代表七十人は声を張げて歌った。その時の歌が、ダイナミックな和音を楽しめるショスタコービッチ作曲〃五月の歌〃である。この出演は我々の合唱の喜びを完全に満して呉れた。その夜H君の家で僕は泊り感激の余りなか〳〵眠れず、二人で遅くまで話した事を憶えている、皆も同じ気持でその夜は過ごしたであろう。

五月になって僕とH君と、白鳥コーラスを組織していた統計の人達も本庁に転勤を命ぜられた、今度は殆ど全員だったがそれでもE君やB君は残り組になって残念がった。

本庁に移った我々は、本庁のオンチ、コーラスと漂漂を加えて新しい合唱団を作る準備をした、三十一年五月の事である、メーデー前夜祭の合同出演とか、すこみコーラスの指揮者の否定からこれは順調に進んだ。そしてこゝに〃あかしや合唱団〃は生ぶ声を上げたのである。千代田文化祭の当日である。

団員百十名、常に出て来る人六十人位で我々のサークルは恩給で最も大きいサークルとして出発したのである。そして機関紙活動、ハイキング等を中心に今ま

8

親しくなかった人も急激に親しくなって行った。しかし人数が多くなるに従って内部矛盾が表われて来た。名義上では団員であっても練習には一回も来ない人や他のサークルのかけ持ち人達等で段々サークルの組織率は悪くなって行く矛盾をもっていた。今まで白鳥に来ていた人も"あかしや"になってから来なくなったりした。我々はこゝで重大な試練に立たされていた。我々には順調に進んで合同も、オニケ、白鳥等の内部までにはその意義が理解されてないかに見えた。丁度自身が斉唱から二部、四部合唱を始めた頃の矛盾に似ていた。そして我々の"あかしや合唱団"は日本のうたごえ参加へと新しい歴史を築いていったのである。

僕は我々の"あかしや合唱団"が誕生するまで（昭和三十一年五月頃）の白鳥からあかしやまでを書きました。我々は今後もサークルの発展のために、団員を増し、人が減らないために皆の考えに沿うよう努力しなければならないだろう。そして皆で楽しく歌え、甘えておれるサークルにしたいものだ。

そのためには何より各個々人が自分の存在を知りサークルの一員であると云う自覚がともなわなければならないだろう。

日ソ協会恩給支部の歴史

河原

昭和三〇年八月といえば組合があの激しいゴールデン・ウイーク斗争を行ったのちの頃である。この斗いの中で今まであまり知り合いでなかった人々の中に、本当に心を許し合える友人を見つけ出したのは私たちばかりではなかっただろう。歌声のサークルにしても、その他多くのサークルがしっかりした基盤を作り上げたのはこの頃だったに違いない。私たちのサークル"日ソ"が誕生したのもこの八月であった。お互いに知り合った仲間達と平和友好祭（一九五五年ブカレストで開かれた第五回世界青年学生平和友好祭に呼応して武蔵野中学グラウンドで開かれた）や、いろいろなハイキング、原水爆禁止の街頭カンパに参加するうちに私たちの間に何でも話し合える場が欲しいということが話されるようになった。たまたま中野公会堂で開かれた日ソ親善協会主催の映画会を数人の仲間と連れだって見にいった時、私たちは"新しいモスクワ"にすっかり感激した。単純すぎるといわれるかも知れない。しかしソ連といえば暗い国、遅れた国という印象を持っていた私たちには全く新しい一大発見だった。その

＊ページの数字は原本において誤植となっています（六花出版編集部）

帰り新宿で一杯傾けるうちに気の大きくなった私たちは〝日ソ支部〟を作り、このサークルを通してみんながお互いを知り合い、新しいソビエトを理解しようじゃないか、ということで意見が一致し、こゝに〝日ソ恩給支部〟が誕生したわけである。初め数名であった会員もだんだん多くなった。数名の会員がそれぞれの職場から仲間を連れてきたのである。そして、サークル結成後一ケ月の九月には総勢二〇余名が参加して石神井公園に始めてのハイキングを行った。

私たちの〝日ソ〟の活動はこのようにして始まった。研究会といったものでもなくコーラスのように歌うという特別の目的をもったものでもない。私たちのサークルは気の合った仲間が集ったものにはちがいないが、会員の中にはいろいろな人がおり、それぞれ〝日ソ〟に対しても異った要求をもっていた。ある人は何か勉強したいといゝ、又日ソの雰囲気が気にいって入って来た人もいた。ソヴェトに好感をもっている人もおれば、あまり好感を抱いてない人もいるといった具合である。本当のソヴェトの姿を知りたいという点では一致していた。

みんなで話し合った結果、いろいろなことが定められた。毎週土曜日仕事が終ってから集まること、学習会を行うこと。毎月一回〝栄養を摂る会〟を持って精神、肉体両面に栄養を与えようということ、歌声を絶やすまいということ……。支部長も選ばれた。しかし支部長はあっても、会員全員で定めてみんなが協力して行動することが日ソのモットーであった。その与歩導者がいて日ソを指導していたら、もっと変った日ソになっていたかもしれない。もっと華々しい成果をあげたかも知れない。しかし私たちは満足だった。〝歩みはのろくても皆な一緒に進んでいける。〟

〝日ソ〟はすくすくと成長した。〝栄養を摂る会〟ではいろいろなことを話し合った。一人一人が持っている苦しみ、将来の希望、又恋愛のことまで打ちあけて話せるまでになった。毎週土曜日には、いろいろなソヴェト民謡を覚えた。文化祭には何回も出場した。コーラスやコサック、ダンスで、又写真展示会も数回行った。原水爆禁止の署名運動や沖縄問題にもとり組んだ。このような運動の中で〝日ソ〟はだんだん大きくなった。

日ソが大きくなると共に会員である私たちの中にもいろいろな変化が起きてきた。みんなが苦しんでいる問題も複雑になってきた。恋愛のこと一つを例にしても今までのようにフランクに話し合えなくなった。又会員が組合の役員になったり、他のサークルにも入ったりする以上、時間という問題もおろそかにできなく

＊ページの数字は原本において誤植となっています（六花出版編集部）

なってきた。その為、集まりが悪くなる。活動がスムースに行かなくなる。数多くのサークルが経験してきたことも日ソも骨身にこたえるまで体験した。その間霞ケ関に〝ソビエト映画を観る会〟を組織しようと努力したがあまり問題が大きすぎて失敗した。第六回世界青年学生平和友好祭の為の運動も職場から支持があるにも拘らず〝日ソ〟全体が一つになって行動することが出来なかった。

最近になって、私たちは〝どうしたら日ソを前のように何でも話し合える、みんな一緒に行動できるサークルにすることができるか〟ということで話合った。その結果、あまり高い理想を追うのでなく、みんなができる小さなことを一つづつやって行こうじゃないか、とにかく、新しいサークルを作る気持でみんな協力してやって行こう〟ということに落着いた。そして毎月一冊の〝栄養をとる会〟を中心にして、本のまわし読みをやったり、文集にいろいろなことを書き合ったり、四十年間のソビエトの正史を研究したりし始めている。

日ソ親善協会も日ソ協会に変り、鳩山さん始め多くの人が日ソに入ってきた。昭和の日ソも、もっと巾の広いサークルとして、多くの人に入ってもらい、みんなの力ですばらしいサークルに作りあげて行こう、これが今の日ソ全員の願いである。

日中友好協会のあゆみ

――高橋――

私たちのサークル、日中友好協会恩支部が生れたのは今年の七月三日であった。それからまだ五ケ月にしかならない。従って経験もまだ少ない。現在、ようやく軌道にのりつゝあるが私たちは多くのサークルの活動実績をみているし、その面では非常に有利であると云えるであろう。

発足の動機は漠然としたものであったが、それは単に二、三人の思いつきによるものでなく、その生れるべく地盤は非常な勢いで生れていた。日常生活の中で隣国、中国によせる好感、強い関心は、多くの人の間に起っていた。そして多くのサークルの活発な活動の中で、特に日ソ支部の活動は、中国との友好運動を相起させた。

実際、その頃、方々の職場で、日中友好を進めようそしてサークルを作ろうということが盛んに話しあわれていたのである。こうして二、三人の呼びかけに答えて、発足した時には会員は三十名に達していた。[illegible]

＊ページの数字は原本において誤植となっています（六花出版編集部）

＊ページの数字は原本において誤植となっています（六花出版編集部）

ても具体的に何をやるかとなると漠然とし
かわからなかった。それで私達は、協会本部の人や他支部の人とも話しあい、活動の具体的な目標をだしあった。それは新しい人民の国、中国の事情を、文化、政治、経済、市民生活等の部門に亘って知るために、講演会、勉強会等を開き、そしてできるだけ正しい中国の姿をより多くの人々に理解して貰うということであった。

とは云え、まだ漠然としていたが、七月中旬、昨年中国を訪問された印刷会社の社長さんの高橋氏を囲む座談会がもたれた。それは四五名の参加を得て自由な見聞談として非常に盛大であった。中国の変化を、ある者は驚き、疑った。ただ当初の事とて、中国に関しては、一般にあまり知られず、又、それが組織化されていなかったために、散漫に終った感があった。しかしそれは、これからの座談会に於いては、個々人の勉強支部としての研究活動の中に充分準備をしたならば非常に効果があり、興味を引くものである示していた。全会員は、一致して、こういう座談会を数多く持つ様に話し合った。

この様にして発足当初活気にみちていた。だが会員の多くはサークルとしては未経験者であったし、又各職場からの色々の人々によって構成されていたゝめ、お互いの交友と理解もまだあまりなかった。その上炎暑という不利な条件も重って八月、九月、十月の初めまでサークルとして無活動状態に陥いった。この期間何かやらねばと思われながら、会員間がしっくりせず、動きがとれなかったのである。会員間には「日中は何をやっているのか」等という不満の声が次々に起ってきた。人民中国、中国画報の講読も、会費徴收不能のため九月で中止された。脱会者も四名ばかりでた。

不満の燃えあがる中で九月末から個人間において、次々に話しあいが行われ、人民中国の講読者も九月には三人、十二月には二人とあらわれた。現在、未だに行われていないが中国現代史を勉強しようという事も出てきた。長い中断の後、十月中旬、再び全体の会合がもたれたが、参加した会員も十五、六名となった。しかし、みんなのやろうという意欲とお互いに次々に知りあってくる中で、会合も二回、三回ともたれ、中国の歌もうたわれる様になった。組合結成三周年にあたっては、記念行事に写真展会を、文化祭には「歌と踊り」をやる事に決定した。写真展示会は十二月二十日から三十日にかけて行われたが、この仕事に参加したのは十名程度というものだった。数は少なかったとは云え、実際に写真を選択し、はりつけたりする仕事を一緒にやった事は、会の発展にとって少しは効果があった。更に、十一月二十六日の千代田支部三周年記念パーティーには局内ニュースターズに半分お客さん半分演奏者として参加して貰ったが、会員も十名ばかり参加し、お互いに飲に飲み食い踊ったり、みんな一様に楽しかった点で非常に良かった。続いて文化祭の練習に入っているが参加者は十四、五名に達しており、中国の歌をうたい、踊るということではりきっている。

この様に現在、私達のサークルはようやく軌道にのり始めている。

これらの数少ない活動の中にも非常に多くの問題がでているが、何よりも会員のお互いの理解、結びつきが最も大切なものである。一つの仕事をなすにあたって、できるだけ、集団で行動する事、その中でお互いに理解しあうことが大切であるという事が感じられて　いる。現在十四五名の会員間の矛盾も困難な問題である。

会員の間には、日中友好ということで一致しているが色々な要求があり、それが又、異っている場合も多い。例へばある人は政治、あるいは文化、経済方面を知りたい、又、歌ったり踊ったりする事はあまり好きでない人もいるからである。しかし、私達は、その様な色々な要求を一人ひとりが満される様にたえず心がけてゆかなければならないと努力している。

つぼみの思い

（第七号より）一組合員

はだみさす風は
今も吹き続ける
でもどんなものがやって
来ても
もう平気だ

＊ページの数字は原本において誤植となっています（六花出版編集部）

[illegible]だんだん明
想い出ふくらむ[illegible]るく在る。
どこからともなく
どこからともなく
わいてくるカ

それはとめることができない
なんだろうあれは
東の空が明るくなる

劇団熊ん蜂の歩み

——沼澤——

昭和二十九年十二月、私達は私達の生活と権利を守るために労働組合を結成した。思えば当時の私達は日

＊ページの数字は原本において誤植となっています（六花出版編集部）

[illegible]二十七年[illegible]月　臨時職員という名のもとに、山の様に積まれた書類に埋まって上司の冷酷な目指を全身に受けながら明日の不安におびえながら働き通した。当時私達は職場の中で、心から朗らかに笑えた事はあったろうか。毎日が暗く、じめじめして居り、私達から若さを剥奪し、次才にじゞむさい人間に改造していった。その様な生活環境の中で、仲間の多くが病気に見舞われたが、何の保障もしなされないで、即時職場から姿を消していった。又或る者は、余りにもひどい労働強化と低賃金に耐え切れず職場を離れていった。しかし後に残った私達は我慢に我慢を重ねながら、どうしたら楽しい職場にさせる事が出来るかを考えた。

細々ながらサークルが生れる。しかしこゝにも圧迫はあった。色々と干渉といやがらせの手が延びて来る。しかし私達は少しずつ続けていった。こういう時期に有志の手によって組合結成の準備がなされ、それが具体的に結成となって表われたのが十一月十九日であった。それまで私達は一人一人ばらばらだった、それが一本に意志統一され、日頃の要求が団体という力強いものとなって不当な圧力に対抗出来る様になった。私達はこれを機会に飢えた者の如く誰かれとなく話し合う様になっていった。明るい希望が少しずつ前進し始めたのである。

昭和三十年五月、私達は皇居内分室に移動させられた。皇居内という特殊な環境は、私達に息苦しい程の種々の拘束をもたらした。猫のひたい程の狭っ苦しい広場へ(?)明らかに私達を差別待遇する皇宮警察食堂私達は当局に、再三に亘って対策改善を要求し、皇宮警察側と話合ってもらったが、場所が場所だけに一向に前進せず、毎日相変らず肩苦しい思いで過した、当時の私達にとっては、読書、碁、将棋位が唯一の娯楽であった。運動不足のうえ埃っぽい原書を扱う関係上皆な青白い顔に変っていった。その中で、コーラス、白鳥劇団が活発な動きを見せていた。心から楽しく皆なと一緒に体育なり文化運動なりをやる事は、少なくとも私にとってはうらやましい事であった。

昭和三十年十月、職場での生活を単々と仕事のみに求めて、ぼんやりとした日々を過して来た私達も、組合結成一周年記年文化祭が開かれるという話を聞いて長い間眠っていた若さや、何かをやろうとする意欲にかりたてられた。意義ある一周年記念を本当に楽しく祝おうという気が起きて来た。N君の提唱のもとに演劇を出す事に決り二十数名の班員の協力を得て九名の有志が準備に入った。初めて私達の手で芝居が出来るんだという喜びは非常に大きく熱意は充分ではあったが、具体的な活動に入ってみると、いろ／＼な制約が迫っかぶさり、仲々思う様にはいかなかった。ケイコする場所がない。夜は部屋を借してくれない。しかし誰も弱音は吐かなかった。唯、皆なと一緒に一つのものを創造するという楽しみが支えとなって頑張り通す事が出来たのである。或る時は倉庫の三階、或る時は裏の土手っぷち、それも昼休みの一時間だけのケイコ。思えば良くやったものである。公演を明日にひかえて団員が装置の作製に大童な時々、班員一同励まし力ずけてくれながら進んで手伝ってくれた事は、忘れる事が出来ない。私達の劇団はこの様にして公演当日に、職場の人々の絶大な協力のもとに育って来ているのである。その一回公演が諸々の悲喜劇を生みながら十一月十九日、無事終了出来た。初めての公演のため、芝居そのものゝまずさはあったが、舞台と観客席とが一つに融合されて、演ってる者も、観ている人々も共に愉快な時を過す事が出来たという事だけで満足であった。時を同じうして白鳥劇団は早くも[illegible]

＊ページの数字は原本において誤植となっています(六花出版編集部)

て活躍していたのであるが、私達もこれを我会にサークルとして今後続けていこうという事になり、十月二十七日、劇団熊ん蜂と命令し名乗りを上げたわけである。

＊ページの数字は原本において誤植となっています（六花出版編集部）

職場の歴史

松と壁と原書と

ー分室に組合が出来るまでー

みさき・ゆうじ

俺は今朝出勤して直ぐ上役に呼ばれた。俺は来たなと思った。五月のメーデーに友人二人とつれ立って参加したことがピンと頭に来た。あの時俺は前の晩に作ったプラカードをかついで出勤した。丁度土曜日だったので、午前中仕事をしようと思ったからだ。それに大勢の仲間をつれて行きたいと思ったから、わざとそれを廊下に飾っておいた。騒ぎはすぐに起きた。上役が飛んで来て怒鳴りつけた。プラカードは机の下に仕舞い込まれた。それから上役ににらまれ続けて来た。それだなと思った。…………

（Mの日記より）

そこにはすでに十四、五名の学生たちが集っていた一様に髪には油気なくぼさぼさと前にたらし、着ているものは学生服や背広や作業服やいろいろであったが、それぞれ立派に着古るしていて、学生であることの印しに胸につけたバッヂが無かったら、それは浮浪者か、せいぜい職にアブレた日雇人夫の集りであるように見えた。

煙草の煙りが立ちこめていて、誰れも口を開かず、静かに次に来るものを待ち受けているような妙に圧迫された空気がみなぎっていた。

六月×日

彼等はみんな知っていた。俺たちがここに呼ばれたのは、いいことがあるからでは決してない。俺たちはそれぞれ上役には冷めたい目で見られて来た人間たちだ。勤ム成績が悪かったからではない。俺たちは一生懸命やって来たのだから。わかっている。ただ俺たちがいてはまずいのだ。彼等は前日に、ひどいのは朝出勤してから直ぐにこゝに集まるように云われた。

長い間待たされた揚句、机や椅子と一諸に三輪トラックに積み込まれた。アルバイト学生と呼ばれて、さんざん酷き使われた彼等ではあったが、それでも三ケ月余り通いなれた恩給の門を出る時には、なにか淋しい未練があったに違いない。出発前に知らされた「分室ゆき」とゆう言葉の中には何か非情な余韻があった。

ここに入る前のこれらの仲間の或る者は町の印刷工場で製本の手伝いをしていた。ある者は石けん工場で油にまみれていた。小さな会計事ム所でソロバンをはじいていた者もいればビルの階上でアドバルンを上げていたものも居た。そしてその前には煙突掃除の経験もあったし、冬の街頭のビラ配りや小さな商品の運搬などもやってきた。渡り鳥のように彼等は東京中を回り歩いて、何んとか仕事を見つけて、金を貰って喰って来た。しかし毎年三月四月はアルバイト求人の品切れになる月だ。彼等はアブレた仕事を求めて九段の学徒援護会にやってきた。一週間も通っても職が無かった。その時、「霞ケ関、某官庁、一日二百四十五円、当分の間」の求人広告が目に入った。二百四十五円は安すぎる。とても喰っては行けない。しかしとにかく金になる。明日若しも又職が無かったらどうしようか。ポケットを探る。一枚二枚三枚、十円金貨が三枚よし決った。これにしよう。これを一、二秒の判断で決めた彼等は、こうしてこの恩給局のリンジ職員となったのである。

車がガタガタと揺れて、六月の太陽がまぶしい。

恩給法改正に基いて膨大な数に昇った三百数万名六万二千冊の単人恩給に関する原書整理のためにみんなはここに運ばれたのであった。皇居の松とお堀りに囲まれた分室に、こうして仲間たちは集り私たちの集団としての生活の歴史を、一つ一つ重い倉庫の壁に刻んで行ったのである。

六月×日

倉庫の中は埃と熱気でむしむしする。本庁から漸次運ばれて来る原書を各ブロック別に整理して倉庫に運搬する仕事をやることになった。日計表に追いまわさ

16

れて一日中机にしがみついていなければならない本庁の仕事も苦しいが、四貫目位に原書き積んで、両手にかかえての階段の上り下りも楽じゃない。鼻歌まじりに仕事が出来るのは解放された気分だが。こんな肉体労働がニコ四じゃあ安すぎる。明日にでも援護会に行って別の仕事を見つけようかとも思う。

彼等の仕事は日記に見られるように荷上げ人足であった。この種の仕事はバイト水準では三百五十円に匹適した。彼等の中にはここに入って来て一週間もたたないうちに止めて他に職を求めて行ったのもあった。ここの仲間が最初集った時「俺たちがここに呼ばれたのは、いいことが決してあるからではない」と感じたのは正にこのことであった。しかしそこには「みんな俺と同じだ」と云う感情が生まれていることも見のがせないであろう。

六月の空気は、まだそれ程に熱さを感じはさせないはずであるのに彼等はみんな裸であった。額の汗に埃がたまって顔全体をうす黒くくまどっていた。十時の休みが待ち遠しかった。仕事が一段落すると彼等はところかまわずそのまま床の上にころがった。でいさいも何もない裸の感情とそのままの人間があった。

よく云い合いをやり、そして笑った。しかも歌った。「みんな俺と同じだ」と云う連帯感はこうした労働を通して急速に拡ろがって行った。昼めしの時に「買いに行くのか、おい頼むよ」と、それだけ云えば、コッペにバタとジャムをつけたのを二つだと云うことが通ずるようになるにはそう長い時間は必要ではなかった。

同じように貧しく、同じように苦しみ、そして勉強しようとしている仲間たちは、煙草を半分ずつ分けて吸い、コッペも四半分ずつ分けて喰った。

仕事にも馴れて、要領もわかって来ると彼等は積極的に仕事の分担を自治的にやり初めた。その方が為としても世話はなかったし、仕事も責任の上で順調にやってゆけたので別に問題はなかった。しかもこれは、本庁でも手を焼いた連中をうまく使うには、全くいい方法であった。

しかしこのことは重要なことであった。上からの圧迫なくして、自分たちで仕事をやって行く楽しさは、いやいやながらやらせられる仕事と違って張合いがあったし、しかも仲間の結束も充分に強固になって行ったからだ。彼等は彼等の手で自分たちの生活を一つ一つ改善して行くことをやり初めたのだ。

休息室も自分たちの手で住みよいように作り直した。仕事の手順や時間をきめて上役と相談してやった。

17

掃除も当番制にした。本庁でインクの置き方一つにも局長の意志通りでしか出来なかったあの頃に、分室の仲間たちはすでにこれだけのことをやっていた。

これは生活に対するたくましい意欲と肉体労働だと云う開放的な條件が結びついていたからであったろうか。

八月×日

当分ここに落ち着くことにした。月に六千円足らずではとても喰えないが俺は奨学金が入るからなんとかやってゆけそうだ。Kなどは夜も又バイトをしているとか聞く。みんな苦しんでいる。頑張れ。

みんないい人ばかりだ。近頃は出勤するのが楽しみだ。俺たちで少しずつ周囲を変えながら職場を住みよいものにしてゆくのは素晴らしい。俺は語学は不得手だがKが教えてくれると云って呉れた時はうれしかった。今日Tが書めしのパン代がないと云ったらみんなが少しずつカンパしてラーメンを喰わしてやった。Tはくしゃくしゃな顔をしたと思ったら大声で笑い出した。みんながびっくりしたが、きっとTはてれ臭さかったのに違いない。それでいいのだ。俺はこんな仲間と離れることはできない。苦しいが皆んなと一緒に苦しむんだ。少しも苦しいことなぞありはしない。

さっきのHの日記はこんな言葉で綴られるようになった。そしてみんなの生活は一方ににぎやかになった。

その頃、本庁には「学習会」と呼ばれるM・R研究会が出来ていた。学生が大部分をしめている局のことだからこれは当然なことかも知れないが、それと平行して組合を作ろうと云う熱情が高まっていった。

でも一二の仲間がこれに参加していた。

分室の仲間たちの集団意識は増々熟れて、いつか知ら本庁の流れと呼応して組合結成の方向に向かおうとしていた。準備委員としてMとFがやっているのがわかった。彼等は充分な注意を払っているらしかったが分室のこの部屋はまさに「解放区」であった。みんなの力はすでにここまで来ていた。

云い忘れたが、分室には、ここの仲間の外に女子職員を中心とした統計課が昔の近衛兵の馬小屋を改造したバラックに三十五名ばかり、となりの部屋には審計課で十五人ばかり居た。

その他に漸次仕事がふえるに従って大部屋と呼ばれる「内閣文庫」の二階の広場を借りて二十名位の人たちが住んでいた。

だから本当の〈広い意味の〉分室主義が

になって居ったはずである。

18

「学習会」を中心にした組合結成準備委員たちは、分室において目をつけた「分室」の仲間を根城にしてこれ等の人々に働きかけていた。仲間たちの部屋を「解放区」と呼ぶならこれ等の人々の部屋は「凍結地区」であった。日計表や離席メモや上役の冷い目はここにも支配的であったから。

いつの間にか「葦」が七十名の机の上にばらまかれ、情勢は遂一本部に連絡されていた。目に見えない力がいつの間にかこの中にでも動き初めたのだ。「凍結」した地点からも静かに、氷が解け初めた。

この時、「歌声は平和の力」と云うスローガンで歌声運動が盛んに起って来た。

仲間意識の育成はこれだと委員達は目をつけた。仲良くなろう。「仲良しと云うことは美しいことだ」。その為には理屈を抜きにして歌おう。アジビラ活動一本やりから歌声の二本建てとなって活動も調子にのった。その頃を想い出して女子活動家のCさんはこう云って居る。

「Mさんはあの頃、私の顔を見れば歌おう、歌おうと催足した。なんであんなことを云うのか解からなかったけれど、組合を作る為だったのね。参ったね」

確かにそれなりの未熟さや焦りもあった。意味の通じないもどかしさもあった。しかし仲間は五人六人と集って来た。楽譜も読めないMが調子はずれの調子をとってタクトを振った。

そしてそのあとで話し合った。生活のこと。未来のこと。そして仲良くなった。

やがて組合結成の日が近ずくのである。

十月×日

ようやく本調子だ。芸暗い学徒援護会の廊下に面々が勢ぞろいする。みんな疲れているけれどもすこぶる元気だ。やつれた顔に目だけがキラキラ輝いて、すすけた顔に白い歯が笑う。とうとう大詰めに来たようだ。今日は「葦」の原稿を集めて印刷に移す用意をする。明日のビラを刷る。口公の応援を皆んなに知らせるのだ。士気は一段と高かまるだろう。分室の連中はみんないい人ばかりだ。俺は充分安心してやれる。コーラスもS君が入って指き者が出来た。OKだ。増々うれしくなるじあないか。――活動家Mの日記より――

「労働者」「厂史的観点」「マルクス」「斗争」「階級」「史的唯物論」「矛盾」などと云う言葉をみんなが覚え初めた頃、分室コーラスは早稲田大学の文化

19

祭に招かれて参加した。創作研究会や短歌会などの学校サークルの人達とのつながりが出来た。学校と職場と、家と工場と、彼等の行動と思索の場はあらゆる枠を見つけて拡がって行った。そこには同じように苦しみながら明かるい希望を持った人々が居た。貧しくとも灯をともし続けて来た人たちが居た。「皆など同じ」だった。その考えは仲間の団結を一層強いものにした。

そして人々の感情は自分たちを圧しつけているものに向って津波のように押しかゝっていった。

だが一寸とした心の片隅から、「馘にされたら」と云う不安がすきま風のようにしのび寄って来ることもあった。そしてそれは「当局と喧嘩したって勝目はない」。あきらめに移って行くかも知れなかった。

そんな時彼等は歌った。肩をたたき合った。力一杯握手をした。大声で笑った。そしてよく笑った。

十一月×日

よし決った。明日決行。

あなたの生い立ちを書いてみよう
あなたの職場について書いてみよう

その時、当局は下劣な方法をとった。契約書を出して全員から「いつ馘になってもよい」証固を取ろうとした。いかにも当局らしいやり方だった。その裏には、組合を作ろうとしている不隠分子の除去が目的とされていることは明らかだった。当局は彼等を甘く見ていたのだ。若いエネルギーのたくましさを知らなかったところに、重大な誤差があった。それは結成後の斗争の中で充分味わされたし、その力の偉大さも身にしみて知ったのであるが、その時すでに局長は局を追われなければならなかったのである。正に皮肉である。

先ず統計のKが飛んで来た。審計課のCが来た。DもEも。そして原書係の仲間の部屋は騒然たる興奮の中にガンガンした。誰も他人の声を耳にして居なかった。だがやることは決っている。「本部に連絡をつけろ」それだった。

そして全員未提出のまゝ静かに指令を待った。それは組合を守るための第一原則を忠実に実行した姿であった。

「本庁は全員徹回」「よし分室も全員徹回」。勝負は決った。

十一月十八日、かくて組合は結成され[illegible]

職場が生まれようとしている。新しい[illegible]

意欲と希望が。
結成直後出された分室の機関紙「分室」に次の様な文がのった。

組合のうた

「ああとうとう今日も一日終った」

十一時、学校から帰って黄色い電灯に照らされた三畳の机の前に坐った私の耳にふとこんなつぶやきが聞こえた。

思わず寒くなるようなその声は、私の口から漏れたのかも知れないが、この暗いじめじめした部屋の中からにじみ出たようにも聞えた。

私は多少ドギマギした。あのドロドロとした感触が私のまわりにうごめいているように思えたからだ。

私は大声でわめいた。

「ああ、今日も一日やって来たのだ」そしてカランとした部屋にはね返ったその声に今度は口を開けて笑ってやった。が、ただそれは、わあわあと一つの塊りとなってすすけた黄色い壁につき当り狭い部屋の中にひびき渡っただけだった。

しかし考えて見るとこんな馬鹿気た仕事を、きのうもおとといも、その前の日もやって来た。ただ陰気なつぶやきが聞えなかっただけであり、気狂いじみた笑い声がのどからかすれ出なかっただけである。

多分、明日もあさってても、同じ日々の連続であろう。今日一日を明日に置きかえても、なんの不合理も支障も起らない。カラカラに干からびた青春の連続なのだ。

――二十八年六月×日――

これは僕の去年の日記帳の一頁だ。今読んで見て、僕にもこんな生活があったんだと思うとゾッとする。

淫とうな新宿の安バアーでわけのわからぬ酒をあおりやけくそに煙草をふかしていたあの生活、売血と刺激との悪循環の中でもがいていたあの生活を考えると自分ながらよくも変ったものだと思う。

今日の日記にはこう書いてある。

……ほんとに今日はよくやった。ストーブのせいもあるが、文化部の今後の方針について論評する皆んなの顔は汗ばんでいた。ほんとによくやったものだと思う。

外に出ると、もう暗かった。ほてった頬に夜風が快良い。

透き通るように広がった黒い空間には、白い星のかけらが散らばっている。

ビルの上には氷のような北風にとぎすまされた三日月がかかっている。

一生懸命に仕事をやり上げた後のほっとした心に、

それはおとぎ話の　空のように思えた。
サクサクと玉砂利を踏みながら、これが幸福というものだろうかと考えた。
明日は早く起きよう。そして今日覚えたばかりのプリントで又みんなに新しいスケアーダンスを教えてやろう。今日はTさんとHさんは見ているばかりで恥かしがって踊らなかったが明日はどうしても踊らしてやろうかな。

あのどろ沼からよくこれだけ変ったものだと思う
あのニヒルな笑いから、よくぬけ出ることが出来たものだと思う
思えばあの組合結成の前日の当局の仕打ちの内に
でたらめな生活ですり減った
僕の最後の若い生命が光ったのかも知れない。
そして結成大会に集った青年の溢れる情熱が
僕を新らたな出発点に立たせたのに違いない
皆の力強い歌声とスクラムで斗った賃上げ斗争は
僕の干からびた魂に新らたな創造の意欲を吹き込んでくれたのだ
そして今日までの不透明な無気力とデタラメな世の中に対するやけのやけんぱちは
そのまま「俺は何を為すべきか」の命題に変った

僕の目の前には新らしい世界が拡がって来た
その間機関紙「蓮」は私に力強い団結の力と理論の武器とそして新らしい出発への確信を与え続けて来くれたのだ
この間「葦」に組合は大同団結の場であると書いてあった
しかし僕にとっては
組合は人生であり
明日の希望の全てである
そしてその生長は
僕自身の生長でなければならない
僕は頑張るのだ
組合のために斗うのだ
それが僕の使命だ、生活だ
そうだ！
組合は太陽だ　詩だ　歌だ　—「分室」より—

あれから四年経った。
彼等は今日も又恩給の門をくぐった。そして又明日も、彼等は生き、そして歩き続けている。

（完）

—一九五七・十二・十一・—

私の歴史

僕は今、執行委員をしている。組合ができて三年、僕の三年間は、組合をのぞいては考えられない。大げさにいうと喜びにしろ悲しみにしろ組合と共にあったし、成長だって組合と一緒だった。歴史は階級斗争の歴史であること、その階級斗争も資本主義をもって終りをつげること、資本主義を打倒し、階級斗争を終らせるものがプロレタリアートであり、僕もその一員であること、さまざまなことを組合活動を通じ、斗いを通じて知ったし、未来を信ずるようにもなった。

それまでの僕は極端に暗い人生観をもった虚無的な青年だった。今でも、その頃の傾向を矛盾として持つている。しかし、基本的には、そうした矛盾は組合運動の中で、斗いの中でなくなりつゝある。このような点で、僕はレーニンの言葉〝労仂組合は労仂者の学校である〟を何の疑問もなく肯定できる。しかし、この場合の組合とは斗う組合だ。斗わない、弱い組合は学校にはならない。むしろ逆の役割を果すだけだろう。

僕らの組合も、本当に労仂者の学校であるようにならなければ駄目だと思う。本当の労仂者の学校になって、未来を疑わない逞しい労仂者が続々と巣立つようにならなければいけない。僕は今そう考えている。

職場から

職場の歴史

私達の職場、五課A係の昼休みはこのところなかなかにぎやかです。

ほら、レコードの音に合わせて手拍子や、威勢のよい掛声が聞えてきませんか。

私達はこの間の職場懇談会で今度の文化祭にはこの係から踊りを出そうということを決めたのです。

三田　肇

この文化祭はただのお祭りではありません。去る、五十四年十一月十八日の組合結成を記念して行われるものです。

「立派なものにするために最後の仕上げは合宿をやろうか」という元気のよい意見も出ています。

私はきっと、この〝職場の踊り〟は成功するだろうと信じています。

組合結成後この三年間私達は職場を明るくし、生活をより楽しくするための斗いで驚くべき成長をとげてきました。然し、まだ完全に職制の圧迫をはねのけたとは言えませんし、又私達の生活はまだまだ苦しいのです。私達はその望んで止まない豊かな生活をこの手で把むことのできる日まで、更にこれまでの斗いをより力強く発展させなければなりません。その為にも、これまでの斗いのあとをふり返ってみることは明日への為に大きな意義のあることゝ思います。

私達はあの当時、非常に暗い生活にうずもれていました。朝のくることが恐しかった。一分でもちこくしそうになるとあの係長の冷い目がちらつきました。一時間ほどおくれてきた友人が、そのまゝ帰らされたことも知っています。

八時三十分を少しでも過ぎると係長は出勤簿の閉鎖を命じます。それ以後は何分何分と遅刻の時間を記入され、僅か二百四十五円の日給から、その分を差引かれました。私達は日雇いだったのです。

係長の厳しい監視の目を意識しながらガツガツと仕事をしました。

私達に与えられた仕事は、カーボンを使っての復写でしたが、これは割に単純であるが手首の力と注意力を相当必要としました。一時間もすると、まず手首がしびれ腕がつかれてきます。しかし、どんなに疲れても昼食時を除いて十時に十五分、午后三時に十五分の他は少しも休むことはできないのです。個人個人の作業成績は記録され、悪いものは厳重な忠告を与えられるのです。そのため、私達は休み時間、貴重な十五分の休憩時に鉛筆を削り芯をといだのです。係長によく思われようとしている者は気がつかないふりをしながら休み時間でも書きつゞけました。

私達の職場では仲のよい者同志が隣り合った机で話をすることは禁物です。必ず席を変えられるからです。

病気は私達にとって、最も悲しいものゝ一つです。それはこゝでの生活の終結を意味しました。十五日目を過ぎた病人の枕元には、解雇の通知状が、いや時には通知状さえ出されずに出勤簿から抹殺されていることもあったのです。

私達は、これらの友人達が暗いかげを残して去っていったのを何人か知っています。

このような暗い職場のために、入ってから五、六日で退めてしまった人もあります。私達は一日の勤めから解放されて疲れた身体を引きづりながらの帰道にいつも思うことは、他いよい所をみつけて一日も早くあの職場から离れたいということでした。

このような逃避的、消極的な私達の考えも、あの組合結成の爆発的な大のろしによって大きくゆさぶられていったのです。

今まで物音一つしなかった私達の部屋は、今や一変して台風の吹きすさぶ所となったのです。私達は組合加入用紙に署名捺印しました。身ぶるいのするような感動が全身をかけめぐる中で結成大会は開かれました。斗争スローガンの決定、十数項目の要求発表、執行委員、評議員の選挙。それに続く斗いの開始と大きく回転する巨大な歯車は粗けづりの激しい集団交渉、デモの斗いの中へ殆んど未経験な私達を巻き込んでいきました。

この中で私たちは固く結ばれ、その力は日給二十円の賃上げという最初の戦果を生みだしました。これは私たちをこの上もなく勇気づけ、更に次の目標に向ってまいしんする大きな原動力となったのです。

賃上げに始った私たちの斗いは、封建的な当局の人事管理をうち破り、民主的な職場づくりに発展しました。

この斗いが、有給休暇、病気休暇をはじめ、失業保けんに至るまで、多くのうばわれていた私たちの権利をうばい返すことを可能にしたのです。

このように力強い私たちの団結に驚いた当局はありとあらゆる弾圧の手をのばして来ました。

係長は班長を呼び集め、組合加入を取り止め、もしくは脱退するよう密かに強要しました。又、縁故で採用された臨時職員はそれぞれ、課長、課長補佐、係長から同じように脱退すべきことを云い渡されたのです。

又、執行委員には各種の干渉が企てられました。彼等はしばしば課長に呼び出され、おどされました。又、他の職員と接触を絶つためにしばしば席を移されました。活動家はその机の中までもあらされたこともあったのです。

このような卑れつな策略は私たちの斗いが激しくなればなるほど手を替え、品を代えて私たちに立ち向ってきました。

私たちの係でも班長は一人だけを除いて全員脱退してしまいました。私たちは、執行委員を中心に彼等と幾度も話し合いを持ちましたが、年令的な隔り、説得力の不足、生活状態の相違から遂に成功することはできませんでした。然し、縁故関係の者に対する当局の迫害は、辛棒強く、忍耐強い話し合いの中でこれをはね返すことができたのです。

執行委員や他の組合員に対する不当な人事移動については、私達は全係員の力で強く係長を追及することによって、これを阻止することに成功しました。

当局のこのようなしつような切りくずしに対して、私たちは職場で斗うことによってこれを防いできました。何故、組合結成後間もない私たちがこのような成功を収めることができたのか。その理由としては次のようなことが云えると思います。

第一には、あまりにも人間性を無視した苛酷な労働条件であったため、それに対する私たちの要求が私たちの体で受けとめられたものであったという点です。私たちの職場で斗われた個人作業量の計算書である日計表の廃止には、賃上げと同様に強い団結力が示されましたし、又出勤時間を遅らせる斗いにしても、そのために、私たちはねばり強く斗うことができたのだと思います。

第二には私たちの要求があまりにも原始的なものであったためその理解のし方、斗い方に、年令的、思想的な隔りの現れる余地がなかった点であると思います。

第三には、有能な活動家が常に適切な措置、指導によって私たちに泉のありかを教え、そこへの道を指示してきたことだろうと思います。

このような理由による素朴な私たちの職場での組織、斗い方も次のゴールデン・ウィーク斗争を至て大きく変化して行きました。

（未完）

編集後記

組合結成三周年を記念して不充分であるがこのような文集を作ることができたのを非常に誇りに思っております。

当初の企画は、最初の頁にも書いたように、私たちの職場はどのように変り、そして今どのような問題をかかえているのかと云うことが目的であるが、これをつかむために、まず第一に、サークルの歩み、各部局のウツリ変り、個人の歩みと大きく三つのグループに分けて編さんすることにしました。この目的はある程度達せられましたが、個人の歩みが他の物に比較して少し少ないようです。今後この文集を続けて行く予定ですから、どしどし書いて全職員の文集にして頂きたいと思います。自分の経験してきたこと、そして、それぞれをどのように考えたか等を中心に自分の職場のことを書いて頂ければ幸いと思います。

もう一つお願いがあります。この文集をよまれる全職員の方に是非この中にでてくる作品の批判を行って頂きたいと思います。

又、合評会を近く開く予定ですから積極的に参加して下さい。

特にこの文集の書かれているすべてのものは、私たちが一年三百六十五日休みなく働いている職場が中心になってきております。同時に事実がより正しく書かれなければなりません。このような意味からこの職場の歴史を作る運動に一人でも多く参加してくれないかぎり成り立ちません。どしどし意見を出して、又、一寸した原稿でもかまいませんからどしどし投稿して下さい。みんなの手でつくりそだてて下さい。

最後にこの度の文集に投稿して頂きました各サークル、各個人の方に深く感謝します。

尚、自身岡田の歴史がついに〆切りに間に合わなかったこと、S君の個人の歴史が予算と時間の制約のためにのせることができなかったことをお詫びします。

記念文化祭の日に発行させるため非常に急いだために誤字や[illegible]の手落ちがあったことも合せてお詫びします。

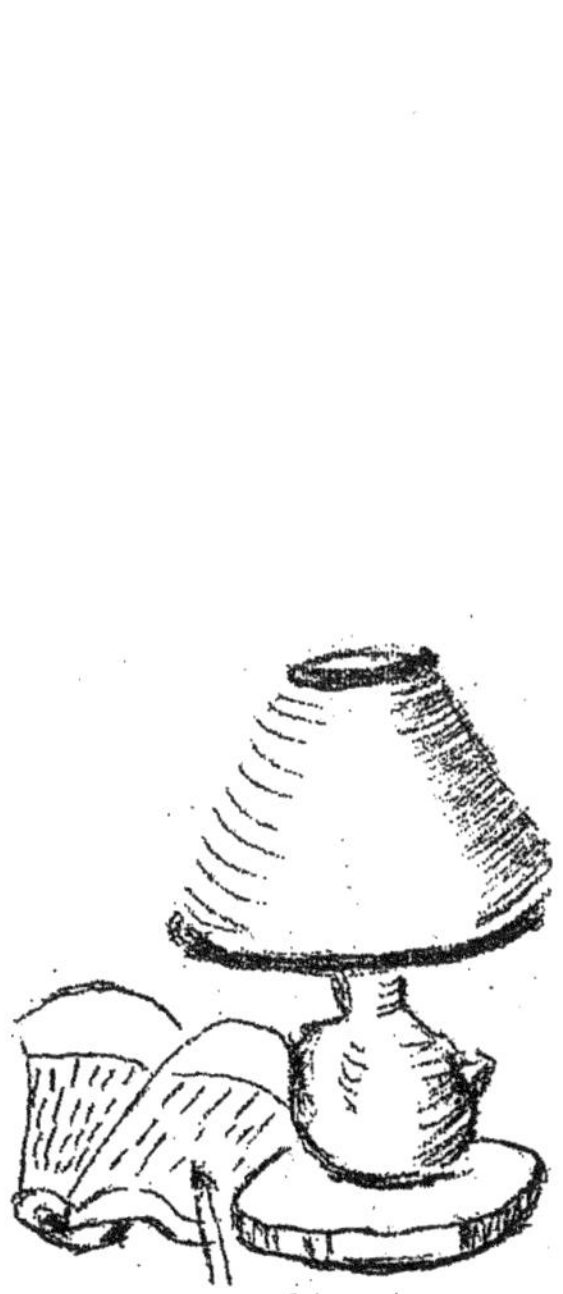

編集・兼発行人
東京都千代田区霞ケ関二ノ二
恩給局職員組合内
第七回文化祭実行委員会
恩給局職場の歴史をつくる会
発行年月日　昭和三十二年十二月十四日発行

きかんしゃ

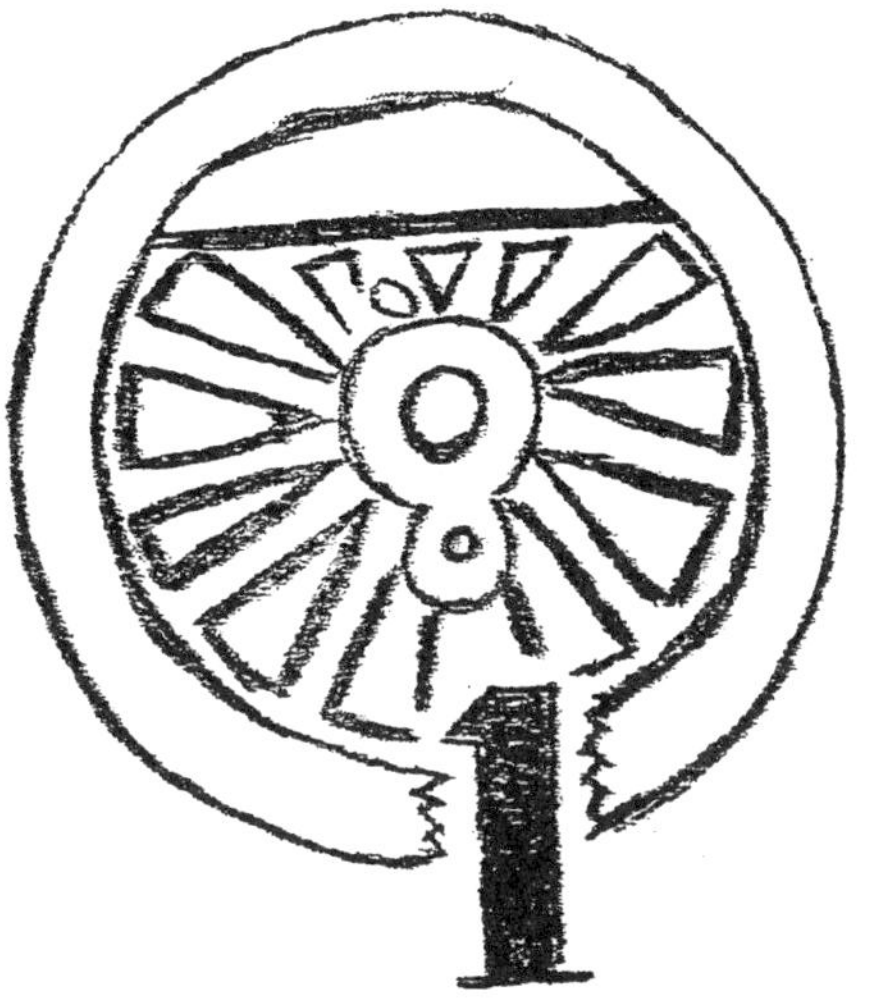

1957.12.18

国鉄弘前サークル

職場をたづねて

"品川客車区と田町電車区の人たち"

たけむらたみお

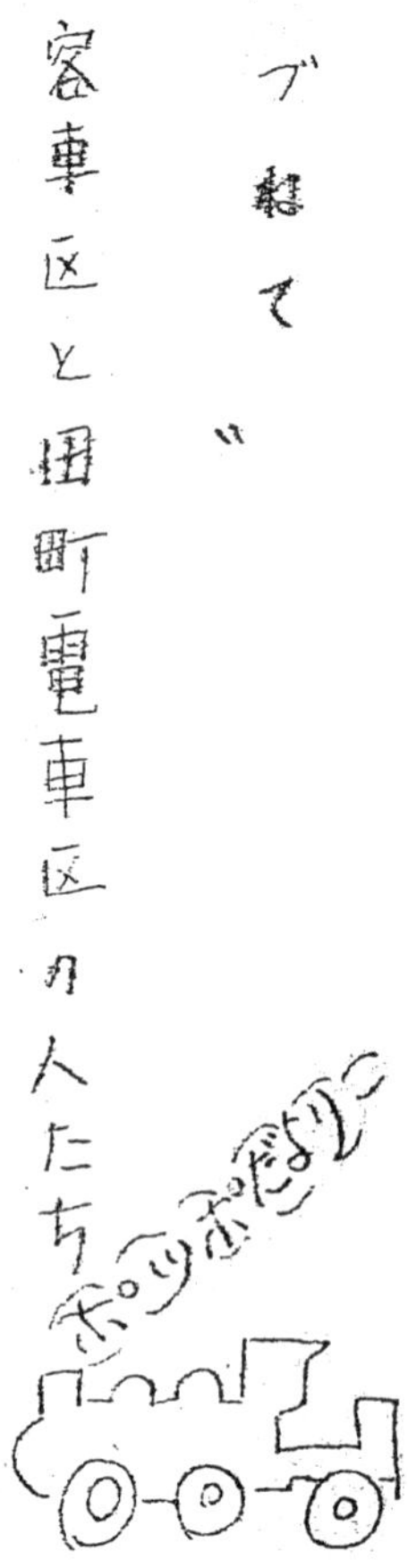

駅 というと私たちは、駅の待合室や、出札所 それに駅弁やの走り廻る長いプラットホームなどを、思いうかべるものである。
しかし 品川客車区の関さんや、六さんとつき合うちに今では駅と云えば同時にその構内にあるばかでかい客車区や電車区なども一しよに考えるようになった。

品川客車区 も田町電車区 この二つの職場はどちらも品川駅構内にある。客車区には、機関車や空の客車が、ごろ〳〵ところがしておるように、あちこちに休んでいる。 そんな風景は、何か詩的ですらある。 私は、胸をどき〳〵させながら入りくんだ線路をとびこえてゆくのである。

この開放的なふんいきに比べて、黒ずんだコンクリートの建物がさむ〴〵と建つ田町電車区は、一見不愛想のようにも思える。ポッポ屋さん(国鉄職員)はこの二つの職場を品客《しなきゃく》、玉電《たまでん》とよんでいるが、昼めしどきの品客、玉電のつめ所は 青色のへしゃげ帽子に青の作業服をきた職員で満員だ。
同じ色の服を着て同じ色の帽子をかぶった職員の人たちと話していると、

品客と国電の人々との間にこうしたタイプの相異があることに気付くのである
国実ポッポ屋さんもその異りには、気づいているようであり、「国電の人は、素直な感じがするが品客の人はどちらかと云うと強情な所があるようだ」と品客の関さんは云っている。同じ構内で働らいているポッポ屋さん同志にあるこの様なタイプの相異は大へん興味ぶかいものだ。関さんの云う強情を手がかりにして品客の人々を見てみると たしかに品客の人々は、労働運動で活やくする場合でも ほこりをもって行動している様だ。丁度夏の高校野球に、名門と云はれる学校の選手は、他校の選手に比しやはり どこかちがう所があるのとにている。そのためであろうか品客の分会の活動家はどちらかと云うとりくつずきの人が多い様だ。これに反し国電の分会の人々は素直に身のまはりをみつめ、そこから物事を考える手がかりをえようとする地道なタイプの人が多い しかし、理論的に物事を判断してゆこうとする訓練は、品客の人々に比し弱いようである

〔一〕見すれば平凡に思える耺場にもよくみつめるといろいろと大切な問題がひそんでいることを発見するものだ。そんなとき、〃なぜ この様なことになっているのだろうか。このなぞをとくにはこれからどういう風にやればよいのだろう〃とあれこれ考えるのだが その瞬間は私にとって楽しい時間なのである。

十二月七日 記
十八日 補記

「桟かん車」発車をお祝いして

宮沢 武人

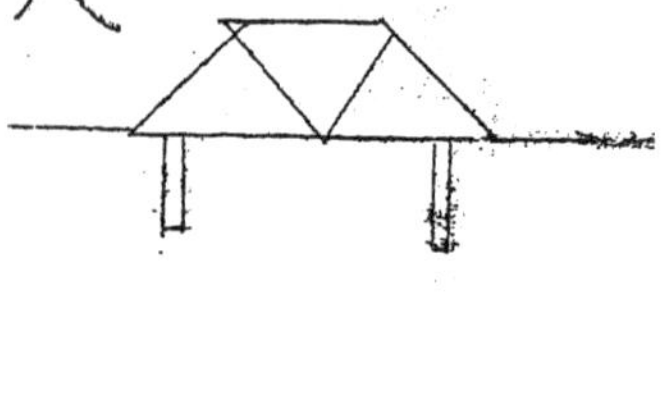

私たちの会は、職場に働らく人たちが、どうしたら美しい人間関係を職場でむすぶことが出来るだろうと思って一つ一つ身のまわりのことをしらべる中からだんく大きくなってきたのです。

会の三周年記念總会で職場の人々が一番興味をもって話をするのは自分の切実な問題だと云うことが云はれました。

職匠口鉄サークルもさいきんでは、新しい仲間がどんくふえますがお互いに人々のもつ切実な問題を大切にしながら生活の厂史、働いてきた厂史を書きましょう。

この桟かん車は、どんな重いものでも引ぱります。

皆さんのずっしり重い生活の歴史をどしくのせて下さい。お願いします

さいごに一言。鉄道に働く皆さんですから充分御承知かとも存じますが、安全運てんには、車をと丶のえるのが第一です。

この桟関車を大切にして下さい。では、発車します。

No.2

まずこの機かん車を動かす人々を御紹介しましょう　ABC順

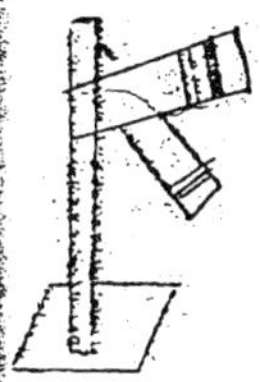

なまえ	職場	住所	でんわ
遠藤　昇	田電	埼玉縣入間郡福岡村[redacted]	鉄電 品川 五五八ノ[redacted]
浅野敏行	品客	八王子市[redacted]	
橋本　章	〃	埼玉縣浦和市[redacted]	
井上昭男	田電	〃 加須市[redacted]	
小林　弘	〃	横浜市鶴見区[redacted]	〃 品川五五八の[redacted]
京谷珠子	お茶大	〃 西区[redacted]	
宮沢武入	品客	埼玉縣川越市[redacted]	(四五)鉄でん品川二三ノ八[redacted]
岡島　博	〃	北区[redacted]	
島村光一	〃	葛飾区[redacted]	
竹村民郎	職区車掌長	新宿区[redacted]	
田中正俊	横浜市大	杉並区[redacted]	
土田敦助	大井工場	横浜市神奈川区[redacted]	
山口秀雄	品客	豊島区[redacted]櫻[redacted]方	
吉崎蔦雄	田電	川崎市大宮町二八〇鉄川崎寮 三階 十三号	

No.3

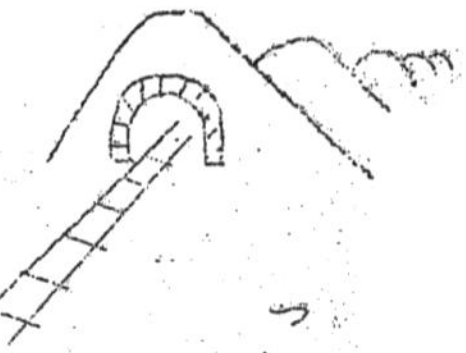

この桟関車が生れるまでにはいろ〱な苦心がありました。

—耻正口鉄サークルの生いたち—

月日	出来ごと	内容（要点だけ記す）
九月十四日	耻正口鉄サークル生まる	今後の活動方針や宣伝方法を相談した。
九・二六(木)	第一回研究会	岡島君"口民と口鉄"報告
十・六(日)	耻正ハイキング	全員さんが品客より岩瀬君参加 ハイキングは雨天中止 慰安会於錦糸町♨
十・八(火)	第二回研究会	岡島宮沢両君"耻能別におきている問題"報告
十・二六(土)	第二回口民文化 全口集会	岡島君同集会にこれまでの研究成果報告
十・二九(火)	第三回研究会	岡島宮沢両君"耻場の矛盾点"報告
十一月十一(月)	第四回 〃	竹村君〃耻場の歴史について 〃(桟関誌九号)を書く
十一・二四(日)	耻正総会	岡島(委員)宮沢(議長)一田中(副議長)竹村(事務局長)選出
十二・一(日)	第五回研究会	新会員小林君参加 全動鉄労組内に運動を拡げる事に決
十二・七(土)	第六回 〃	〃 島崎、土田、京念座三君参加 宮沢報告
十二・八(水)	桟かん車発刊!!	岡島宮沢竹村三君の文章他に会員名簿 表紙 清水澄夫君製作(恩給司)
十二・九(木)	第七回研究会	岡島君"我が家の十年史"報告予定

No.4

うず潮／／

ー我が家の十年史

よく人が来ると父は こんなことを言う。

「今は娘に喰わしてもらっているが、あの時に、物件が一つあった時価格にもどして返してやる」

しかし、この"あの時"が何年同じことを繰返したであろう。闇市当時か、終戦直後のどさくさに古着屋をやって、もうけたことが今だに忘れないのか どっちかであろう。恐らく父は 前の方だろう。この間に借金取に追われて、二ケ月も茨城の方に逃げていたこともあり、差押えを二度も受けて家の道具はスッカラカンにされたこともある。二度目の母もこうゆう中で死んだ。

父は、終戦の年に二十年間勤めてきた製鉄会社をやめた。当時母と私は茨城の方に疎開していたが、父は東京との間を往復しながら、二重生活をしても助けようと古着などを持ってきては、農家の人達に売った。戦争で物資が不足していた時だから飛ぶように売れた。

「今会社に勤めていれば、月給三万円位は少なくももらっていたろう。そうすれば親子三人楽に暮らせる。だがあの時は今のように労働組合なんてものは無かったし、退職金制度もなかった。戦時中は三十六時間もぶっ通し働かされ、上役には絶対服従だったからなあ！ それに何といって

No. 5

と、此の先どうなるのか解らなかったことだ」

　これが、父の当時を振返っての弁である。昭和一八年に前の母を失い、二〇年に私より三つ下の弟に死なれている。前の母の長い間の病気で、金も残らず使い果してしまった。こういったことが重って商売への魅となり、会社をやめる決心をさせたのだろう。

　しかし、その古着屋が順調にいったのは三年位である。やはり成上りの商人でしかなかった。困っている人には、みかねて金を貸してやった。又品物も渡して売らせた。その人達は生活費にあてた。これも商売が失敗した大きな原因の一つだった。気付いた時には新しい商品も出廻りはじめ、それに押され古着の商売は非常にやりにくくなっていた。品物はあるが売れない現象が出た。その上デフレへの切替は購買力を失なわせた。困りきって金を貸した家に行っても、苦しいのをみると反対にいくらかを置いてくる父だった。

「如何に貸した金でも、困っているのをみては取れない」

父は母によくそう云っていた。

「なあに、今に楽をさせてやる」

夢よもう一度で、多くの知人から金を借りた。

　しかし、結局は無駄だったのみか多くの人から信用を失った。借りるところがなくなると、高利貸から金を借りた。待ったなしである。僅かばかりの父の収入は、ほとんど利子にとられた。払えなければ高利貸は玄関先でどなり散らした。あげくの果てには自転車を持っていった。今までつきあっていた知人には、母の鏡台をかついでゆかれた。

　父は朝食事もせずに出かけ、夜は一時、二時の日が多くなった。私達もおちおち眠っていられなかった。母などは家にいる関係から、金をさいそくにくる人に踊の手ばなしだった。収入はほとんど、私のものだけだった。（未完）次ページに続く

No 1

職匠運動三年の経験を大切にしよう

―総会以後の会活動の反省について―

最近急速に新しい会員が増してきている。

すでに竹村報告（機関誌九号）が指摘していた様に、この新しい情勢を迎えて、まず第一に運営委員会がしなければならないことは強力な指導性の確立であった。委員会は、この問題に真剣にとり組み始めた。しかしこの努力もまだ充分ではなかったことが、十二月十八日の忘年会の運営の際にはっきりと現れた。

忘年会のあと、新しい会員に感想を集めたところ、まず寄せられた批判は、委員会（古い会員）の指導性の不足であった。このことはまた十八日夜（忘年会直後か）運営委員会でも充分討論され明らかにされた。

では、委員会は忘年会について一体どうゆう考え方をもっていたのか。全然無計画だったのか。委員会は十二月十日に長い時間をかけて　この問題を討論したのである。しかし、その時も竹村委員から委員会が「会の新しい情勢に対する検討をぬきにして唯事務的に」忘年会の計画をたてゝいるならば、忘年会はうまくゆかないだろう、と

井上昭易様

いうことを力説されてはいた。
会の力の結集点である委員会がなぜこの様に今なお弱体なのだろうか。たしかに、最近の委員会は民主的であり、一人々々を大切にしようという気風が現れてはいる。しかし、その反面会の各方面のさまざまな運動の実状と、すぐれた経験が全て委員会に集中されているかといえば殆んど集中されてはいないのである。
会の夫々のサークルから選出されている委員を夫々のサークル員は、どれだけ実際に支えているのだろうか。委員は現状ではあいかわらず会計担当官であり、高級小使にしか過ぎないのではないだろうか。（この様な現状でも清水委員（男給局）の様に、創意性を発揮して職場の歴史運動をすゝめている人もある）
こういう傾向は三周年記念総会を契機にきっぱりと捨てる事を確認したはずである。会員諸君が、委員会を具体的に守り、委員会がその指導性を自覚して運動を指導する時、運動が力と活気にみちて進むのである。若し我々がこの様にしないならば、会は職場の人々から孤立してしまい、今日まで会の先頭に立って運仂を支えてきた委員も、疲れ、運仂はつぶれてしまうだろう。

No.2

No.3

三週年記念総会で、職匠運動の発展にあたっては運動の専門的活動家がなくてはならないこと、そして其れら専門活動家の大量養成も全員一致で確認された。事実総会後、次才に会活動を専門的に実践しようとする人委員会内部にが増えつゝある。

総会後の会の急速な拡がりも、会の発展の見とおし等も此等の専門活動家の献身的な実践に負う所が極めて多いのである。

しかし、会の内部や委員会内部には今なお、二つの弱さが存在して、運動の急速な発展を押さえている。その(一)は、職匠運動を自分の社会的活動のもつとも大切な仕事と決心せず、活動とを切り離して考える傾向であり、その(二)は、会の急速な発展によつて生ずる様々な仕事に協力する中で会の実状に基礎をおいた計画をつくろうとしない傾向である。

我々はこの様な傾向には反対である。委員が、委員会内部のこの様な弱さを素直に認めて、克服する様な努力を果さないならば、現在もっとも活溌に会活動を推進している専門活動家達の努力を孤立させ、"骨おり損のくたびれもうけ"なにごとも適当にやっておこうというしまりのない気運が委員会内部に拡がるであろう。

No 4

この事問は、作家の努力をざるに水を入れる様な結果に終らせてしまう様な傾向こそが亦職匠運動に集る誠実な職場の人達の要求をも無視する誤りを生むのである。芸会の現実からも解かるように、会の運動に参加してくる職場の人々は、会の意義を正しく理解し腹をすえて会に入って来た人々であり、生き々々と会の運動をだいたんに進めようとする積極性をもっている。委員会ならびに経験の豊富な会員幹部は率直にこれ等の人々に学び、それらの人々が会の運動に期待している真意をつかんで大胆に指導性を発揮しなければならない。実際まだ多く我々の委員会及び会員の古い幹部は、会員の活動の各方面に対して不親切である。希望をもって会に入ってきた、新しい会員にリンゴの替りに石を喰わすようなことをやってはならない。

竹村報告が会の発展　見通しているように、当面の運動の急務は古い会員と新しい会員とが夫々の長所を尊重しながら会の運動を職場に拡げていくことにある。若し現在、会内部に発生している新しい会員と古い会員間にある矛盾を運営委員会が上手に処置することに失敗するならば、運動は後退してしまうのである。会の創立期以後、会の内部に現れた欠陥（N労組の人々や東証の人々に対する会員の奉仕的な実践の欠如）

No 5

によって会が大きく後退したことを充分会員は考えてほしい。

忘年会直後の臨時運営委員会で多くの委員は断固として運動を指導することについての決意を示された。

忘年会の実行計画の責任者である取匠国鉄サークル委員、宮沢、岡島、竹村とは忘年会の運営に端的に現れた会の欠陥と今後の対策について討論し、その結果を運営委員会並びに全会員諸君に報告する次第です。

この報告は岡島、宮沢、竹村、各委員が討論し、その内容にもとずいて竹村が原案をつくり、再び竹村、岡島、宮沢、とが原案を検討した後に発表したものです。

或る組合員の歴史

口会議事堂のそびえ立つ、霞ケ関一帯は高層なビルが立ち並び、平和な官庁街を思わせる。そのビルの谷間に七棟からなる二階建のバラック建築ともいゝ兼ねない建物が立ち並んでいる。

十月の或る日、私は胸を躍らせながら「恩給局」の門を入った。私の心の中は失望の念で一杯であった。「総理府恩給局」と聞いただけでも何か、すばらしい気がしてくる。高層なビルにピカピカ光る廊下、蛍光燈の灯る部屋、そんな役所と想像してきた私に、大きな失望を与えずにはいられなかった。

◇

△△県の四方山で囲まれた貧村に生れ、家は三度の養蚕と、わずかの田地・田畑を耕して一家の収入をまかなっている。そんな点で村でも中流並の生活を営む事ができる。中学時代の村の同級生はほとんど進学することもできず、都会めざしてデッチ奉公に、残る者は農繁期には家の仕事を、朝早くから夜おそくまで働き、農繁期が過ぎると仕事を求めて方々に出かせぎに散って行く。

私は望み通り、町の商業高校に進学した。何故この学校を選んだのか、自分でもはっきりと云い切れることはできない。しかし、こんな考えが私の心の中にないでもなかった。「商業高校を出れば」就職も安易にできるだろうと……

卒業も間近になるにつれ、職に就くことがむつかしく、門の狭い社会が恐しくも思われてくる。家にいても「穀つぶしの親不孝者」と村の人に笑われるのを恐れて東京に出ることを決心した。一時、東京に住んでいる叔父の家に落ち着き、二ヵ月余り、ほとんど職に就けない状態で毎日叔父の家で過した。

「このまゝ叔父の世話にばかりなっていて良いだろうか」「自分で職安にでも行って職を探がそうか」とも考えたが、勝手のわからぬ東京なのでどうしようもない。

叔父は××警察署に勤務している　そんな関係で色々と職の紹介を持って帰ってくる。

「○○出版社で今職工を募集しているが行く気はないか」と、或るいは「何々会社」といわれるが、みんな、気が進きない。田舎を出る時に想像していた、その職が現実に一致しない、私はあえて理想と現実の矛盾に屈服することは、自尊心を傷付けるような気持さえしてくる。

或る日「恩給局に行かぬか」と言われた。その時はあまり急の出来事でチュウチョはしたが、その名称は私に何か魅力を誘った。叔父は○○代議士に私の就職のことを依頼し「恩給局」の話が持ち出されたのである。○○代議士は局長を良く知っていて「すぐにも入れる」と私が御願いに行った時に云っていた。

採用の通知のあったその夜、叔父夫婦は自分達の事の様に喜んで、さゝやかながら就職を祝ってくれた。

「今日はお前の祝酒だ」叔父はそういゝながら、私の銚子に酒を注ぐ。私の顔はなんだかほてってきた。叔父の目のふちは赤く、目がトロリとしている。

「良かったなあ、これで叔父さんも一安心だ……お前も明日からしっかりやれよ。叔父さんがとやかく言わなくとも良くわかっている事だろうが、二ヶ月も叔父さんの家にいなければならなかったというのも、現在社会がどれほど就職難であり、競争の激しいものかゞわかっただろう」「今の世の中は生存競争の世の中さ、決して実力のあるものが出世するとは決っていない――」とぐっと銚子の酒をほしながら「今の時勢では〃世渡の上手な者にはいくら学があったとて、彼等には一目おかなければならないだろう」「叔父さんの署にも色々なやつがいるが、その典型的人物なんぞは、非番に署長の家にいる兎の草を取ってくるやつもいる。彼には彼の下心があったろうし、心あるものは彼を嘲笑もしただろう。しかし今じゃこれでも〃主任様〃だからな」と云いながら「まあ頑張ってやってくれよ――」と横になり、いつか寝息がもれてくる。

社会への一歩の日がやって来た。驚いたことにこんな大きな役所で月給制でなく、日給制の二百四十五円だ。手に渡された書類を見ると〃臨時職員〃誰々と氏名欄がある。私は〇〇代議士の紹介で入ったのだから身分職員と思い込んで

サークル　ぱ・日の線　稲門会

いたが臨時とは、、、私はすぐに○○代議士に会い、話した所〃そうだったのか、しばらくしんぼうしろよ、きっと近い内に局長の方に正職員になれるように頼んでやるから」と云うのでなんだか心のわだかまりが取れたような気持がしてきた。

翌日から一週間、業ム上の研修に入った。係長がきて、インクツボは机の右上に置いて、書類は左端におき、ペンはここにと何から何までうるさいほど指図されて、二日目からやっと書類がきに入った。私たちより早く入ってきた人が二三人、私たち研修生の誤りが幾つあるか一人一人の検討がされる。係長は退庁間近に研修生の成績を発表する。私はこんな役所というところは物事を厳重に見るものかと考えながら「こんな調子だと明日から勤まるだろうか」と何んだか不安になってくる。

研修も終り各班へ配置された。配置変えがあってから日に日に友達が一人二人とできてきた。友達は色々と職場の事を私に話してくれる「有給休暇も失業保険もなく病気になった場合にも健康保険がないためと毎日が不安でたまらないし」と云っていた。今まであるだろうと思っていた事が何だか瞞された様な気がして腹が立ってくる。といって私一人ではどうしようもないので諦めていた。一日の労働があまりにも長く感じられてたまらない、日計を係長に提出するのに休みの時間まで費し仕事の量を上げようと一生懸命に仕事をした。しかし長く働いている仲間たちは黙っていなかった。「俺たちはいつ上がるともわからない二百四十五円の日給で生活ができると思うか、便所に行くにも監視の目を光らせ、休みの時間さえゆっくり休む事ができない」「俺たちは奴隷ではないのだ。もっと食えるだけの給料を与えろ」とあちこちの職場から声が起り、尊い労働の中から生まれた新しい認識は職場の人々を団結させ、遂に十一月十八日官庁街のビルの間から雄々しい労働者の声をあげるに至った。

組合が結成されたことがいつの間にか、叔父や○○代議士に知れたのかしばらく組合について話を聞かされた。「組合なんぞに入るな、[illegible]不利になる。組合なんか考えるより一生懸命に仕事をしろよ。あの事（正職員になる事争」も局長に良く話しておいたからな」と何か危険物の様に会うたびに○○代議士は私に云う。私は組合加入用紙が撒かれた時チュウチョしたが、友達が皆加入したので私は名前を書き入れ提出した。

組合は年末斗争に歩一歩前進して行く。私は仲間たちのきり開いた道を歩くのも精一杯であった。あたりに気をくばりながら用心深くあせる仲間たちの後について行った。

×

当局はウの目タカの目で、弱い組合員を探していた。○○代議士と局長との関係、それに附随して叔父の警官と云う職柄は当局が利用する好条件にあった。義理、人情を盾に私を利用しようと当局は迫ってきた。

組合が結成されて年も明け、寒さも通り過ぎ梅の花が見受けられる三月、組合も第一期の執行部を送り出し幾多の成果を残して新しい執行部を送り出す時がきた。各課は競って候補者を出した。掲示板(当時は組合のための掲示板さえ常備されていない)といわず、組合員の目に付く所に選挙ビラが貼られた。この一連の組合の動きに、当局と云わず、近在の特殊組織も注意の目で組合を見るようであった。千二百名という組織の組合が大部分臨時雇員で構成されていのも、外部の注意の目をそそがせたのも当然だったろう。　叔父はある時期を利用してまで自分の位置を高めようとは思わないが、とかく警察という組織内にいると、何やかやとうるさくて――」と苦情をこぼしていた。

ある日、班長が私の仕事をしているそばにきて一件々々書類を見ながら私の耳もとで「A(課長補佐)さんが呼んでいるから昼休に行くように」と書類を置いて行ってしまった。「何んだろう」と不思議に思える・多分「受給者からの紹介で調査でも頼むのだろう」そう思えたが「調査なら勤ム時間中にでもよさそうなものに――」とも思えてくる。昼食を早くすませて、一号庁舎のA課長補佐の部屋に行った。部屋には人影もなく窓辺に深椅子でタバコを吹かしているA課長補佐の姿が目にとまった。「Mさんから云われてきました」。A課長補佐は灰皿にタバコをもみ消しながら私に椅子を進める。椅子は彼の隣におかれてある。私は一寸チュチョしたが腰をかけた。

「君の叔父さんは××警察に勤めているんだってね」と話し始める。「これは書類の調査ではないらしいなと思いながらA課長補佐の話しに受け答えしていた。「叔父さんはなか〱思想の組合の出来事を知っているネ、君は叔父さんに話しているのかネ」。思いもよらぬ詰問に私の胸は早鐘のように打つ「なあに私は君が叔父さんに話している事が悪いとはいわないが、しかし叔父さんに話すなら当然私にも知らせてくれないか……それだと叔父さんの職にもかゝわる事にも成りかねないからなあ」

口の中は乾切り、胸の動悸は激しく咽喉をつく「心配することはないよ　私が居る限りは君に不利な事はさせないから、それに雇（正職員）に早く成れるように——」語尾をにごしながら「明日は執行委員候補の立合演説会があるそうだが、その模様を手紙で知らせてくれよ」「ぢゃあ」とかゞみこんで話していたA課長補佐は「頼んだぞ」と云って視線を私の顔から離した。「少し考えさせて下さい」と云ったと思ったが声にはならずいつかうなずいていた。逃げだす様にして部屋をでた。脳裡に今刻まれた傷は全身の血を激しく流れ無意識の内に動作現れそくる。臨時職員はとかく継子あつかいにされがちな私たちに雇いに成れるそのエサが目の前に見える気がすると職場の周囲に視線も向けられてくるのである。立候補者の名前、斗争スローガン等が目につくと立ち止って読み、あるいは、又引き返して見たい衝動にかられてくる。仕事も一行に進まず、手はただ機械のように動くだけである。自分が今何を考えているのかも解からない。二、三人の足音がドカ〱と部屋に入ってくる様子である。部屋は静まり、誰かゞ大声を張り上げ「皆さん私たちの係から立候補しましたTです」と組合員に呼びかけている。Tさんが立候補の挨拶にきたのだ。いつか私は手を休め声に耳を傾けているのに吾ながらハッとした「あゝ俺は何んと云う事迄を頼まれたのだろう」とA課長補佐を怨しくも思われてくる。「密告をせねばならないだろうか」「もし拒んだらとしたら弾圧がきやしないか」拍手の音もいつか静まり皆喜々と仕事をしている。ポツント私は書類の前に佇んいることに気が付き仕事にかゝった。

家に帰って叔父に話す勇気すらなく、頭が痛いといって早く床に就いた。脳裡では二つのものが激しく斗い合っている「密告をすべきか」「すべきでないか」電燈の消された部屋はシーンと静まり自分が悪夢の中にでもいる様な気さえしてくる。その夜は、ほとんど眠ることさえできなかった。

翌朝正門組合の執行部員が早朝ビラをまいている。かけ抜けるようにして部屋に入ったが手にシッカリとビラを握っている。ごく自然の出来事であるが昨日来何か自分が組合に罪を犯しているような気がして深い溜息をもらさずには居られない。

立候補者の立会演説会は昼休み、庁舎前の広場で行なわれた。いつか私は人ごみの中に入って聞いている。ふと窓に視線を向けるとA課長補佐の姿がちらりと見える。自分が監視されているような気持さえして心臓が高鳴るのが自分でも解かった。

帰ってから夕食もそこそこに済ませ自分の部屋に入り込みペンを執った。「書こうか」「書くまいか」「断ろうか」「断わるまいか」と考えていると、耳もとでA課長補佐の声が聞こえるような気がする。気が狂いそうな気持さえしてくる。「やはり俺は断わった方が良いだろう」決心がつくとペンはすらすらと運べる。

昨日Aさんが私に依頼されました件につきまして、私、昨夜、一昨夜と真険に考えましたところ、お断りするより道がないと思います。Aさんはあの時どんな事が起ころうとも私の身分を保障すると申されましたが、私は組合の一員であります。同じ組合員である私がどうして仲間の情報が洩らせましょう。もしもこの事が組合員に洩れました時はAさんがどんなに御尽力下さいましょうとも私は職場に居ることが困難になりましょう。

この紙面をもって御断りすると同時に私とAさんとの関係もなかった事にしていただきたいと思います。

昭和三十年三月　日　　K

A課長補佐殿

手紙は一気に書き終えた。私自身思いもよらなかった「組合を裏切る行為を」明瞭に書いたことが不思議に思われてきた。一昨夜来の疲労は私を一気に深い眠りに誘っていた。翌朝早く手紙をもってA課長補佐の所に行った。部屋に近ずくにつれ不安は増してくる。階段を踏みしめる足は重く。死刑因が刑台に登って行く様な気さえしてくる。火鉢には赤々と炭が起り、二、三人の人影しか見当らない。窓辺のA課長補佐の席は出勤している気配がない。ホッとした気持ちが全身をかけ走る。ふと横合から声をかけた人がいる。ふり向くと、でっぷり太った課長補佐のMである。「何か用か」と訪ねた。私はどぎまぎしながらA課長補佐に頼まれた手紙をもってきたことを話した。彼はうなずきながら手を差し出してくる「見せろ」とでも云うのだろう。「困った事になった」と思いながら手紙を差しだした。手紙は小刻に振えているのが私にも解った。封のしてない手紙を取り出して読み始めた。足ががくがくして心臓は痛い程胸を打つ。一刻こゝから逃げだそうという気さえ起きてきた。然し読み終るや無言で大きく二、三度うなずいた後に「解った」と一言いった後に何も言わない。

私は深い御辞儀を一礼して、部屋を逃げ出るようにして職場に帰った。

一難去って又一難、課長補佐からいつ呼び出しがくるのかと一日中胸をドキドキさせながらいつも係長や課長の姿を追っていた。正門を通り抜ける時には朝の憂うつ感とは違って今日も呼びだされずに過ごせたと、安堵の気持でホット胸をなで下し、一週間も過ぎ去った。

或る日叔父の所に局長から「部下がK君に変な事を頼んだよう態であるが以後そんな事のない様に注意したから、君の方からK君によろしく伝えてくれ」と電話があった事を叔父から知らされ、ホッとした安心感が私の全身をかけ歩った。当局の不当な強制は一城の城主によって握りつぶされたのだ。しかし城主の権力下にある課長・係長間の派閥的なものがこの事件を解決させる一つの糸口となったと思っている。

恩給局職場の歴史をつくる会

職場の歴史を読んで

―職場の歴史を作る会―

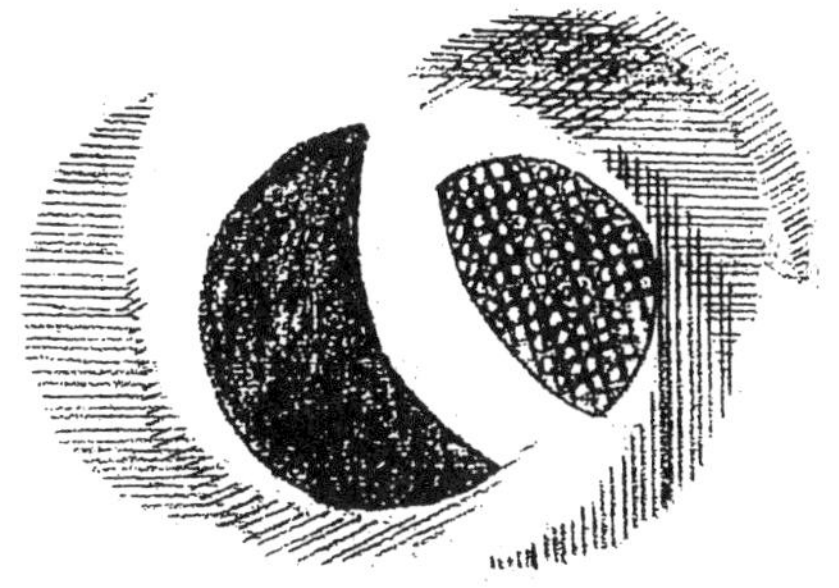

個人の厂史

―私の歩んで来た道を読んで

宇賀神和子

個人の厂史を書いてという前書きを読んで彼女のいつでも職場や家庭の不満から逃れようとしていたしこの態度がいけなかったという反省は私がこの頃自分自身に対して抱いているものと同じものなのです。私も作者も常に何かを求めながらしかし現在の自分の足元を否定して夢の中の楽しさを追っているような所が多くある。誰でも生活面で苦しければ苦しい程この傾向は強まるのではないでしょうか。しかしいけないと自覚した時、過去を振り返りつつ着実に行こうという気持になるのです。

「入社して日が経つにつれ私の心の中には満たされない空虚さが大きく広がっていった。」一体、これはどういうことなのだろうと考えながら早く何とかしたいとあせった。今の中に解決しないとこの状態はいよいよ深く、抜けられないものになってしまうのではないかと自分自身恐ろしかった。恋愛をしたらふさがる穴だろうか。いやそんな性質のものではなかったし

作者はこの空虚を埋めてくれるものを求めて日高パーティへ足を向けた。しかし学校の試験を受けるような騒ぎに中へ入る気が失せてしまった。彼女の意に添わない所だった。彼女はっ私達が求めていたのは上品さという より一口が

云えば生活の糧になるもの、そんなものが欲しかったのだ」とはっきり欲するところをつかんでいる。その気持に対して真剣であったからこそいい加減なものに妥協しなかったのだ。彼女のこんな気持の昂揚しつつある時職場で起こった昇給問題は少なからずのショックを彼女に与え、考えさせる内容のものであった。何が何だかわからなくなってしまう。価値的にそう高くは考えられない仕事。しかしこの仕事をしていて評価の点に於いて同僚より差をつけられたということはいよいよ心の穴を大きくさせるものであった。しかしこの昇給問題の時、作者の収支の穴ということだけではなく職場とは、仕事とは、と一歩踏み込んで考えて欲しかったと私は思う。私達の生活をすっぽりと包み縛りつけている経済を握っているこの職場というものを考えて欲しかった。そうすればそこから何かが出て来たはずだと思える。働いても赤字を出してしまう家計の原因は何なのだろうか。作者のお小遣い迄生活費にまわさなくてはならないのは何故なんだろう。楽しみの都民劇場もやめざるを得なくなった。何故?と問い原因と思われるところに怒りをぶっつけて欲しかった。こう作者に批判の目を向けても「それでは貴女の場合は?」と問はれたならば私は何とも言えない。みんないい加減に、怒るべきときも怒らずに処して来てしまったのだから。作者への批判は私自身への批判なのだ。

年齢的にもこの作者と現在の私とは同じ位に思える。自分自身に何もないという自覚から来るあせりの気持も同じだ。不安に恐れおののきしかし何かを心豊かにしてくれるものをつかみたいと手探りで進むうちに何かに突き当たれるだろう。作者は見つけたのだ。体の中に明るい蕾えをきづいていくようにじっくりと勉強してみたいと思って遂に「歴史」の本を手にしたのだ。

いいやさいかん―父の「歴史」からを読んで

「大いに批判的に読んで批判的な感想を書きなさい」と文集を手渡しながら先生は私にこう言われました。問題点を曖昧にしてしまう私の性格的欠陥を指摘され「今度こそはじっくりと追求しよう」と決め一言一句疎かにしないように繰り返し読みました。しかしこの「いいやさいかん」を批判することは力及ばぬところです。教えられることばかりなんです。生涯の生き方として「いいやさいかん」を押し通した態度を先生は「それは父の思想に一貫性を与え　その生涯を清らかなものにすることが出来た」と評していらっしゃいます。

「いいやさいかん」が父の正義感と情熱から発

するとき、それはこの社会の不正に対する不屈な抵抗の宣言となったともいっておられます。現在迄の私の言動を振り返る時、その時々の状況に流され一貫性を持すことが出来なかった恥ずかしさがこみあげて来ます。何故にあんなにも気弱過ぎたのかしら？自分の意志に徹することとの厳しさと美しさをしみじみと感じさせられました。言葉と行動の一致をその個人の中に見い出すことはむつかしい。私達はともすれば自己に寛大になり過ぎてしまうですもの。

「個人の歴史」「座標」「仲間には」

竹村由起子

私がこれらの三編を読んでまず強く感じたことは、各人それぞれが"一生懸命生きている"ということでした。鈴木節子さんは生きがえのある生活をめざして、岡島博さんは組合運動に参加することによって今まで知らなかったもっと広い範囲のことを学び、そして、宮沢武人さんは自分の力で新しい生活を切り開く決心をするというふうに――――。めい〱が自分自身を真剣に見つめて生きて行こうとしている姿に深く感銘をうけ、又、ちょうど私もその年代を生きるものとして大いに共鳴するところがありました。特に鈴木さんの「個人の歴史」を読んでいて環境こそ違え、生き甲斐のある人生をめざして、いろ〱と悩んだり、あせったりなさっている様が私のそれとあまりに似ているので、まるで私自信のことのように胸せまるものがありました。でも私の場合には、生活のつらさ　さびしさというものが欠けていたように思います。思えば、高校を終えて大学に進学することを決心したのも、社会に出れば、うんときびしい生活が待ってい、るに違いないと言う、漠然とした不安から、もう少し温室に込っていたいと言う、真にはずかしい理由からだったと思われます。もちろん、大学に対するある種の期待を持って。

すなわち、そこに込れば何か良いもの、すばらしいものがあるかもしれない――いや、あるに違いないと言う。そして大学に入学し、はたしてそこで、私を満してくれるものがあったか――。いいえ私の期待は、見事にくずれ去ったのでした。たしかに二く三の講義は、私に興味を持たせました。そこで、他の学校に行っている人達や、先輩の方に、そのことについて聞くと、だいたい私と同じ意見を持っていることがわかりました。それでも、その当時、父が病床にありましたが、生きておりましたので、何んとなくそのまゝ学校に行っておりました。そして、その後、父が死ぬことによって、私は真剣に自分自身について考えざるを得ないことになり、その結果、大学を中退することになったのでした。このまゝ大学にいても、はたして、自分にとってプラスになるのか。今まで、あまりにすべてに対して甘えていたのではないのだろうか――これからは、もっと自分自身にきびしくむち打っていかなければ――。このことは、父の死がなければうやむやにしてそのまゝ大学を続けていたかもしれません。その結果、私自身にとってあまりよい結果をもたらさなかったと思われるのです。もちろん、大学を止めた当時、やはり正直言って友人達から取り残されるのではないかしらと言うあせりの気持と、淋しい思いをしましたが――。その後、働くと言うことに大きな意味を見出す為に社会に出たわけですが、そこではもっと私を強く失望させるものが待ち受けていました。つまり、私と言う存在が、あまり重要な意味を持たなかったのです。いつでも取り替えのきくスペアーでしかなかった。仕事をしている時、ふと「私がやめても又、他の違う人が替りに送りこまれてくる。いったい私の存在価値と言うものがあるのかしら」。私と言う存在を必要とする職場はないものだろうかと言うことを真剣に考え初めました。その考えの行きついたところは、私個人を全面的に押しだせるような職業つまり、私対誰かの――。私はもう大きな歯車の中の小さな一片になることはとてもがまんが出来なかったのです。そしてそのことが、私の一生涯を通じて何か生き甲斐のある仕事がしたいと思うようにさせたのでした。たとえ、今すぐにはそれが何なのかわからなくても――。その考えは今も変わっておりませんが、ようやく、最近それを見出すことが出来たように思います。何だか、先輩諸氏に対する感想文にならないようなことになりましたが、それらを読ませていただいたことによって、あらためて私自身について、この機会を通じてあの時機のことを明確にしておく必要があると思われましたので、あえて、私自身について書かせていただきました。

職場の厂史八号を中心にした感想

山本正弘

職場の厂史八号の中で引き込まれる様に読んだのは、「魂あいまみれて」であった。作者が上京し、ようやく恩給局に就職して程なく、組合の内情を探ろうとする当局の上司から情報提供を依頼される。筆者は警官であるおじさんの家に厄介になっており、職につけたのも、おじさんが局長と知り合いである代議士に頼み込んでと言う背景があり、ひどく弱い立場に立たされていたのである。作者は密告すべきか否か悩む、結果において彼はキッパリと拒否するのであるが、もし自分が同じ様な立場に立たされたなら、この人の様な毅然とした態度が取れるだろうかと思うのである。この文章を読んですぐ思い出したのは、高校二年の夏休みに読んだ五味川純平の「人間の条件」であった。中にこんな場面がある、主人公梶は中国人捕虜を処刑する前夜、主領格の王に会うその時の王の言葉が今でも新鮮である。「人は常に誤謬を犯しつつ生きる、その多くは後で償える。だが、償う事の不可能な絶対的な誤謬とでも言うべきものがある。それを犯した人間は、人間として失格してしまうのだ」―こんな意味であったと思う。その当時「俺は絶対的な誤謬を選択することのない まっとうな生き方をしてみせるぞ」と意気込んだものであるだから大学一年の夏砂川のデモに参加した時、この事によって少なくとも自分を絶対的な誤謬を犯す人間の立場から切り離せるのだと、一人確信したのであった。だが翌年、僕等の大学に自らバリケードを築き右翼の襲撃に脅えながら夜半、角材を握りしめていると、しきりに浮かぶのは家族の者への思惑であった。勝利への展望はなく、処分だけが目の前にぶら下っていた。今迄はいわばモラルの次元で闘うことができた。だが処分と言う問題は、にわかに現実が重量を持ってのしかかって来る。自分自身の是非はまったくフラついたものだったのである。作者が密告すべきかと悩む箇所は、共通する思いに自身を突き落とす、自分と共通する弱さを発見した感がした。同じ八号の「いいやいかん」の中での〝いいやいかん〟と言う言葉に表わされる激しい人間的抵抗、それを作者の様に労働者としての現実社会の中で、貫く困難さをまざまざと感じるのである

それと作者が密告すべきか動揺した理由の一つは、この人に本当の仲間がなく孤立していたせいもあると思う。作者にこの時すでに仲間がいて、彼等との力強い団結が形成されていたら、当初から明白な態度が取れたのではないかと思う。仲間・団結の大切さを感じます。

「職場の歴史」を読んで

藤田昭造

「品川客車区職歴サークル」、「Sサークルの生い立ち」「進む事を知っていた」等を読んでいく中で一様に見られるのは、記録を書いた人が今までの経過（品川客車区職歴サークルの労働者と学生の学習会、Sサークルの大根物語等）をふり返って、自分の言葉で失敗は失敗だと認めながら、反省だけに終らせないで次の活動へと導いていることとです。記録を書いた人の職場の考え方が独善に陥るのではないかという私の考えがありながらも、私の今までの消極的な考え方とそれに伴う行動を再び私の中に問題となりました。

私は、昼間職場で働き、夜間は大学で学ぶ勤労学生です。経済的には労働者（アルバイトではない）であることによって学生であることが成り立つのであるが、学生であろうとするために労働者なのだという気持があります。現実と意識が背反している考え方のためなのか職場でも大学でも消極的となった。職場では、労働組合主催の学習会、支部大会　それに大巾賃上げ、沖縄返還要求等をかかげた一時間ストライキに賛成であっても　まわりの人が参加しないとか大学の授業があると言って積極的には参加しなかった。

大学には私を導く何かあるのではないか

と思っていたが、大学立法反対ストライキが行なわれてから！私の教員に対する期待は全く薄れてしまった。"学生の問に対して真剣に答えねばならない。"と新聞に投書した教員が、何ら学生に対して意志表示もしないで、ロックアウトの中で授業を行った。私は後日この教員から、私が何故レポートを提出しないのか、授業に出なかったのか連絡せよと通知が来たので、この教員の考えを聴き、私の意見を言いに行くはずであったが、言えなかった。自分自身がいやになった。

期待ははずれ、自分自身がいやになったとき、「職場の歴史」を読んだ。私の立場をしっかりと認識していないで、考えても結局は崩れさってしまう。自分の立場をしっかり認識してこそ展望が開けることを「職場の歴史」は私に教えてくれた。

「座標」、機関誌8号、9号を読んで

黒田新治

今回、私が読んだのは岡島博氏の「座標」聡延機関誌8号、9号です。岡島氏の記された座標についての感想を述べさせていただくならば、私はこの座標を読んでいる時に、生々しさを感じさせられた。別の言葉で云うならば今まで味わったことのない新鮮さを感じさせられたと云ってもいいだろう。これは何に起因しているのだろうか

戦後史に関しては浅いながらも歴史書を通して学んだはずである。しかしこの時にはこのような感じはなかった。この時の書は学者の目を通じて書かれていて、大衆の目とはちょっと違っていたからではなかろうか。この座標は大衆の一人である岡島氏によって書かれているのだ。

破壊された敗戦直後の経済が次には復興してゆく、そのような過程の中で朝鮮戦争が勃発してくる。これらの事が労働者の労仂に、生活に種々の形で影響してくる状態を氏の目を通じて、氏の生活によって具体的に語られているのがこの座標なのだ。だから私は生々しさを感じたのだろう。たしかに戦後の経済の変化を、統計なり数字を用いて示せば科学的であるかも知れない。しかし私が感じた生々しさは、このように客観的なものとして書かれていたのでは生れ

てこないのでは無かろうか。この意味からも岡眞氏の座標は私に歴史の持つべき姿を示してくれた。

先頃、私は先生から職歴を外から見ているということを云われました。これについて自分で自分自身を考えてみるならばその通りかも知れません。機関誌8号の中にある「いいやいかん」でおとうさんの葬列に集まった人たちは、この死を次々に自分の問題として受けとろうとしている、というようなことが書かれていました。この事に関して、同じような問題から私のことを考えてみるならば、私は大学に入ってから私なりの形でクラス活動なり、研究会活動を通じて大学の闘争に参加してきたと思っていました。しかし、それは自分をどのように思わせようとしていたにすぎなかったのではなかろうか。例えば、二年の時の闘争をふり返ってみると、この闘争は処分者問題で口火を切った闘争であった。この処分問題を自分の問題として考えなければならない、ということを思いながらもそれに徹しきれなかった。大学での闘争を心情的な次元でしかとらえていなかったのだろう。原点にまで自分自身をつきつめてゆくことをせず、いいかげんなところで妥協し、現実の苦しさから逃げていたのだ。このような面が未だに強くあることも先輩に云われたのだろう。

これからの問題としては、自分にすなおに生きてゆくより方法がないのではないかと思う。そして現実を避けないで直視しなければならないことを、機関誌8号、9号の作品は私に示してくれた。

個人の歴史

―私の歩んで来た道―

職場の歴史をつくる会

個人の歴史を書いて

私は就職してからの数年間を、まとめてみました。この数年間の過去を書きながら私は一つの大きなものをつかむ事が出来ました。

自分の過去を一つ一つに通して考えてみると、私は何回も同じ事をしては何も得られなかった生活をして来ています。

一口にいえば「幸福になりたい」の一心で「何か」を夢中で探し廻っていたのですが、考えてみると私はいつでも職場や家庭の不満から逃れようとしていた事です。

自分の生活あるいは他人に主張の為の意見を持ち、あこがれていたのです。

これを書きながら、周囲の人に批判されながら、この基本的にあやまった考えを自分の中に発見する事が出来ました。

そして――

「私はこの職場で働いていくより仕方がないのだ。……自分の職場にじっくり腰を落着かせる事が一番大切なのではないだろうか」という事を、はじめて、入店以来はじめてもつ事が出来ました。

これを知った事が私にとって一番の収かくでした。

本当の事がなかなか出せないのですが、これからも、何回か書き直してより正確なものにして行きたいと思っています。

就耺

私が入社したのは廿七年の春、もう六年も前になる。六年前とは云え就耺難の波が高かった事は今も変りない。私達のクラスでも卒業后数ケ月経っても耺が定らないまゝの人が七八人ばかりいたろうか。

就耺試験は夏休みが終るともうぽつり／＼と始まり三年の後期はは実に落着かない日々の連続だった。

私がM屋から採用内定の通知を受取ったのはその年のたしか二月半ば頃だった。前年から口答試問、筆記試験、身体検査等、数回の試験をうけて来た。そしてその採用内定の通知を受取った時の複雑だった気持は今でも思い出すことが出来る。

「お前、通知が来たよ。採用通知が来たよ!!」

母が嬉しさをかくしきれないと云わないばかりにそのハガキを持って来てくれた。

「……採用を内定いたしました……」

四角い活字でハッキリとそう書いてある。

――とう／＼定ってしまったのか――

望んでいゝはずの就耺が私にとっては非常に重荷に感じられた。

卒業から就耺え――私はゆっくりと考えるひまもなく卒業したらそこえ行くのが当り前だったようにすっぽりとおさまってしまった。考えるも考えないもない家の経済状態は私の仂き出すのを今か／＼と待っている状態だった。私が卒業したら仂いて家計を助けるのはもう何年も前から解り切った事だった。だから就耺したのだ。

しかしその当時、私は自分から仂こうという意欲等、全く持っていなかった。進学は無理な事だったがもっと自由な自分の方向をハッキリと掴んで進みたかった。サラリーマンになるのはいやだった。銀行だろうとデパートだろうと私にはたいして違いはなかった。就耺する事によって生きがいのある生活が作れるとは思えなかった。

しかしそんな夢のような漠然とした事は云っていられなかった。就耺しなければならないから就耺したまでの事だった。母方からの親戚から良い所にツテがあるからどうかと世話されたのがM屋だった。

気は進まなかったが、何処かえ入らなければいけないという事で手続きをすませた。

学校友達の一人、Kさんは私の事を知るとこう云ったものだ。

「貴女、デパートなんか止めなさいよ。売子なんか」

「勿論、良いと思ってやしないわ」

こうは云ったものゝ口惜しかった。

彼女は銀行え行っている父親の関係から真先に銀行に定っていたのだった。

「売子なんか……」

売子と云われたトタンに自分の位置が一ぺんに下がつて行くのを感じた。

考えてみれば私はまだ売子に定つたわけではなかつた。今からでも取り止める事は出来る。一諸に勉強をして来た親しい友達からこんな屈辱を受けた事は今迄になかつた。しかし親戚の手前を考えると今更厭になつたから止めましたと云うわけにはいかない。

その中試験の日がやつて来た。

「どうでもいゝ、むしろ落ちた方がいゝ」

試験中でも時々そんな考えが頭にうかんだ。希望する場所を書きなさいと云われた時、ハツキリ事ムと書いた。

とにかく私はうかつてしまつた。

母はよろこんでいる。

私はハガキを持つたまゝボロボロと涙を流してしまつた。

「お前、なんだね、大きなしつかりした所だしこんな良いことはないじやないか。〇〇さんの世話があつたから入れたんだよ」

〇〇さんの世話があつたから ―― これも情けない
コネで入つて、売子と云われて。

「あたし、厭なのよ ―」

今更、厭と云つてもどうにもならない事はよくわかつていた。

私は自分の体が何かにしばりつけられて動きがとれないのを強く感じた。

四月一日、四十数人私達ニューフェイスの入社式だった。その時どんな話があったか今はほとんど忘れてしまったがその後一週間つづけられた教育のつらさは忘れられない。

昼食時間と、たまにある休憩時間以外は終日、一室に座りつづけ教育だった。そして商品に関する知識、会社の規則、習慣等の講議をうけた。一ヶ所にじっと座っていなければならないという事を、この時程苦しく感じた時はなかった。学生時代、どんな嫌いな学課でも、これ程に時間をもてあました事はなかった。

なにしろ私にとってこの一週間は実に長く、苦しかった。禅をうける苦しさとはこんなものだろうかと等と思いながら、黙って座りつづけ、時間を過した。

私がこんな退屈したのは講議の内容に興味が持てなかったからかも知れない。持てなかったと云うより、持たなかったと云う方が本当かもしれない。後になって他の人に聞いてみると、私程に退屈した人は居なかった様だ。考えてみると私には最初から講議を「聞こう」とする意志がなかったのだ。

就職の時に「就職だ」と思ったまま、私は松坂屋に入ったがこんな腰を落ちつける気持がなかった。そしてこの事は教育の時ばかりではなくそれ以後数年間についても言える事だった。今考えてみるとこの事は私自身、生活を発展させなかった大きな原因になっていると思う。

なにはともあれ、教育のために一室に集められた私達は小学生のように「○○○子」と書かれた三角の名札と共に座った。そして部長、課長、又売場の係長とかの役付者が入れ替り立ち替り私達の前で話して云った。

ゴムの靴を真二つにした横断面を見ながら私達はそのゴムの耐久性について説明を聞いた。又、包装の練習もした。飾りの売場を設け、お客様をつくり、二、三人が皆の前で店員になった。「ぐずぐずしていると短気なお客様はお怒りますよ、敏速に、きれいにね。」こんな事をしている時でも私はサッパリ面白くなかった。皆の様から仕方がないのでのぞきこんでみてはいたが。

或る課長が一週間の最後の日、茶話会の席上こんな事を云った。「学校では其の人を採点するのに試験があります。しかし社会に出れば毎日毎日が試験です。……」「はる程、社会を明るくするという所なのね」

私は椅子の上で緊張した。

休憩時間はにぎやかな話し声で部屋がはずむ程だった。「面接の時に家賃が高いから、家庭の面積などの話が出てきて「どうする」「どうする」、嫌な問題は答えまいと思ったがその人の態度を見ると、その結果が貴女はスイングがあったといわれ、「ゆとりのある」らしい。又四、五人が集まった所から映画の話しやお化粧の話しが一しきり花が咲いた。

入社してから、一日目に初めて制服の袖を通す時、ほっとしたり節度がたったり、大きな心配、そこの仕事の変化えもりのぼりした。「あら、貴女似合う事。かわいい」物知らずの私を見ると自分の着ていた事を言ってくれた。既婚のおばあさまのかんこんでいる女学生達はこのぐらいの翻訳はどうも不つり合いだ。結局着て見ると私はすっかりその気になっていた。

それから写真を撮った。人事課で保存して置くものだという話しだった。数年後この時の写真を返して貰った時、「へえー」と周囲から来たものですので恥ずかしくて感じられて、ことわられてしまった。

写真を撮った後いよいよ命課だった。これから決まる場所が命ぜられるのだ。三十二名と静まった中で一人一人見学が呼ばれ辞令を受けた。私が「会計課」の名前と書かれていた。あまり聞いた事がない場所だった。「一体どんな所だろう」と心配だった。一人は私とすぐ近くに「あたし秘書室だってさ」と言いながら人が飛び上がってちゃう程、私の自分の上衣を着るんだもの」「あたし私の所属をきいてくれた。辞令を見ているらしい私達が大さわぎをしている姿を見て、皆そこの人が私達を迎えに来てくれた。私達十名以上の人も主任さんの迎えをうけて他の人の後に従った。私達の行った場所は、玄関から階段を右にした吹き抜けの階段で二階に渡った。建っている相当に広い通路から小さな窓い部屋へ入った。階段を上ってまもなく、中心に一歩入った部屋は広々として、窓際の所だけはずらりとならべられた机が処理を待っていた。大ぜいの人が忙しげに行ったり来たりめまぐるしく働きまわっていた。

山の様な商品の中に立って何人かの人が大声で話し合っている。通りには商品運搬の車が止り、その周囲にも大ぜいの人が動いていた。そんな所をみながら私達が行きついた一隅はしづかな場所だった。　しかし私達の部屋「商品統計係」に足を踏み入れたとたんに耳にしたのがすさまじいソロバンの音だった。シュ－パチく－パチ。十数人が黙って一せいにそろばんをはじいている。私達新入社員を迎えて日頃より緊張している事もたしからしかったが――

皆に紹介されて席についた。古い人が新しい筆入れ、鉛筆、インクつぼ等を私達の前に揃えてくれた。机の前に座った時、私は希望通り事務の仕事につけたのを今更にうれしく思った。

自分の机があり、自分のペンがあり、自分のきまった仕事がある。私は満足だった。同期の十数人が廻された所はいろいろの職場があった。売場、レヂスター、内務、接客等。後から知った事だったが接客に廻されたAさんは嫌がって泣いていたとか。出入口や、エレベーターの側に立っていらっしゃいませ、いらっしゃいませと頭を下げなくてはならない仕事だ。やめたいやめたいと云い乍ら二年間がまんして売場に変ったとか。又、文房具売場にいったSさんは神経衰弱の様になって止めて行った。Sさんは教育の時私の隣に居た人だったが大人しい頭の鋭そうな人だった。お客相手に神経を使わなくてはならず、体をまめに動かさなくてはならないデパートの仕事に向かなかったのだろう。同期の人が抜けて行く事はやはり淋しかった。

仕事についてからの月日はまたたく中に過ぎて行った。時間のたつのが早かった。見る事、聞く事、すべてが珍らしかった。パンチ、ホチキス等も私は今迄見た事のない事務用品だった。

私達の仕事は伝票計算だった。　卸屋が商品を店に納める時におこす仕切伝票の計算である。一日数十軒の卸屋から納められる伝票が数百枚、多い時は千枚程の伝票を商品別にまとめて、こまかにはじいて行く仕事である。例え、五〇銭でも、一円でも真違いは真違いだ。その真違いを数多い伝票の中から見つけ出していくのが、私達の仕事だった。その仕事をつづけて行くにはこまかな注意力と、忍耐力が必要だった。　そのためかこの係は女性が多い。十六人中男性が三人十三人が女性である。仕切伝票計算の外に売上面の整理一切を統計係で算出している。

三、四ヶ月経って仕事に慣れるとソロバンとニラメッコの生活にも次第にゆとりが生れ、周囲が見廻せるようになった。それと同時に私はその生活の単調さがたまらなく嫌になっていった。毎日毎日こまかな注意力と忍耐力とで計算、読みはづかなかった。　数字を掛けて、プラスして、割って、唯それだけの連続である。　朝から夕方まで、その同じ作業がつづくと、私は苦しみにおとしかった。それが積っていくと、私は表へ飛び出して「ワアーッ」と大声をあげてどなりたくなった。全速力で走りたくなった。正にヒステリーの前兆だと思った。どなる事をがまんすると「ゴリゴリ」と鉛筆をけずり始める。せめての行動の変化だった。又、ある時は鼻歌を歌った。しかしこれはすぐ古い人に怒られた。　この同じ仕事を何年もして来た人が私には不思議な存在に思えた。毎日毎日人間機械同然の仕事をして、家へ帰り、寝て、又出勤して、——一体何のための生活だろう。しかも皆は結構、おしゃべりをしながらこの生活を楽しんでいる様に見えた。

私は年上の人に聞いてみた事がある

「閉店後が自分の時間でしょう、家へ帰ってから一体何をしているので、毎日が面白いって、」別に何もしていないという答えだった。

私には不思議だった。私にはつくづく売場に立っている人がうらやましかった。活動的にきびきび動ける仕事が欲しかった。　売場に変りたいと思うようになったのはこの頃だった。

「売場は売場で辛いのよ、お客様が相手でしょ、こっちが正しくったって頭を下げなくちゃならない時もあるしーーー」

こんな事も聞かされたが私は体が動かせるという事だけでもうらやましく思われた。

お昼の休けい時間を利用して私は地下売場に立ってみた。お客さんがくるとうれしかった。

「ありがとうございました」

丁寧に頭を下げた。

「おもちゃ売場は何階ですか」

「七階になっております」

「あの……商品券は何処ですか？」

ぼさっと立っていられなかった。それだけに又面白い、目の前をぞろぞろ人が流れる様に動いている。その有様を眺めているだけでも私はあきなかった。しかしそんな事をつづけている訳にはいかない。私には自分の仕事があるのだから。

私は自分の机の前でぼんやりと考えている時間がたびたびあった。

「こんな事ちや駄目だ、なんとかしなくては」

くるしいをいつも考えることは同じだった。

有楽町の駅から朝の雑踏を通り抜け、数寄屋橋へ向う出勤の道をいそぐ時にも、私はまるで他様にその無意味な生活から抜け出す方法を考えていた。

お店の夜の店員通用門の階段を下りて、タイムカードを押し、机の前に座ると、その日の仕事が、昨日も、一昨日もそうだったように静かに動き始めるのだ。機械のように無表情に、同じことを繰り返すのだ。時間中、私は特に何か用事もなく寄ると、ソット部屋を抜け出して、屋上へ上った。

そして青空を見上げる事で、思いきり深呼吸をした。体中の淀んだ空気を一っぺんに吐き出してしまいたかった。

　その年の秋、姉がお嫁にいった。お見合いをすると、姉は直ぐに決心したらしい。結婚まで話がいくと、スピードに結婚式のはこびになった。日本閣の式場で、ささやかながら神前の式をあげた。親せき、友人等が集まって二人を祝ってくれた。

一回千五百円也の貸衣装だったそうだが近くでみた花嫁衣装は実に苦しそうな、身動きの困難な様子だった。その人の生涯をきめる、旅にしてはようなものかも知れないとも思った。大部分は聞き取れなかったが、うやうやしいのりとが読み上げられ、三三九度の盃が重ねられ、式は終った。

二人は揃ってそのまま新婚旅行に出かけて行った。

「ではさようなら」叔父が両手を上げて威勢のいい声で二人の幸を送ってくれた。後に姉からの話によると、この時の叔父の声が一番嬉しかったとか。

大分冷やかされてしまったものだ。

この日の父と母は「おめでとう」と淋し想かない様子だった。

親にしてみれば、娘は育てても嫁いでしまうということは一番淋しいことかも知れない。姉が嫁いでしまった

夜の家の中はしばらくの間、まるで火が消えたよう
てしまった感じだった。家族中が黙って誰も口
を開かず、「ただいま――」訪ねる人の顔が度々
をあけての笑い声も聞こえなかった。
「またそんなに高い物を、それってもまた買いたいわ
のにねえ――」母はポツンとこう言った。

娘の嫁入りでからの家の経済は苦しかった。
月額ではないにしろ娘からの収入がなくなってしまった
る。その上、娘の結婚式には、あの頃にしても
相当の金額がかかっていた。我が家の経済的状態
工作に出かけていた。その費用は自分の給料から
って来た。七千円程度の金額だった。
出来得るかぎり家を助けた。
父はその頃すでに六十に手が届こうとしていた
が、戦後、新しく始めた商売の仕事を一生懸命つ
づけていた。

父は長年呉服商をしていたが、終戦とともに
ですっかり焼かれてしまった。
あの頃の中で流行もきびしく世間の人すべてが
たべることには追われている中で呉服屋というのんき
な商売をつづけられる時代ではなかった。その後、い
くつもの商売をかえて来た。知り合いの洋品店で勤
めたこともあった。洋服生地の販売をしたりもした。
又、外人向けの着物の取り引きもした。相二市の白地に
刺繍をしてもらってその着物を売るはつづく商売
はかなり忙しかった。
終戦直後、この商売をはじめた人達は相当、儲け
てもうけたのである。野菜、お菓子、あらゆる物すべて流行
が有れば売れた頃だったので、何でも売れた売れ
た時代。その時の縁で家を建ててしまった人もあ
る。母が始めてからこの仕事をはじめる
時には、すでにいろいろの物がたくさん出まわり始
めて前ほど容易な景気はなくなっていた。
「もう少し早く気がついてはたらよかったのにねえ」
と母は時々言っていた。

そんな様なわけで究極工夫も、遅々として進まな
かった。

日がたつにつれて私の心の中には満たされない空虚さが大きくひろがっていった。

「一体、これはどういう事なのだろう」

こう考えながら早く何とかしたいとあせった。今の中に、若い中に解決しないとこの状態はいよいよ深く、抜けられないものになってしまうのではないかと自分自身恐しかった。恋愛をしたらふさがる穴だろうか、いや、そんな性質のものではなかった。学生時代の友達と逢うと、きまったように、

「何かい、事ない？変った事は？」

とたづね合った。

皆が満たされない生活の中で何か求めているのだった。

グループの一人はお習字を習いに通い出した。一人はお華、一人はダンスにこりはじめた。私達数人のグループはよく新宿で待ち合せてコーヒー店へ行った。

「あたしは毎日々々が楽しければそれでいいと思うの、別に大きな事はのぞまないわ。小さな楽しみでもそれが連続すればそれでいいじゃないの」

「でも、その場かぎりの楽しみはそれっきりよ。私はやはり発展して行くものが欲しいわ」

そんな事を話しはするもの、結局はどうすれば良いのか解らなかった。その中に一人がめづらしいニュースを持って来た。

「ねえ、日曜パーティっていう所があるんだけれど、行ってみない？」

「あ、私もきいた事があるわ、教授が主催しているって会でしょう。英語会話や、ダンスやいろいろのサークルがあるとかいう話よ」

「行ってみない？」

「どんな所なのかしら。誰でもいい、のかしら」

「誰だっていいのよ。広告がでていたんですもの」

私たちは早速そこへ出かけることに決めた。番地をたよりに夜道を大分歩いた末、ようやく目ざす所をさがし当てた。

驚いた事にそこには私たちと同年輩程度の男女が道いっぱいにあふれていた。

そしてその長い列は七、八米もつゞいていただろうか、
私たちは顔を見合せてしばらく呆然としてしまった。いつになったら入れてもらえるのやら見当がつかない有様だった。

その中前方からプリントが配られて来た。それを見

私は「あれ？」と思った。

「あなたは結婚の相手にどんな人物を選びますか」等と思わぬ質問を連発したからだった。「サークルで何かやって行こうとするのに結婚の相手を考える必要があるだろうか」そのアンケートを手にしてから幾しばらくも事務の人がすぐすぐと動いているだけでいつまで待っても中に招入れなかった。

「貴女どう思う？」

「何だか面倒な前略、一人一人面接するって話よ。それに入会費が高すぎるわね」

私達はもっと簡単な親しみやすい雰囲気を想像して来たのだった。まるで学校の試験でも受けるような騒ぎに私達は中に入る気がしなかった。

私たちはすぐ帰る事にきめた。私達が求めていたのは上品さというものより一目で実益生活の糧になるもの、そんなものが欲しかったのだ。

その後もよく日高パトーナの声を耳にするが、その度にワンワンと押しかけていたあの人達の姿を思い出す。

（四）

入社してから二年目の春、私は思いがけないことにぶつかった。

三月に入って間もない或る日だった。夕刻、秘書課から呼び出しがあったとかいうことで三人の名前があげられていた。

「五時までに秘書課へ来て下さいって」

「え！そう？移動かしら」

「うそよ、昇級よ、おめでとう」

皆は口々にさわいでいた。

毎年、春に行われる昇級、人事移動の時期だった。

私達従業員は、この時を誰もが期待と、不安と、好奇心で満ちた複雑な思いで向えるのだった。こんな日の帰りの脱衣前は蜂の巣をつついた様な騒ぎだった。ロッカーとロッカーにはさまれた狭い路地には大声でしゃべり合っている人、泣いている人、慰めている人等、悲喜こもごものこう景が見られた。

私はさっきから考え込んでいた。というのは三人の呼ばれた中私と同時入社のTさんが含まれていたからだった。——まだ移動ではないらしい。だとすると昇級だけれど——。

私の仕事をする手は上の空だった。

——Tさんの方が認められたという事なんだ。

しかし私だって怠けはしなかった。真剣にやって来た。

しかし――Tさんとくらべた場合―― しかし……

秘書課から呼ばれた三人が帰ってくる時刻になると私はじっと座っていられなかった。落ちつかなくて用もないのに腰が浮いてしかたがなかった。たいして必要でもない用事をつくって席をはずした。

――やはりそうだった――

私が席に戻って来た時には三人の人達は、部長、課長と順々に挨拶をして歩いていた。

――Tさんは昇給したのだ――

私の机の横に立ってTさんは頭を下げた。何か云ったらしかったが私には聞きとれなかった。

「おめでとう」こういいながら私は羨しかったけれど一生懸命笑顔をつくった。頬がひきつれているのが感じられた。

皆が帰った後、薄暗くなった部屋で私はこらえきれず泣き出してしまった。悲しかった。一緒に入社して今迄すべて一緒にして来たのに――

主任さんがいろいろに慰めてくれたがその時の私にはすべて意味がなかった。無我夢中、どうやって外へ出たか自分で解らなかった。

私は日比谷公園の広い道を歩いていた。しずかに歩いてくるアベックの幾組かとすれ違った。

私は時々「シクシク」と息がつまった。冷い夜の風が泣いたほゝに気持よかった。私は何も考えていなかった。ただぼんやりとお堀の淵を風に吹かれながら東京駅まで歩いた。お堀の水に映えたネオンの華やかさが私の目には痛いようにまぶしかった。

家へ帰ってから其の事に関しては一言も云わなかった。母に云うのが口惜しかったし、私自身、何でもなかったようにそっとほうむり去ってしまいたかった。

相変らず以前と変りない日がつづいては過ぎていった。しょんぼりとしていた私を井上の友人は温かく慰めてくれた。

「でもね、あれだけの評価でその人のすべてがきまってしまうわけではないわよ、あんな事で気を落しては駄目よ」

しかしどんなに慰められても私には大きな打撃だった。私は自分自身に対して腹立たしかったし口惜しかった。しかしどんなに地団駄踏んでも、結局自分の胸にぶつけるより仕方がなかった。たしかに実力の差だと思った。しずかに過去を考えてるとそれを認めないわけにはいかなかった。私は仕事に対する意欲自体持っていない。それどころかここから抜同じ様な事を考えつづける毎日だったのだ。

「これでは駄目だ」

しかしそれだからと云って受験勉強のためにマジメになって懸命に働き出すのは考えるのもいやだったし、又、そんな気持もわいてこなかった。

イライラとあせり気味な日がつづくようになった。何とかしてこの生活から抜け出したかった。その事ばかり考えつづける生活がつづいた。


こんな事があってから会社勤務は前より一層つまらないものになっていった。勤め以外の時間の中で楽しい自分の生活をつくろうと思った。

お華を習い始めた。

そして本を読む事に没頭した。

都民劇場のサークルへ入会した。この都民劇場から観劇したものの中で、木下順二の「山脈」は特に印象に残ったものだった。それは明治の混乱した時代に生きる青年の姿を描いたものだった。情愛と、自由の思想がはげしく交わり、その流れの中に青年が力強く生きていく様に私は強く惹かれた。幾度か議論がくり返された後、「神なんか居ませんよ」ときっぱりと云い切った一人の青年の言葉がいつまでも私の心から消えなかった。


桜の園」「どん底」「伯父ワーニャ」等を観た。この時以来、私は新劇が好きになった。人間の生きると云う問題を真摯にとりくんだきびしさや、又、やわらかな悲しさ等、生の人間から感じとれる事はすばらしかった。新派や歌舞伎の観賞の月にはその席を母にゆずった。戦時中は勿論、その前から生活に追われつづけ来た母はゆっくりと歌舞伎を観る時間等全く持てなかった。何の楽しみか忘れてしまったが、帝劇へ新派を観に行った時の母は非常によろこんだ。着ていく着物がないとか、帯が古いとか云いながらも、帰って来た時の母は、数年ぶりにみる娘に返ったような楽しそうな顔だった。

しかし、この母のたのしみもつづけられなかった。会費がつづかなかった。私のおこ遣いもしばしば生活費の方へ引き抜かれた。我が家の生活費が赤字なのをみながら新劇鑑賞どころではなかった。

「少しかしてくれないかい」

こう云われるといやとは云へなかった。家のために私の生活までメチャメチャにされてしまう。私が働いたお金を――、しかし、母だって、必死で、一生懸命働いているんだ。母に苦情を云ったってこれ以上どうにもよくなるわけではないし――云えば母を苦しめるだけではないか。もう少しがえばみろ！

移民計画をやめた。

母も非常に残念がった。

貧乏なんかに負けては駄目だ。自分の心に強く云い聞かせた。しかし考えてみれば私のきりつめた生活の中の唯一のオアシスだったのに——


私はいつも何かを求めて来た。

しかし一貫してつら抜いているものがないのではなかろうか。自分の生活を思いかえして考えて見た。家へ帰ってからの私の生活は、洋裁や、音楽や、小説を読む事が日課になっていた。夜おそく、スタンドの灯をかこえるようにして勉強をしている弟の横姿をみながら私はたまらない憂鬱にかきたてられた。弟は来春の大学をめざしているのだった。


——私も勉強をしたい——


今の私には何もありはしない。高校時代のように試験のための勉強ではなくて、体の中に明るい萌えをきづいていくようにじっくりと勉強してみたいと思った。何もちろん学校へ行く事は考える事すら無理だった。何をどうやって勉強していいのか解らなかったが、まず読みたいと思った本は世界史の本だった。

本棚から「世界史」の本を引抜くと夢中で読みはじめた。うれしかった。一つの計画を考えついただけのあのワクワクするようなうれしさだった。一行一行に時間をかけて緊張して意味をつかもうと努力した。

恐竜類が地球上の王者だった世紀前の頃、人類が智恵を使い次第に成長していく過程等、頁をめくりながら、私は高校時代の教室の有様をなつかしく思い出した。皆が一番に集中している静かな午後の空気を思い出した。コツコツと先生が黒板へ文字を書く時のチョークの音が聞こえてくるようだった。

あしあと

——私のあゆみ——

菊池一徳

はじめに

今の職場につとめるようになってからもう九年になる。十年一日という言葉があるが、毎日同じ道をこつこつと職場へ通っていた。こゝで自分の青春の、愛も、よろこびも、苦しみも展開してきた。自分の過去をふりかえってみると、十年一日といっても、やっぱりこの中で自分自身が変り、形づくられてきていることを感じとることができる。

あっちにぶつかったり、こっちにぶつかったりのヨチヨチ歩きだった。あるときは勇ましく飛び出して怪我をしたこともあった。石がとんでくれば頭を下げたり、物かげにかくれたりして避けたこともあった。まっすぐにはとても歩いてはいない。それでもこれが自分のすすんで来た道である。

僕はこれをたん念にたどりながら　自分自身のために、また、自分たちの時代のために、自分の今までの歴史をまとめてみたい。自分の過去をふりかえってそれを整理し、その中からこれからの正しい方向をひき出してゆきたい！親指でぐーっと太い力強い線を引くようなつもりで書きたい。その線はいわゆるきれいでなくてもいい。が、その延長線はこれからの方向を、はっきりと自信をもって示していなくては困るのだ。それは僕がふたたび力強くすすんでゆける道であればいゝのだ。さらに、これが多くの人の歩んでゆける道であったらいい。

1

この記録は自分の生いたちと、世の中に出てからの大体二つの部分に分われている。

自分の生いたち——子供のころ、どんな状態の中で育ったかということは、今の僕について

2

考える場合には無視できない。これは今の生活の背景ともいえるものである。あるいは、ある意味では今の地点に到達するために役立ったもの、または必要だったものといえないこともない。素材の提供といってもいいかもしれない。このころについては、だから、舞台の背景を書くようなつもりで多分にスケッチ的になっている。

そして、世の中へ出てから出合うさまざまなできごとに自分がどのように反応し、どう考え、どのように行動して行ったかということがこの記録の主体となる。まさしく、このことが僕がここで書きたかったことである。

僕は今、豊年製油の研究所につとめている。はじめは助手で試験管を洗っていた。朝早く来て冷たい水で雑巾をかけ、それから一日中、こまねずみのように忙しく走りまわっていなければならなかった。苦しいこともあった。悲しいこともあった。それでもその中で化学というものに強く結びついて行った。

今は研究員となって一つのテーマをもって仕事をしている。実験がうまく進んでゆくときはうれしい。ごしごしとビーカーを洗っていることさえも楽しくなった。科学に対するあこがれもある。が、生活の苦しさがある。また、会社の上からの勝手な命令で、ただ、もうからないというだけの理由で仕事をやめさせられてしまうこともある。そんなときはビーカーを力一杯床にたたきつけてやりたくなる。その他、さまざまなことがある。また、ここへ来るためには労仂組合やサークルと切りはなして考えることはできない。とにかく、こうして〝助手から研究員へ〟にはよろこびも、悲しみも織りまぜて長い歴史がある。

ここでこういうことを一つ一つ書いてゆくことで自分の姿をはっきりと浮き彫りにしたい。彫ってゆくノミの音が、生活の歌、仕事の歌にもなるように。

3

生いたち

「この凶年どし生れのばけもののめ!」

僕たち子供がたべもののことでうるさくさわぐと母はいつもこういっておこった。それから「頭がづきづきうずいて」といってこぼした。

鍋のふたがまっくろになるほどハエが飛んでいた。家の中は土間まで蚕に占領されてしまって人間は隅の方で小さくなっていた。二階から庭へ蚕の糞を無遠慮にザーと落したので、うっかり下を歩いていると頭にかかることもあるくらいだった。家の中に馬小屋があり、土間の両側から馬が頭を出していたので、知らない人はこわそうに小さくなって入って来た。馬糞の臭がプーンと家の中にただよって来た。

食べることも、休むことも、遊ぶことも、みんないろりのまわりだった。いろりはくすぶるので目をそむけていなければならないこともあった。ごはんを食べていると天井からまっくろのススが落ちてきた。ときにはごはんの中にも入った。ときたま、だれかが口をきくだけで、あとはみんなだまってもくもくとたべていた。僕はごはんに味噌汁をかけて、ポロポロとごはん粒を落しながらたべていた。腹が一杯になると、そこでごろりと横になり、そのまゝねむってしまった。

自分の生いたちを書くために子供の頃を考えるとこんなことが思い出される。

長野県の佐久で生れた。千曲川の一番上流である。

信州は養蚕のさかんなところだった。明治から大正にかけて信州では財産があったり事業が好きだったりすると蚕の種屋をはじめる家が多かった。おじいさんは少しばかり持っていた土地をもとでにしてさまざまな事業に手を出しては失敗していた。最後に蚕の種屋をはじめた。大正のはじめの頃である。生糸の輸出がぐんぐん伸び、養蚕が非常な勢いで発展しているときだったのではじめはうまく行ったようだった。この頃には自分の持っている田畠はもう残り少くなっていたが、それでも男の子三人を全部百姓にしてしまった。百姓をしているだけでは生活できなくても、蚕の種屋を兄弟三人で協力してやってゆけば、なんとか食べられると考えたからであった。僕の父はこの三人の兄弟の長男であったから〃家〃をついだ。

　子供三人ではまだ人手がたりなかったので朝鮮の人たちを使っていた。あるときその朝鮮人が、僕の母がうしろから来たのも知らないで「あゝ……」とつぶやいていたそうである。夏の暑い日がカンカンと照りつける中を山のように大きな桑の束を背負って歩きながらであった。朝鮮から来た人たちを直接に使っていたのは父の一番下の弟だった。僕の伯父さんになるわけだが、村一番の働き手だった。この伯父さんの手はびっくりするくらいごつごつしていて、今でも深さ二ミリくらいのあかぎれがたくさんある。母のお茶のみ話のときにはよくこの話をした。

　このようにみんなの、つらい、はげしい労働によって支えられていた蚕の種屋も昭和のはじめに世界的な不況が来たときにつぶれてしまった。家はていとうに入り、田畠・山林は地主の手に渡り、僕の家は小作農に転落してしまった。

　僕が生れたのはこの不況の中で家が没落したときだった。昭和五年である。

　一枚の古ぼけた写真、そこにはおじいさんを中にして古風なよそおいの人たちが四十人ほど写っている。僕は母のおなかの中で写っているのだそうである。これが家が没落する前の一族郎党である。こういう写真はもうとれない。これを見ながら、ふと、パールバックの〃大地――分裂せる家〃を思い出したこともあった。

　おじいさんは蚕の種屋を失敗してからは白い見事なひげの手入れをしながら易にこっていた。失敗の連続だった自分の生涯をうらなうかのごとくに……。易のほかは、見晴しのいゝ場所に建っていた蚕室を別荘風に改造して画家を泊め、自分の肖像を描いてもらうのが唯一のたのしみでもあるようだった。

　家に古い家計誌がある。そこには〃一徳にこずかい五銭〃ということまで書いてある。父は酒は浴びるほどたくさん飲んだが、それでも父の一生は五銭の行方にも気をつかいながら残されたさゝやかな田畠を耕しておじいさんの残したたくさんの借金を返してゆくことであった。子供が兵隊にも行けなくなるから、破産の宣告を受けることだけはなんとかして避けようと苦労したと話していたこともあった。一生が炭焼きの連続であった。

　徳川時代には菊池の一族は名主をしていばっていた。家の前のちゃんとした公道を不浄だということで他の人たちの葬式の行列を通させなかったということである。明治になってからは別に強制はしなかったろうが、しかし、この習慣は昭和のはじめまでつづいていた。

どんなに家が貧しくても、この部落の中で僕の家がいくらか旧家であるということで思わぬところで出費がかさんだ。おじいさんがなくなったときは葬式にはずいぶんお金がかかった。お寺から立派な法名をもらうために借金をしてお金を寄進した。だからおじいさんの法名は部落で一番くらい立派であった。

母は製糸の町、岡谷市がまだ平野村といっていたころにそこの製糸工場で仂いていた。明治から大正のはじめにかけてである。わらじをはいて八ヶ岳を越して歩いて行った。〝女工哀史〟時代の製糸工場に仂いていた母は、しかし、そこにつらい思い出はもっていない。どんなにつらいことでも、それを運命とあきらめて、じっと耐えしのんでゆくたちであった。それでもそこに仂いていたとき同盟罷業の経験をしたようだった。母は〝ドウメシコ〟といっていたが、それは仕事をしないで畳の上にじっと座っていることというように解釈していた。

5.

母は長男の嫁だから義理の弟や妹たちのことを見てやらなければならなかった。口うるさいおじいさんは格式ばかり重んじて立居ふるまいに文句をいっていたらしい。御はんを食べているときにおじいさんの白いヒゲの下にあるくちびるがピクピクと動くと母は困った顔をしてそわそわし出した。

屑の繭を座繰というので糸にし、カッタンコットンと反物にしてゆくのが母の冬の仕事であった。まゆから糸にするのは見ているとたのしかった。しかし寒さのきびしい信州ではつらい仕事である。これをはじめると部屋中が蛹の臭ったいやな臭で一杯になった。床も汚れてしまった。母は「あかぎれが多いから絹物はひっかかって困る」といってこぼしていた。それでも母はこうして織っているときが一番たのしそうだった。織られた反物は僕たちの着物になった。

〝〇〇様（地主の名前）ががらっと戸を開けるなり〝おい太高《だかい》しゅう（父の名前）お前の借金は一体どうしてくれるんだ！〟といってからさんざん文句をいうのに、この人ったらおとなしいからあやまってばかりいた」と母は口ぐせのようにいってくやしがっていた。秋のとり入れがすむと一番上等の米はていねいに籾って俵に入れた。それが部屋の中に十何俵か積まれる

6.

頃になるとトラックが来た。トラックはほとんど軒毎に停ったが、なかには停らない家もあった。子供の頃は地主、小作人ということも知らないから停らない家があることはかえって不思議に思った。トラックは父をどなりつけた地主のところへ行ってしまった。小作料は豊作のときで六割が小作人、四割が地主であったが、不作のときは半分以上も地主のところにもってゆかれた。

僕が子供の頃、野良仕事を手伝いにゆくと、父はだまっていたが、母は口ぐせのようにいった。

「この田圃も、あそこに見える山もうちのものだったのにな。おじいさんがあんまり手を広げすぎたからみんななくしてしまった。あれがあれば、おとっつあんもこんな苦労しなくてもすむのに」

母がこういうときは、はげしい労働の中で老いてゆく夫への同情、夫をどなった地主への感情的反撥、土地を失ってしまったおじいさんへの不満、そんなことが気持の中でふくざつにからみ合っていたであろう。しかし、これも資本主義の発展の中で農村の階級構成が変ってゆく一つのあらわれであったと思う。

小学校に入った。僕は子供の頃はよく泣いた。今でも小学校時代のクラス会があると女の先生にからかわれて赤くなってしまう。

「かずのりさんたら、教室でなにか聞かれても答えられないことがあると大粒の玉のような涙をポロポロこぼすんだもの」というわけである。いわゆるおとなしい子供だった。それでも途中でさぼって学校へゆかないこともあった。そういうときは炭焼きのまねごとをして遊んでいた。だから修身は丙のことがあった。つづり方も丙だった。

昭和七、八年頃が家のどん底であった。兄と姉が小学校へ行っているときに家にすずりは一つしかなかったから兄妹で共同で使っていた。たまたま同じ時間に習字がぶつかり、兄妹が学校の廊下ですずりのうばい合いをしたこともあったという。僕が小学校に入ったときはそれよりいくらかよくなっていた。同じ組の中に教科書も買ってもらえない人がいたのに、学校で必要なものだけは一応は買ってもらえた。これは借金の重みで苦しんでいるとはいっても、もう兄や姉が学校を終り、働いていたからである。

父の妹が製糸工場で女工をしていたが、そこの経営主の長男と結婚した。これはおばさんが

7.

わりあいに美人であったからしいが。しかし百何十人もの女工を使っているいわゆる資本家と小作人の娘の結婚は困難であった。おばさんは義理の妹たちに〃小作人の娘〃ということでいじわるをされどうしだったという。このおばさんは正月に遊びに来るときには、いつも本をたくさん持ってきてくれた。僕はおばさんがときどきかげでこっそり泣いているという話を聞くたびに、あんないゝおばさんがかわいそうだと思って同情した。

子供の頃はヒットラーの全盛時代だったが、その伝記を読んだことがある。その内容はほとんど忘れてしまったが、今でもその中の一節だけは今でもあざやかに覚えている。

才一次大戦に伍長のヒットラーは負傷して病院に入っていた。そのときドイツは敗けてしまった。〃戦争は終った〃というよろこばしそうな叫び声にびっくりしてヒットラーはベッドからたち上った。カーテンをわずかに開け、街をながめると、ハンブルグの造船労働者がプラカードを立てゝ戦争が終って祖國ドイツが敗れたことをよろこんでいた。この造船労働者は戦場で兵隊が死んでいるときに仕事をやめてしまったのだ。ヒットラーは自分の國が敗けたのをよろこんでいる職工たちを見て悲しくなった。ヒットラーは一人でベッドに伏せて泣いていた。このドイツと労働者をなんとかして救わなくてはならないと考えていた。労働者が仕事をしないのはマルクスという悪い人がいて労働者に仕事をしないようにと教えていたからだと書いてあった。そしてさしえにヒットラーがカーテンを少し開けて窓からのぞき、街にはプラカードをたてた人がねり歩いているのが載っていた。

―こんな内容である。僕はマルクスってずいぶん悪い憎らしい人だと思った。うんと昔の人だろうと思った。

本を読むことは好きだったが、本がなかったから、あとは修養全集という一冊の大きな本をくりかえして読んでいた。

やはり小学校の頃であった。友だちがどこから聞いてきたのか部落民の話をした。

「チョーリッポってのがあってな、とてもこわいんだ。指を四本出すと村中が出て来て袋だたきにするって。小諸の方へ行けば多いのだ。縁側がうんとせまいからすぐわかる」と僕たちを集めて得意げに話した。

遠足に行ったとき僕は縁側のせまい家を注意して見ていた。村はずれの川のそばに縁側のせ

8.

まい家が十軒ほど集っていた。僕たちよりもっともっと汚い子供たちが遊んでいた。僕はこれがチョーリッポだなと思いこわくなった。自分の家の縁側がこれよりはるかに広いことを思ってほっとした。

家がいくらか広かったので戦争中は夏と冬に遊びに来た朝鮮の大学生を置いたことがあった。みんなが馬鹿にした朝鮮人も僕には親しく感じられた。

いろいろ思いつくまゝに書いたが、こういうことが子供から大人になって行く僕にわりあい大きな影響を与えていると思う。

中日戦争・太平洋戦争が広がって行った。僕は小学校を終り農学校に入った。

父から農学校へ進むようにいわれたとき僕は学校へ行くのはいやだと何回もだだをこねた。友だちの多くは小学校だけで終ってしまった。父はたとえ農学校ではあっても僕を上の学校へ入れたのは、自分の一生や、分家している弟たちのことを考えて、やはり子供は学校でも出してサラリーマンにでもしたかったからであろう。また父は教育に対して熱心であった。学校で父兄会があると、教室でわざわざ僕の席まで来て教えてくれるくらいであった。それでも農学校のときこんなことがあった。

あした大事な試験があるという日であった。冬の馬の飼にするために干草を刈らなければならないが、それがもう乾いて山にあった。雨が降り出しそうになり、それをとり入れなければならなくなったので父は僕を連れてゆこうとした。が、僕は試験勉強のために行くことをしぶった。父はてんで承認しないで泥縄式だといったわけで僕をどなりつけた。僕は母のくれたリンゴをかじりながら半分泣き出しそうになって父のあとについて行った。馬に干草をつけ、自分の体の何倍もある大きな荷を背負って帰ってきた。家に帰り[illegible]が降り出してきた。父も僕も、馬も、干草も、みんな濡れてしまった。ほゝを伝って雨が流れた。父も、僕も一ことも口をきかないでもくもくとあるいていた。

田舎の曲りくねった道をあるいていると白壁の蔵が目につく。これは地主か[illegible]みたいなものである。毎日学校へ通っていると高い丘の上にある地主の家の白壁の蔵が[illegible]いた。何棟もつづき、その上に大きな[illegible]があゝいかぶさっていた。木の[illegible]目にしみるようだった。おじいさんが[illegible]なかったら俺のうちにもあゝいう白壁の蔵が[illegible]

四月一日、五十人近い私達ニューフェイスの入社式だった。その時どんな話があったか、今は殆ど忘れてしまったが、その後一週間つづけられた教育中のつらさは忘れられない。昼食時間と、たまにある休憩時間以外は終日、その一室に座りつづけだった。そして商品に関する知識、会社の規則習慣等の講義を受けた。これが一週間つづいた。一つ所にじっと座っていなければならないということをこの時程苦しく感じた事はなかった。学生時代、どんな嫌いな学課でも、これ程に時間をもてあましたことはなかった。なにしろ私にとって、この一週間は実に長く苦しかった。禅をうける苦しさとはこんなものだろうかと思いながら、椅子に根をはやしたように座りつづけた時間を過した。私がこんなに退屈したのは話の内容に興味が持てなかったからかも知れない。しかし考えてみると私には最初から講義を「聞こう」とする意志がなかったようだ。

なにはともあれ、教育のために一室に集められた私たちは小学生のように「○○子」と書かれた三角の名札を前に座った。そして○○部長、○○売場の係長、とかいう、エラそうな人が入れかわり立ちかわり私たちの前で話していった。ゴム靴を真二つにした横断面を見ながら、私達はその説明をきいた。又包装の練習もした。仮りの売り場を設け、お客様をつくり、二、三の人が皆の前で店員になった。「ぐずぐずしていると短気なお客様はおこりますよ」

敏速に。きれいに。こんな事から私達は売場に立って働くかいがいしい雰囲気を味った。或るエライ人がこんな事を云った。「学校では教養の人を採用するのに試験があります。しかし社会へ出れば毎日々々が試験です――――」「なる程、社会とはそういう所なのか――」私は椅子の上でかたくなった。

休けい時間はにぎやかな話し声で部屋がはちきれそうだった。「面接の時に私、こんな事きかれたのよ。校庭の面積は、どの位ですかって」。「そう――そういう問題は、答えよりその人の態度をみるのよ。その結果、貴女はスバラシかったってわけよ。」「ワーそうかしら。」又四五人かたまった所からは映画の話やお化粧の話に一しきり花が咲いた。

入社してから八日目に新しい制服が配られた。おりじわのついたその制服の袖をひっぱったりのばしたり部屋中大さわぎ。「この衿の型、素敵ねえ――」「あら、貴女似合うわ、いいわねえ――」。私は鏡をおして自分の店員たる姿をつくづく眺めた。パーマのかかってない女学生頭にこのグリーンの制服はどうも不つり合だ。鏡の中で私はふくれっ面をしていた。それから写真を撮った。人事課へ保存しておくとかいう話しだった。

数年後、この時の写真を返してもらった時、「へえ――田舎から出たてのホヤ〳〵って感じね。やっぱりきれいになったわね――」等とひやかされてしまった。

今年も新入社員の入社式があった。屋上で記念撮影しているのを見うけてから数日後、その人達は各係へ配属されていった。先輩の注意を聞きながら、コックリコックリうなづいているそのようすを眺めながら、私は入社当時の自分の姿を想いうかべていた。

入社してから一・二週間の間、朝早く出勤して一生県命掃除を手伝った。「お当番がきまっているからいいのよ。」「ええ、でもいいんです。」真面目くさってやったものだ。しかし、月日がたつにつれてだんだん図々しくなった。最近ではこのお当番を忘れてしまう事さえある。やはりあの頃の事はなつかしい。

私が　屋から採用内定の通知を受け取ったのはたしか二月半ば頃だったと思う。前年の暮から、口答試問、筆記試験、身体検査一等、数回の試験を受けていた。身体検査の日は朝から雨が降っていた。順番を待たされた部屋が寒くてたまらなかったのを憶えている。雨にぬれたビルの街を窓から見下ろしながら心細く名の呼ばれるのを待ったものだ。この時風邪を引いたのかその後しばらく寝込んでしまった。

採用内定の通知はその床の中で受け取った。

「お前！通知が来たよ。採用の通知が来たよ!!」

母が、嬉しさをかくしきれないと云わないばかりにそのハガキをもって来てくれた。

「－－－－採用を内定いたしました－－－－」。

――――とうとうきまってしまった――――。

"就職"と云う事が現実に目の前に迫ってくると、改めて私は複雑な気持だった。嬉びともつかず、悲しみともつかず、いい知れぬ感情が一時に押しよせてきた。楽しかった学生時代が終った。 そして今、社会へ出ようとしている。

――一個の社会人になるのだ――。

学校から社会えと大きく変らなければならない一点に立って私は感動していたようだ。しかし、この就職に私は喜び勇んで入社したわけではなかった。むしろデパートと云うところは嫌いだったし、縁故関係の入社と云う事に負目を感じていた。 前の年の秋口に母方の親戚から つてがあるからと世話をされた。気が進まなかったが就職しないわけにはゆかず、何かズルズルと周囲に押された形で手続きをしてしまった。 「どうでもいい。むしろ落ちた方が――」試験中でも時々そんな考えが頭にうかんだ。 かえってそれが落着いた態度に表われたかも知れない。 とにかく私は受かってしまった。母はよろこんでいる。布団の上に起き上って考えこんでいた私はいつのまにかポロポロと涙を流してしまった。ドスンと放り出すように体を横にすると、布団をかぶって思いきり泣いた。

「お前、なんだね。大きなしっかりしたところだしこんな良い事はないじゃないか。○○さんの世話があったから入れたんだよ」 母のこうなぐさめる言葉に私は余計悲しかった。「私、いやなのよ――」 いやと云っても、このまま前え進まなければならないのはよくわかっていた。 私は自分の体が何かにしばりつけられて、動きがとれないのを強く感じた。 私の意志のままにならない不自由さを今迄になくハッキリと感じたのは、この時だった。

合評会の要点

合評会準備委員

〃都会に生きる〃（十一号）合評会の為に次の様な要点でまとめてみました。

現在会に参加している人達は色々の職場から来ています、考え方もいろいろちがっています。本文の著者は恩給局で働いている労働者です、著者がこの中で書いてある様な職場の常態はどこでも共通しているとは思えません、著者は現在叔父の家を離れて下宿しています。私達は自分一人で生活して行く事は大切であると頭では知っていますけど、いざ一人で生活するとなったら容易なことではないのです。しかし〃独立自尊〃が大切であるとは思っても、家族と喧嘩してまでする必要はないと思っている人達もいると思います。この問題は私達が生活して行く中で一番大切であると思います。

著者が、下宿して一人で生活する様になると、生活が苦しくなり、色々と悩みながら組合に対して関心を持つようになったのです。現在、私達の中でも、なんのために組合運動なんかやるのかと思う人も多数います。又、組合とは何のためにあるのか、わからない人達もいます。著者の場合は、自分の生活をきりぬく中で働く人の立場に立つ考え方を自分のものにすることが出来たのです。

現在、前にも"独立自尊"の問題の時も出ましたが、頭の中では組合運動を理解している人達でさ、組合運動をやって将来どうなんだろうと不安に思っている人がいます。こんなことをやっているよりまず自分のことを考えた方がいいのではないかと思っている人達も沢山みかけます。女の人達の場合では、お花、お茶、洋裁などをやっています。男の人達の場合には、一生懸命して、他の人達より早く出世しようと考えている人達がいます。現在では職場の人達は組合の指導者の話をすぐには信用しなくなってきています。このような人達に対して何故あの人は、協力もしないんだろうとつい批判がましく人を批判する場合がよくあります。しかし、その人にもその人なりに協力できない問題があると思います。以上の様な問題を中心に合評会を開きますので多数参加下さい。

職場の歴史をつくる会

――メ――モ――

新年宴会のおしらせ

あけましておめでとうございます。一九五八年がはじまりました。新年会に元気な顔をあわせ 飲みかつ歌いおゝいに精気をやしないましょう。そして愉快にカづよく今年の第一歩をふみ出しましょう。岩浪松崎両君よりおくにの酒をいたゞきましたし 女性の方にはポートワインも用意いたしますから甘党も辛党もふるっておのみください。

尚、去年の事務所設立以来 会のためけん身的につくしてくださった会員竹村千代さんにみんなでおくりものをして感謝の意を表したいと思います。

記

日時　一月十四日午後六時半―九時
（翌日おやすみですからどうぞごゆっくり）

場所　品川食堂（品川駅下車都電にていゝ三分。品川客車区振丁新年会とします。）
裏面に地図あり。

会費　諸費二五〇―　おくりもの、三十円
全部で二八〇円

職場の歴史をつくる会

椙山明子様

1958.1.10発行
職場の厂史をつくる会
委員会

アンケート

記入のための要領

☆ このアンケートは職厂全員にお願いして書いて頂きます。

☆ 会員の動向を正しく知るための、大切な資料となるものです。

☆ 記入期限　　1958年 1月16日迄

☆ 提出者　　各サークル委員　　貴殿の場合は { 郵送して下さい。
　　　　　　　　　　　　　　　　　　　　　　　委員です。

（但し、地方会員及び新入会員の方々で所属サークルが決っていない方は、直接「新宿区諏訪町153 竹村方 職場の厂史をつくる会」に郵送して下さい。）

☆ 各サークル委員にお願い。期限までにサークル会員の方々のアンケートを集めておいて下さい。
1月16日午後 係員が集まったアンケートを頂きに参ります。

A

1、会のことを知った時、会の運動についてどう思いましたか

2、貴殿はなぜ職場の厂史をつくる会にお入りになりましたか

3、現在、職場のことで貴方の一番関心をもっていることは何ですか

4、これから、どんな職場の厂史を調べたいとお考えですか（亦は、書きたいとお考えですか）
又、それはどうしてですか

（うらへつゞく）

（表より）

これより下段は、入会後（大振物語、魂あいふれて等）作品をすでに書いたことのある会員、又は3年会員が御記入下さい。

B

1、貴方の書いた作品名（集団の一員として書いた場合でも可） 又は、現在書いている作品名

2、どういう動機でその様な仕事を始めましたか（詳しく書いて下さい。 別紙にお願いします。
400字詰 原稿用紙 10枚 まで ）

3．これまでどんな職場の歴史を書こうと考えましたか （別紙にお願いします。
400字詰 原稿用紙 10枚 まで ）

4．職場の歴史をつくる会に入って貴殿はどういう点でプラスになりましたか
（別紙にお願いします。400字詰 10枚 まで ）

販广分サークル一九五八年度計画案

第一部　企業の仕組と従業員

一、百貨店はなぜはやるか

1. その理由

イ、買物の楽しみ、ロ、便利さ　ハ、正札販売　ニ、安栄心

2. 大企業へその有利さ）

3. 日本の百貨店一らん

二、分百貨店の企業組織

1. 本店と支店

2. 分店の内部組織

イ、職種、ロ、階級　ハ、男女、ニ、　助勤者

3. 採用と退職

イ、採用方法　ロ、停年　ハ、退職金

三、職場の管理

1. イ、服務規律　ロ、職制組織　ハ、マークナンバー　ニ、保安　ホ、考課表

ヘ、異動　ト、ちょうざつ制度　表しよう

2. イ、朝礼　ロ、接客ポスター　ハ、売上競争　ニ、販売奨励金　ホ、隠語

3. イ、店員旅行　ロ、運動会　ハ、芸能祭　ニ、ベースティ・ケーキ

四、従業員の教育へ会社側）

1. 勤務教育

イ、商品知識　ロ、接客教育　ハしかちょう

2. 社内報

イ、分屋時報　ロ、店有会・稜閲読

3. 店友会活動

メモ

五、ら百貨店の歴史（呉服屋からデパートへ）

第二部　職場と生活

一、職場の一日、一年

二、労働条件

1. 給与

イ、制度．　ロ、賞与．　ハ、大入袋　ニ、賃金、　ホ、分配

2. 時間

イ、勤務時間、　ロ、休けい　ハ、残業、　ニ、交替

3. 貸与品

イ、ブルーズ

4. 福利制度

イ、医療、　ロ、健康保険、　ハ、失業保険．

三、労働環境

1. 職場の状態

イ、立地条件　ロ、職場の配分　ハ、施設（休けい場、食堂、エレベーター、便所等）

2. 仕事の種類と内容

イ、売場．　ロ、内務．　ハ、店員．　ニ、アルバイト．

3. 仕事の状況．

イ、人員不足．　ロ、時間延長、　ハ、中元・年末、　ニ、催事　ホ、アルバイト

4. 健康

イ、衛生環境　ロ、設備、　ハ、職業病（消化器病、脚気、胃病、白血球減少）

（うらへ）

四　職場の対人関係

1. 上役
2. 同僚
イ、男女、ロ、先輩後輩、ハ、年れい　ニ、グループ　ホ、助勤者
3. 社員と雇員

五、家庭

1. 家庭環境
イ、職業、ロ、環境　ハ、生活状況
2. 家族構成
イ、教育　ロ、家庭内の対人関係
3. 職場と家庭生活
イ、勤務年数、ロ、共稼ぎ

六、個人生活

1. 個人（イ、教養、ロ、お茶、お花裁縫、ハ、趣味、娯楽）
2. 対人（イ、交友、ロ、恋愛、ハ、サークル）
3. 生理（イ、睡眠時間、ロ、性）

七、組合

1. 歴史
2. 活動状況
3. 従業員の生活との関係

八、思想と心理

1. 人生観
イ、職業に対する考え方、ロ、結婚観　ハ、将来について　ニ、生き方
2. 物の見方
イ、国について　ロ、社会について　ハ、会社について　ニ、組合について
ホ、家庭について

3. 心理、
イ、友情、ロ、男女間、ハ、道徳観、ニ、宗教観、ホ、独立性、ヘ、服装観
ト、ノイローゼ、チ、中性の心理、同性愛
4. マス・コミュニケーションとの関係
生活の歴史（個人を中心として）
九、しめくくり
十、1. 作った過程
2. 方法
3. 得たもの
以上

備考
一、計画（予定） 一年計画（三月から来年二月）
二、調査会 二十四回、内四回は調査表作成（五〇〇枚程度）
三、組織 責任者 竹村
助手 岩泉、翔
副助手 現場関係三名

二月例会 一、日時 二月二十三日(日) 七—九時 二、予定議事 1. 計画案の検討 2. その他 三、場所 おって知らせます

職場国鉄サークル一九五八年度計画（原案）

第一　概説
客車区の役割
客車区の歴史
第二　客車区の組織と職員の階級
職種別　技術別
大小別　職員の階級
第三　職員募集の実状
(イ)その歴史　(ハ)（教育）鉄道学校
(ロ)縁故募集　(ニ)大学卒の場合（学閥）
(ホ)臨時人夫
第四　雇傭契約の実状
第五　労働条件
(イ)日勤・徹夜　(ニ)給料の支払方法
(ロ)休けい時間　(ホ)賞与
(ハ)賃銀制度　(ヘ)官給品制度
第六　職場に於ける職員の虐使

産業災害状態　季節に於ける事故数ゴミの数
第一〇　病人・死者
(イ)職業病　(ロ)精神病《ノイローゼ》　(ハ)負傷の関係　(ニ)公傷
第一一　福利施設
(イ)医療機関　(ロ)職員公傷保証制度　他
第一二　職場管理職支配の実状
(イ)公安官　(ロ)職制と職員の関係　(ハ)職制支配の実状
(ニ)共済機構　(ホ)停年　(ヘ)　貯金
第一三　職員の教育問題
職員の教育程度
(イ)教習所の実状　―教育方針並びにその効果
(ロ)当局のPR
職員の自主的教育
(イ)サークル　(ロ)同好会　(ハ)組合講座　(ニ)夜学
第一四　娯楽の問題
海水浴及び体育会　花見等

その歴史
①戦前篇
②戦後（アメリカ支配の時期）
③戦後篇（現　在）
懲罰制度
表彰制度
才七　入寮者と通勤者
寮の住食の実態
寮の管理状況
寮内の習慣
通勤者（都内）
出身階層　通勤状況、その習慣
通勤者（田舎）
出身階層　通勤状況　その習慣
才八　職員の衣食住、家庭状態
職員の服装規定
職員の通勤（服装）べん当
食堂の実状、売店の実状
才九　職場設備及び作業状態
職場設備（便物　器具　他）

職員の好む娯楽
才一五　職員の心理
(イ)国家に対する理念　(ロ)上司に対する観念　(ハ)人生観
(ニ)恋愛観　(ホ)道徳観　(ヘ)劣等感　(ト)迷信　(チ)性について
(リ)組合についての考え　(ヌ)職能別から起きる心理
(ル)方拵
職員特有の表情仕作　職場に発達する社会語
才一六　職員の思想
客車区分会の歴史（戦前篇、戦後篇）
斗争の実状　マスコミと国鉄
才一七　マスコミと国鉄労組
才一八　作るまでの過程

職区国鉄サークル二月予定
記
議題　三八年度計画（原案）審議
〃　八入力文（全国）報告（予定）
日時　二月十四日（金）午後五・三〇
場所　田町電車区　予定
（詳細は田町電車区整備岡島に連絡下さい。）

つぼみ
号外 発行 1958.2.6
職場の歴史をつくる会
発行人 竹村民郎

わかりやすく、面白い、そしてとっておきたくなる様に 生まれかわる 会出版物

一、昨日、秋田の会員T君から私宛につぎの様な手紙が参りました。

〃……たびくのパンフレット（機関誌、ニュース類ー竹村註）などによりある程度の会の状況など知ることができます。

事情を詳しく知りませんのでもし間違っていたら勘弁願いますが何か委員会ー中心ーが声をからして全体を引張っているといった感じがします。

それだけに中心になっている人たちの苦労も多いことと思いますが、早く各単位のグループ（サークル）が根を強くはって委員会はその運営のまとめ役と云ったものになればと思っています……」

これまでのやり方はまちがっていました。

この手紙を読んでつくぐそう思います。

会員の皆さんにわかりやすく面白く会の動きが一目でわかるニュースを送ったり、読んですぐ役立つ、或いは心の底にたまっていつかはきっと皆様の生活にプラスする様な職場の歴史を編集するのが委員としての私の役目です。

その様なニュース、職場の歴史を皆様に御満足頂ける様につくっていないと云うことは四年前かたい決心で職歴運動をはじめた私として恥ずべきことでした。ふかくおわび申しあげます。私は、今日　この日からわかりやすく面白い、そして、とっておきたくなる様なニュース、機関誌をつくりたいと思います。委員会でよく相談して会発行のいっさいのニュース、パンフレット、機関誌もその様に切り替えを始めます。

　これから、皆様のお手もとにとゞくものは　精一杯の努力からつくられるものです。したがって、チラリ一見、ポイとくずかごえ（又は　棚の上え）の様な読み方はいっさい御容赦願います。

遠い秋田の会員T君の様に熱心な人たちのおかげで会の運動も今日まで続いてまいりました。

古い会員、新会員　労仂者の方、或いは学生の方　どなた様にも、会費未納　会合に出席不良などの不まじめな会活動は絶対におことわりしますが、会を愛して下さるどの会員の皆さまとも親類同様　、まごころからのおつきあいをさせていたゞきたいのです。

本年から職場の歴史をつくる運動に私も専従出来るようにしたいと考えております。

どうぞ　私の出立を御支持下さい。

つぼみ
2号
1958.2.10
発行所 職場の歴史をつくる会
発行人 杉村民郎

「職場の歴史」はこうしてつくられる

会員の皆さん

一月末国鉄労組の大会が静岡でひらかれましたが、大会では主に〝新潟斗争〟の評価をめぐって論争が行なわれたことはすでに新聞などで御承知だろうと思います。この〝新潟斗争〟の評価は昨年八月の総評大会の中心議題の一つでもありました。

一つこの斗ひを歴史的にどの様に評価するかの相異がまたその組合の今後の方向を導く実践の在方の相異にもなるのです。だから、今後の見とおしは過去の事物に正しく歴史的な評価をあたえることが出来る立場に立ってはじめて可能になるのだと思います。

労仂者の大会が主に斗争の評価をめぐる問題にその関心が集るのもその様な理由からなのです。労仂者の大会が過去の斗争を評価するその仕方こそ、その大会の指導性＝誠実さを具体的に知る鍵だと云えるでしょう。

国鉄労組静岡大会は労仂者の大会らしく〝新潟斗争〟の評価を中心にすえて岩井中央執行委員（総評事務局長）と相田中央執行委員（新潟斗争の直接の責任者）との間の白熱した討論や多くの地方代議員の討論が行なわれました。

この国鉄静岡大会は労仂者にとって斗争の歴史的評価がどんなに大切な事であるかを、私たちにあらためて教えてくれたのです。しかし大会が白熱した討論にふさわしく充分な成果をあげることが出来たかと云えばまだまだ不充分な所が目につく様にも思えます。大会の討論の真実を伝える唯一の手がかりである資料一大会速記録の販売が発売中止されたことは私たちに極めて不明朗な印象をあたえますし、今日国鉄労組大会開催といえば"学校"（派閥の相談会）がつきものとなっている事実は、派閥の利益を第一に考える（下部の事情の研究を怠ける）代議員（の発言）を許す基礎となり、大会の指導性が真実の充分な展開をあいまいなものにする危険をも感じさせます

私たちは国労静岡大会の経験からも容易に"調査のないかぎり発言権はない"という真理の正しさを知ることができます。私たちには今すぐ天下、国家の大勢等の調査は不可能です。しかし積極的に計画をたてて私たちの職場の歴史を調べることはできるでしょう。私たち自らの手で職場の歴史を調べてゆく努力の中で始めて私たちは日本の問題、自分の将来などの大きな問題を正しく判断するための基礎となる知識の所有者となれるのです。

本年度から会が実行する職場の歴史をつくる仕事はその様なねらいをもって行なわれるものです。それはお役所的なやり方や、上ずみをすくう様な調査でなく、職場生活のすみずみにまでもずいと目を通した、職場の人人自らの手で書きあげるものであります。そのやり方のあらましは次ぎの通りです。

(1) 調査会をひらくこと

イ　各職場サークルに出席する会員を先生として職場専門活動家が職場の状態を素直に勉強することから始めます。会を重ねるに従って調査細目に従って口頭で質問したことを書きとめ出席者の間で討論をする様にします。

ロ　職場専門活動家はこの調査会に出席する前に必ず、調査方法を充分研究し、それに基づいた調査細目を

用意しておきます

ハ　調査会は月一回～二回程度開きます。職場の歴史の計画は一～二年程度で一まず完成するようにつくって置きます。

ニ　本年度職歴専門活動家は月一回～二回程度、勉強会をひらき、(一)個人の歴史を書く方法　(二)職場の歴史をつくる方法の勉強を行います。

ホ　本年度二月より職場の歴史をつくる仕事を国鉄サークル・Sサークルで始め、次第に他の職場サークルもとりかゝる様にします

(2)　職歴専門活動家のメンバーは次の通りです

（一九五八年二月現在）

指導責任　竹村民郎

専任助手　宮沢武人

岡島　晋

助　手　岩瀬恵夫

市　義一

秋山ヨリ

藤本敏雄

清水澄夫

菊地一徳

副(助)手

大田千萩
飯塚節子
松本由紀子
小林弘
幸野正浩

調査会報

1958.2.19
第1号 号外
芲行人 耺匠国鉄サークル
編集人 竹村民郎

国鉄耺員が生活（斗争）に積極的にとりくむことをさまたげるものは何だろうか？

――第一回調査会の討論から――

(一) びもの問題

学校を出て国鉄耺員になるには、まず試験を受ける、合格しても保証人（国鉄に勤務している耺員）を必要とする。

このため新採用者は有力な保証人を頼むのに一苦労である。

入社後も亦、昇進するためには、有力な保証人との密接な関係を保つ必要がある。

即ち、びもづきになることである。

こうしてびもは自分のひもつきの世話をやくが、自分のびもづきが労働運動などに手を出し始めると警告する目附役でもある。

三ア事件（一九四七年七月）以来、当局は、この目付役を利用して労働組合を監視する動きが強くなったと云はれている。

国鉄耺員と夫々の保証人との関係はどのように変ってきたのか、現在どのようになっているのか、これらのことを調べるなかからまず①びものア史を明らかにしたい。

また国鉄耺員のびも問題を考えていくとそれはただ保証人との関係だけではなく、耺制と耺員、耺場の古株と新入との関係、等々ふくざつな問題に直面する。

だから②びもの種類についても考える必要がある。

(二) びもを調査するために

第一回調査会でとりだされたびもの問題は、①びものア史 ②びもの種類 の二つに分けて調査することになったが、耺ア専门活動家は会員の協力をえてこの二つを調査し、四月末迄にその結果をまとめることになっている。（報告書を作ること）

国鉄サークル本年度の計画

(一) 調査主題《テーマ》
"国鉄職員が生活（斗争）に積極的に取りくむことをさまたげる条件"の調査

(二) 期間　一年間

(三) 調査会数　二十四回（中四回は調査報告書（五〇〇枚程度）を作る仕事に使う予定）

(四) 調査要領
①調査会で主題目について自由に話し合い新しい問題の発見につとめる。
②職場内活動家は発見された問題を整理し、大切な問題は計画的に調査し、その結果は報告書にまとめる。
③調査会で大切なことは夫々の会員が、自分の体験から発言するような気風である。
教えてやる式やハッタリ発言は、事実の調査をあいまいにし、調査会をつぶすもとになる。

(五) 発表について
調査会の内容の発表は指導責任者かサークルの承認を必要とすること。

―記録―

第一回調査会　二月十四日
午後五時半～七時半
議題　ひもの問題　"国鉄の試験制度"
出席者七名（竹村、宮沢、岡島、小林
土田、島村、井上）

―第二回調査会（二月）―

第二回調査会のお知らせ
日時　二月二十一日午後五時半～七時半
場所　田町電車区
会員は必ず出席するようにお願い致します。

調査会報

1958 2.9
第二号 号外

発行人 職場口鉄サークル
編集人 竹村民郎

口鉄職員が生活（斗争）に積極的にとりくむことをさまたげるものは何だろうか？

—第二回調査会の討論から—

（一）ひも。ひもの問題

第一回目の討論の中からひもの問題を取り上げることになり。

その問題で第二回調査会をやり次の様な話が出ました。ひもの問題の中に

①試験の問題

②職制との関係

③職場の環境

④保証人との関係

⑤古株と新人との関係

等々色々のいけんが出て、話し合いましたが、全部を調査するのではまとまりがなくなってしまうので、その内から、保証人（縁故募集）の問題を取り上げて調査することになりました。

（二）調査のやり方として

職場の中に今まであった具体的な事実をあつめることにしました。

その具体的な調査の方法として、委員の、竹村、岡島、小林、宮沢の四人がカードを作って書き入れることになりました

他の会員の人でも、その調査に参加した

＊本資料の発行月表記は3月の誤植と思われる（六花出版編集部）

り入は一諸にやつてもらうことにした。

㈢ 期間として

四月中にやる事にきまった。

㈣ その他として職場に起きている昇給の問題と具体的にどのような事実があるのか話が出ました。その内で次のような問題としてせいりされた。

① 昇級のパーセンテージによって職員がどのようになるか。

② 昇給の時、職員と職制はどのような関係になるか。

—記録—

—第二回調査会 二月—

二月二十一日 午後五時半～七時半—

議題

〃ひもの問題〃 〃昇給の問題〃

出席者

岡島、山口、小林島村、黒部竹村宮沢

—第三回調査会 三月—

第三回 調査会の、お知らせ、

日時 三月十日 午後五時半—七時半

場所 田町電車区

会報

1958
3. 20

発行人 Sサークル
編集人 竹村民郎

第一回調査会から──

日時　三月九日　PM七・三〇～九・〇〇
場所　元来菜館
出席者　竹村、岩浪、口鉄サークルより　宮家
私場関係七名（新加入者一名）

"復活の季節と大衆"を調査（Sサークル運営委員会から）

三月二十日、高田馬場事務所でSサークル運営委員会が開かれ、原案への調査をどのように進めるかについて話し合われた。

。教育勅語の中から要点をぬいてする。

。忠君愛国（一旦かんきゅうあれば義勇公に奉じ……）
1、戦争観

2、人種的偏見（朝鮮人、中国人に対する考え）
3、国際観（アメリカに対する考え）
4、金銭観（税金、国家につながるものとして）
5、天皇観
6、[redacted]
7、国家観
8、家庭に対する考え方
9、民族主義、
10、命に対する考え方、
11、欲求
12、男女の問題

まず初めに、

1、戦争観

1、日清、日露戦争に対する考え方
イ、日本にとってプラスだったかどうか、
ロ、映画の鑑賞「明治天皇と日露戦争」
「天皇、皇后と日清戦争」
2、第二次大戦
イ、戦争経験のある人は今どう考えているか
。軍隊生活へ要望のよいもの、悪いもの、

普通）
○出征（中国―南京ギャク殺。南方―原住民をどう思ったか、どう扱ったか。その他）

ロ、戦争による被害を受けた人の問題、
○空しゅう（彼我の物量差をどう思ったか）
○動員（チョウ用）
○時間、
○物資不足
○戦死
○抵抗（自分の考えの合理を非合理にどうもって行ったか）

ハ、終戦
○終戦をどう思ったか

参考資料

○「菊と刀」―日本文化の型― 上・下
ルース・ベネディクト著　長谷川松治訳
（現代教養文庫、定価上90円下100円）
○「日本の精神的風土」　飯塚浩二著
（岩波新書、　定価100円）
○「日本人の心理」　南博著
（岩波新書、　定価100円）
○「歴史教育批判」―児童の歴史観とその表現―　羽仁五郎著
（岩波書店、　古本）
○「国民性十論」　芳賀矢一著
（富山房百科文庫、　古本）
○「兵士と農民」　ノーマン著

第二回調査会のお知らせ

日時　三月二十八日（金）
夜七・〇〇～八・三〇
場所　東亜事務所

2.

座標

國鉄品川客車区
耺場の广史をつくる会
岡島 博

父のこと。

母と共に私が疎開先から帰ってまもなく父は内閣印刷局を退職した。「会社は焼けてしまったし、この先どうなるのか解らない。勤めていたって一生涯同じ様な勤め人より、商賣の方が楽が出来る。」父は当時40才位だったが19の時郷里の足利から東京に来て以来、20年近くを製紙一本の勤め人として生きてきた。2年前に先の母に長い間病気ののちに死なれて今までコツコツと貯めてきた金を皆んな使い果してしまった。「今勤めていれば月給参万円位はもらっているだろうな、そうすれば親子3人だから楽に暮せていたろうが当時は終戦直後だったし会社に出れば焼跡の片付けをやっていた。この先どうなるのか全く解らなかった。戦争中は36時間ぶっとうしで勤めたことなど何度もあった。今のように労働組合なんてものはなかったし考へられなかったものなあ」父は終戦後休日を利用して自転車で毎週疎開地までやってきた。川口あたりで出来る鋳物の鍋釜や古着等を荷かけにつけてきては農家で米ととりかえ自分の食糧だけ積んで帰った。こうしているうちに会社をやめると云いだしたのだ。母も私も商人などというものは直接経験したこともなく多少不安もあって「商人でやっていけるかい。勤め人でいた方がいいんじゃないかい。」と云いわしたものの、父から熱心に何度もいわれてみると、実際に荷かけにつけてくる品物の売れ工合などから判断して、それ以上には強いて反対もしなかった。それから3〜4年の間は古着の商売も順調に進んだ。こういった中で弟が23年に生れた

露店商人。

私も半年位渋谷の道玄坂で叔父の手伝の露天商をやったのち22年7月鉄道に入った。数え18才だった。別に家が困っているわけでもないから遊んでいてもいいが、ブラブラしていてもしようがないだろう。「直ちゃんが鉄道にいっているから頼んでみな」と父に云われて私もそうすることにした。父の知人の家であったが私が頼むと何とかしてやるということだった。

鉄道に入る。

しかしその後すぐに新聞に鉄道員募集!!の広告が載っていたので私は一人で履歴書を書いて管理部へ出した。第一志望を電車の運転士にした。今考へてみれば、運転士になるまでには幾つかの段階があったのだが、鉄道学校へ行っていた私でも解らなかった。ただ運転士にはあこがれていた。簡単な試験と口答試問ののち品川検車区に廻された。鉄道学校時代に実習で秋葉原駅の荷物運びや学徒動員で小さな町工場に行った経験はあるが、自分から履歴書を出して合格してみると、なんとなく嬉しかった。一緒に入った人達は年もまちまちだった。私達のように20才前の者もいれば35〜6の人達もいた。20人近く客車区に廻された人の中には以前町会長をやったことのある人もいた。客車区に行くと助役が構内を案内してくれた。構内の様子は私には初めてであり、寝台車など一つ一つが珍しかった。一応案内されたあと一つの二階建の木造の建物の中に入った。天井が真黒になった、ただ広い部屋に

背中の破れた作業服やひざが丸だしのそれこそボロをまとっている称なかった。「こうの人達が多勢いた。はだしの人達もいた。「きたない部屋だなあ！」と誰れか思わず云ったが私も詰所に入ったとたんそう感じた。助役た此の詰所が君達のこれからいるところだ」と云われた時は、もう一度部屋の中を見渡した。

汽車掃除。

それよりも、がっかりしたのは、「作業は……客車の清掃をやってもらう」と云はれたことだ。"汽車の掃除!!" 今まで私の考えていた鉄道には、汽車の掃除が専向の取場などはなかった。其の日家に帰っても云わなかった。父には仕事のことを聞かれても、笑われるような気がして話をそらした。仕事は樂な方だったが、バタ屋と同じような仕事が厭で耐らなかった。友達も同じだった。一寸５６人が集まれば「こんな仕事ぢや恥かしくて人にも云えない」そういった話しから始まって「やめて他へ勤めるんだ」という話しばかりだった。なんとしても自分の仕事が人に云えないことが苦しかった。「俺も此処をやめよう」そう思って母に話した。「何でやめるのか解らない母は「辛棒が第一だ」しっかりしたところだし鉄道位良いところはないじゃないか」といって止めた。親戚の人も同じことを云った。しかし一緒に入った友達が、どんどんやめていくのをみると、自分もやめたくてしようがなかった。

初めての給料。

勤めてから半月目に給料をもらった。学徒動員のときは学校で全部貯金させられてしまい、全々自分の手を通らなかったので初めてもらう給料だった。父は「お前が使ってもよいが全部貯金しろ。小遣はその位俺がやる」といった。母に袋ごと渡すと「お前の初めての給料だから」といって神棚に上げた。実際給料以上に小遣はもらっていた。当時は差額が多く毎月のように臨時收入が入ったので小遣と合せれば充分だった。毎日映画を観たり、新宿あたりで友達と食べ歩いた。

家の借金。

しかし２４年頃人にだまされて父の商賣が落ちめになってからは、だんだん生活も苦しくなってきた。それに新しい物が出はじめてからは増々商売がやりたくなり父は二重帳簿を作って税金をごまかしていたが、結局は拂えなくなった。父は、そういったことを、私達には極力話さないようにしてきた。そしてなんとか、もとどうりにしようと多くの人達から金を借りた。しかし、新しい衣類が出はじめ、しっかりした店が建つようになっていたので店を出して一軒の家の一部を借りて古着屋を続けたもの、うまくいかなかった。金を借りた多くの知人達からは信用を失ない、今まで商賣のことで家に来ていた人達が借金の催捉に来る称になった。「明日まで待って来れ」「明日は金が入る」父はいつもこう云って、その場限りの辨がいをして逃れた。こんなことが度重って、しまいには父の胸ぐらをつかんで外へ引出す者も出、来た。私も母も父の一時逃れの辨がいに「どうしても期間までに金が出来なかった、」せの家まで行ってもう少し待ってくれと云わいんだい。皆んなそういってるぢやないか、」と父をせめた、「皆んな人はそう云うんだ。しかし金を持っていないと仲々いけないんだ。行ったって又期限きって其の日までに払えと云われる。二三回重なれば行きにくゝなる」父は何時もそういっていた。実際個定した収入ではないので期間を切られても払えなかったし、少しづゝ払っていると、私の給料とあわせても生活費さえ苦しかった。こうなってくると商売どころではなかった。店に出れば店にきてどなられるので、とう〳〵その店も出せなくなってしまった。安定しない商売をみると私は勤め人ぢやなければ駄目だと思った。「もう古着屋じや駄目だ資本もないし商売を替えるわけにはいかないし製紙にでも頼んでなんとか入れないかい」というと「こんな年になってうや使ってくれないさ」そういわれてみると、私もそれ以上云えなかった。私は「自分の給料がもう少し多ければなあ」と思ったり、勤めの、あい間に何か内職でもしようかなど、考えたりもした。「心配するな、何とかなるさ」一父はいつもそういった。「なんとかなるさ何か一つ当ればな」父のこの言葉は今までに何度もきいた。しかし何時も同じようだったしたまに入っても借金の利子で終った。生活の苦しいことから、母はいつもグチをこぼしていた。私には母の云うことも、もっともだと思えるし、父の弁かいにも無理がないと思えた。

それ以上には何時か進まなかった。結局なかばあきらめた形の中で、毎日母のグチを聞いた。家庭内は暗くあまり口をきかなくなった。しまいには高利貸から金を借りて、にっちもさっちもいかなくなり千葉の方へ知人を頼って私達はまって逃げ出してしまった。母も今まで借金取りに頭を下げてきたが、しまいには家に鍵をかけて裏の家で一日中過ごすようになった。丁度朝鮮戦争たけなわの時だったので、父は茨城の方で鉄屑を探していた。二ヶ月位ののち、母と私で呼びにいって帰ってきたが向うにも借金が出来た。

母の苦労。

母は父の収入がなくなると自分の着物を売ったり近所の家や親戚の家から金を借りてきて其の場をきり抜けた。元来母は迷信を信じる方で、よく暦などをみて運勢等をみていたが、どこで聞いてきたのか、家が苦しいのは皆んなの名前が悪いからだと云いだした。特に私の名前が悪いと云って紙に書いてもらってきた名前を今度から使えと云った。「名前なんかで生活が良くなるものか」と相手にしないでいると、母は「お前は親に不幸をかける気か」といって怒った。どうしても替えないことが解ると「せめて手紙や八がきにぐらいは書いてくれ」といった。私はこの母の熱心さにたいしたことはないので、母の云う通りにしてやろうかと思ったが、家の苦しいのは「名前なんか悪いんじゃない、父の商売がうまくいかないからだ」そう思えて最後まで其の名前を使なかった。母は裏の家に行って「博は親不孝者だ」とそのときは真剣になって云っていたと、のちに裏のおばさんが話してくれた。父は「俺の商売がうまくいかないからだ」と母に云われるまゝに替えた名前を八がきに使っていた。父が茨城から帰ったあと、なんとかしなければというので、父は高利貸のところで月一寸円の約束で仂くようになった。母は将来飲屋をやるといって丁度人手が足りないからと云ってきた人のところへ手伝に行った。夕方になると食事の支度をしてから三才になった弟を裏の家に頼んで出かけた。帰りにはいつも夜中の一時頃だった。ときには赤い顔して帰ってきた。しかし両方とも長くは続かなかった。父は初め店番と云う約束で入ったが、そのうちに「金を受取ってこい」と云われるようになり「俺にはどうしても出来ない」と云ってやめてしまった。母もどちらかといえば体が丈夫な方ではなかったが無理がたゝってか体の調子が悪いと云い出して出かけなくなり時々寝こむ日も出てきた。丁度此の頃に少し間を置いて、今までたまった税金の差押えが二度もきた。家の中の殆んどのものを持っていかれた。父はなかば捨鉢に「持っていかせろ、何もなくなればせいせいする。又買えばいゝんだ。」といった。しかし母は「自動車がきて持ち運ばれていくところを近所の人達にみられるのがいやだ」そういって父に当っていた。「畜生、全くひでい世の中だ。家が苦しくなると皆んな鬼みたいになる。なあ母ちやん最後へくれば信じられるのは自分だけだなあ」私は本当にそう思って母に話したが、母も「うん」とうなずいた。

朝鮮戦争。

朝鮮戦争当時の耺場は、毎日のように軍隊輸送の臨時列車が出た。時には全然寝られないような日もあった。進駐軍の兵隊がいて車の掃持をしたあとを、一つ一つみて廻った。少しでも汚れたところがあれば、その場所を、もう一度やらされた。便所等も水が少しでも貯っていると必らずタオルで拭かされた。だから兵隊が見て廻る前々と先に行って、どこか残っているところがないかと調べたりした。進駐軍の車の中で腰かけていようものなら、すぐにRTOに、ひっぱられていって通訳つきの説教をされた。N君などは手旗のまねをして、どやされた。そうゆう状態だったので助役や世話掛は、進駐軍から云われるまゝに下に仕事を押しつけた。ある世話掛などは人は悪くないのだが一寸気嫌が悪いと「作業服とパスを置いて十年も休め」と、どなり散らした。PXや進駐軍の荷物車には金鋼が張ってあったが、やりにくゝて泣かされた。「アメ公の乗る車ぢやないか」「早く朝鮮戦争なんか、やめちまえばいゝな」仕事をやり乍らこんなことを皆んな云っていたが二、三の者が世話掛に文句を云う程度でほとんどの者はグチに終った。私にはその頃組合活動には関心はなかったが組合もあるのか、ないのかといったような状態だった。耺場に来ても、家庭に帰っても毎日がゆううつだった。どちらにいても面白くなく、すぐ慰休がつくと、どんどん使って休んだ。七月に慰休がついて十月には二十日の慰休が終ってしまい欠勤までしたことがあった。休んだ日も別にどこえ行くあてもなく、パスで車を乗り廻していた。一度はあまり休むので世話掛が私の家に来たこともあった。夜も遅く帰った。どうせ家に帰っても、借金取りめ、どなり散らす声を聞くよりは、と思って、山手線を何回も廻って寝て来たこともあった。正月の元旦にて今日だけはグッスリ寝れるなあ」といって大笑したことがある。

母の死。

父は高利貸の手伝をやめたあと前からやっていた人と一緒に周施屋をやるようになった。丁度その頃は土地家屋の周施屋が増えて来た時だった。周施屋は資本もいらなかった。周施屋の仕事がどうやら軌道に乗りボツボツ収入も入りはじめた頃母は体の調子が悪いといって寝込む日が出来た。その都度母はハリ師を呼んだ。針でなおると思っていたらしかった、しまいには歩くのさえ不自由になり、とうとう鉄道病院でみてもらうことにした。しかし自動車で行かねばならぬ程の体だったが五六分の診断で薬だけもらって帰されたので、近くの病院でみてもらうことにした。入院後すぐ手術をしたが医者も、みはなした。病名は胃がんで他にも拡っていた。一ケ月位ののち親戚の人達や近所の人達に囲まれて病院で母は死んだ。父に手術の結果母は、なおらないと聞かされたときは驚きと共に、それでも、なんとかして、もう一度元気になってもらいたかった。父の商売もなんとか立直りかけた時でもあり、もう少し生きていてくれという気持だった。非番になるとそのまゝ病院にいって枕元で本を読んでやった。少し容態が良い時には直るのではないかなど、自分で考えたりもした。しかし父はいつも首を横に振った。母のないあとかこと等私は一度も父と相談しなかった。最後まで

もう一度で良いから直ってくれと私の頭の中にはそれだけだった。母は昭和十八年に継母となってきた当時から余り話合もしないで生活が続いたが家の苦しい中で次第に溶けあった。生活に対する話し合いもする様になった。だから他人の人から「博ちゃん、母さんよくしてくれるかい継母だから本当の母の様には出来ないだろうが辛棒してよくされる様にするんだね」と云われることが非常に嫌だった。親切にいってくれるのはありがたいが、私には、前の母も今の母もなかった。継母などという言葉は私の心の中にはなかった。特に田舎などに行った時には必らず云われた。「俺は継母など、想っていないんだ」そう云いたかったが、いつも「うん良くしてくれるよ」と返事をしておいた。病院の費用も借金だった。しかし病院ではそれが払い終るまで待ってくれた。これは私達にとって非常に助った。家の前の人が「あの病院は共産党だから頼めば待ってくれるよ」そういってくれたので事情を話して待ってくれと頼むと心よく待ってくれたのだが、その時から共産党という言葉に関心を持つようになった。母は五万円の生命保険をかけていたが何ケ月もおさめていなかったのを郵便局の人達が親切におろせる様にしてくれた。この金で何とか葬式はすませた。母が寝るようになってから母方のおばあさんが、家事の手伝に来てくれ家のことは何から何までやってくれた。だから母が入院してからも、まだ小さい弟を残していっても安心して働けた。しかし、おばあさんは昔風の考へ方が強く、お返物や墓のことについて一つく

父をせめた。なにしろ香奠も葬式や病院の費用に当て、しまったので、又父は借金して、それをなんとかすませた。田舎へ行けば先祖の墓もあるのに別に買った。父とおばあさんはこういったことで、だん／＼意見が合わなくなった。こういった状態をみていると、こんな形式ばった世の中のしきたりが私にはなっとく出来なかった。「返さなければ、何か云われるようなら始っからもらはない方がよい」そういった気持だった。しかし父も私も何も云わなかった。数ヶ月後に父は四畳半に若夫婦をいれると突然云い出した。私には、「おばあさんも年寄りだしもし家で寝られるようになったら」といった。おばあさんは父のこういった態度を怒ったが私も同じだった。父は、おばあさんと意見の合わないのをこういったことでさけようとした。弟はその若夫婦にみてもらうことになった。

組合

28年の暮私ははじめて組合動員に行った。当時は、客車区にアメリカ兵は数人まだいたが、しかし車の管理については、もううるさくなかったし、仕事の面でも見廻って歩かなかった。組合運動が活発になりはじめた頃なので職場の中にも又先に立ってやる人達が出、きた。私達の組にもSさんがいたが、前の晩の常会で「明日の非番には全員で行こう」とSさんが提案してそれにきまった。「行けない人は今晩中に申出てくれ」といって終り二〜三人をのぞいて皆んな行くことになった。私も多少関心もあってついていった。東京機関区の構内だけは赤旗がそこかしこにあり多くの人達が集っていた。スクラムなどは始めてだったのでなにかテレクサイ様な恥しい様な気持だったが歌っている人達は何かのび／＼としているようだった。スクラムも其の場の空気もなにか力強いような空気に満ちているようにみえた。自分でも大声で歌いたくなった。はじめは口をあけてパク／＼やっていたが、だん／＼声を出して歌える様になった、今までいつも一人で考へ、ちゞまっていた心が解放された様に感じられ何かに支えられた様に思われた。私はその時から進められゝば進んで動員にも行く様になった。動員は今まで知らなかったもっと広い範囲のことを教えてくれた。その時は晝頃皆が「腹が減っては戦さが出来ない、パンを出せ」そうゆう言葉、を丁談まじりに云っているのを聞くと「晝一食位なんだ」と心の中でつぶやいた程だった。其の次の出番に又常会を開いて動員に行かなかった人を呼んで理由をきいた、Mさんが「無理に引っぱって行くのは間違いだ」と云い出しSさんやHさんと対立したが皆は「無理を云わなかった、はづだ」とSさんに賛成した。私も同じ意見だった。こういった中で仕事の不満、道具の要求こういった小さな問題が出される様になり解決するようになった、仕事のやり方も自分達で常会に開いてきめるようになった。

選挙運動も活発になり、皆々様お忙しいことと存じます。

さて、私たち職場の歴史をつくる会は、来る五月一五日（木）総会を国鉄大井工場内集会所（大井駅下車）においておこないます。

今度の総会におきましては、特に、昨年九月の秋の歴史を語る会以降、会の中心的課題としてすすめてまいりました。個人生活と組織（家庭、結婚、個人の成長等々）の問題を中心にして討論を進めたいと思います。このことについては、皆様も日頃職場で組織づくりをすすめる中で考えておられることが多々おありのことと存じます。

ぜひ、御出席下さって、きたんのない御意見をおきかせ頂きたいと存じます。

現在、日本のあらゆる職場にすすめられている働らく人々の組織づくりには、なかなか大変なことが多いのですが、最近はまた目立ってこの組織づくりをはばもうとする力が強くなってまいりました。

日本の働く者の組織づくりの問題を、この条件の悪い中で具体的にどのように進めたらよいのかと考えておられる人々の参加を切に希望する次第です。

会場　国鉄大井工場集会所

個人生活と組織

〃組織づくりと個人の問題〃

司会　竹村民郎（国民文化会議運営委員）

大田千枝 [redacted]

1. 友だちが家を建てた話　土田敦助（国鉄労組大井工場分会員）

2. 自分の歩いてきた道　飯塚節子

3. 父母の歴史　岡島博（国鉄労組品川客車区分会）

時間	
	五月一五日（木）
18.00	報告
18.50	討論会　〃組織づくりと個人の問題〃（個人生活と組織）
20.30	、総会
21.30	

記

会場費　三〇円（当日会場受付にて頂きます）

但し、会資料は当日発売致します。

連絡場所　港区芝高輪一ノ一

国鉄労組品川客車区分会内職場の歴史をつくる会

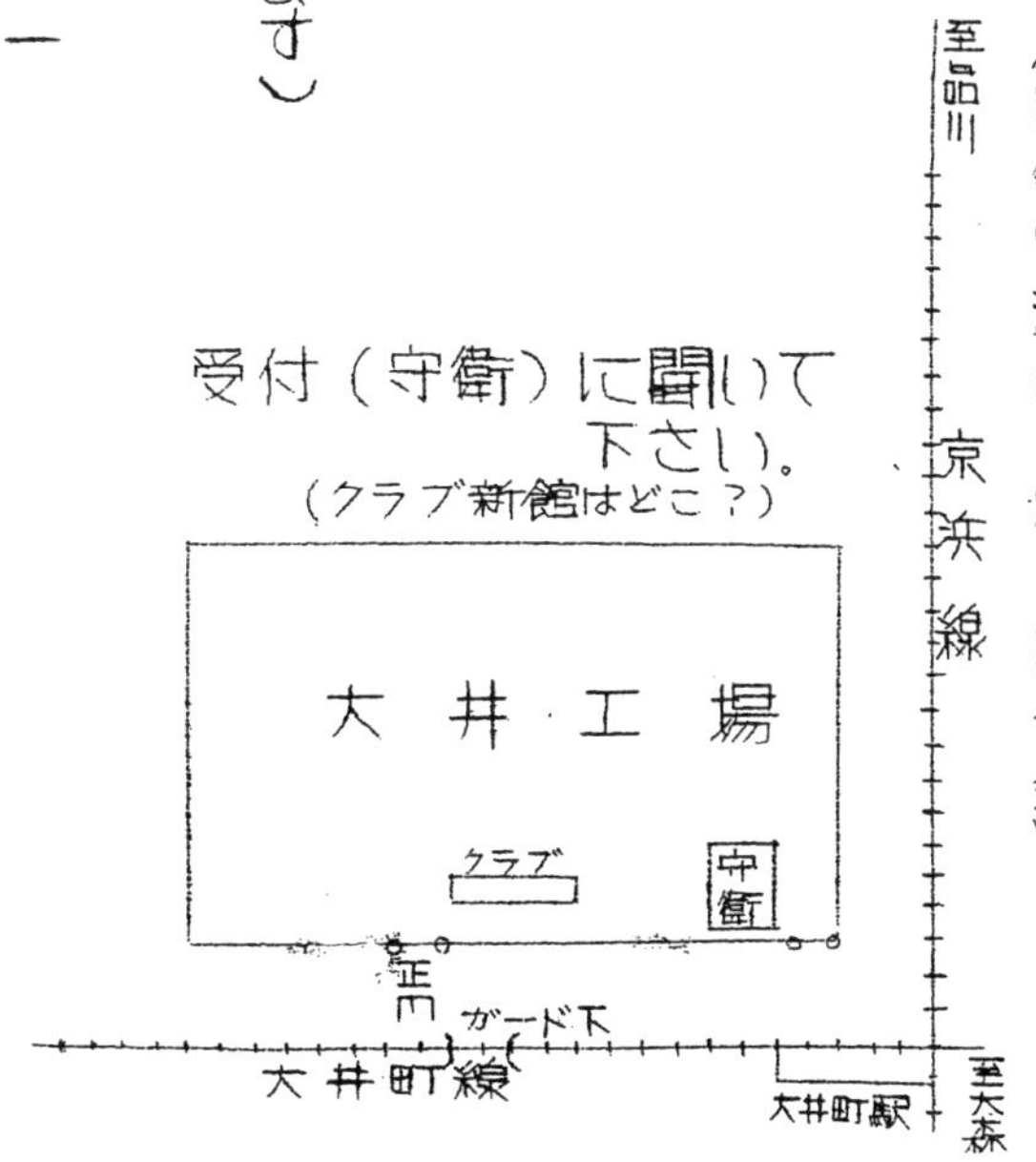

要

〝職場の歴史をつくる会の賛助会員についての
趣意書〟が出来上りましたのでお送り申上げ
ます。
昨年秋、三年間の運動の反省にたって、会の
スタイルをすっかり改めましたので、最近
では面白く内容も豊富な作品(職場の
歴史、自分の歴史)をつくり出すことが
できるようになりました。
運動をすゝめるうえでも、〝もうかって、
楽しい〟ことを合言葉としていますので、
たれでも気楽に入会でき、会のふんいきも
ぐっと明るくなってまいりました。
私共はさらに力を合せてよい職場の歴史を
つくりたいと思っております。みなさまの
御賛助を、こゝろからお願い申上げます。
なお、御賛助をお願いするために委員がお
たずねしたいと思いますので、お手数ですが
同封の葉書に御都合を御連絡頂ければ
幸です。

職場の歴史をつくる会

趣意書

〃職場の歴史をつくる会〃は四年前の一九五四年十〇月ごろ生れました。

そのころはまだ参加している労働者も少なかつたのですが、今では国民文化会議に参加して国民文化集会の歴史分科会を担当する他いくつかの大きな労働組合の組合史編纂の仕事とも連絡がとれ、中小企業の労働者も、官庁の労働者も、大きな国鉄の労働者も……というように、どんどん参加してきて、現在は事務所（本部）と常任委員も置かれ都内には、八の支部が出来、私たち労働者自身でこの会を運営しています。

運動のさかんな東京では、働く人々どうしで、また文化人や学生も参加して月二回以上ピクニックや職場訪問をしながら楽しく自由に交際しています。そういう中で勉強会も月二回づつ開かれ〃自分の歴史〃―生活のことや考えていることー―や職場の歴史がどしどし書かれています。

近ごろでは運動の進む中でたくさんの作品が生れるので、それらの成果を発表するための会機関誌〃職場と生活〃（季刊）の頁数の増加を考えています。

現在私たちは職場の歴史をつくる運動を更に進めるために何よりも大切なことは、職場から生れてくる作品の質の向上とその成果を発表する機関誌〃職場と生活〃の充実だと考えております。

しかしこの課題の解決は決して私たちだけの力では出来ません。なぜなら、それには、広い視野と豊富な経験に基づく良識の賛助が必要とされるからです。このため会は、新しく別項の様に賛助会員制度を設けました。私たちは、現会員の熱と若さと賛助下さる方々の広い視野と良識とが結びつくことにより〃職歴運動〃の限りない前進が保証されると思っております。

どうか私共のこの様な主旨をおくみとり下さいまして、よろしく御賛助下さることを心からお願い致します。

記

賛助会員規約

一、職場の歴史をつくる運動（以下職歴運動）に理解ある有識者は賛助会員となることが出来ます。
但し、職歴運営委員会の承諾を必要とします。

二、職歴運営委員会は年四回以上会の運動を賛助会員に報告し、その賛助を受ける様にします。

三、会は賛助会員の氏名を毎号会機関誌に公表し賛助会員には、会機関誌（季刊）を半年五冊以上贈呈しなければなりません。
四、賛助会員の期間は一年。半年としその会費は夫々一、〇〇〇円。五〇〇円とする

以上

職場の歴史をつくる会
運営委員会

殿

キリトリ線

申込書

貴会の主旨に賛同し、賛助会員になることを承諾します。
賛助会費として　　円を納入します。

昭和　年　月　日

氏名

職場の歴史をつくる会　殿

合評会のお知らせ

六月、衣がえの季節、梅雨の季節です。ハイキング、耺場訪問と楽しく交流を深めて来た会では、今度機関《左翼誌》紙十号の土田さんの作品について合評会を開く事になりました。

先日の総会でも個人の歴史を書いた人達は口をそろえて書いてよかったといっていられます。その方達の経験を聞きながら、今の社会で私たちが生きて来た、そしてこれから生きて行く中で、考えやもの、見方がどのようにして作られて来たのか。などこれを材会に話し合って行きたいと思います。多数の方の御参加をお待ちしています。

記

日時　六月十六日(月) P.M. 6.30〜8.00

場所　国鉄品川食堂二階

テーマ　"友達が家を建てた話"
合評会(第十号機関誌
土田さんの生活記録)

耺場の歴史をつくる会

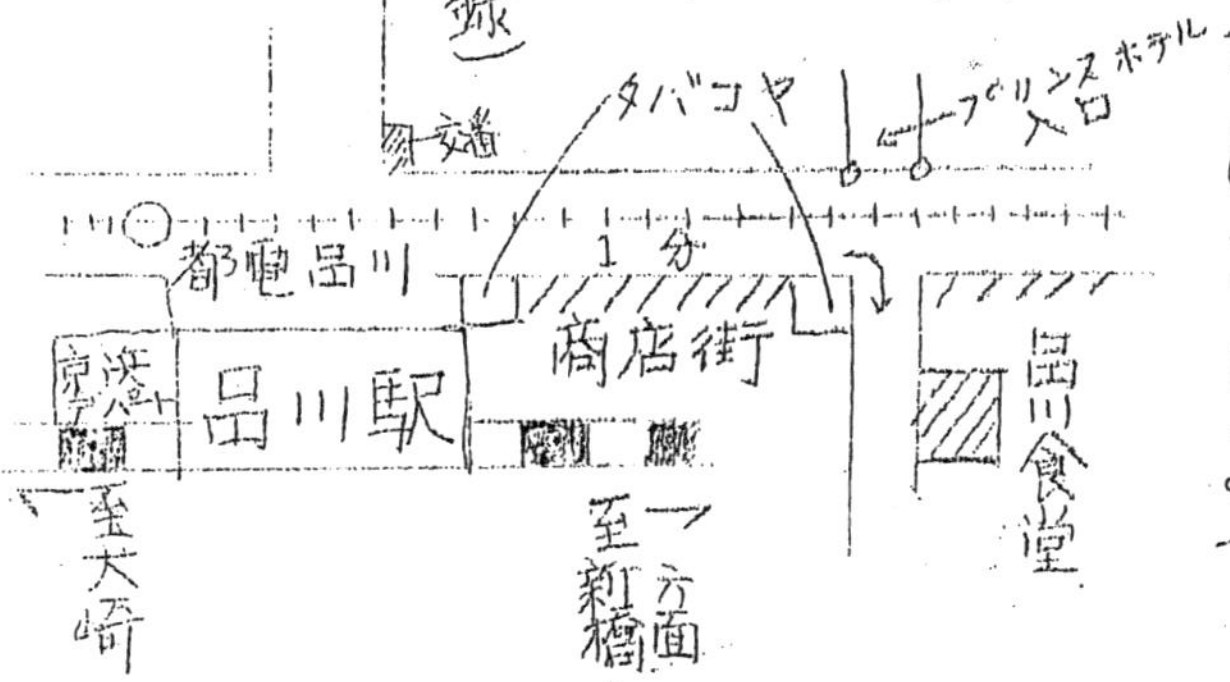

職場見学のお知らせ

ハイキング、職場訪問、合評会と楽しく交流を深めてきました。今度会では職場見学を行いたいと思いますのでご多数ご参加をお待ちしています。

スケジュール

一四・一〇 バス乗車　十四・二〇 研究所着

一四・三〇 通研の説明、職場見学（公社側の案内係）

一五・三〇 公社側の想定コース

一六・〇〇 組合員との座談会

一七・三〇 これで終りです。

記

日時　六月二十六日（木）十三・五〇分

場所　国電 三鷹駅下車（北口に降る）

見学場所　電気通信研究所

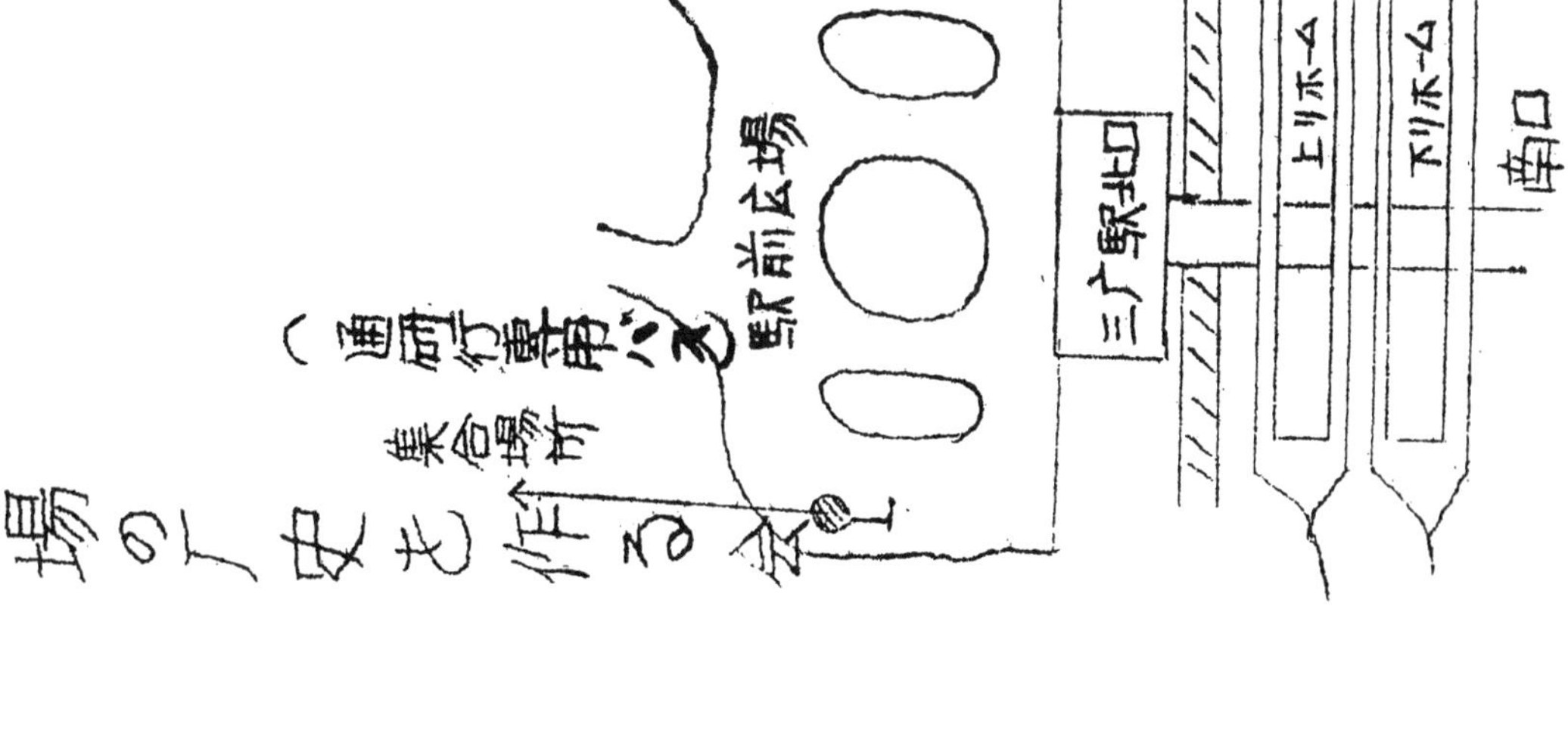

職場の安全を作る会

桃園誌合評会の討論内容（第十号）

一、この会員はどのような環境の中で育ったか
二、この会員は職場の中でどのように生まれてきたか
三、この会員は学問と付いいをどう考えてきたろう
四、この会員は社会をどのように見ていたろうか
五、社会はこの会員に対しどのようにあつかっていただろうか
六、この会員は家族をどのように見たろうか
七、この会員は、文中の期間に果して、どんなことをしていたか
得をしていたか
八、文章は読み易いか、職場の様子などが解るか
九、桃園誌十号の表紙、表題に（もっと具体的な桃園誌にする意味で）

職場の歴史をつくる会

歴史研究会のお知らせ

会員の方はもちろん会員外の方も御自由にお出下さい

一、とき　六月三日　一八時
一、ところ　歴史事務所（新宿区諏訪町一五三）
一、テーマ　歴史に於ける個人の役割について（報告者　岩瀬忠夫会員）
一、テキストとして次の様なものがあります
大月書店版　史的唯物論（第三分冊）
プレハノフ　歴史における個人の役割（未来社版）

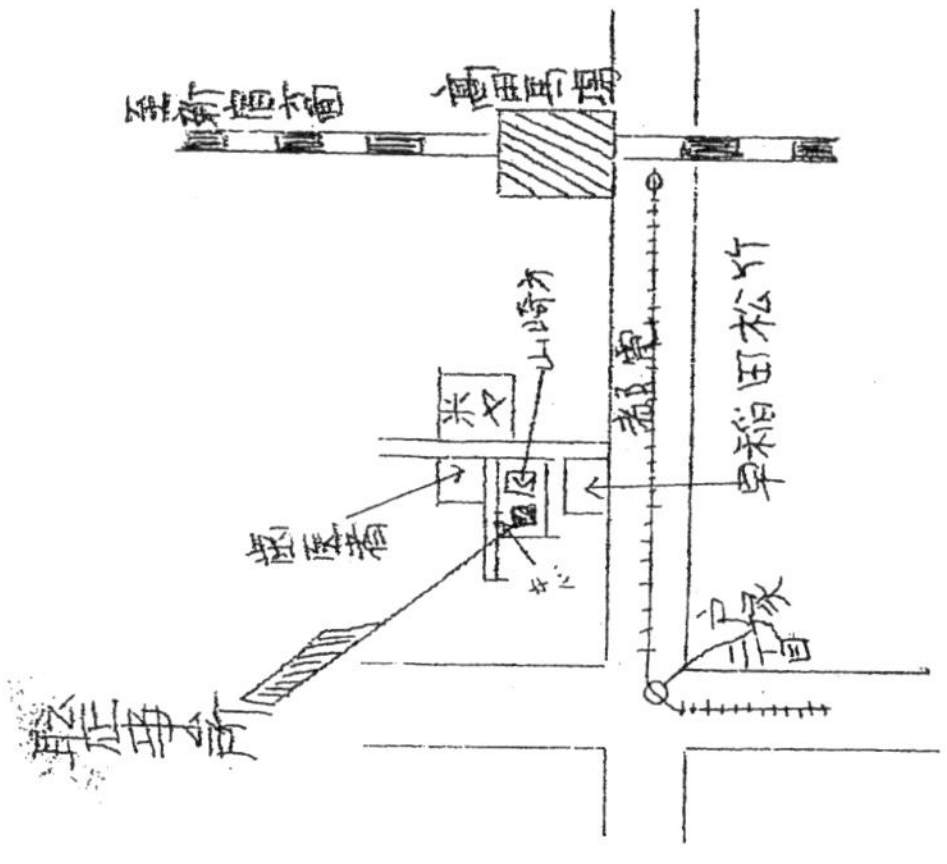

つぼみ

1958
6月1日

発行 職歴運営委員会
編集者 竹村民郎

活動の源泉

奥むさし高原を歩く会に学ぶ

若人の季節にふさわしく、今年の五月にはアジア大会が開催された。

マラソンに、ネパールの選手がハダシで焼けたアスファルトの四十二キロコースを力走したことにもみられるように、大会のあらゆる種目には、新生アジアの若人のもり上るファイトが感じられた。

まさに、アジアの限りなき前進こそ若人の手でと言う感じがひとしほである。

ところで、今回の奥武蔵高原を歩く会の成功は会の前進に多くの教訓を与えてくれた。

それは、第一に歩く会に参加した会員が、この行事をつうじて〃若さ〃と〃楽しさ〃とブアイトを体験したことであろう。

これこそ、会発足当時のふんいきー、強引に前へー、と同じものである。

そしてまた、皆が望む〃やりたいことをやる〃と言う態度こそ、実践第一のスローガンの土台であることを確認したことで)ある。〃適当にする〃ことや、〃やとわれ根性でやる〃或いは〃司会長官としてやる〃ことは職歴の活動とは無縁だと言うことである。

第三として、どんな行動でも編隊を組んで(組織的に)やれば愉快でもうかると言うことが実証されたことである。がっちりと編隊を組んだ集団の明るさの中では、こそこそしたり、好き、嫌いにかたよる傾向などは、はっきりとそのみにくさをあらわすであろう。しかしながら、今回の歩く会の成果と同時に、我々は二週間近く、その準備に献身的に努力してくれた係の委員諸君の努力を忘れてはならないと思うのである。

これらの委員諸君の実践の指導性が歩く会を成功に導く鍵だったのである。

我々は歩く会に参加して愉快にもうけたが、同時に会の委員の実践に敬意を払うだけのけんきょさも必要であろうと思うのである。

今回の歩く会の成果を今後の会活動の中に受けつぎ、楽しく、愉快に組織を利用して、とくをしながら前進していこう。

趣意書

〃ちょと気をゆるめると、すぐ羽がはえて飛んで行ってしまうのがボーナスです
会は、これまでに、一部の有志会員には毎年「ボーナスカンパ」をお願いしていましたが、今年から会を名実ともに会員一人一人のものにするために全会員にボーナスカンパをお願いすることに致しました。
皆さんは既にボーナスを有効に使うために色々と御計画されているかと存じますが、私共の趣旨をおくみ下さいまして、ボーナスカンパに御協力下さることをお願い致します。

記

一、目的　会基金及び会機関誌〃職場と生活〃の基金
二、募金総額　一万五千円
三、募金方法　1、サークル会員はサークル委員が集めます
2、一般会員、地方会員はお手数ですが事務所に申込み下さい。
四、募金期間　自六月二〇日～至七月二〇日
五、募金額　募金額は一口二〇〇円とします
但し五口以上応募された会員には河出新書〃職場の歴史〃を贈呈します
応募会員の氏名は運営委員会ニュース（七月号）に発表します
亦同号には今回の募金報告をのせます。

六月一五日

東京都新宿区諏訪町一五三
竹村方
職場の歴史をつくる会

キャンプファイヤーを囲む夕に御参加下さい

主催　職場の歴史をつくる会

後援　国民文化会議

職場の歴史をつくる会は、四年前の一九五四年に生れました。ほとんど二、三人の有志から始まったこの運動も、今では国民文化会議にも参加し、八つの支部がある東京が中心となり全国各地の会員とも連絡をとりながら職場の歴史運動を巾広く広げて居ります。

私たちは「もうかって楽しい」ということをモットーにして、会の運動を進めておりますが、今年の夏はキャンプ生活を楽しみながら、私たちの職場と生活や、職場の歴史運動の経験なども話し合える集いをひらきたいと考えております。私たちは次のような要領でキャンプファイヤーを囲む夕を計画しましたが、今年はとくにいろいろな職場に働く皆さんを揃《お》さしてこの集りをより愉快に、より盛大にしたいと思います。

皆さん、夏の一夜を湖畔で心ゆくまで語らいを楽しもうではありませんか。

一、場所　白樺湖

一、日時　七月二十五日（金）（夜）～二十七日（日）

一、交歓会　「職場の生活を語る会」

一、参加費　一五〇〇円

内訳（バンガロー代二五〇円、交通費一〇〇〇円、薪代一〇〇円、テキスト代一〇〇円

（河出新書「職場の歴史」　その他の図書一五〇円）

一、申込金　一〇〇円

一、申込〆切　七月十二日、（土）

一、持参するもの、当日の弁当、米（四合）、副食物（カンズメ、野菜等四食分）食器、炊事用具（飯盒）毛布、セーター、雨具、電燈、ろうそく、水筒等）

一、申込先　別紙の申込用紙に記入の上申込金をそえ班本部事務所又は準備委員会に申込み下さい。

東京都新宿区諏訪町一五三番地　竹村方

職場の歴史をつくる会・フェスティバル係

一、スケジュール

七月二十五日　新宿に集合

七月二十六日　朝　幕営、夕方三時までキャンプ入り、七時よりキャンプファイヤーを囲んで座談会「職場の生活を語る会」河出新書「職場の歴史」をさしあげます。

七月二十七日　午前中　たてしな山登山　午後下山夕方六時新宿着

昭和三十三年六月十七日

みどりの湖は招く若人の集い

――フェステバル通信――

いよいよキャンプファイヤーの夕の日も目前にせまりました。準備会は、当日をより楽しく、より愉快にすごせるよう、いろいろと準備を進めていますが、ここに、フェステバルの数々な催の一端を紹介しましょう。

まず、前から計画されていた耺場の生活を語る会が終ると、もえ上るキャンプファイヤーを囲んでフォークダンスや盆おどり、合唱会などを行います。その時には女子耺圧会員は、ゆかた姿で得意のおどりを披露することになっています。また、準備会に入ったニュースによれば、各耺場毎にいろいろ出し物の練習をしているそうですから、きっと面白い珍芸が飛び出すことでしょう。まだプランを考えていない方は、一つ頭をしぼって愉快な出し物を考えて来て下さい。

また、その翌日には、朝風の中でボート遊び・魚釣り・水泳そしてろば乗りなどで山の湖の気分を満喫いたしましょう。

次に、当日のいろいろな細い注意事項をかかげます。

① 集合場所・時間　新宿駅一、二番線ホーム（大久保駅寄り階段上、耺圧の旗を持ったものが立っています。）また、耺圧委員は当日腕章しています）時間はおそくとも二十一時（七月二十五日午後九時）には集合のこと。

②発車時間　零時十分、松本行臨時列車（二番線より発車）

③交通費　蓼科湖まで往復（バス代含む）の季節割引券が九六〇円で買えますから学割をお持ちの方と国鉄の方以外の人は、当日係員（腕章をつけた者）に申込めばまとめて書うことができます。

④宿泊施設、費用　バンガローは、C型六人用というのを二むね借り切っておきました。一むね六五〇円に貸毛布料その他の使用料がつきます。残りの方は、亀屋ホテルに泊ります（これも申込んでおきましたから大丈夫です）バンガローも旅館も一泊約二百円です。

注意　クーポン券を買う予定ですから参加される方は、交通費をのぞく参加費五百円を二十日（月曜）までに準備会にお入れ下さい。

⑤コース、時間
七月二十五日（金）　午後九時、新宿駅集合。

七月二十六日（土）　零時十分、新宿駅発―三時五十五分、茅野着、朝食―五時五十分、茅野発（バス）―六時五十分、蓼科湖着―七時、蓼科湖発―（八時四十分、大石平峠着―十一時四十分、蓼科山頂着（一時間昼食）―十二時四十分、

山頂発——十四時四十分、大石平峠——十六時、白樺湖着
十八時まで夕食、十九時三十分まで職場交かん会、十九時
三十分よりフェステバル。

七月二十七日（日）　朝五時起床——十時、白樺湖発——十一時、茅野着——午
後六時、新宿着。

⑥　服装　運動ぐつ、半そでシャツ、ズボン、着がえ、セーター二枚、ズボン下　雨具
（レインコート）、リュックサック。

⑦　持ちもの　懐中電燈、マッチ、水筒、洗面具、食器、飯盒（毛布はいりません）。

⑧　弁当　二十六日の朝昼二食の弁当をお持ち下さい。夜は皆で楽しく炊事をしましょう。尚、夜と二十七日の朝には味噌汁が出る予定です。

⑨　食料　米四合、カンズメ、野菜などのおかずを自分のたべたいだけ持って来て下さい。（五食分）

⑩　会計　バンガロー宿泊費が二百円になり、その他（味噌汁代等）が百円になっただけで、すでにお知らせしておきました千五百円の金額には変りありません。
そのうち五百円は、二十一日までに前納して下さい。職場に準備委員のいない方は

直接職場事務所に送って下さい。

送り先　東京都新宿区諏訪町一五三　竹村方
職場の歴史をつくる会　フェスティバル係

⑪　編成

本部役員　竹村民郎（主催団体代表者、職場常任運営委員）、岩淺恵美（キャンプファイヤーの夕準備委員責任者）、橋本章（樹山政一）（キャンプファイヤーの夕リーダー）、植村照美（キャンプファイヤーの夕サブリーダー）伊東喜美子（会計委員）。

一班　◎秋山ヨリ、小泉、古山、伊藤、竹村。

二班　◎岡島博、宇野沢、新行、米山、逸見。

三班　◎土田敬助、田畑、（国鉄田町電車区の方）、橋本、島田。

四班　◎飯塚節子、片野、かずの、西田、岩崎。

五班　◎松本由紀子、水野、大平、（国鉄田町電車区の方）、田畑（妹）。

註　1、◎印は班責任者とします。
2、本部役員は赤線二本の腕章、班責任者は赤線一本の腕章をつけます。
3、当日新参加者があった場合は直ちに本部役員まで御連絡下さい。
4、班の編成は準備会で決めさせていただきましたのでよろしくお願いします。

一九五八年七月十六日

以上

仲間には

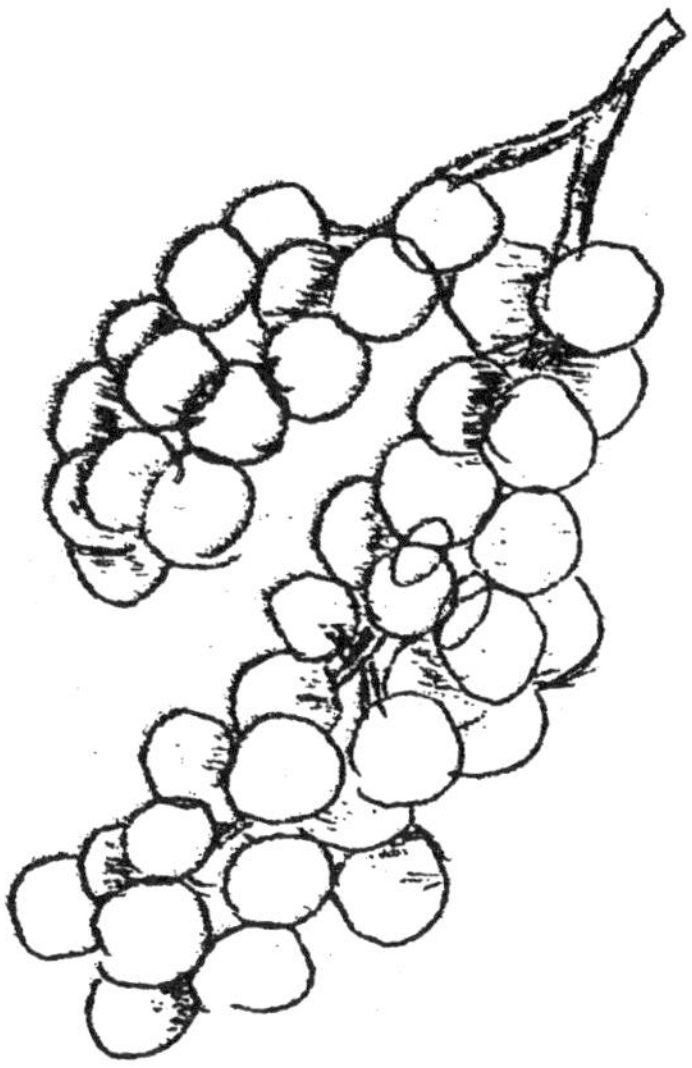

1958.8

職場の歴史をつくる会
品川客車區サークル機関誌

職場の厂史特集

幼けき厂程

――私の20年より――

[redacted]

「くりよりうまい十三里」と江戸の昔よりさつまの名産地として有名な川越の町で私は生れました。江戸時代より城下町として、今でも町の共同には倉作りの家が沢山のこつています。

私の父母の事からお話しましょう。

父は私が生れてすぐなくなりました。父の生れは長野県の浅間山のふもとの小さな村でした。父の母は父を生むとすぐ死んでしまい、その後父は義理の母にそだてられましたが、その母に子供が出来ると、二人の間はうまく行かず、父が中学を卒業するころ、家族が満州に行くことになり、父も一緒に行くわけでしたが義母との間がうまく行かず、父だけは日本にのこることになったのでした。父は卒業するとすぐ、鉄道に入り二年間ばかり仂いたが、どうしても東京に行かなくては出世ができないと思い鉄道をやめて、東京に出ました。親戚も友人もなく自分の力で生きて行く外しかたなかったので、職をみつけましたが、地方から出て来た人間にできるようなまともな職はなく、新聞配達や、牛乳配達をしながら独学して生活をたて、苦労して現在の東京大学、昔の帝国大学に入ったのでした。

その学生の時の話をよくしたそうです。父が学生時代にもアルバイト学生が沢山いたそうで、ある時選挙の応援として九州まで行った時には一年分の生活費がもらえたと、よく話をする父でした。自分の生活のためにはなんでもした人でした。そのような父でしたが、私が生れてすぐなくなってしまったのです。

母について書く前に私の祖母のことから、話してみましょう。父が死んですぐ、母は私を祖母の所において家を出てしまいました。そのため私は祖母の手によってそだてられて来ました。

祖母

祖母は、埼玉県の猫川から二里ぐらい入った小林村で生れたのです。祖母のおじいさんにあたる人は、その村で一番の地主でした。その人は村の人達から〃殿様〃とよばれ尊敬されていました。徳川時代の末期から明治の初めにかけて、村の人達のめんどうをみてやったり、相談ごとにのってやったりしていました。家では油屋をやっていたのですが、明治になり家はつぶれてしまいました。そのような地主の生活から一ぺんに生活がくるしくなったころ祖母が生れたのでした。祖母の母もすぐ、祖母の子供のころ死んでしまい、祖母は長女であったため、地主の子として、そだてられ、父のかわりになって、家の中心になって働いたのでしたが、家にいたのでは一家が生きて行くことが苦しいので、東京に出て女中奉公したのですが、なかなかうまく行かず、その後看護婦になったのでした。当時日本ではそのような職業につく女性が少く、看護婦といったら人だすけと思われていたぐらいで、村では〃殿様の母が運っているよ〃といって、よく噂されたそうです。

祖父は長野県の松本で生れたのですが、家が部落民でしたので、祖母は祖父と一緒になる時随分なやんだそうです。しかし祖母は祖父の職業が当時、いやしいといわれた、靴屋でしたが、その生活力にひかれて結婚したのだそうです。

思い出

私が生れた時には九百〆ぐらいあって大きな赤子だったそうです。半年ぐらいたつと、一晩で牛乳を五合ぐらいのんで、乳の出ない祖母の乳房をつかみながらそだてられて来ました。その当時家は町はずれにあって、そのそばを川がながれていました。祖母はせんたくする足場が所々川につきでていて、きれいな水がながれていました。私は祖母のせんたくしている間、その足場にすわって、足で水をピチャ〳〵はねかえしたりした。その足のうらをメダカがすい〳〵と泳いでいた。水がサラ〳〵音を立て、足元を流れ、たくさんの人達が、子供をつれてせんたくに来ていた。そのころの記憶に一番のこっているのは、他の子供達の母親はみな若いのに、私の母だけが年をとっていたのが、ふしぎに思われたことです。ある日祖母にきいたことが

(2)

あったそうです。

「なぜ、かあちゃんは、そんなにおばあちゃんなの」

と、祖母は私のそのような気持がわかったらしく、私にひがみを持たせないように、欲しがるものはなんでもすぐ買ってくれましたし、私のやりたいことはなんでもさせてくれました。

現在いる家に越して来たのは、七才の時です。私の家は、当時、私と祖母と、叔父と叔母の四人ぐらしでした。二人とも働きに行っていたので、家にいるのは私と祖母の二人でした。

現在一緒に生活している叔父は、つとめから帰って来ると、毎晩私を風呂に連れていってかえりに菓子を買ってくれました。小さな時から、風呂がきらいでしたが、かえりに菓子を買ってもらえるのが楽しみで毎晩、後から風呂についていった。私の八才の時、叔父は戦争に行ったのですが、その時、一番、さみしかったことは、これから菓子を買ってもらえなくなるな、なんだかそんな風な気がしてこれから毎晩どうしようかしらと、考えたのしたのです。

そのころ、子供たちの遊びといったら、チャンバラか、戦争ごっこでした。祖母はあぶないといって、チャンバラごっこに使う刀を買ってくれませんでした、刀を持って行かないと、皆が遊んでくれなかったので、どうして外の子供は刀を買って貰えるのか始終考えていました。ある日遊びに行って
「仲間に入れてくれよ」

といったら隊長に刀で頭をぶたれたことがあった。その時、ぶたれた痛さより、「ようし、どうしても刀を買ってやる」と思った方が先でした。しかしお金がなくて刀を買えなかったので、オモチャ屋の前に行って「どうしよう、買っちゃおうか……」と思ったり「いや〱後で祖母におこられるから、やめようか」と思ったりしましたが、刀を持って行かなければ、遊んでもらえないと思うと、一思いにオモチャ屋へとびこんで行って、ふるえながら「後で祖母さんがお金を持って来るから」といって、そばにあった刀をつかんで、半ばとび出してしまった。すぐ祖母にわかってしまい、

「おまえみたいな子供はどこへでも行っておしまい……」

といって襟をつかんで、外に突き出されてしまった。その時、外に立って星をかぞえながら、なぜ、私だけが刀を持ってはいけないのかと考えてみたが、どうしてもわからなくその時手に刀を持っているのに気がつき、それを足で踏んづけて折ってしまった。それを

(3)

家の中で祖母がみていて、家からはだしでとび出して来て、私を両腕でだきかゝえて泣き出した。その時なんだか一緒になかないとわるいような気がして、自然と大きな声を出して泣いてしまつた。

「なぜだまつて買つたりするんだよ。そんな事をすると、大きくなつてろくな人間にならないよ」

なんだかわからなかつたが、祖母のいうことはいつも正しい事だと思つていたので

「おばあちやん、すんません」

とあやまつた。これからなんでも祖母に話をして買つてもらおうと思つた。そのころから私の気持の中に、祖母にたよる気持がそだつて来たのだろうと思います。

入　学

うれしいはずの学校に行くのが、私にとつていやであつた。祖母と一緒に生活していた時間があまり長かつたし、他の子供達とは話をしたり、遊んだりあまりしなかつたので学校に行つて他の子供達とならぶのが嫌で祖母のそばをはなれたくなかつた。先生から名前をよばれても、へんじをしなく、祖母がこまつたらしかつた。

学校に行つてから、一週間ぐらいたつたある日、祖母と先生が話をしていたのを、祖母のそばで小さくなつてきいていた。

「おばあさん、宮沢さんは、おばあさん育ちのためかも知れないが、すこし智能の程度が低いようだけれど、すぐなれゝば、だいじようぶですよ」

これを聞いた私は馬鹿なんだなと思うようになつた。

私がそんな風だつたので、祖母は、私を学校に連れて行き、授業が終るまで、ついていて家に連れてかえつた日が三ケ月ぐらいつづいた。そのためか私は自分一人で進んでやつて行くということをあまりしなく、勉強にしても祖母や先生から、

「勉強しなさい」

といわれなければやらなかつた。

戦争と買出し

当時なぜすきになつたかわからないが映画をみるのがすきだつた。そのころいつも大人の後からついて行き、いちばん前でみていた。映画といえば、戦争映画が多く、そのうちでも、「軍神加藤少将云々」といつた飛行機に乗つて敵陣上空をかけ廻るといつた風なの

（4）

が好きで、飛行機乗りにあこがれをもった。ある日学校から帰って、すぐ、

「僕、飛行機乗りになりたいんだ……」といいますと

「ほう立派な軍人やで、飛行士になるには一生懸命勉強しなければいけないよ……」

といわれました。飛行機に乗って大空を飛びまわりたいと小さな胸をふくらませていたので、祖母にいわれると、それでは一生懸命勉強してやれと思うようになり、それからは、頭が良くするには、頭のいゝ子と一緒に遊べば、いゝなと考え、組でも頭のいゝ子の家に行って遊ぶようになった。私の方は早く頭が良くなって、飛行士になりたいと思っていたので、遊びに行く家でも、たゞ遊んでばかりいないで「勉強しようよ、勉強しようよ」と相手をせめたりした。それを家の人達はみていて、祖母の所に来て

「おたくの子供さんはかわっていますね」と話したことがあった。

小学校（当時国民学校）二三年になると戦争も、だん〳〵とはげしくなって来た。そのころ私の家では、祖母と私の二人きりの生活でしたが、お金の収入といったら、叔父が働いていた会社から、送って来たお金と叔母の仕送りだけでしたが二人の生活には不自由をかんじなかった。しかしだん〳〵と米の配給もなくなり、毎日のたべる物にことかいて来るようになったので、私と祖母の二人だけで農家に行って、米やイモを買って来る事ができないので、近所の人に、農家に買いに行く時、私の家のぶんも一緒にたのんでいたのですが、半年、一年とたって行くうちに近所の人達も自分達の生活する事だけで、やっと、いっぱいあいに食糧事情がくるしくなり、私の家まで、かって来なくなった。そうなると私の家でも買いに行かなければならなくなった。そのころ祖母は六十才をいくつかでていたが、私の休の日に祖母と一緒に一日がかりで農家に行って、イモや米を買って来るようになった。しかし一週間分、二人が生活するためには沢山の米やイモがいるので、買いに行く時はいつでも、もてるだけイモや米を買って自分一人でかついで、普通の大人だったら半日で帰って来られる所を私も一緒に一日がかりで歩いて帰って来る日がたび〳〵あった。

その日も同じように、イモを買って帰えりしな、祖母はとう〳〵、それをかつぐことができなくなり、田圃のあぜ道でたおれてしまった。私はその時たゞどうしてよいかわからなく、水を水筒にくんで来て祖母にのませたりしたが、祖母はつかれて、くるしそうに・いきをしていた。立つこともできず、目をじっととじ

ていた。だんだんくまわりもくらくなって、あぜ道の所でカエルが

「ゲロ、ゲロ」「ゲロ、ゲロ」

となきはじめるし、あたりは暗くなり近くに見える農家の家の光がともるようになって来た。私はさみしくなり、祖母の手をぎゅっとにぎりながら、泣きだしてしまった。その時祖母は、あぜ道に坐りながら、

「男の子はどんな事があっても、泣くんでないぞ」

といって、私をしかったのでした。私は祖母の顔をみながら、なんて祖母は強いんだろうと思ったりした。その時のことを今でもおぼえているが、祖母はイモの入っているフロシキをかたからはずしてはおりませんでした。

四年になったある日、学校から工場見学に行くことになった。二時間後に工場に行くのでしたが、誰でもイモやオカユをたべているので、弁当をもって来る人はいなく、昼休みには家に帰ってごはんをたべてくるのでした。その日は工場で弁当を食べることになった。弁当を家にとりに行く事になり、私も家に帰ってみたが祖母がいなく、どうしようかと思いながら、台所をさがしてみたが朝たべたのこりのイモガユきりしかなく、学校に行くのをよそうかと思っていると近所の友達がよびに来たので、そのオカユをいそいで弁当につめて、つゆをこぼさないように手でしっかりつかみ工場に行くまでにはすっかりそんなことを忘れてしまい、いざ弁当をたべる時にあけてみると、つゆが全部出てしまいイモだけが少し、弁当の角にこびりついているだけだった。しゃくにさわって、弁当箱を外におっぽり出してしまった。それを先生がみていたらしく、そのすてた弁当をひろってきてくれて、先生の持って来た、やはりイモの入っためしをその弁当の中にわけてくれた。その先生は女の先生でしたが、ふだんはよく僕達をこづいたのでその先生がきらいでしたがなんだかその時、今まできらいだった事がわるくなって来て、その事を先生に話をしてしまった。すると、

「私にはわかっていました」

と頭をなでながら、ニッコリ笑ってしまった。

いよいよ戦争もはげしくなり、米軍の飛行機が、毎日のように家の上をとぶようになって来た。生活も苦しくなって来た。ある日学校から帰ってくると、祖母が、

「いよいよ、私達も、祖父さんの所に行くんだよ」

といってさびしそうな顔をした。

松本から八里ぐらいはなれた、大糸南線の信濃松川というアルプスのふもとの小さな村でした。

祖母と二人だけで、祖父の所に行ってみるとやはり

（6）

小さな農園をやっていた。とても口うるさい人だったので、なにかにつけて、人にもんくを言っていた。祖父をみながら、どうして、祖母は、こんな人と一緒になったんだろうと、ふしぎでしかたがなかった。その村には、都会などから来た人は少なく、学校にいってみると、みなきたない継ぎ入れの着物を着ていたりした。私が教室に入って行くと、皆がじろじろ私の顔をみるので、下を向いていると、先生が話を皆にしてくれたが、よくことばがわからなくてこまってしまった。

その村に行って、米のめしが食えたのが一番たのしかった。毎日のんきな日を、おくっていると、川越にいて、イモの入った米のオカユをたべていたのが、かえってなつかしく思えて来た。このように一生くらせたら、たのしいだろうと思うようになって来ると、飛行士になりたいと思っていた事などわすれてしまった。

冬もちかくなると、その地方の名物のリンゴもたくさんできた。それがめずらしく、学校の休み時間になると、となりのリンゴ園に入って行って、リンゴを手でもいで来て、カバンの中に入れ、家に帰って、祖母にやったり、眺ながら、かじったりした。

そのような生活が一年ぐらい、つづいた次の年の夏に戦争が終った。のんきな生活がつづいていたので、戦争が終ったからといって、別にかんじがなかった。

すぐその年に川越に帰って来た。川越の町は運が良かったのか、ぜんぜん戦災をうけていなかった。学校に行くと、やはりなつかしかった。けれど勉強の方は、遅れてしまったので、なんとか、皆においついていこうと、前に仲の良かった友達の所に遊びに行って、勉強をおしえてもらった。

まずなんといってもたまげてしまったのは女の子と一緒にならぶ事だった。戦争が終る前までは組も別だったのに、急に一緒に並ぶようになったのが、なんだか、てれくさく女の子の顔を、時間中でもキョロキョロみていたりもした。

学生時代　その一（中学生）

私と祖母は叔父夫婦と一緒に生活していたが、叔父はそのころすでに子供が二人もいて、戦争中に勤めていた会社は、つぶれてしまったので、兵隊よりかえってから祖父の頃からの畳屋の道具が家にあったので、みよう、みまねで、畳屋の商売をはじめていた。叔父は戦争中に結婚したのですが、それ以前に叔父は好きな人がほかにあったらしいが、農家の人と一緒になれば食べるものにことか丶ないと、いわれ一緒になってしまったのだそうです。

叔父夫婦と一緒に生活するようになって、すぐきがついたことは、叔父がものすごく口がうるさくなっていた事で、私の小さい時は近所の人からも、い丶人だといわれていたくらいで、家の誰からも好かれていたし、私など、祖母よりもすきな事もあった。しかし何故、こんなに口うるさくなったのかしらと考えた事があった。

「なんでこんなに口がうるさくなったんだろう、戦争に行く前は、どんな事をしたって決して、おこりはしなかった。兵隊からかえってきてからかわったんだろうか、それとも結婚してからなんだろうか！」

ある日
「あんまりい丶結婚ではなかったなあ、しかしあの時はしかたがなかったんだよ」

と私が、ねたと思って祖母が叔父に話していた夜があった。私はそのことをいつも考えていたので、ねたふりをして、フトンから夕ビだけ出して目をつむってきいていた。

「おれだって、そう思っているけど、あんまりきがきかない　だから、なお、はらが立つんだ。子供が二人もいたんじゃしかたないかもなア」

と、とぎれ〳〵に話している、私は叔母がどんな顔をしているかと、うす目をあけてみると、あみものをしながらだまってきいている叔母の姿がみえた。とき〴〵手をやすめて叔父の顔をみている。しかしなにもいわないでまたあみものをしていた。

そのような気難しい叔父にかわったのですがお金が少しでもよけいに入ると、私にも、ノートを買ってくれたり、映画を一緒につれて行ってくれたりした。

中学生になった年に新制中学に切りかえられて、第一期の新制中学の一年生になった。そのころ川越の町にもアメリカ兵が来ていてガムやチョコレートをうしろからついて行くとくれたりした。中学になって色々のスポーツを学校でやるようになった。皆の中で一番に人気があったのはなんといっても野球だった。しかし私など、あまり、きようでなかったので、一度は野球をやろうかと思ったりしたが、とてもあんな小さなボールなど、打ったり投げたり出来そうもないと思ったのでやめてしまった。だけど皆が色々のスポーツをやるので私もなにかやらなくては、からかわれるのではないかと思い、自分のできそうなスポーツはなにかと考えた。自分のせいの高いのに気がつき、バレーボールがい丶といわれたことがあったので、バレー部に入ることにした。

(8)

当時今のように服装もきちんとしていなかったし、ボールなども古かったし、コートといったら皆で作った所で練習を始めたのでした。その年に大学を出た、新しい先生が入って来て、バレー部のコーチになった。当時中学校でバレーなどやっている学校が少なかったので、二年の夏の埼玉県の中学校のバレー大会で優勝してしまった。その時、とった写真をみると皆がうれしそうな顔をしてとれている。私もうれしかったので、優勝旗を持ちながらすましてとったつもりだったのがアゴだけが上をむいてしまってとれていた。

三年の二学期も終に、冬休みになってから進学する人達の勉強がはじまった。私も中学だけでやめるのではいやだったので

「おれも高等学校に上りたいんだけど、いいだろうか、だって、田所君も、佐藤君も、みな高等学校へ行くんだ」

と祖母に話してみると、私の顔をみながらなにか話したそうな顔をしていたが

「きいてみなよ」

とぼつんといっただけなので、私はがっかりしてしまった。祖母が高等学校へ行ってもいいと、いえば、叔父は、だめだとはいわないだろうと思っていたのが、祖母に「きいてみな」といわれてしまったので、しかたなしに叔父の前へ行って

「むつは、高等学校に行きたいんだけど、どうですか」

と、きちんと、すわりながら、下をむいて待っていたが、すぐ、へんじがなかった。これはだめかなと、叔父のへんじを、一秒、一秒まっていた。長い時間かかった。だめだらあきらめよう……。だけど、なんとしても高等学校ぐらい行かなくては、働きに行ったってろくな所で働けないから、なんといわれても最後まで、たのんでみようと、五分ぐらいジッとがまんしてまっていた。

「まあいいだろう。学校へ行ったら、しっかりやるんだぞ」

と立ち上り、私の顔をみながらいった。

「本当ですか、オレ……」

どいったきり後は何んにもいえなかった。まぶたにたまったものが胸にまでジンと泌みたような気がした。

高等学校に行くにしても、なるだけお金のかからない学校に行こうと、友達にそれとなく話してみると

「船員学校なら、お金がかからないぞ」

といわれ、どうせ働きに行けば家を出るのだと思っていたので

「船員の学校に行けば、お金が、かゝらないから、その学校に行こうと思うんだ」

と叔父に話すと、

「あまり心配するな、学費など、なんとでもする。それより一生懸命、勉強しろ」

と反対されてしまった。どうせ職業につくのだから普通の学校に行くのはいやだったので
「どうしても、だめかな」といってみたが
「そんな事より、商業学校にでも行って、銀行にでも、つとめろ、それがいゝぞ、そのようにしろ」

といわれたが、とても、僕など机にむかって、ソロバンなど、いぢくるのは、きらいだし、なにか手に技術を持ったほうがいゝと思って、それから、毎日のように新聞をみはじめた。ある日、新聞の下の方に、鉄道学校の案内がのっていた。それをみた時、おやじも鉄道に入った事もあるしと思うと、どうしても、その学校に入りたくなり、すぐその話を祖母や叔父に話すと、はじめの内は反対されたが、あまり私がしつこくいうので
「まあ、いゝだろう」

となかば、あきらめたようにいった。

鉄道学校に試験に行ったのが、初めて東京に一人で上京した最初であった。電車に乗り、池袋の駅をおりながら、しっかり試験をしようと心に思いながら、わからない道を聞き〳〵やっとその学校にたどりついた。

試験もうまくうかり、いよ〳〵高等学校に行くことになった。

学生時代　その二（高校生）

目をさますと、いつも、二三回目をパチ〳〵させて目をあけるのだが、その朝は、うすくらい光だけが僕の目にうつった。今日は天気がわるいのかなと、フトンから、かめの子のようにくびだけ出して、マドから外をみると、まだうすくらい……、

「ボーン、ボーン」

と四時を打つ時計が頭の上できこえた。

「なーんだ、まだ四時か、今日はどうしてこんなに早く目がさめたんだろう」

とまた、うと〳〵してしまった。

池袋の駅をおりて学校に歩きながら、この道は試験の日にとおった道だ、二度と歩けるだろうかと思いながら、試験のかえりにも歩いた道――、友達もなくて、一人きりで入った学校だった。入学試験の日の事を思いながら校門を入った。

すぐわかったのは、組の半分以上の人が遠方から来る農家の子だった・はじめての時間に先生が名前を呼んだ時、私の方から来る人がいないかと、一人〳〵名前を呼ばれる顔をみていた。六人の人が一緒の電車に乗ってくるのがわかり、ほっとしたのであった・

当時、その学校でも、やくざだか学生だかわからないのが上級生の中にいた。学校に行って、一月ぐらいたった日、三年生が三人私の組に来て、話があるから、学校の裏へ来いといったが、だれも動こうともしなかった・しばらく、だまっていた・その人達は、そこにあったイスをふりあげておどかした。皆がこわくなってそのあとから学校の裏まで、ついていくと、十二、三人の三年生がいて、なにかニヤ〳〵しながらしていた・私達が行くとだまってしまい、その中の一人が・

「一列にならべ、ぐず〳〵するな」

「おまえ達の名前はなんというのか、どこから来ているんだ」

と、きいたが、だれもが、おっかなかったので下をむいてだまっていると、

「きさまら、おしなのか、おしなら声を出させてやる」

といったかいわないうちに、前に立っていた十四、五人が私達をなぐった・たまげてしまったので、皆が一せいに

「私は・・・」

と大声を出してしまった・その人達は、大きな声でわらいながらつっ立っていた・なんていやな学校なんだろう、どうして学校の方でだまっているんだろうと思ったが、しかたがないので、てきとうに頭を下げてやれと思い、その日から上級生をみれば先に頭を下げることにした・

その年も夏休みになった・こづかいを作ろうと前から思っていたので、近所の人に話をすると

「酒屋でアルバイトがあるけど、いってみないか」

といわれたので、その店へ、働きに行く事にした・

夏の日を一ぱい背にうけて、ドラムかんをうごかしていると、手がやけつくようだった・おでこのアセが額をつたわってながれて、口に入って来た・塩からいアセだった・私がはじめて働いてもらったお金が一万円だった・それを手にして、なにを買おうかと考え結局半分ぐらい家に入れなければと思い、帰って叔父にお金をわたすと、

「あまり、むだづかいするな」

といわれた・

僕は仕方なくわらいながら、そのお金をポケットにつっこみながらどうしようかと思った・

金があると、なんでもほしくなり、夏休みの前には、お金をもらったら、キット本を買おうと思っていたのが、そんなことなど忘れてしまい、好きなシャツを買ったり、パチンコをして遊んでしまった。

二年生になると、私達の間でもタバコをすう人が出てきたりして、なまいきになりだした。家の方では商売がうまくいかず、叔父は、また家の皆にあたりちらすことが多くなった。私が学校からおそくかえると

「今日は、なにしてたんだ、ぶらぶら東京なんかで遊んで来るな！」

うるさいぐらいいうので、思わず口ごたえするような事が多くなった。祖母は

「口うるさいが、本当におこっているのではないんだから」

と話すので、なるたけ家の中がうまくいくようになにをいわれても、だまっている事にした。

初恋

その年の夏休みもアルバイトをしたかったので、前年行った床屋へ話をしたが、先口があると、ことわられてしまった。しかたないので他の所でアルバイトをやとってくれる所がないかと、家に来る人に聞いてみた。

「そうだな、おれのしっているパチンコ屋だが、アルバイトの子をさがしているから行ってみるか」

といわれた。すぐその店に行って話すと、

「明日からでも来てくれ」

といわれホッとした。

その店は大きなパチンコ屋で沢山の機械があり、私の仕事は、タマをみがくことで朝早くから行かなくてよく、昼すぎに行き夜おそく、店が終ってからも、タマをみがくので、夜は十一時ごろになってしまった。店には女の人が、十四人もいて、男の人は一人しかいなく、私など女の人の中で、たゞ一人働いているようで、はづかしくて店の方には、なるたけいかないようにした。その店にはタマを売っている女の人が二人いた。その中の一人も、やはりおそくまでお金の計算をしていたので、私と同じように帰りがおそくなってしまうのだった。

その女の人の名前は節子さんといった。私より一つ年上で、顔のきれいな目のすんだ人だった。はじめのころは顔をみられると、はづかしくて、こちらから顔をそむけてしまうほどだった。

節子さんも仕事がおそくなるので、自然と一緒に帰るようになった。四五日とたつ内に口をきくようにな

った。ある休みの前の日にやはり一緒に帰ることになり、私はすぐ家に帰ろうと思って、いそぎ足で歩いていると、後からついて来た節子さんが

「今日は、おそくなったわね、私おなかすいてしまったわ、何かたべたいのですが一緒にたべない・・・・」

低い声で呼びかけられたのですが、やはり私も何かしらはらがへっていたので、一緒にソバ屋に入った。女の人と一緒にこんな所に入ったことなどなかったのでてれていると、

「宮沢さん、なにしますか、あたしは、盛りをたべますけど」

「なんでもいーですよ」

といってしまった。

「ふ、ふ、ふ、」

とわらいながら

「おじさん盛り二つね・・・・」

と私の顔をみながら明るい尻上りの声でいった。その顔が何か楽しそうであった。

その晩はおそくなったので、節子さんの家の近所までおくって行くと、

「宮沢さん、あした、なにか用あります、私映画みた行くんですけど、一緒に行きません」

と話して来たので、こっちもべつに明日はなにも用がなかったので、

「え、」

どっちともつかないへんじをすると

「はっきりするものよ男の人は・・・・」

といわれたので、

「行きます」

といってしまった。場所と時間をきめてわかれて帰りながらなんだか落付かない気持だった。

次の日、本当に来ているかと、不安に思いながら、約束の場所の近くまで行って来ると、すでに節子さんは来ていて、私がわかったらしく、手まねぎしながら、

「早く〳〵」

と、いっているかのように、笑いながらこっちを登んだ眼で見ていた。

そばに行って、お金を出そうと、ポケットに手をつっこむと、

「なにをしているの、早く入りましょうよ」

すでにキップは買ってあったらしく、節子さんは私の腕をつかんで、ひっぱったので、よろけながらも切符をわたすと人の前をすっと通って中に入ってみると、すでに映画は、はじまっていた。薄暗い中をすかしながら席をさがすと割合にすいていた。だれかみて

ないかしら、とキョロ〳〵あたりをみまわしていると。

「あまりキョロ〳〵しないで映画をみなさい」

と母親につれてこられた子のように、おこられてしまった。

映画が終って外に出てみると夜になっていた。なんとなしに家までついて行くかっこうになってしまった。節子さんの家のすぐそばにある学校まで来ると

「学校を通って行きましょうよ」

と校庭にあるイスの方へいきなりかけ出しながら

「早く〳〵」

とうしろを見ながら叫んだ。節子さんの白い顔が妙にすましていた。

「ようし」

と思ってすぐかけ足で行くと、ふじ棚のすきまから、月の光がそのイスにあたって、砂がついているらしくチカ〳〵光っていた。四本のふじが四方から棚の上にのびている。すきまからみえる月はその見方によって、色々の物にみえた。

「節子さん、砂がついているから、このハンカチをしきなよ」

と、ハンカチを出したが、気がつくと、幾日も使っていたハンカチだったので汚れていたが蒼青い光にそれもわからなく、イスの上にしくと白く清潔に見えた

「どうもすみません、宮沢さんどうするの、私のしきませんか、少し小さいかな、だいじょうぶね」

と私のしいたとなりへエンヂ色のハンカチを並べてしいた。私がすわると節子さんもすわった。自然にかたとかたが、くっついてしまう。なまあたゝかい、やわらかいはだが節子さんの着物を通じて感じられた。小さなころ祖母と一緒にねた、そのあたゝかみとちがう、割の若々しさと陽気なあたたかみが、私のうでを通して、全身にながれる。

「あんたの家の生活は楽しいですか、私の家では、父さんはとうに死んでしまうし……」

そういってから、しばらくじっと考えて

「宮沢さんのお父さん、お母さんおいでになります……」

と、そっといった。

「僕たちは両親がいないんです。いつか僕のこと、わがまゝな所あると、いったね。じつは、僕おばあさん子なんだ。今おばあさんと、叔父さんの所にいるんだけど、あまりおもしろくないんだ」

ジッと節子さんの顔をみつめると、節子さんは、つッと顔を私の方にむけながら、

(14)

「そうなの・ごめんなさいね。おばあさん子、おばあさん子なのね・・・・・いくつになるの・・・・・」

「おばあさんか、そうだな・いくつだっけかなあ・七十ぐらいになるんだと思うんだけど」

「まあ、おばあさんの年わからないの、ヤあアだ・・・・私の家ね・お母さんと、お兄さんと私の三人きりなの、外にも兄さんいるんだけど・家を出てしまったの、だから三人で生活しているんだわ、兄さんもあまりまじめでなく、なかの兄さんも、たまに家にくるけど、ろくなことをしないの、だから家にいるのがイヤで、イヤでどうしようもないの、どこかへ行ってしまおうと思ったこともあるんだけど、お母さんがかわいそうでしょう、だから家にいるの、だけど、普通の会社につとめたら、家にいる時間・長いでしょう・だからパチンコ屋につとめているのよ。宮沢さんなんかいゝわ、学校に行っているんですもの、私も学校に行きたかっただけど、そんな風だったから行けなかったの・だけど、宮沢さんもたいへんね

「うゝん、おれも叔父さんのお金で学校に行っているので・もんくなんかいえないけど、あまり口がうるさいんでたまには・けんかする時もあるんだ。節子さんなんかえらいな。おれなんか・とてもまねできない・よ」

「あまり家で・けんかなんかしない方がいゝわ。私の家でも、よく兄さんとお母さんと、けんかするけど・その時など家のなかがくらくて、おもしろくないのよ。私も兄さんに、文句をいゝたい時なんかあるけど・がまんしているのよ」

立ち上りながら・鉄ぼうの所に歩いて行く、月が雲の中に入って、くらくなって、節子さんのかげが、うすく、砂場に映っていた。

「私、中学の時、鉄ぼうがうまかったのよ、おてんばでしょう」

といった。

そんな生活をしていて、なぜ、あんなあかるい気持もっていられるんだろう。私など、うらやましい。鉄ぼうにぶらさがっている節子さんのすんなりした腕が青白く目にとまった。月の光が雲間からのぞいた。

「帰りましょうよ」

元気よく砂場に飛び下りると節子さんはスッと校庭を歩きはじめた。遠くの家の電灯の光がまぶしく、節子さんのかげを長くうつしていた。横丁を出ると、節子さんの家がみえた。家の中から電灯が薄明るく外を照らしていた。

「さようなら」

笑いながら、黒い人影は・

「またあしたね・おやすみなさい」

と長い尾をひいた。

その晩から、前以上に親しくなった・夏休みも終りに近くなったある晩、

「今日、お話があるの」

といつもとちがった、きつい目だして深くジッとみつめた。

「なんですか、話って……」

と、相手の白い顔をみかえすと、しばらく目をつむって、考えていた風だったが、

「宮沢さんは学校に行ってるのでしょ、だから、勉強を一生懸命やらなくてはいけないと思うわ。夏休みも終れば、今までのように夜おそく逢うわけにいかないでしょ。だから、今日かぎり逢うのよしましょうよ。こんな事私からいえないことだけど、宮沢さんが立派な人になる為にはしかたないでしょ」

と目をそらしながら、だん〳〵と声がかすれてきた。

「節子さん今いったこと本当のこと、なぜなんだ」

と詰問する風にきく、かえすと
「わからないの。私なんかと、おつきあいしていれば、宮沢さん立派になれないわよ・パチンコ屋なんかにもう二度と来てはだめよ、私の最后のおねがい・・

……」

そういわれてみれば、もう、なにもいえなくなってしまう。きのうまであんなにたのしかったのに、この一言で、もう会えないのかと思うと、ため息ばかり出て来るのだった。しかたないと思いながら、その晩ねどこに入ったが、ただ時計が一時二時を打つのを、まんじりともせず、ぼんやりと、天井に眼をむけたまま、・おきていたのを、おぼえている。

不良仲間

そんな事があってから、学校に行っても勉強など、手がつかず、学校に行くといって家を出ては、映画をみてしまったりした。しかしお金など、余分にあるわけがなく、月謝もつかってしまったりした。学校に行くと、催促されるので、気が気でなく家に帰ってこの事を叔父に話すと、

「この馬鹿野郎、親がいたって、これまでだ。だれの為に学校に行く事が出来たんだ。よく考えてゐっ」

親がいないという事をいわれたので、私も、

「学校など・やめてしまえばいゝんだろう、親がいなくて、わるかったよ」

というと、叔父はおこって、私をひっぱたこうとし

た。祖母が飛び出して来て、

「武、お前早くあやまれよ」

と、私の手を引っぱった。でもその時は馬鹿らしくなり、そのまゝ家を出てしまった。

夜おそくなり、家に帰ってみると、叔父はフロに行っていないらしく祖母だけが私の帰りをまっていた。

「ちょっと、こっちへきなさい」

きちんと坐り、顔をニラミつけていった。

「なんだよ」

とふてくされていると、

「今日はどうしたというのことだ。自分に悪い所があるのに、悪いと思ったらすぐあやまるのが男なんだよ。つまらない意地で、いつまでもいばっては、自分が将来そんするんだよ」

といって土間におりて、コンロに、みそ汁をのっけてくれた。

家では、叔父との間がうまくいかなくなり、祖母には、立派になれ、立派になれと、しつこくいわれる。どうせ親なんか、いないんだからと思うと、なにもやる気になれず、叔父や祖母にいわれる事をなんでも悪く取ってしまい、すぐ口ごたえをするようになってきた。祖母に金をもらうように努めたが、なに、つかうのか、わからなければくれない。

「金くれないのかよ。くれなければくれなくってもいいよ。このくそたればばあ……」

とまで、いうようになってしまい、家でもこずかいなど、月にいくらもくれないので、友達と映画を見に行くにも、月謝をつかいこまなければならなくなり、友達の間でも、話のわかるやつは、あまりいるわけがなく、その中でも、山田君と、一番仲がよかったので、いつもお金をかりるような時には山田君に頼んだ。

その山田君と共に遊ぶようになったのが自然と不良仲間に入る原因となったのである。その連中から、タバコを覚えよと、すゝめられ、はじめの内はことわっていたが、そうことわることもできず、タバコを吸う癖をおぼえた。

ある日、山田君と二人で喧嘩した事があった。五人も相手にしてやったので、とても勝てるわけがなく、最後には、つかれてしまって、負けそうになったので、どうにでもなれと思い、その場に二人共ひっくりかえって、

「ころすんなら、ころせ！」

と手足をバタく させて怒鳴りかえしてみせた。

卒業

三年になり、私達の仲間でも、下級生をなぐる奴もいたが、そんな事をする奴をなるべくとめるようにした。

自然、学校に行くのもきらいになり、朝は時間どうり家を出て、池袋まで行くが、池袋駅のベンチでベントウを食ってしまい、すぐ川越に帰って当時盛んだった、パチンコ屋に行って、商品を取ってはお金にかえていた。しかし毎日そんな日がつづくわけがなく、質屋に行っては上衣など入れて、下衣一枚でパチンコをやった事もあった。金のない日など、上衣の下にシャツを、なん枚もきて行った事もあった。ある寒くなった日など、オーバーの下に下衣一枚で、家に帰り、そのまゝ、すぐ、ふとんの中に入って、ねたふりをしていると、祖母が、オーバーをぬいだのをみていたらしく、枕もとの所に来て、

「どこの質屋に行ったんだ。今日だけ出してやるけど、二度と、こんな事をしてはだめだよ」

と、叱られたが、祖母や、叔父のいう事など、なんとも思っていない僕は、

「なにいってやがんだ。わざ〱出して来なくたっていいよ」

と大声で、どなってしまった。

次の日、学校へ行くふりをするのも、しゃくにさわったので、頭が痛いといって、ねていると、祖母が、枕もとの所に来て、だまって、紙にくるんだものをおいて行った。フトンにもぐって、手をのばし、ソッとひろげてみると、お金が入っていた。すぐふとんからとび出して、したくをしていると、叔父が来て、

「今日は休むんだろ、どうしたんだ、遊びに行くのか」

「もう頭が痛いのなんか直っちゃったんだ。これから学校に行って来る」

と祖母の方を盗みみながらいうと、祖母は目で合図をし、私の仕度のするのをジッとみつめていた。

質屋の前までいってみたが、どうせ三ケ月あるんだからと思うと、出すのが馬鹿らしくなって、そのまゝ、パチンコ屋に行ってしまった。山田君も来ていて、

「どうした、今日は来ないのかと思った。金、あるか」

と、いかにも、金のなさそうな顔をしているので、いさゝか得意な顔をして、

「まかしてくれ、金はある。おばあさんをごまかして持って来た……」

といって、金を半分づゝにして、パチンコをし始めたが、そんな事だから、もうかるわけがなく、スッテンテンになってしまい、ついに家に帰るわけにもいか

ず、山田君の家に行ってとまる事にした。その晩、山田君の母親が二人を前にして、

「いつまでこんなに毎日ぶらぶらしていては、だめじゃないか、来年はもう卒業するんだよ、もっと二人共しっかりしなけりゃ落第だよ」

お茶をつぎながらいった。おばさんの顔を見ると、なみだをいっぱいにためていた。そのなみだが、鼻梁の両側を二本の線路のように口もとまで流れて落ちている。おばさんの顔を見ることも出来ず、両手でチャワンをグッとおさえながら、

「そんな事をいったってしかたねえよ、まだ若いんだから、なあ宮沢……」

といわれたが、私はおばさんの顔をみるとへんじをすることもできず、ただ

「うん、うん」

とあいづちをうつより、しかたがなかった。

「宮沢さん、うちの子供をたのみますよ。まだ宮沢さんの方がしっかりしているんだからね」

たもとでなみだをふきながら

「お金をやるから、二人共、質屋から出して来な。もう二度と、こんな馬鹿なことをしてはいけないよ、遊ぶんなら、働くようになってからいくらでも遊べるんだから、二人共まだ、お金のありがたみをしらないんだよ。お金なんて、自然と、どっかゝらわいて来たり、木になったりするもんじゃないんだよ」

と、いゝながら立ち上って、タンスの引出しから、お金を出してきて二人の前へおいた。その時、私はすまない気がして、そのまゝ、顔を下にむけてしまった。山田君もないているらしく、お金の上に、なみだが、とよから雨だれの落ちるように、ポタリ、ポタリ、とおちていた。

「あゝ、母親て、なんていゝんだろう」

と今までこれ程親身になって思われた事がなかったので、その時はじめてシミジミ身に感じた。

私には母親なんていない、しかし私を生んでくれた母親は今でも生きている。なんで家を出る時、私を一緒につれていってくれなかったのだろう。今さらこんな事をいったってしかたないけれど、私はなんだかふしぎ淋しい気がした。と同時になんだか腹だたしい気もしてきた。

就職試験

正月もすぎて、学校でも、就職の事で話がはずんだ。ある日先生によばれたので、行ってみると

「宮沢どうするんだ。おまえなんかいゝが一度も就

職試験をさせないと家の人達にもうしわけないから、こんど口鉄の試験があるから受けてみろ」

といわれた。

「チエツ勝手にしろ」とそのまゝ聞き流しぱなしにしてしまった。履歴書提出の締切の前日に又、先生によばれた。職員室に入ってみると、

「履歴書をどうしたんだ、だめじゃないか出さなくては、今日帰りまでに書いて出せ」

と、タバコに火をつけながら、先生は私を見上げていった。

授業も終ったので、職員室に行って書きはじめようとしたが、一体履歴書はどう書くのか、わからなく、

「先生、どうやって書くんですか」

というと
「なんだ宮沢、お前履歴書の書き方ぐらいわからないのか、よくおぼえておけ」

と、外の人の履歴書を引出しから出してみせながら
「そうだな、宮沢、お前学校に入った年月ぐらいおぼえているだろうな」といった。

それから数日後に口鉄の試験があった。どうせうかるわけがないと思っていたので、試験問題もわかる所だけやって出した。午後の面接の時などは試験官が色々の問題を出して聞いたが、できとうに、わかるものだけ答えておいた。

受験者は五十人ぐらいだったが半日ばかりだったある日に発表があった。どうせ落ちていると思っていたので、控室に入ってもとなりのやつとなんだかんだ話をしていると、終りに近く私の名前を呼んだらしかった。聞いていなかったので、そのまゝくだらない話を友達とつゞけていると
「おい、宮沢、うかったらしいぞ」

と前のやつが肩をつゝいた。からかっていると思ったので妙な顔をしながらだまっていると、

「キミ宮沢君か、話をしてないで、へんじをしろ・・・・・」

と係の先生が、私の方をニラミつけながらいったので、一瞬びくっとして、思わず
「ハイ」

と返事をしてしまった。皆が一度にクスクス笑いだした。

数日後、身体検査があったが、それもなんなくうかり、最后まで残ったのは、七人だけだった。七人共学校の先生の所に行って、話を聞いたが、その話の中でわかった事は、保証人のいないのは、私と、あと一人の二人だけだった。

「保証人のいる人は早く鉄道に入れるが、そうでな

いと遅れる。だれかさがすんだな」

と、しんぱいして話をしてくれた。

それから一ケ月ぐらいたつて早い人は口鉄に就職がきまり、卒業までに三人だけが、まだきまらなかった。


卒業式の日私の学生時代の最后の日だと思うと、いさゝかさみしかった。私もできれば大学まで行きたかつたが、家の事を考えるとても、そんな事などできるわけがなく、これで私の学生々活も終りなのだ。友達の中でも大学に行くものもいた。その連中は、卒業式の日に、大学のボタンをつけた、上衣をきて、学校に来た。立派な上衣、そこについている金ボタン、バッヂ、私とちがう道を行く人達なのだ。卒業しても、職につけない連中もいた。その人達一人〳〵みなちがう道を行くのだ。私は私のきめられた道を行こうと心にきめておそらく最后であろう、学校の門をくゞって外に出た。三年间、かよった学校、友達の顔顔が一人一人目にうかんでくる。いつの间にか駅の近くに来ていた。学校の屋根が遠く眼にかすんでみえた。さようなら校门よ。

卒業から就職まで

卒業したが、就職のよび出しがなく、家でぶら〳〵していた。

考えてみると、あんなに学生時代、遊んでいたのに、口鉄の試験にうかったのが、おかしなくらいだった。だから学校の方から、口鉄に私の事をたのんだのでないかと、思ってみたりした。

就職が出来ないまゝ、卒業した友達からも、他の職業へついたと手紙がくる、私だけが就職できないんだろうか。いつまでも遊んでいるわけにいかないので一人で考えこんでみたがどうしようもない。だけどいまさら叔父に相談するのも義理が悪い。きっといまゝでの事をいわれるのにきまっている、そんなこといわれるのもしやくにさわるし、そうかといって私が本当の事を話し出来るのは山田君だけだったので、彼の家に行って
「よう・・・まだ口鉄から、よびだしが来ないいんだけど、もうだめなんじゃないかと思うんだけど・・・・・」

と元気なく話しかけてみた。

「おい心配するなよ、試験に合格して、名前呼ばれたんじゃないか、大丈夫だよ、そのうちによび出しが来るよ。元気だせ」

はげまされたのか、茶化されたのかさっぱりわから

ないまゝ、どうする事もできず、ほかに職業を探してみようかと、履歴書の練習をする日が続いた。

六月になった。ある日、学校から手紙がきた。すぐこいとの事だった。電車に乗る金もなかったので、祖母に金をもらって学校に行ってみると、

「宮沢君の所にも、国鉄から連絡があったから、行ってみろ。場所は品川で、その構内にある、品川客車区だ。明日にも行ってみろ」

まちにまった、よび出しだった。このよび出しがない時に、どれだけ家の中で、くるしんだろう。国鉄に入ることが出来たんだ。叔父や祖母にしても、どんなによろこんでくれるだろう。前に、

「親がいてもここまでだ」

と、いわれた時、私はずいぶんと反撥したが、今考えてみると、私の小さな時から、自分の弟のように、そだて、くれた叔父、自分の生んだ子供のようにそだて、くれた祖母、僕もずいぶんとわがまゝをしたり好き勝手なことをした。これからは、今までの恩返しをしなければと思い、家へ帰ってその話をすると、叔父も祖母もよろこんでくれ、早速、

「一生懸命仂くんだぞ」

「仂きに行ったら、上役の人のいう事はなんでも、だまって聞くんだよ」

と、はげましてくれた。今までの事をわすれて、私に出来る事は、一生懸命まじめに仂いて叔父や叔母を安心させることだった。

品川客車区

次の日は早く起きた。まだ外はくらかったが、祖母も、おきているらしく、私の事を心配してくれているのだろう、いつもはこんな早く起きていない叔父もおきて、店の掃除をしている。

品川駅まで行くのだ。品川駅に降りるのは生れて初めての事だった。東海道の列車がとまる駅――その構内にあるという、品川客車区。どこで聞こうかしらと、改札の所でもじ〱していると、

「どうかしたんですか」

しんせつそうな改札の人が話しかけてくれた。朝早いのでお客はまだ、まばらにしか歩いていなかった。

「品川客車区に行きたいんですけど」

と、その人の顔をみると

「そうですか、客車区ですか、構内にあるんだけどそうだなあわかりずらいなア、まあ一番いゝのは、大きな煙突があるから、それをめあてに行ってみな」

と改札の外に出て方向を指をさしてくれた。私の仕

車は一体なにをするんだろう、そう教えてくれた方向に歩いて行くと、沢山の線路があって、その上を機関車が黒いけむりを吐きながら通って行く。そのあとに車両が何両もつながっている。

「ガタン！〳〵」

と音を立て、、目の前をとうりすぎると同時に、足もとでガチャンと大きな音がした。びっくりして、あとずさりすると、ポイントの切りかえだった。又機関車を先頭にして列車が私の方に動いて来た。動く車体を乗りこえて行くとまだ、他の車両列が沢山目の前に並んでいた。煙突が見えるけど、そこに行くには、どうやって行くのか？。立ちどまってキョロ〳〵していると、青い作業服をきた数人が通って行く、話しかけようかと思って二三歩歩いてみたが、その人達は急ぎ足で歩いていってしまった。その人達のあとから行けば、きっと客車区に行けるのだろうと思い、すぐ後を追おうとしたが、ちがう所に行ってしまってはとしばらくそこに立ちどまってしまった。また私の後で機関車ががた〳〵音を立て、通る。その動いている車両の入口から一人の男がとびおりた。この人に聞いてみようと、はしって行くと、その人も気がついてくれたらしく、立ちどまった。

「すみませんが客車区に行くんですけど、どこをどう行ったらいいんですか」

「おれも行くから、ついて来い」

ぶっきらぼうに話して、急ぎ足で先を歩いて行く。おそる〳〵後について行く、、枕木の上を踏みながら私は、こんな所を通るのは、はじめてなので、よちよち歩くようについていった。新しい土をふむようにして……

なるほど大きな煙突がスッと天高く突きたっている・黒いけむりが一本のオビのように青空に高く高くのび上っている。その下に大きな木造の建物がならんでいる。これが客車区の建物か、なんてきたないんだろう、まさか私の行く所はこんなきたない建物ではなかろう、そう思いながら、建物の様子をみると、中に背広をきた人や国鉄の制服をきた人が入っていく。五人、十人と。その前を通りすぎると鼠色の建物が目についた。同じ所にあって、なんでこんなにちがうんだろう、まるっきり外からみると、同じ客車区とは思えない、その前まで来ると、

「こゝの二階ですよ」

と階段の入口の所をあごでしゃくるようにして教えてくれた。階段を昇って行く、油でしみついた黒光りの階段だった。二階に上ってみると、事務室らしく、のぞいてみると広い部屋に机がギッシリならび二、三

（23）

人の顔を入口の所でのぞきながら考えていると一人が机から立ち上って、

「なんですか！」

大きな声を出しながら、無雑作に私の方によって来た。キチンと学生服をなおしながら、

「じつは、手紙をもって来たんです」

と、手に握っていた、手紙をみせようと、掌の中を見ると、アセで手紙がクチャ／＼になっていた。それをのばしながらわたすと読んでいたが、すぐ、

「どうも、ごくろうさん。私のあとからついてきなさい」

と、その大きな事務室へ入って行く、つゞいて入ると、

「あそこで、まっていなさい、まだ助役さんが来ないから」

といった。そっちの方を見ると、二十四・五才の人が立ったまゝ僕の顔を見ていた。マドからぼんやり外を眺めると、その建物の下を機関車が、ゆっくり象のように動いている。機関車の前に、赤旗と緑の旗を持った人が乗っていた。とつぜん、

「おはようございます」

うしろの方で大きな声がしたので、ふりかえって見ると、一人の年をとった顔だけ妙に光ったやせた人が入って来た。私の前の机の所に来て、

「きみたち、なんですか」

と、話しかけた。私は手紙をすぐその机の上におくと、そばに立っていた二十四、五才の人も、おなじように手紙を机の上においた。

「どうも、ごくろうさん、きみたち今日から、こゝで働いてもらうんだけど、すぐ詰所に行ってみるか」

と助役さんは話しながら立って歩きはじめた。前に通った木造の建物の所まで来て、

「こゝだけど、整備の助役さんに話をするから入りなさい」

その薄ぎたない建物におそる／＼入っていった。一歩入ってみると、すゝけた天井の下に、机が沢山並んでいて、そのあちこちに、二、三十人の人がすわったり立ったりしゃべったりしていた。みんな作業服を着ているが、ボタンのとれた人、ズボンのやぶけた人、長靴をはいた人などいろ／＼であった。こんな所で働くのかとビックリしたが、どこでも就職さえできればいゝんだと、フッと叔父や祖母の顔が眼の前に浮び、思いなおすよりほかしかたがなかった。

整備係

最初に入った時は、臨時人夫だった。その日から作業服を、わたされた。だれが着たのか、わからない、つぎはぎだらけの作業服だった。ボウシなど、ツバの色が変っていた。

鉄道といったら、駅員や、運転士、車掌ぐらいしかしらなかったので、助役さんにつれられて、客車区の整備の仕事をみてまわった時には、こんな仕事を国鉄の職員がやるのかと今までしらなかった。国鉄の内容がわかったような気がした。列車の中のゴミをはいたり列車の外を洗ったりする。柄の短かいホーキを手にもって、カギボウといって一尺五寸ぐらいのさきのまがった、鉄のボウを左手にもって、車内の掃除をする。外部を洗う時は〃長柄〃といって五尺ぐらいのボウの先に弁当箱ぐらいの大きな板に、ふさを二すぐらいつけたヤツと刷毛で窓をあらったりするのだった。

家に帰ってくると叔父が

「仕事は、なにをやるんだ」

ときいた。すぐ話そうかと思って、のどまで声が出たが、列車の掃除なんていえるものかと、だまっていると、

「なにをやるんだよ、もうわかったんだろう話してみろよ」

といわれたが、どうしてもはずかしくて話ができない。まさか、私が国鉄に入って列車の掃除をするとは叔父も思っていないだろう。私だって、国鉄に、列車のそうじをする為に入ったんじゃないんだ。

「まだ、なにやるかわからないんだよ、だって入ったばかりだもの」

いいながら、お勝手の方へ行ってしまった。

保証人

客車区に通いはじめた。友達や知人などいないので、話をする人といったら一緒に入った湯沢さんだけだった。仕事をする時でも、休み時間でも一緒だったので自然親しく話をするようになった。数日たったある日

「宮沢君、朝鮮戦争が起ったのしってるだろう、どっちが先に手をだしたかわかるかい、じつは南鮮や、アメリカ軍が先にやったんだよ」

と聞かされた時、新聞やラジオでは北鮮が先に手をだしたんだと報じているし、私だってそうだと思っていたのに、この人は、なんて事をいう人なんだろう。そうだ、きっと、この人は〃赤〃なんだなと思い、妙に反撥したくなって、

「それは、ちがうんではないですか、新聞やラジオだって、北鮮が先に手をだしたと書いてあるし、だれ

だって、北鮮が先に手を出したと思っているよ」

と、むきになって、いうと、湯沢さんは、

「ブル新なんて、でたらめなんだよ」

と、いかにも、なんでも知っているような口のきゝ方をした。

湯沢さんは、前には、やはり口鉄で働いていたのでした。ある事件で休職になった人であった。

やっぱり私の思っていたとおり〝赤〟なんだなと、その話を聞いてからは、湯沢さんと話をする時はだまって聞くようになった。

「宮沢君は高等学校でたんだろう、なんでいつまでこんな所にいるんだ。私なんか入った時は、みんな学校なんかでていなかったものな」

といった。私はなんといっていゝか、わからなく、ただ、だまって相手の顔をみつめていると、

「今の口鉄の、しくみ、しっているかい、口鉄に広、学バツっていうのがあって、口鉄で出世したけりゃ、東大出って歌の文句があるくらいなんだ、高等学校ぐらい出たいけじゃ、これからは、助役さんにもなれないぜ、そうだなア、保証人は、あるのかい、いい所に行くには、局や本庁の上役に保証人になってもらわなくちゃ駄目だよ」

といった。学校でも先生が同じような事を話してくれたので、「保証人って、なんのために必要なんだろう」と私には、なにがなんだかわからなくなってきた。

二ケ月後に試傭人になった。私には保証人がいなけので、困ってしまった。職員になるには保証人が必要で、口鉄に長く働いている人でなければいけないという。

祖母や、叔父に話すと、早速近所の人にきいてまわったが、だれも、いなかった。しかたがないので、家に来る人にその事を話すと、その人の兄が口鉄につとめていることがわかり、その人に保証人になってもらうようにたのんだ。

「保証人になってもらうんだから、なにか持って行かなくては」

と、叔父は、千円の菓子折を買って来た。

「武も一緒に行け、その方がいいから」

といわれたが、どうしても一緒に行く気になれなかった。小さな時より祖母にいつでも正しく人生を生きて行けといわれていた、その言葉が頭の中にいつもあった。こんなことまでして保証人になってもらわなければならないのかと思うと、どうしても嫌だった。私のカで口鉄に入ったつもりでいたのに、試験だけうかっただけではどうして本採用になることが出来ないんだろうと思うと、

「おれは一緒に行くのはいやだよ。なんだってこんな高い菓子なんか持って行かなければならないんだ。おれは一緒に行かないよ」

と叔父の顔をまじ／＼みつめると、

「そんなこといったって、世の中というものはな、おまえのいうようなわけにはいかないんだ。そんなこといっていれば、今どき、どこにだって働きに行けないぞ」

と、私の顔をにらみつけるようにして話す。そういわれゝば、いくら私が、正しいと思っても、どうにもなるものではないと思った。しかし一緒に行く気にはどうしてもなれない。とう／＼叔父一人で行ってもらうことにした。

次の日、保証人になってもらう人の所へ、叔父は一人で出かけたが、かえってくるまで安心できず家で待っていた。なんで保証人にいわれるだろうか、私も一緒にいけばよかったのかなと、思い返してみたりもした。今さらどうしようもないので、叔父のかえりを待っているよりしかたがなかった。一日家にいるのが、長く、本を読んでも、気がちって読むこともできず、そのことが頭の中からはなれない。一時間、二時間、早く帰って来ないかなと思う気持と、なるたけおそくならないかという気持と頭の中が、こんがらかってしまった。夕方になっても叔父は帰って来ない。どうしたんだろう。待ちくたびれて来たし、夜にもなって来た。飯だといわれて御飯を食べる気もおきない。祖母が
「早く飯を、たべちまいなよ。心配することなんかないよ。大丈夫だよ」

と、なぐさめてくれたが、どうしても食べる気がしない。七時、八時と時間が経っていくが、帰って来ない。どうしたんだろう、電車の事故でもあったんだろうか、それとも保証人のところで、なにかいわれてるんだろうか、気持だけが、おろ／＼して来た。九時になった。家の中を見回しながら、何回も何回も歩きまわっていた。

「ただいま」

帰って来た……。まっかな顔をして、叔父は少しよっぱらっているようだった。

「武、だいじょうぶだよ、保証人になってくれる人は、安藤さんといって、本庁のわりと、上役の方らしいよ。やっぱり一緒に行けばよかったな。安原さんは、宮沢君はどうしたんですと、きかれたので、今日は、職場に行ってますと、いっておいたよ」

手に、おみやげらしいものをぶらさげながら、上機嫌で家の中に入って来た。あゝ、よかったと、気持が、

ゆるむと、兄にはらがへって来た。
「飯どうした？ まだか……そうだな、俺も食くろかな、武はどうしたんだ、くったのかし
と洋服をぬぎながら、勝気にいった。
「まだくってないんだ。代駅で、くう気がしなかったんだし
と、きまりわるそうにいうと、
「馬鹿だな、一緒にくおうな、そうだ、途中上野に一寸よったんで、佃煮かってきた、それでくうかし
と、買って来た佃煮を開きはじめた。
「安原さんのところでな、お酒をごちそうになったんだ、今日はちょうど休みで家にいたんでよかったよ。話をしたら、安原さんがお前に決して組合運動なんかやらない方がいゝといってたぞ、そんなことすれば、えらい所へ行こうと思ったって、行けなくなるといってたよ。そればかりではないよ、安原さんにもめいわくがかゝるから、組合運動なんかやるなよし
と、箸を動かしながら話をした。私だって組合運動なんて、一生懸命やろうと思ってはいなかったし、安原さんのいうように、偉くなった方が列車の掃除なんかしているよりはいゝから、そのとうりにしようと思いだまって飯をくっていると、祖母まで起きてきて、
「そうだよ、お前組合運動など一生懸命やらない方がいゝよ。あんなことやって首など切られたらどうしようもないよ。国鉄につとめていれば、今は給料は安いけど、一生つとめていられるんだよ。年とったって金式して切れるんだから、そうした方がいゝよし
と、叔父にあいずちをうった。私の事をこれほど、代駅してくれるのかと思うと、二人が学代するようにしようと、飯をくいながら考えていた。

徹夜

十月一日に臨員になった。その日、職場に行くと、世話掛が私の所へ来て
「助役さんが話があるそうだから、行ってみろし
と、そばを通りながら話してくれた。返事もおわったので、助役さんの所へ行くと、
「宮沢君、明日から徹夜をやってもらいたいんだがそうだなC組に入ってもらおうかなし
と、名簿を見ながらいった。考えてもいなかった徹夜。どうしよう。徹夜ってどういう仕事をするんだろう。まさか、徹夜を臨員になって、すぐやらされるとは思っていなかったので、ことわるわけにもいかないだろうと、考えあぐねていると、
「宮沢君、明日は徹夜のC組なんだから、急だけど

どまってもらうんだなし

と、私の気持もきまらないうちにそう話した。

次の日、飯場に行ってみると、すでに私の名札は徹夜の詰所に行っていた。点呼で名前を呼ぶのをまっていると、いちばん最后に、私の名前を呼んだ。すぐ世話掛の山田さんが、

「今日から、宮沢君が来たから、よろしくたのむし

と、点呼表を、わきにかかえながら皆に話したので

「よろしくおねがいします」

ど、あいさつすると

「新入か」

と、後の方で声がした。仕事は本部洗いらしい。班長の島田さんが出て来て

「宮沢こい、おれと一緒にやれ」

と、肩をいからせながら、先に歩いて行く。夕方になると皆が三三五五帰って行く姿が見えた。私も家に帰りたくなって来た。きのうまでは、あゝして帰れたものをと思っていると、雨がポツ／＼降って来た。なんていやな晩なんだろう、はじめての徹夜に雨が降るなんて――！　デンキがポツンと洗場についた。デンキの光に雨足が光って車両にないのに降りそゝいでいる。カッパをきて、外を洗っていたが、カッパのすそから長靴の中に雨がグショ／＼ながれて入って来た。襟も、横なぐりの雨でぬれてきた。えりからもしづくが首をつたわって入ってくる。寒くて泣きたくなった。洗場から山手線の電車がみえる。それをジッと見ていると家にかえりたくなった。しかし帰るわけにはいかない。こゝでがまんしなくてはと思いなおした。

やっと仕事も終わり。フロに行くと、急にねむくなってきた。ほかの人達は皆元気そうな顔をして話し合っている。

「よう、バイイチ行くか。こうさむくちゃねられねえや」

と、ガヤ／＼話しているのがきこえた。まったくこう寒くっちゃ、酒でものまなきゃ、ねられないだろう。まさか、はじめての夜、そんな事もできないと思い、急いでフトンに入ると、ひやっとする。首までフトンをかむって、小さく縮かんでねたが、せっかく、フロであったまったのがさめてしまうほどだった。なんてなさけない気分だろう。皆はどうしているかと、首を出して、暗闇をすかしてみると、もういびきをかいている者もいた。タバコを吸っているのか、ボーッとむこうの方で火がついている。よくこんな薄っぺらなフトンの中でねられるもんだな、と　となりの人をみると、やはり高いびきをかいてねていた。家のフトンでねた方がどんなにかいゝだろう、あったかいだろうな

(29)

と思うと、なおさらねむれなくなった。明日から徹夜の日にはこのフトンでねなければならないのかと思うといっそうなさけなくなった。暗の中でゴーゴーと列車が通る音がした。

試験から新生活八

ある日、職場に行ってみると、けいじ板の〝通知〟を見ながら皆で話し合っていた。私も、作業服にきかえるとすぐそこへ行ってみた。

「宮沢、車両手の試験があるんだってよ。お前、まだ若いんだから、うけてみろよ。うかれば教習所へ入れるんだぞ。いつまでこんな所にいる手はないだろう」

と、内田さんが、がっかりしたような顔をして、私に話しかけた。この試験をうけられるのは、三十才前の人達でなければ、だめなのだった。もう内田さんは四十才近く、試験をうける資格もない。この職場にも沢山、内田さんのような年よりがいる。それらの人達はけいじ板のそばを通っても、横目でチラとみながら知らん顔でとうりすぎて行く。一生この職場で、列車のそうじをしなければと、半分以上あきらめている人達なのだろうか。私など、とても、こんな所に一日も長くいたくはないと思うが、この人達のことを思い合せると、なお考えさせられてしまう。古い人になると、国鉄に入って、三十年以上も汽車を洗っている人もいる。それらの人達は、若い者から、

「よう、おやじ、なにをモサ〳〵してるんだよ、早くやれよ。もうろくしたな」

などと、馬鹿にされてしまう。私だって、三十年も列車の掃除なんかしていれば、馬鹿にされてしまうだろう。そんなことになるのなんかいやだ。いゝチャンスだから、試験をうけてみようと思い、

「おれも、うけてみようかな」

と、内田さんに、もうしわけなさそうに話しをすると、

「そうだ、そうしろよ。うまくうかって教習所へ行ってかえってくれば、すぐ車掌になれるんだ。そうすれば、号俸だって一号上るぞ。まあ、若いうちにうけるんだな。ボヤ〳〵していると、おれのようにロウネルになってしまうからな」

と、景気よく励ましてくれたが、その励し方もなんだかさみしそうだった。

試験の当日、多留駅の構内に入って行くと、私の前にも、後にも、同じような受験者が二三人ずゝ歩いて

いた。みな若い人達ばかりだったが、その中には三十近い人もいた。その人なんか、きっと、おくさんや、子供達もいるんだろう。いつまで列車の掃除なんかしていたくないんだろう。あの人も家族に本当のことを話してないんだろうか。試験がはじまった時、一斉にくばられた試験問題をみると僕はドキリとした。考えてもいなかった問題ばかりだった。数学にしても、分数や、鶴亀算ばかりだった。問題をみつめている内に、はらが立ってきた。なんて馬鹿にしてるんだろう。こんな問題ができたって、できなくたってどれだけその人間の価値が、ちがうんだろう。この問題ができれば、車両掛になれる。できなければ列車の掃除だ。こんな不合理があっていいものだろうかと考えてもみたが、この問題が出来なければ、たしかに車両掛になれないのだ、と考え直すと、シャクにさわってもなんでも仕方のない結果だった。

その年もくれ、正月になった。元旦から早々、勤務に当った。洗滌台から、ホームの方をみると、沢山の休みの人達が、きれいな着物や洋服をきて、ホームにズーッと立っていた。それにくらべて、元旦というのに、長靴をはいて、作業服で列車を洗っている自分。元旦ぐらい家にいたいと思ったが、それも出来ないのだ。「一年の計は元旦にあり」と、昔のことわざにあったが、又今年も、一年中列車のそうじかと、さびしく思ってもみたが、きっと試験は全部やったのだから、受かるだろうと、思いながら、なにか明るい希望で試験の発表をまつ気持になった。

発表の名前には――――ついに、私は入っていなかった。なぜ落ちたのだろう。わからない、試験問題は三度も見直した。それでも、少し位、まちがっていたかもしれないが、落ちるほど出来なかったとは思われない。なぜだろう、わからない。どう考えても落ちたものはしかたがなかった。一諸に受けた下山君は、うかっていた。下山君がうらやましかった。私だってうかっていれば、すぐ教習所へ入れて、車両掛になれるんだ。思えば、思うほど、あきらめきれなかった。

「よう、宮沢君、おっこちたらしいな、あまりくよくよするなよ。おっこちたって、もと／＼じゃねえか、点ばかり良かったって、うからないって話だぜ、保証人かなんかにたのめば、うかるらしいよ、おめえたのんだのかよ」

と、思ってもいなかったことを、鈴木君が話した。点ばっかりよかったって、だめだって、保証人にたのんだなと――――なんの為に保証人にたのまなければならないのだろう。自分の力だけではだめなのか。口鉄に入るときだってそうだった。保証人に、たのんでみたらすぐ店員になれた。私にはわからない。なにかあるんじゃないかしら、と考えるよりほかしかたなかった。又、次の日から刑事のまねじをはじめるより外どうしようもなかった。

ある日、叔父と一緒にゃんとおまっていきと、

「今まできめていなかったが今月から月に、三千円家に入れろ。前の初子さんだって、三千円入れているんだから」

と、祖母の方をみながら僕に話をした。今までだって三千円ぐらい家に入れていたのに、まるでただ食べていたみたいにいわれてしまった。今までだってと、のどまで声がでかゝったが、だまってしまった。小さい時からめんどうをみてもらったり、働いたら、その恩がえしをしようと思っていたから……。手どり七千円ぐらいしかもらえない自分、その内から、先日洋服を買ったので、二千円引かれてしまっていた。それから三千円出すとすると、手にのこるのは、二千円ぐらいになってしまう。しかし、お金を入れなければと思うよりしかたがなかった。二千円ぐらいじゃ、どうしようもない。なんとか、あと千円でもあればと思い、祖母に話かけてみると、

「それでは毎朝、たりない分だけ出してやるけど。何につかうのか、はっきりさせるんだよ。それでなければだめだよ」

といわれたので、これで、お金の心配はなくなった、ホッと安心したが、なんの為に働いているのか、自分でもわからなくなってしまった。このまゝ、家にいたのでは、自分の力で生活する事もできやしない。しかし一人で家を出てしまえば、祖母一人になると思うと、家を出る勇気もでなかった。

いまさら、湯沢さんのいったことが思い出されてきた。

「一生懸命働いたって、一人で生活できやしない。これも、いまの社会のしくみが悪いんだ」

と、よくいっていたっけ。だけど私には、社会が悪いんだといわれても、なんだかよくわからない。しかしなんとかしなくては……。小さい時から両親をなくし、親なしっ子と、いわれながらそだち、祖母の子ともてあまやかされてきた二十年。働きだしてから、自分の力で生きて行こうと思っていたことが、一つ一つくずれ去って行く。まるで蟻地獄におちた、アリのように足もとからくずれて行くのが自分でもよくわかるような気がする。これでは、だめだ。祖母が死んでしまえば、いつまでも叔父の所にいるわけにはいかない。こゝでがんばって、一人で生活することを考えなくては、と考えて寮に入る決心を祖母に話したのであ

った。

「なんとか、考え直しでみなければ、いまの世の中で一人で生活していくのは、たいへんなんだよ」

と、祖母はシンミリいっていった。

ウン、何とかして見せるよ」キッと、きみは誓って、新生活へ勇気と、希望をもって入ることにした。

叔父は喜んでいうだろう。しかし新しい生活を切ひらくためには、どうしてもひとりで新生活をしなければならない。そうかたく決心したのでした。

× × × × × ×
× × × × × ×

× × × × × ×
× × × × × ×

個人の歴史から学ぶ

私が自分の歴史を書きはじめたのは、次の二つの問題からでした。

その一つは、この中でも書きましたように、私は生れてすぐ父母にわかれ、祖母によってそだてられて来ました。自分の考え方のずれ（外界との）それと生活（幼少時代の）は、現在私が色々と考えている事や、行動を進める場合、どの様な影響をあたえているのだろうかということをさぐるためです。

その二つは、現在労働運動を職場でみていると、あまり、職場の人達は、組合に関心がないと思います。率直にいって労働運動全体が、ちんたいしているのではないでしょうか、これはなぜなのでしょうが、職場の中の一人々々の労働者の団結こそが労働組合を強くしていくための土台だという事は、誰も知っていると思います。にもかかわらず、なぜ組合（組織）を皆で守り育てゝいこうとしないでしょうか。

私は、現在職場の人達は本当に組合のやる事に協力していないと書きましたが、この様な現実が現れる原因の一つには、職場の一人々々の労働者の気持を活動家がつかんでいないからではないでしょうか。実際国鉄労働者とはいっても、一人々々の労働者の生活はちがいますし、生活の程度もちがいます。職場から家庭に帰れば、また職場とはちがった不自由さがかならず生活の中にあると思います。この様に職場の労働者の生活が複雑ですから、その気持も亦多様です。だから労働者の気持を指導者がつかむことは大変困難な仕事なのです。しかし、私も分会の青年部の役員（活動家）として職場の人々の気持をよく知りたいと思います。人の気持を知るためには、まず何より、自分自身をしっかりつかまえてみようと思い立ったのです。

こうして、この二つの目的を持って、私は自分の歴史を書き始めたのです。

自分の歴史を書いていく中に一つの発見をしました。それは、私が祖母にそだてられた（小さな時より、なんでも私のやりたい事をやってきた）生活が私の体の中にもしみついているために、現在の私には、わがま

（34）

まな所があるということです。又自分の思っている事をなんでも通そうという横暴なところがあることです。この私の弱点はこれまで私が組合の役員の立場で職場の人々に話をするような場合、しばしば顔を出します。まず第一に私は人の話を良く聞かないという事です。実際私はこれまで人の話をよく聞かないことが多かったようです。

例えば私の職場の青年部のことについていえば、今でも青年部があるのかと批判される場合がよくあります。私はこの批判に対してこれまでそんなことはない。青年部は斗っていると強気でおしていましたが、しかし、今私は素直に品川客車区分会の青年部の現実を考えてみたいと思っています。青年部はなぜこの様に弱体になったのかと考えてみました。まず大きな問題としては、労働運動全体が、沈滞した事があげられます。しかも、これだけで、青年部の運動ができなくなったとはいえません。この様な時期には、たしかに大きな斗いは出来ないかも知れません。しかし小さな斗いなら職場で、いくらでもできると思います。この小さな斗いを組んで、われわれ生活を守る斗いの中にしていくのが青年部の役割であると思います。

つぎに、青年部の会合や職場で話をする場合、若い人達はなやみを沢山だします。しかし、これが具体的な一つの要求にならず、一つのまとまった斗いとならないのです。話をする場合でも、要求とならないで、ぐちになってしまう様です。これは大きな問題だろうと思います。

青年部には沢山の役員がいます。この人達は皆職場の人達から、えらばれた代表なのですから、これらの人達が、職場の人達の要求をつかんで、青年部の会議にあつまって来る訳です。青年部長の私は今までの青年部会議でその人達の話をどれほどきいただろうかと思うと、自分自身がはずかしくなります。

もちろん、青年部の問題は品川客車区全員の問題であり、私自身が一生懸命努力すればそれで万事解決という訳にはいきません。しかし青年部の活動を進める役割を持った私自身のわがまま、人の話をよく聞かないということ（それは私の過去の生活で育ってきたもの）はやはり私達青年部の活動にマイナスになったと思われます。ところで私は自分をはだかにして自分の厂史をさらけだし、さらに皆さんに考えて頂くために問題を出してきましたが、これらの問題は私ばかりでなく、多かれ少なかれ、職場の人、全員がもっている問題だと思われます。

私がこの〝個人の厂史〟を書いたのも、一人〳〵の弱い労働者でもお互いがありのままの自分を見つめ合う中から組織をつくっていけば、自分も組織も強くなるのではないかと思ったからなのです。そして私は職場の中に信頼感が広がっていくためには、まず、本当に自分の考え方、自分の生活を、全員に知ってもらいたいと思ったからなのです。

なぜあの人は、組合に協力しないんだろうとつい私たちは批判がましく人を批判する場合がよくあります。しかし、その人にも、その人なりに組合運動できない問題があると思います。私は多くの労働者が、自分の歴史を本当に書いていく事〈生活＝自分の歴史〉を通じて自分のことを自分もよく知り　又、自分の生活を他の労働者に知ってもらう事は現在当面する労働運動の課題＝労働者としての自覚、団結＝信頼にあふれた職場斗争を解決するのにきっと役立つと信じたのです。

職場の歴史をつくる会について

岡島博

私達職場の歴史を作る会では、全会員で話し合った結果、宮沢君の自分の歴史〈生い立ち〉を〃はと〃にのせてもらうことにしました。これは今年の初め頃から職場の歴史を作る会で始めた〃個人の歴史〃を書こうという運動の中から生れたものです。今では色々な会社に働く男女が〃個人の歴史〃をどしどし書いています。

これを職場の歴史をつくる会でとりあげたのは宮沢君もいっているように、一つにはもう一度素直な心になって自分の生きてきた道を総ざらいに出して、職場や家庭を通じ自分というものがどのように作られてきたか、そしてその中で自分がどのように行動してきたか、をはっきりと見定めたかったからです。又同じ職場に働く人達同志が生活にまで立ちいって知りあい、それぞれの人のもつ要求〈生活のこと、職場のこと等〉をさらけ出し、そこに流れている同じ問題等を話し合う中で、お互がしっかりした理解の中で結びあうことが必要だと感じたからです。

　職場の厂史をつくる会の日吉サークルではこのように自分の厂史を書きあげると、分会機関誌に発表し、それを会全員や職場の人々に読んでもらい、必ず合評会を開いでその中で書いた人の考え方、生き方を自分の問題として考え、又、批判しています。又、会では職場見学や、フォークダンスやキャンプファイヤの夕などのレクリエーション等を通じ、他の職場の人達と交流する中で一つの職場にとじこもろうとするせまい頭の持主にならぬように、一人〳〵が夫々自分を高めていきます。私達はこういったことをたくさんの働く者同志で自主的に計画を組み、且、実行し、批判を続ける中で、指導という問題や新しい組織づくりという大切な問題も次第に身につけていき、そしてこれ等身についた経験を無駄なく高めるために理論学習会も開いています。この理論の学習会は実際に今進めている職場の厂史をつくる運動の計画の中で行きづまった問題の解決に大いに役立っています。要するに私達は何時でも私たちがつくった職場の厂史をつくる会を通じて愉快にとぐをしながら理屈ではなく実際に行動する新しい型の労働者に自分をつくり上げているのです。職場に魅力的な人間関係がつくり上げられるならば、職場のふんいきもぐっと明るく楽しくなるでしょう。

　私達は私共の主旨に共鳴して、たくさんの皆さんが職場の厂史を作る運動に参加下さることを望んでいます。職場の厂史をつくる会日吉サークルの責任者は、岡島　博、宮沢武人です。会について気軽にどしどし御相談下さい。末筆ながら宮沢君の原稿を、機関誌"はと"にのせることを快く承諾され、又、原稿整理等に援助してくださった編集部の方々に感謝致します。

"父母の歴史を語る会"

お知らせ

あつい最中毎日ごくろうさん。

この八月十三日で、私たち職場の歴史をつくる会のためにいろいろ力をつくしていただいた会長である竹村さんのお父さんが亡くなられて一年目がやってこようとしています。

運営委員会で話しあった結果、今度の会合を、会員相互の交流、とくに会員の一人一人にとってきわめて大切な事でしかも今迄あまり話し合われたことのない家庭の問題を中心に話し合う事にきめました。

職場の生活と家庭、私たちの会の活動と家庭といった問題は会の前進のためにも見逃せない問題だと思います。当日はお互に腹をわった活撥な話し合いの会に皆でしたいと思います。

記

一、日時　一九五八年八月十日(日)　始六時半～九時半

一、場所　ヤブ重(国電高田馬場下車リバ座)

一、会費　百円(会場費共)　略図はウラ

職場の歴史をつくる会

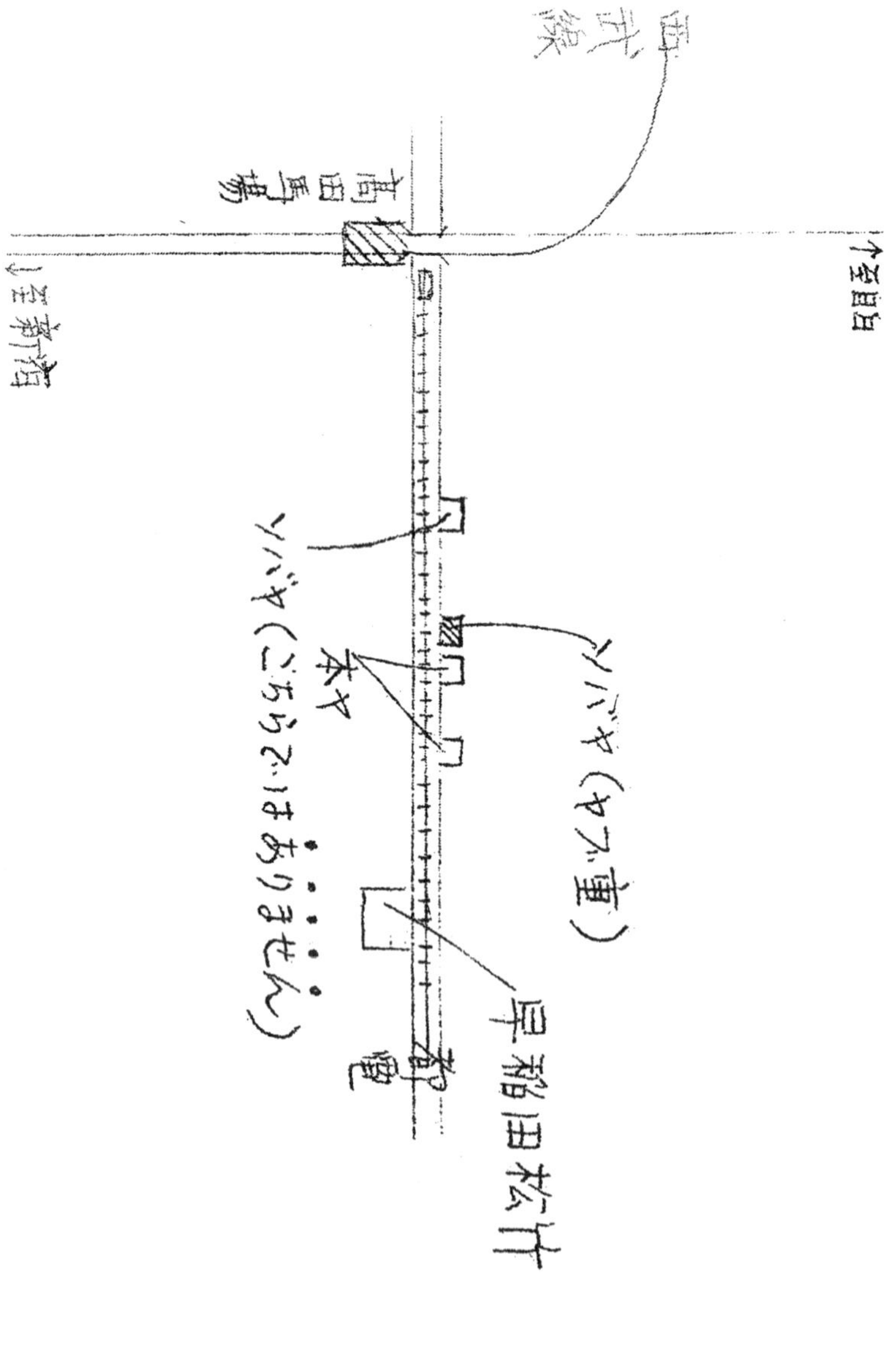
西武線
高田馬場
至新宿
至目白
ソバヤ（ヤマ重）
本ヤ
ソバヤ（こちらではありません）
早稲田松竹
都電

合評会

〃桟関誌十一号をお読みになりましたか〃

秋らしくなりました。
さて、左記の要項により〃清水君の厂史〃合評会を開きます。御忙しいことゝ思いますが、ぜひ御出席下さいます様御願い致します。

記

一、日時　九月二十日土曜日　午後六時半

一、所（略図）　ヤブ重そば屋

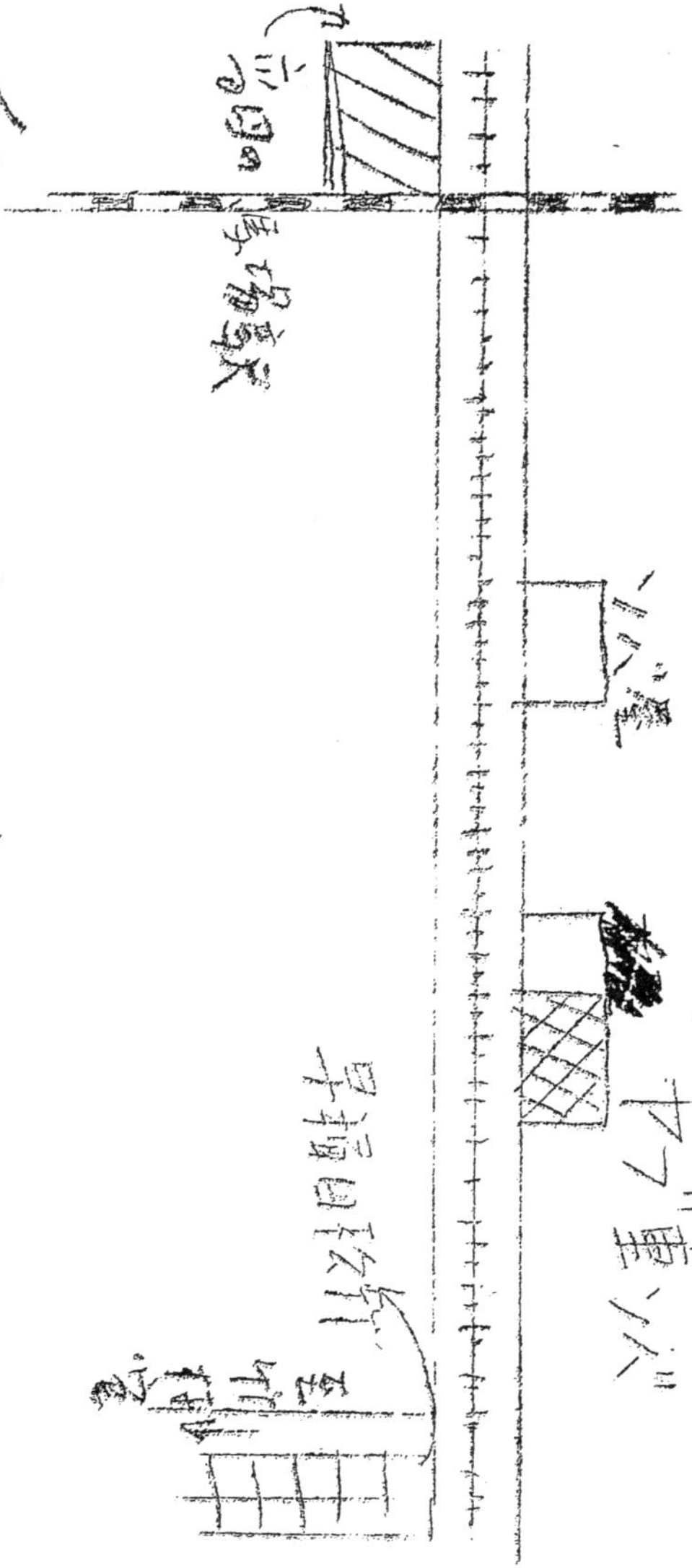

一、会費一〇〇〇（食事代含む）

馳馬の厂史を作る会

職場の歴史

講座案内

目的　会員の質を高め職場運動を飛躍的に発展させること、職場の歴史委員候補者の養成を目的とします。

講座期日　十月一ヶ月（十五日間）

日／曜　時	7.00〜1〜8.30	〜2〜9.40
2木	③土田	①竹村
3金	②高橋	①竹村
6月	③飯塚	①竹村
8水	②高橋	①竹村
10金	③土田	②岩浪
13月	③宮沢	①竹村
15水	③清水	②岩浪
17金	①竹村	①竹村
20月	③宮沢	①竹村
22水	⑤土田	⑤高橋
24金	⑤岡島	⑤岡島
27月	⑤土田	⑤岩浪
29水	④清水	④清水
30木	④清水	④清水
31金	④飯塚	④飯塚

募集人員　十名程度　※受講者は会員に限る

講座内容

一群　職場の歴史とは何か（8時間）　竹村民郎

二群　会の歴史　前半　後半（4時間）　高橋秀夫　岩浪忠夫

三群　創造の経験（6時間）　土田毅助　飯塚郁子　宮沢武人　清水澄夫

四群　実習　○社内誌製作（4時間）　○サークル見学（2時間）（6時間）　清水澄夫　飯塚郁子

五群　レポート　○自分の歴史の創作　○職場の歴史（6時間）　土田毅助　高橋秀夫　岡島博　岩浪忠夫

本講座事務局長　岡島博

特典　各群四時間以上受講し、所定のレポートを提出し、レポート審査に合格した会員は職場の歴史をつくる会委員候補の資格を得る事が出来る。

受講料　A 六〇〇円（三〇回券）　B 五〇〇円（二〇回券）
但し、一度納入した受講料は返却致しません。

受講手続　A 受講希望者は所定の申込用紙に記載事項を記入し、受講料と共に本会委員又は事務所に九月二十五日迄に申込む事。

B 受講者が募集人員を超える場合は委員会で選考する。尚、受講希望者で今回受講出来ぬものは来年度二月予定の職場の歴史講座の申込みの場合優先的に扱うものとする。

C 事情により受講料の分納を認める。

D　受講者は受講の場合毎時間受講券を提出のこと。

E　本講座についてのおたづねはなるべく早く左記に連絡して下さい。

東京都新宿区戸塚町一丁目三〇五
竹村方　職場の歴史をつくる会

-------------------- キリトリ線 --------------------

申込書

職場の歴史をつくる会の講座を受講したいので、受講料　　　　円
を添えて申込みます。

一九五八年　　月　　日

氏名

職場名

職場の歴史をつくる会殿

様

职場の歴史をつくる会総会のしおり

一、案内と地図

二、総会議案

a、一年間の会活動実績の報告

b、今後一年間の会活動のやり方

c、会の運動を普及するための出版計画と機関誌の改善について

d、会事務所建設計画について

ホ　会員各位へのお願い

総会の要領（その一）

一、案内と地図

(イ) 日時　一九五八年一〇月二六日（日）午後一時半〜午後九時半

(ロ) 場所　国際電々新宿分室

(ハ) 議事順序　昼の部　議題(二)のa(a)項の報告と討論予定
夜の部　議題(二)の(b)(c)(d)項の報告と討論予定

(ニ) 会場費　五〇円（資料費を含む）

(ホ) 地図

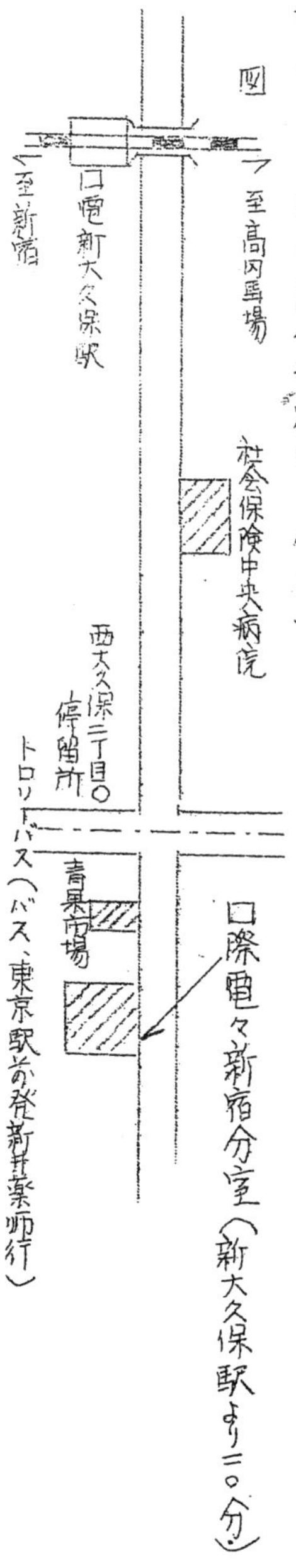

総会の要領（その二）

二、総会議案

a、一年間の会活動実績の報告

(イ) 書かれた作品について（個人の歴史運動の成果と課題）

(ロ) 会の運動は職場にどの様に影響したか

(ハ) 機関誌はどう読まれたゞろうか

(ニ) 会の条件はどの様に保証されてきたか（事務所の維持、会常任の生活、会財政について）

(ホ) その他

b. 今後一年間の会活動のやり方

(イ) 集団研究会をつくること

1、全会員が理解し合い会活動を共通の広場で進めることを通じて、四年間の会活動の実績を土台に新しい作品をつくりだし、会活動を大衆的に進めることを目的とする。

2、毎月一回平日（午後七時～九時半予定）定期に開く予定

3、参加者は会員とし、特別の事情を委員会が承認した場合は非会員でも参加を認める

4 集団研究会は共同の仕事としてつぎの様な仕事をすヽめる。

a、職場の歴史（個人の歴史）運動の研究

b、職場の歴史（個人の歴史）の書き方の研究

c、機関誌製作等の共同作業（会活動）

d、作品の研究（合評会活動も含む）

e、会員の共通課題（自分の歴史、戦争と日本人）による共同研究

（会員の発表報告に基いて討論することとする）

○研究課題　自分の歴史の趣旨（略）

○研究課題　戦争と日本人の提案趣旨

二〇世紀は平和か戦争かの二大潮流が激しく争っている時代である。私共日本人もまた、日清日露戦争以降百年足らずの間に四回の大戦争を経験している。日本近代史は相続く戦争の歴史であったといってもよいだろう。この様な条件の中で私共日本人はどの様な影響をうけてきたのかについて考えることは大切だと思う。なぜなら最近の情勢は再び戦争を準備し☆

大多数は未だ自覚が充分ではなく国民の自覚を推進する抵抗の戦線の中にも分裂の暗い影が発見出来るからである。今尚戦時中典型的にみられた特攻精神、竹槍精神は形を変えて生活の中に存在し、しばく平和を願う国民のための共通の広場づくりを阻害している。

研究会では、私共の身近な生活の中にあるこの様な問題を話し合ってみよう。

5 集団研究会の討論や新しくでてきた問題点の整理（その結果は運営委員会ニュースに公表する）は委員会が行う。委員会の任務は、その様な着実な仕事を進める事と研究会運営技術の研究とを通じて集団研究会の発展を保証することである。

委員会はこの様な仕事の増加に伴い従来の月一回定期開催を改め、月二回集団研究会の前後に委員会を開くこととする。

6 集団研究会では会員のリクリエイションとして ○ハイキング ○合唱 ○フェスティバル ○私場見学などを行う。

C

会の運動を普及するための出版計画と機関誌の改善について

(イ)出版計画についての提案

1 目的　会の運動の普及と会財政の安定（会活動費（常任費、委員行動費その他）にあてる）

2 計画　☆五九年秋迄を一応の目標とする。☆都内某出版社と交渉の予定。☆現在委員会で計画の調整を図り、賛助会員の意見を集めているところである。☆出版が決定した場合は全会員の協力を得て仕事が進む様な体制をとりたい。☆本の体裁として新書版はさける予定である。

3 内容　1、編者　竹村民郎

2、題未定

3 本文目次

－4－

○序文　南博氏（確定）
○職場の歴史運動の経験と理論
○作品集（主として個人の歴史）
○集団創作の方法
○職場の歴史をつくる運動の意義について
木下順二氏
鶴見俊輔氏　（交渉予定）
○参考資料と会年表

(ロ) 機関誌の改善についての提案

1－改善の要領

a、従来の様な個人の歴史一本立の編集を改め、集団研究会やあらゆる会活動の経験（これを正しくまとめれば文化運動の理論となる）の成果が紙面に反映する様に留意し一年間の編集計画を組み着実に編集を行う。

b、編集技術（ガリ切り、割付け、校正、カット、表紙印刷、印刷等）の改善をはかるため技術の講習会、機関誌技術合評会等を会員の協力を得て実施する。

c、機関誌財政の改善　☆各号の販売計画と実績の検討　☆年間機関誌経費のプール（約一万円）
☆販売方法の検討、

d、会事務所建設計画について

(イ) 提案理由　岩波委員、岩波賛助会員両氏が百万円前後の公庫住宅を家よりの援助で建設する計画の中に、会事務所兼常任用住宅の建設を付け加えることとする。

(ロ) その場合　会は約十万円を用意する必要があるが、この十万円の中その半額は竹村常任委員が用意する予定なので会としては残金五万円を事務所建設費として用意することとなる。

(ハ) 建築目標は三〜四年後とするが事情によっては多少の変更がある。

(ニ) 本計画の詳細はプラン作成については委員会が決めた事務所建設委員がこれを行い、担当委員は岩浪委員、岩浪賛助会員と相談して本計画の具体化を進めることとする。

※ 今回の総会は、これまでの成果と今後の課題について語り合う事を通じて、古い会員と新しい会員とが共通の広場をつくり出そうとする大切な会合です。先日委員がおたづねしました時お願いした様に貴殿が御出席下さることを私共は心から望んでおります。止むを得ない御事情の為欠席なさる場合は御手数ですが同封の葉書にて御連絡下さることをお願い致します。

又会の今後についての御意見もお寄せ下されば幸です。

広場の歴史をつくる会
運営委員会

さわやかな秋となりました。この十一月三日に会員の丸田、種山さんが御結婚されたことを心からお祝い申上げます。これを機会に結婚された会員もこれからの方々も秋の一夜集まって、私たちの生活の中での愛情と信頼について話し合ってみたいと思います。

私共が自分の青春を純粋に生きようとしているとき世間の大人たちは、しばしば"世の中は妥協だよ"と冷笑します。若い時代の純粋さから人を信頼しては裏切られ、また信じては肩すかしをくわされる。そういう中で知らず知らずのうちに大部分の人々は隣人を信頼して生きるより自分だけの生活を作って生きる方が確実なように思われてくるのでしょう。そしていつの間にか他人に対しては適当につきあい、自分自身の力にとじこもるという俗物になり、若い人々を冷笑する立場にもなるのではないでしょうか。

今、警職法、道徳教育の改正が問題になっていますが表面ではうまいことをいいながら、じわりじわりと私たちの生活を追いつめてきている政府のやり方をこのまま許しておけばますます多くの日本人を卑屈にしてしまうでしょう。

このように不安でせちがらい世の中で私たちはどのように生きればよいのでしょうか。自由、隣人を愛すること、信頼、それは一体何なのでしょうか。私たちの職場生活の経験を持ちよって話し合ってみたいと存じます。

日時　十一月二十日　六・三〇〜九・三〇

場所　高田馬場・職場事務所（高田馬場駅より十分）

会費　三十円（但しお菓子代、通信費）

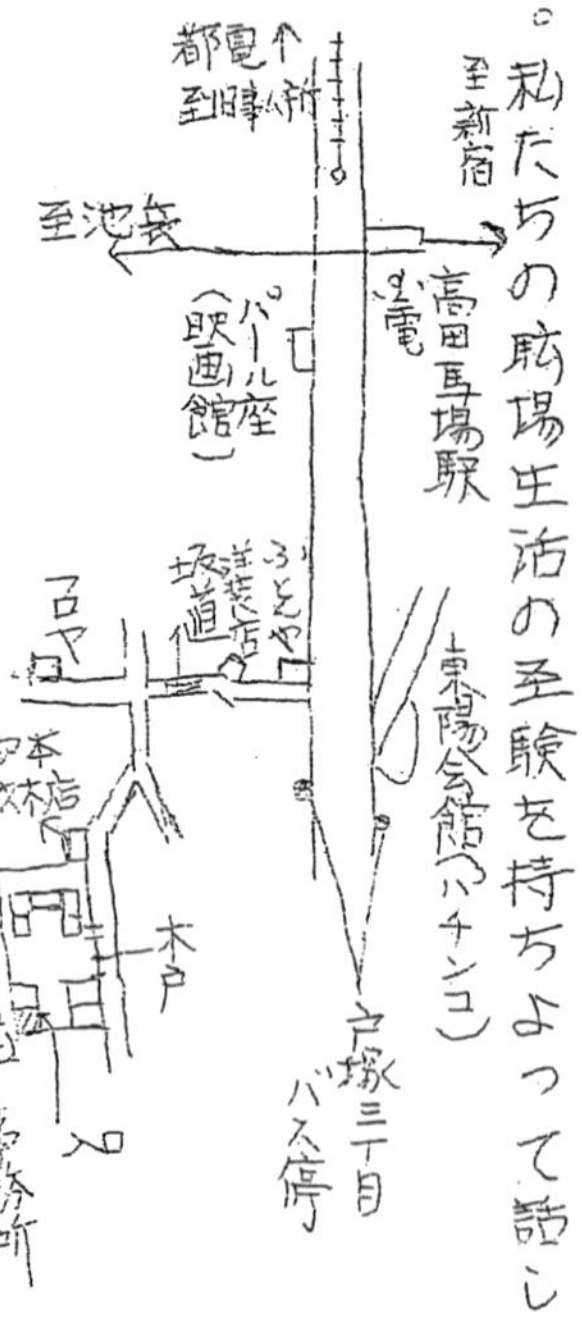

東京都新宿区戸塚町三ノ二〇五
（竹村方）
職場の歴史をつくる会

村図誌十三号が出来上りました。

編集部の方々ご苦労様でした。

この村図誌十三号の日鉄サークル編の「一駅員の生活の歴史」を中心に合評会を開きたいと思います。現在、警職法反対や、教員勤評の重要な時に、すべての日本の労働者の人々はどんな生活の中で育って来たのでしょうか。今、どんな事を考えているのでしょうか。深く掘り下げてみたいと思います。

日本の労働者達にとって[illegible]今日、我々は自分の家の中に一つの事、視野を広くして、生活と自由を守る[illegible]。しかも私達の[illegible]中でも、将来の生活を考える事なくても、[illegible]。

例えば、今の社会や職場の中で[illegible]自由にものが言え[illegible]ないのです。

「一体どんな事をして人間の幸せは得られるのか、どんな事をすれば少しは相手を理解し合えるのか」一体私達は何を考えているのか。

要するに自由とは[illegible]職場や、社会生活に於いても、他人の意見には耳をかたむけないと考えている様です。だから自由という事にも一番苦手です。

又、私たちの周囲の人々も、仕事や家庭生活の面で、[illegible]つづけている人も多いようです。

この人は結果として自分の事しか考えていない、と思います。また[illegible]自分の中に閉じこもっていつの間にか、この様な[illegible]人々の自由と権利を守る運動の発展を妨げているのが現状ではないでしょうか。今、労働者として考えねばならない事は[illegible]積極的に参加して行くためには、私たちは正直に、集団と自分の関係を見つめ、その中から生まれる矛盾を適切に解決してゆく必要があります。

今度の合評会では、~~[illegible]~~集団と個人をめぐって起きてくる色々な問題を話し合うことを通じて、あたらしい生活の在り方と共に職場に於ける自分の本当の姿を見つめる機会にしたいと考えています。

日時　十一月二十四日（月）六・三〇〜九・三〇

場所　高田馬場駅前事務所

会費　三十円（お茶代　通信費）

職場の歴史をつくる会

御願い

寒さも増してきましたが、会員の皆様には仕事に御精励のことと察し致します。

扨て、先日の総会の際に具体的に出され、又、運営委員会ニュースでもお知らせ致しました職歴事ム所移転のときかゝりました八阡円（土田さん代替、十二月三十一日までに返済）のカンパの件ですが、是非御協力お願い致します。

現在職歴運動の重要性は労働組合等でも認め（全逓、電々通、国鉄東労文化）機関誌等にも発表するようになりました。働く人達が歴史的に物事をみつめ、科学的に判断する中で行動する能力を持つことの必要性が打出されてきています。

職歴の会活動の中で事ム所の必要なことが出て以来、総会、合評会、学習会、サークル、委員会等の集会、又、討論、ニュース雑ム遂行の場所として増々多く利用され、時間、場所、費用の少ない私達働く人達の向上にとって、事ム所は非常に大きな約割を果すことがはっきりしてきました。この事ム所を最大限に利用しながら、働く人達を職場に組織していこうではありませんか

尚、今後とも職歴の会が具体的に現在の会員の向上と、新会員の獲得を進めるためには財政の確立も一つの大切な基礎になり、八阡円の問題と合せて一万三阡円のカンパを目標に会員の皆様に訴えるしだいです。一部会員の個人的負担をなくすため会員一人当り三百円を目標に苦しい中とは存じますが、カンパに是非御協力下さい。

十二月二十五日まで

東京都新宿区戸塚町三ノ三三
（竹村方）
職場の歴史をつくる会

お知らせ

寄場の歴史をつくる会

だいぶお寒くなりましたがいかがお過しですか。天気のよい朝など南東の山が白く雪をかぶっているのが見られます。寒いものです、もうすぐ十二月です、昔ふうでいえば師走。寄場にとっては きびしい冬がやってくるでしょう。この一年ふりかえって見ますと、人工衛星に明け暮して新しい時代が生まれました。それにひきかえ私たちの住んでいる社会では昔に逆行するような悪だくみが仕組まれます。勤評 忘れようにも忘れられません。

私たちは、こういうことこそ腹にのみこんでおいて、忘年会を催すことに決まりました。多数の皆様方と語り愉快に過したいと思いますので ふるって ご参集下さい。

会場の用意の都合などがありますので必ずご返事下さい。郵便が届きますから、同封のハガキは至急返送下さい。

(米)会費＝三〇〇円

(米)とき＝十二月二十二日、午後六時半

(米)場所＝高田馬場そば屋、竹の屋

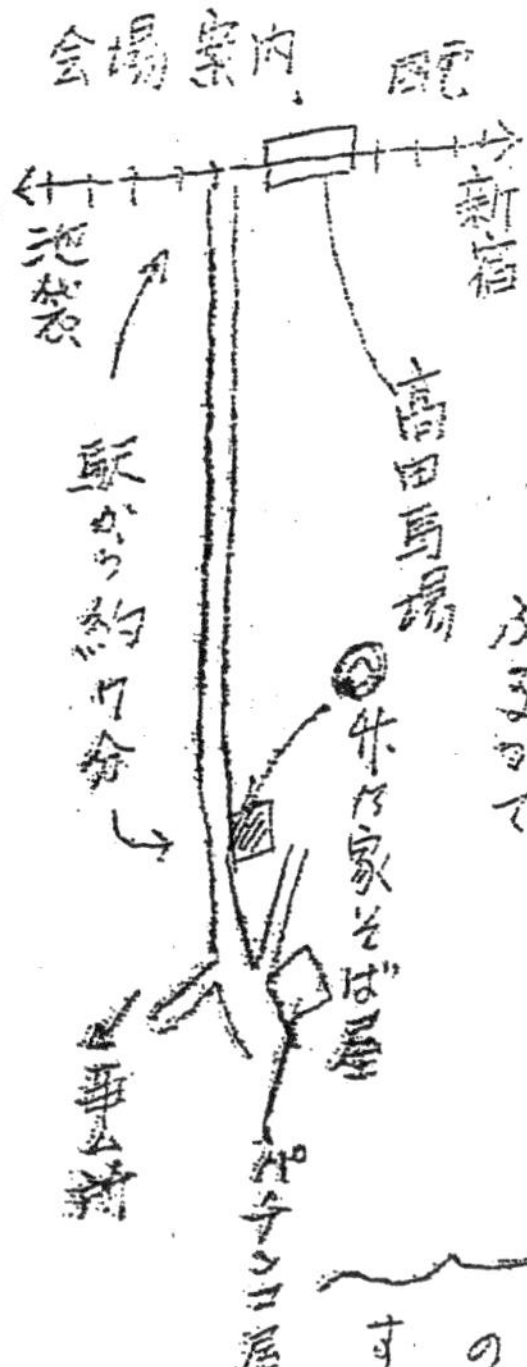

職場の歴史を作る会の機関誌はささやかな予算の枠の中でいろいろ苦心してつくられています。たとえばガリキリ、印刷、製本なども素人の見よう見まねでやっているのです。書かれた作品も、一日のつとめの余暇にこつこつと書きためたものを何回か清書したものです。こうして出来上る機関誌は一体どう読まれているかを私たちは知りたいと思いますのでお暇の折にこのアンケートを書いて下さいお願いします。

皆様の御意見をどしどしとりいれて〝職場と生活〟を読んでとくをする機関誌にしたいと思います。

一、特に興味を持って読まれた作品がありましたか
（その理由）

一、〝自分の歴史〟をお読みになってどう感じられましたか
よい点と悪い点をお書き下さい。

一、そのほかお気付の点がありましたら書いて下さい。

米　アンケートの送り先
東京都新宿区戸塚町三ノ三〇五
竹村方　職場の歴史をつくる会

米　アンケート締切り期日
十二月十日

以上
職場の歴史をつくる会　機関誌係

今年も残り少なくなって参りました。カレンダーをめくりながらいろいろと来年の計画をたてておられることと思います。

私たちも来春早々〃かるた会〃を開いたらどうでしょうか。

少ないお休みで二日、三日はいろいろ用があると思いますので一月の一日にしたいと思います。

自信のある人は腕のみせどころを、ひやかしも大いに歓迎です。

トランプなどもして一日楽しく過したいと思います。

場所は高田馬場事務所。

時間は午后一時より
みなさん おさそい合せて是非どうぞ。

職場の歴史をつくる会

職場の歴史をつくる会のしおり

○会のことば
○推せんのことば
○会のしおり
○会員の特典
○入会規則

東京都新宿区諏訪町一五三
（竹村方）
職場の歴史をつくる会

会のことば

職場の歴史をつくる会は、職場の人たちと自然や社会についての科学を学ぶ人たちとを結びつけ、これによって職場から生れてくる"働くものこそ歴史の主人公である"という確信と、未来への明るい見とおしを正しく発展させ、運動の進む中でつくりだされる職場の歴史の成果を広めて、日本国民の歴史に対する希望にこたえてゆくことを目的とします。

私たちは、この目的のために参加する人々のそれぞれの立場をみとめあいながら、この仕事を通して世界の働く人間の歴史の流れとふれあい、平和で健康な日本をつくりたいと思います。

推せんのことば

新文化運動への序曲

ー生活つづり方の一つの方向を暗示ー

朝日新聞評

戦後の民衆の文化運動の中でとくに盛んに論議の的になったもの、ひとつに生活つづり方運動がある。しかし、一昨年ごろからこの運動はいわば反省期にはいって生活つづり方の限界ということが問題にされはじめていた。このような文化運動の歴史をふまえた上で考えてみるならば、この"職場の歴史"は行き悩みがちの生活つづり方の一つの発展方向を暗示するものとして重要な役割を担っているように思われる。

生活つづり方が個人の身辺雑感という形になりかねない可能性をもっていたのに対し、職場の歴史をつくる運動では主体は集団である。この運動は"働くものがつくり出してきた歴史の遺産をまもりそだて、日本国民の歴史をつくり出しその成果をひろめていくこと"を目的とするものであり、それはあくまでも集団的な仕事としてつくられてゆかなければならない。

……さまざまの職場の歴史をもっと深く掘り下げることが今後の課題になるだろうし、またそうすることによってはじめて歴史家の期待にも答えるのではないか。そういった意味ではこの運動は新しい文化運動への序曲だと考えられなければならない。

生活を意識すること

国民文化会議会長
一橋大学教授 上原専禄

職場の歴史をつくる運動は文化活動の領域としては大事なことです。職場の歴史を作るということは自分達の生活を原則において意識すると同時に、問題をハッキリさせるということです。

理論を鍛えること

東京工業大学助教授 鶴見俊輔

われわれは現代史において見ているものであるとともに行動するものである。その立場から、修正のきかない仮説などおし立てるのでなく、修正に応じられるような形で出して行くべきである。少数派の尊重ということにもつながる。そういう意味で現代史の方法論は昔の方法論とはちがう。組合史、職場の歴史を書くことと理論を鍛えること

ー3ー

とは同じことだ。ある理学を歴史科学と一しょにやって行く必要がある。

科学の正しい方向とその第一歩

理学博士　井尻正二

若い歴史家や歴史の学生の人たちが手をとって職場の労働者、勤労者がみずから書きあげた生きた歴史、斗争の歴史、人間改造の歴史といったものを"職場の歴史"ということができると思う。ここにまず日本の国民、なかでも一番苦しい労働者や農民が生活を守る斗いの中で"うたごえ"といわず"詩"といわず科学に対しても斗いの武器を求めていることにはまちがいはない。

こうした世の中の空気をいちはやく感じとることができる若い歴史家（社会科学者）や学生の人たちがこのような人たちの中にはいって行き、自分たちの知識（学問）をすこしでも役立てようとするのは当然である。ましてや、学校で習ってきた本を読む歴史が面白くなく、不満であるならばこうした新しい領域に目がむき、そこで新しいテーマで自分たちが新しい歴史学をうちたてようとするのはあたりまえの話である。

そして、労働者や農民も、自分たちがおかれた苦しい立場やここまできた歴史を学んで斗いの自信をもち、自分たちの力で自分たちの歴史をつくり、これを仲間にひろげて力を大きくしようとすることも自然のなりゆきである。私たちは、このような科学の創造と普及の側面をひらき民主化運動をも進めている労働者と若い歴史家とその実践になにをおいてもまず敬意を表したいし、表すべきだと思う。

日本文化の前線

——運動のひろがり——

一橋大学助教授　南博

生活記録運動や学習運動、組合史や職場の歴史をつくる運動が果しておる役割も決して小さくない。ことにそれらは青年婦人運動の組織化や労働組合運動の強化とむすびつきながら、民主的な人間関係の確立や明日の文化のための、肥沃な土壌づくりの役割を果しつつある。

日本労働運動の大きな支柱

炭労新聞評

推せんのことば

職場の歴史の運動は〝おれたちこそ歴史の担い手だ〟という働く人達の自覚から出発し、さらにその自覚をより多くの仲間の中によび覚し、労働者の階級連帯の考え方を養って行く重要な運動である。この運動はやがて日本労働運動の大きな支柱となるだろう。

世界各国にもその経験を伝えよ

ワルシャワ大学教授
日本文化研究所長　ドクトル・W・コターニスキ

歴史研究にとって最重要なことは、労働組合の歴史、労働者の歴史研究である。世界各国の歴史学の現状はこの課題に充分答えていない。日本で最初に始った職場の歴史運動は極めて大切な運動である。この経験を世界各国に拡げる必要がある。

労働者と歴史研究者にとって貴重な場所

法政大学助教授　石母田正

そこでつくられるものはいかに素朴なものであっても他の職場の労働者に反響をよぶにちがいない。自分の職場や個人の経験と歴史を集団的にまとめたり、書いたりすることが、労働者の学習と自覚のための有効な仕事として反響をよび科学を身につける基盤をつくるにちがいないとおもう。

歴史を学びたいという労働者の要求を組織し、労働者とともに学ぶことのなかから、はじめてわれわれの歴史のつかみ方や書き方についての真実の批判も出てくるとおもう。そうしてたがいに学び高めあう努力のなかで、労働者階級の歴史が、組織や幹部等にだけの歴史でなく、現場で機械にとり組んでいる生きた労働者の血肉の通った歴史になることも出来る。職場の歴史をつくる会の使命の一つもそこにあると思う。

会のしおり

〝耺場の丆史をつくる会〟は四年前の一九五四年十月頃生れました。

そのころは、まだ参加している会員は少なかったのですが、今では国民文化会議に参加して、国民文化集会の丆史分科会を担当する他、文化人や有識者をも賛助会員として迎え、中小企業に仂く人も、官庁に仂く人も、国鉄に勤める人々も……というようにどんどん参加してきて、現在事ム所（本部）と常任委員もおかれ、都内には八つの支部ができ、私たち仂く者自身でこの会を運営しています。運動のさかんな東京では、仂く人々どうしでまた文化人や学生も参加して月二回以上ピクニックや耺場訪問をしながら、楽しく自由に交際しています。

そういうなかで勉強会も月二回づつ開かれ　自分の丆史ー生活のことや考えていることーや耺場の丆史がどし〱書かれています。

〝石の上にも三年〟と申しますが、会の満三年の丆史の中から、私たちは耺丆運動を更にすゝめるために何よりも大切なことは〝みんなのために〟〝みんなで〟〝たくさんの力をあつめてやる〟ことだと思っています。

実際小さい雪だるまでも大ぜいでころがしていくと中にはいつの間にか大きい雪のかたまりが出来るものです。

耺場のみなさん、私たちは皆さんが耺丆運動に協力下さることを心から望んでいます。若し皆さんのちえと力の御協力が得られるならば、私たちの運動は〝もうかって楽しい〟集りから〝楽しくて仕方がない集り〟へと急速に発展するに違いありません。私共のこの様な主旨をくみとり入会下さることをお願いします。

当会を賛助下さる方々（ABC順）

石母田　正（法政大学教授）
岩波　安昭（技師）
木下　順二（劇作家）
小森田　一記（元中央公論編集長）
倉橋　文雄（法政大学教授）
南　博（一ッ橋大助教授 国民文化会議事務局長）
中岡　三益（丆史家）
堊識　童（文筆業）
佐藤　叙一（河出書房編集部）
鶴見　和子（評論家）
鶴見　俊輔（東京工大助教授）
鳥居　宏（あさか保育園長）
玉城　素（丆史評論編集委員）
山口　啓二（東京大学史料編纂所）

会員の特典

ーもうかって楽しい会風の実際ー

職場に働く私共の生活は、戦後の混乱時代からみると、可成向上致してまいりました。

しかし、衣食住の安定が進む中にも、今日著しく立おくれているものがあります。

それは 私たち 若い男女の文化的な要求です。

若人が新しい時代感覚で〃やりたいことをやらう〃と思っても、実際には色んな障害にぶつかります。その障害の多くは、古い世代の古い考え方とのくいちがいによるものであり、又 私共自身の中にある古さによるものなのです。

そんな時、心から話し合える集団が身近にあったならば〃どんなに心強いことでしょう。また若い者同志が〃やりたいこと〃を苦心の末実行した経験（自分の職場の歴史）、などを話し合うことも、青春を悔いなくすごすために大切な方法です。

このような立場で〃広場の歴史をつくる会〃は若人同志の交歓の場として 若人同志が自分を高め合う場として 四年間運動を進めてまいりましたが 今日 各界の有識者の高い評価や過去の実績を綜合して考えるならば まさしく全国一の若人の文化団体ということができます。

会員のいる職場の人々からは 職場の会員は その秀れた集団活動の中で身につけた良識と実行力で いつも愉快に明るく生活しているとお褒めの言葉をいただきます。

これは永年にわたる会の先輩のなみなみならぬ苦心と努力の成果であり たまものであります。この光輝ある伝統を生かして なお一層会を発展させ向上させて下さるように 新しく入会下さる方にもどうか〃若さ〃と〃ファイト〃にみちてがんばってもらいたいものであります。

会では 現在 次のような計画に従い 若人の交歓と自分を高め合う集りを実施しています。

職場の歴史をつくる会

自由な交際	いろいろな職場の青年男女が会活動を通じて自由に交際しています。この中で会員は、色々な立場や考え方について学び、〃若さ〃と〃ファイト〃と〃広い視野〃の持主となって行きます。
リクレイション	会では行楽シーズンには夫々お花見、海水浴、紅葉狩り等のハイキングを行います・またコンパもしばしば開かれ、民謡お国自慢や珍芸がとび出したりします。
フェスティバル	会の大きな催の一つとして〃キャンプファイヤーの集い〃と〃スキーミーティング〃があります。〃もうかって楽しむ〃という会風の実践です。参加する会員一人一人の想い出となる行事です。
創作発表の場	会員のすぐれた作品やすぐれた共同研究は会機関誌に発表します。又すぐれた作品集を単行本として出版致します。
身上相談	会員が希望する場合は、夫々の持つなやみ（家庭、就職、職場のこと等）について、運営委員会は親切に御相談致します。
理論の勉強	会員の知識水準の向上のため研究会やレコードコンサートなどを開きます。さらには会員は自由に参加が出来、働く人の立場から熱心な質疑が続けられています。
職場見学	月一回平均　職場見学を行います。近代的なオートメイションの進んでいる職場や数人の重労働で支えられている町工場等の見学の中で私共は色々な事柄を学ぶことができます。
世界・日本の情勢速報	会の研究班はつねに内外の政治、経済、文化等各方面のニュースを研究しています。会員は会の集りや会発行のニュース等を通じて世界と日本の現実を正しく判断することができます。

一度もペンを持ったことのない方々にも親切に自分の歴史、職場の歴史の書き方

一〇

職場の歴史をつくる会

創造の喜び	文章が上手になる	集団の楽しさ	日本の伝統を学ぶ
を四年間の研究による新しい教授法で教えますので、会員は良い作品を自分で作りだせるようになります。	自分の歴史、職場の歴史のつくり方を指導する中ではとくにその人自身の文章が書けるように注意しますので会員は素直な内容のある文章が書けるようになるのです。	愉快なふんいきの中にも規律ある会活動は会員のすべてに集団の楽しさを教えます。	会の内外の科学者により"日本の伝統"（日本の歴史、世界の歴史）について、わかりやすく、しかも質の高い教授を行います。

入会規則

一、職場の歴史をつくる運動（以下職歴運動）に理解ある団体（又は個人）は誰れでも会員となることができます。但し会支部（又は会員）の推せんと職歴運営委員会の承認を必要とします。

二、会員はつぎの便宜をうけることができます。

1、会の運営および事業に参画する

2、会機関誌「職場と生活」（季刊）と会キャンプ文集作品集等料交布無料交布、

3、総会その他会の主催（又は共催）する催や会合に参加できる。

4、職場の歴史（自分の歴史）のつくり方の指導

5、職歴運動についての講師の斡旋

三、会費および入会金はつぎの通りです。

1、団体会員にあっては会費は月額一口三〇〇円とし、団体加入者一〇〇名以下一口、五〇〇名まで二口、一〇〇〇名まで三口それ以上は口を基準とし、各団体の事情で決定します。入会金は会費の一ヶ月分とします。

2、個人会員にあっては月額一口一〇〇円とします。

入会金は五〇円とします。

— 9 —

職場の歴史をつくる会年表

年代	会の歴史	社会史
1954 12	よびかけ．工場の歴史．村の歴史母の歴史をつくることの提案。	○スピードスケート世界選手権大会（札幌） ○第五福竜丸死の灰をあびてかえる。原爆マグロ問題化 ○造船汚職　○教育二法成立 ○近江絹糸スト ○黄変米問題おこる。 ○洞爺丸遭難 ○吉田茂引退、鳩山内閣誕生
1955	3.29　第一回発会 町工場の人々、近江絹糸．日鋼室蘭、国鉄、東京証券、地下鉄等の組合の人々や歴史学者．学生の人たちが集る。 「N製作所の歴史」がつくられる。 「きみよの手記」―東証の歴史―がつくられた。 N製作所の組合づくりに協力。 5．歴史評論〝職場の歴史特集号〟出る。「N労組の歴史」「特急さくらが走るまで」「日鋼室蘭青年隊の歴史」「日鋼の斗争に学ぶ」「私もついて行く」―きみよの手記―「歴史学と国民」などと「ある労働者の歴史	○日ソ交渉始まる ○京大カラコルム探険隊出発 ○立川基地問題ふんきゅう

竹村民郎 監修　　清水隆夫 製版
松本由紀子 製作　　藤本敏雄 印刷
1959.1.9

年代	会の歴史	社会史
1955	富士演習地返還署名運動に協力 有志会員が富士演習地反対斗争に応援に行く。 会と都内学生歴史協議会の協力をえて、職場の歴史をつくる運動への参加を各大学に要請。	
	6.28、総会"職場の歴史特集号"合評会。	○第1回原水爆禁止世界大会
	8、河出新書"職場の歴史"の編集計画進む。	
	9、機関誌"職場の歴史"創刊号発行。「石川島労働運動史」「はだか日本現代史」「学習運動と科学」他。	○仏領北アフリカに暴動さかん
	9.9、王子製紙苫小牧工場の組合史編纂委員会と懇談。 組合史の書き方の研究開始。	
	9.30、総会、「職人の歴史 ―日本の中小企業の歴史―」「石川島の歴史」の研究を提案 ワルシャワ大学日本文化研究所長コターニスキ氏書簡会の運動を激励。	○オパーリン来日
	10、国民文化会議に加入する。 10.17、総評新聞に「この手で画」(竹村民郎)出る。	
	11、民主々義科学者協会歴史部	○ヤンキース来日

年代	会の正史	社会史
1955	会全口総会 "日民の正史運動批判"についての会の立場と見解を発表し、これまで積上げてきた正史をつくる運動の正しい面を伸ばしまちがった面の是正のための系統的評価の必要性を強調。 11、この頃会則が出来上り、大衆団体としての体制がととのえられてきた。	
1956	2．恩給局婦人対策部"母の正史"（音楽劇）を発表。 厚生省耺員組合"母の正史"（絵巻物）をめぐる座談会 3．日本鋼管鶴見労働組合「[illegible]工場の正史」の発表。 南博著「照广鏡」について紹介 機関誌2号発行 「山八毛織工場の正史」「その前夜」（恩給局耺員組合耺場の正史をつくる会）他 4．機関誌3号発行 現代落語「三年寝太郎」他 5．河出新書"耺場の正史"出版、人間の正史「東証の正史」「N労組の正史」「恩給局の正史」生活の正史「炭鉱の生活史」	○マレンコフ首相辞任 ブルガーニン元帥新首相に就任 ○アインシュタイン博士死去

年代	会の歴史	社会史
1956	「王子製紙の歴史」働くものの現代史「はだか現代史」働くものの歴史について、"職場の歴史をつくる会"について他 朝日新聞"日本の新しい文化運動の序曲"と紹介。 5、機関誌4号発行 ~~河出新書"職場の歴史"合評会記事~~ オートメーションの歴史をどう考えるかの提案―共同印刷労働組合 6、機関誌5号発行 河出新書"職場の歴史"合評会記事。 8、王子製紙労働組合と青森銀行労働組合へ組合学校の講師として竹村会長及び青山、藤本委員出張。 9、"国鉄労組十年史"編纂委員及び北海道美唄炭坑"炭鉱の生活史"編集グループ・会と交流。 9、国民文化会議と協力し、組合史編纂講座計画進める。 日本水産労働組合(福岡)に組合史の書き方指導に竹村会長出張	○国鉄宇高連絡船紫雲丸事件 ○日本共産党「愛される共産党」へ ○砂川町の強制測量―労組と警官隊と正面衝突

年代	会の歴史	社会史
1956	10、三周年記念作品資料展示会開催、 都内各組合史編纂委員と共同で"組合史をどうつくるか"の懇談会を開く。 国民文化集会参加 "組合史から現代史の創造まで"－職場の歴史をつくる運動の成果と課題 松島栄一、鶴見俊輔 田中正俊氏等出席。 職場の歴史を書いているサークルの人たち、組合史の編纂をしている組合幹部 歴史学習サークルの人達参加 組合史協議会の設立の決議。	○両派社会党の統一成る。
1957	1、機関誌6号発行「組合の歴史をつくるための懇談会記録」他 3、職場の歴史 5冊サークル サークルの歴史づくりを進める総会、 職場サークルを作る動きが進む。 中国科学院々長 郭沫若氏より会へ書簡を頂く、歴史研究と会機関誌の交換及び今後の交流の希望、 4、国鉄品川職場の歴史サークル「春斗を準備するもの」をつくる。	マナスル登頂に成功 売春防止法成立 ナセル大統領スエズの国有化を宣言 鳩山首相ら、日ソ交渉全権団モスクワへ

年代	会の歴史	社会史
	5．[illegible]電々職場の歴史サークルの「街のうた」をつくる。 [illegible]工場の歴史サークル「進むことを知っていた」をつくる [illegible]職場サークル「大根物語」をつくる。	○宗谷南極へ出港
	6．機関誌7号発行 「炉材工場と労働者の変遷史」「八王子織物の歴史」 会主催で戦後の労働運動の歴史研究会開く 恩給局職場の歴史をつくる会「ある組合員の歴史」をつくる。	○第十六回オリンピック（メルボルン）
	6　職場の歴史をつくる会事務所ができる。会図書も集められる 7　総会と作品批判会 「進むことを知っていた」「街のうた」「大根物語」「炉材工場と労働者の変遷史」 7.20　合評会を開く。「炉材工場と労働者の変遷史」	○石橋内閣成立
	運動委員会ニュース　創刊号出る。 砂川基地拡張反対同盟　青木行動隊長等と共に砂川の歴史をつくる運動を砂川の人々に提案	○日本、国連へ加盟

年代	会の歴史	社会史
1957	同村に村の歴史をつくる運動の提案 7 「会の歴史」の研究の提案 9 会主催 理論勉強会 歴史と数学、歴史研究法，国民の歴史等 講師 大島清太郎 田中正俊氏他数名 9.15 父の歴史を語る会 石母田氏他多数出席 父の歴史を書くことの提案—会員の父親の死亡を契機として— 機関誌 8号発行 「いいやいかん」（父の歴史） 風あいまみれて（恩給局—職員の生涯の歴史） 機関誌8号 合評会 自分の歴史を書くことの提案 総評第三回文化問題研究会に会代表出席 10 国民文化集会 ・組合史の経験・職場の歴史づくりの経験・歴史学習サークルの経験を話しながら“国民と歴史”歴史観の問題等について討議す。 鶴見和子氏より現代史の資料としての生活記録集の保存センタ	○ソ連人工衛星打上げに成功

年代	会の歴史	社会状況
1957	―をつくることの報告 砂川基地拡張反対同盟青木行動隊長より砂川の歴史をつくることの報告 助言講師として、鶴見俊輔，田中正敏，太田秀通氏出席 「会の歴史について」（竹村民郎）の討論古住会活動家会員参加 10　歴史科学協議会主催"労働者の歴史運動の討論会"開催 石母田正，松本新八郎，田中正敏，太田秀通，中岡三益氏，会より　竹村，岩崎，町委員出席 11　総会 会員の個人生活を規制する問題について 会費の値上を進めることについて 〃労組の歴史をつくる会の運動の継続について　竹を中心に討論を進める。 11　機関誌9号発行 職場の歴史をつくる会の四年間の総括特集 12　一会員の卒業論文を聞く会	

年代	会の歴史	社会史
	（S店サークル）とくに歴史と文学の関係について討論する	
	この頃会常任体制が始まる	
	12 "きかんしゃ"（国鉄職場の歴史サークル）発行 「うず [illegible]」	
	1 会の[illegible]への研究が進む（アンケート等を通じて）	○南極本観測隊越冬断念
	国鉄品川サークル職場の歴史草案（一年計画）が作られる.	
	1～ 会の出版事業の可能性の検討始まる（五月書房協力す）	
	2 S店サークル職場の歴史草案（1年計画）が作られる	○米人工衛星打上げに成功
1958	2.10 国鉄労働組合新潟大会（新潟斗争の評価）について会活動家で研究会を行う	
	国鉄職員と家族の問題研究会	
	3 全逓文化 職場の歴史をつくることの重要性を訴える（上原専禄氏ら）	○第三回アジア大会（東京）
	「友達が家を建てた話」がつくられる	
	「春 [illegible]」 がつくられる	○第二次岸内閣成立
	「座 [illegible]」 がつくられる	
	4 全電通文化主催 "職場の歴	

年代	会の歴史	社会史
	史をつくる運動について" の座談会開催	
	5　例会　"自分の歴史をめぐる問題" の討論	
	機関誌 "職場と生活" 10号発行	○勤評評定政治問題へ
	「友達が家を建てた話他	
	5　全日通労働組合運動史第一巻出版（竹村常任委員企画執筆）	
	賛助員制度が新しくつくられた	
	木下順二、島居　宏、鶴見俊輔、鶴見和子、武田清子、中岡三益、佐藤秀一、山口啓二、市　郎、金沢文雄、石母田　正、岩波書店、至誠堂氏	○台風22号により首都に大被害（狩野川台風）
	6　機関誌 "職場と生活" 10号合評会	
	6　ワルシャワ大学日本文化研究所長コターニスキ氏との座談会　労働者と自分の歴史を書くことの意味性を説明、会の資料を、ソ同盟、ポーランド等に紹介することを要請	○「警職法改正上程」
	6.26　全電通労働組合、電気通信研究所分会と "オートメーションと文化運動" について座談会を開く。	○勤評反対盛上る
	7　夏山フェスティバル　白樺湖畔	

年代	会の歴史	社会史
	にて開催	
	9　機関誌11号発行	
	「社会に生きる」他	
	第二回父母をかたる会　開催	
	9.15　勤務評定反対民主教育をまもる国民大会へメッセージを送る。	○議会制度を無視した会期延長
	9　機関誌11号「社会に生きる」合評会	
	国鉄労働組合品川客車区分会機関誌"ハト"に一会員の作品特	
1958	集す	
	会事務所移転	
	10　総会　自分の歴史をつくる運動の成果と課題を中心に討論進む　警職法反対声明	
	貯金局文化祭に"組合の歴史"絵巻物展示　貯金局職場の歴史をつくる会作	○皇太子妃に正田美智子さん
	全電通文化職場の歴史特集号発行	
	11　機関誌12号発行　「負けちゃなんねえで」	
	11.20　愛情と信頼を語る会、結婚した会員との話し合い	
	11.24　機関誌12号　合評会	
	「鉄路の生態」がつくられる	

年代	会の歴史	社会史
1958	12 会員の寄付により会の文庫設立す 12.28 「人民日報」"革命の斗士はすべてメモワールを書けと主張す 中共の「人民日報」はこの程ど長年中国革命につくして来た人々に対し、革命をかちとるまでの運動や斗争について手記を書くようよびかけた、同紙は、これは歴史的に"大きな意義"をもつもので、これを後世に残すことは革命のために貴重な生命を失った人々を追慕するばかりでなく、若い世代への教訓としてきわめて有益であり中国の革命文学の一部を形づくることになろうと述べられた、我らが過去に発行した歴史的出版物を保存しておかなければ後日このような資料を集めることは不可能になるかも知れないと訴えている 12. 戦歴の歴史をつくる運動の話合と検討、その成文化に着手	
1959	1.1 会新年宴会	ソ連宇宙月ロケット打上成功

合評会のお知らせ

皆さん明けましておめでとうございます。同封の資料（年表）にありますように会は生れてから今日まで五年間いろいろな経験をかさねてきました。

最近では職場の歴史をつくる運動は、歴史学界、労働組合などで各方面にみとめられ高く評価されていますが、機関誌13号の"職場の歴史についての対話"にみられるように会の意義とこれからの見通しについて今なお会員の間に充分な理解が得られていない面もあるようです。

このため運営委員会は正月から二回集り会の五年間の歴史的なまとめを作って別紙のように会の意義と今後の見通しを整理してみました。

今度、合評会ではこれまでのやり方と一寸おもむきを変え、この問題をはじめに皆でよく話しあってみたいと思います。どうかふるって御参加下さい。

とき。　一月二五日（日）　午後六時半から九時半

ところ。　高田馬場、ナぶ室、（略図ウラ）

会費。　八十円（含そば代・会場費）

（ウラ）

高橋

〈略図〉

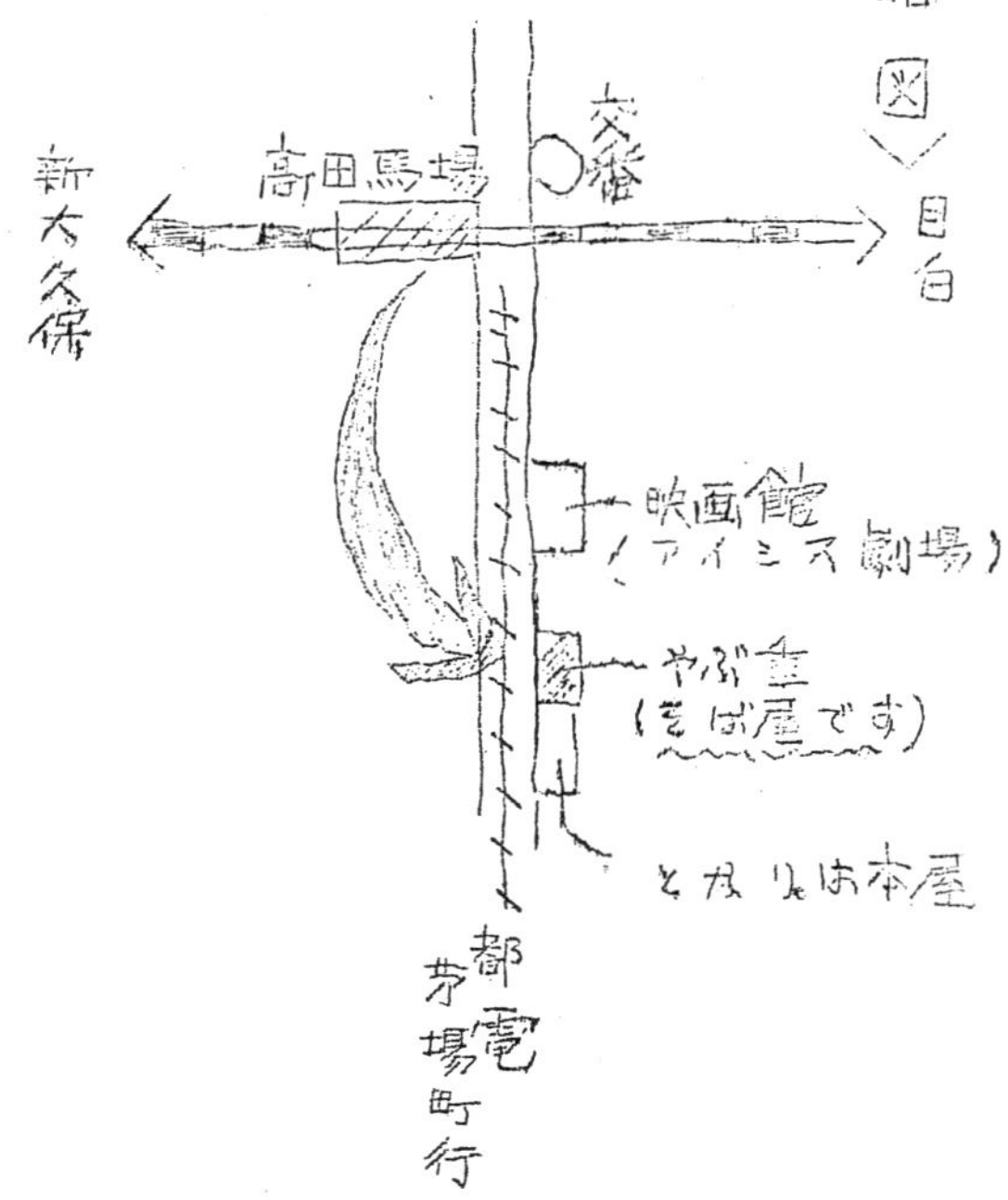

◎お願い

おそれ入りますがなるべく一月分会費は当日御出席の時会計係松本までお願いいたします。

おさそい

一雨毎に暖かくなる春・生きものたちは冬眠から覚めて動き出します。

とかく、労働運動、サークル活動が低調だと云われる今日・一人一人の生活の歴史の中、また、職場、サークルのあゆみの中にも今の困難を打ち破って行く何かがあるはずです。

歴史は一、二の英雄で作られるものでなく、民衆が動かすとよく云われますが、私たち一人一人の生活がどのように歴史に参加して来たか、またこれから作り上げて行くのか。職場の歴史の会員たち幾人かがこれまで書き上げて来た自分の歴史を中心に、その中に含まれる多くの問題・例えば自分のまわりの事しか考えず、自分のからにとじこもってしまう狭いもの丶見方がその人自身にまたそのまわりにどんな影ざようをあたえて来たかというような身近で大切な問題をとり上げ、最近中国などでも高く評価されている〃個人の歴史〃〃職場の歴史〃〃村の歴史〃をどう発展させ、作り上げて行くか・それぞれの体験を聞きながら話し合ってみたいと思います。

多くの方々のお出でをお待ちしています。

日時　三月二十六日（木）六時〜九時半

場所　日本経済新聞社組合

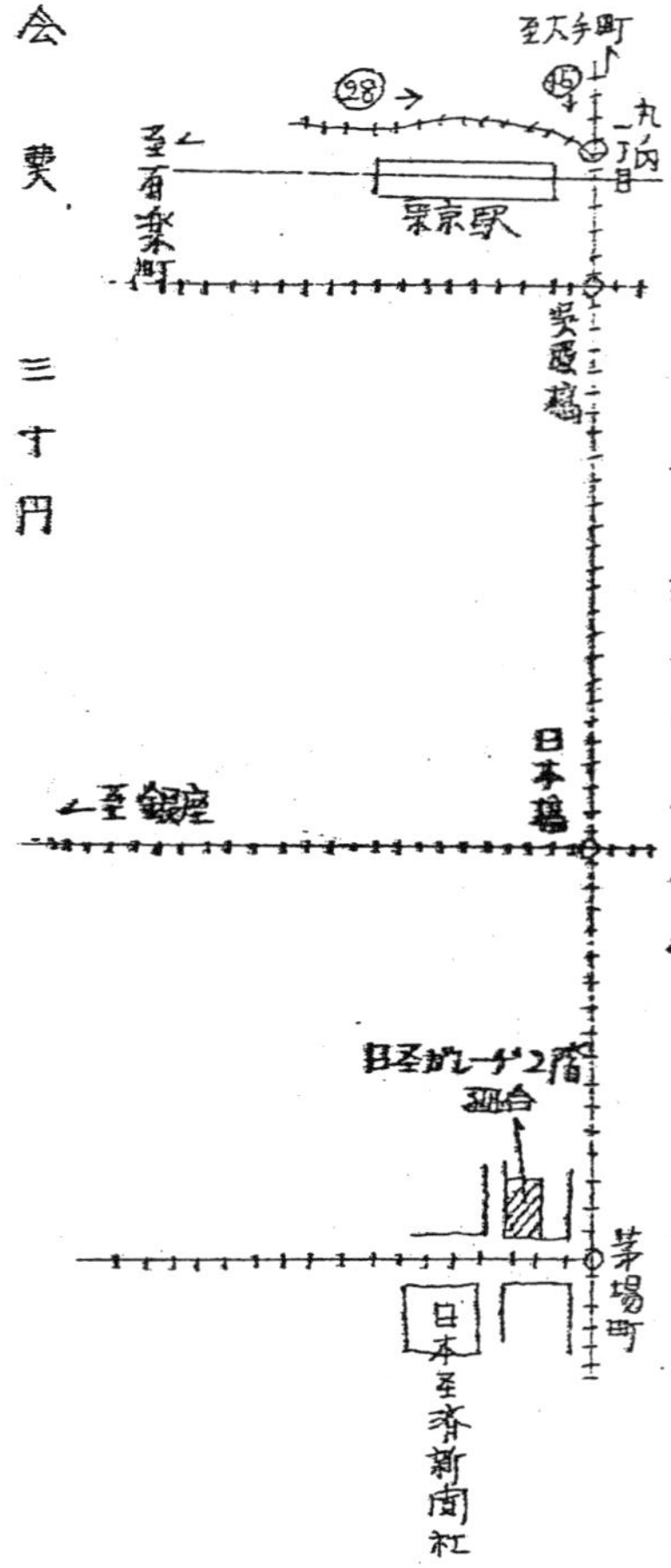

会費　三十円

整理の都合上この案内状をもって会員券とさせていただきます。

尚当日は抽せんの上五名の方々にお肉誌を差上げます。

職場の歴史をつくる会

ピクニックに行こう!!

田畑
飯塚

春の一日、さくらの下で
うたったり　おどったり
バレーボールなどをしてすごしたら
どんなにゆかいでしょう。
やすくて、近くて、広々とした所—
むつかしい註文です—として隅田公園
をえらびました。

職場のお友だち、クラスの仲間、みなさんのお父さん、お母さん、お兄さん、お姉さん、妹、弟さん、はては、いとこ、はとこ？に到るまでさそって下さい！

春のうららかなスミダ川の畔で遊び、かえりには浅草で"木馬館"を見物し、アサクサの空気を吸ってきたいとおもいます。

プログラムの一部—バレーボール・フォークダンス・コーラス等々。

日時　四月十二日（日）午前九時半
集る所　地下鉄渋谷駅改札口（東横新館三階）
お金　八十円（交通ヒは含みません）
主催　職場の歴史をつくる会
雨天の際は次週（十九日）に延期します

ごあんない

仂く者の祭典五月一日のメーデーもすぎましたが皆さん■はどのようにおすごしですか。

会の方も機関誌十五号を廿五日にわたせるように係を中心に目下努力をしています。

会では五月の例会を左記によって開きます。そこでは今まで作品を書いてきた人たちはそれをどのように発展させ伸ばしていくかについて、また今まで書いてきた人の体験をそれぞれどう生かしたらこれから書こうとする人に役立つかということを中心に話しあいたいと思います。

どうぞさそいあって御参加ください。

記

一、日時　五月廿五日(月)　七時十五分～九時
一、ところ　高田馬場　やぶ重(そば屋)
一、会費　八十円(会場上、そば代を含む)

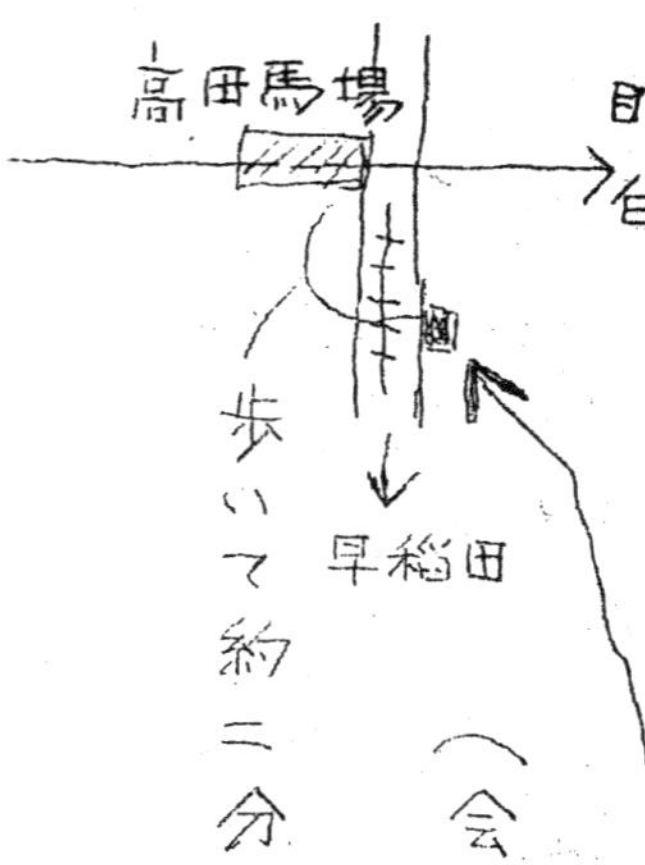

六月例会のお知らせ

"自分の歴史と社会的背景"をどう結びつけるかと云うことについては、これまでも自分の歴史をつくる仕事の進む中でいろいろと考えてまいりました。

五月例会でもこの問題をとりあげ、労働運動と自分の歴史との関係について活発に討論されました。

六月の例会はこの成果をふまえたうえで新しい企みとして左記の様な形で行います。

これまでに準備も充分かさねておりますので御期待下さい。

(裏面資料をごらん下さい。)

記

一、日時　一九五九年六月二五日　午前六・三〇〜九・三〇

一、場所　高田馬場"やぶ重"(五月例会と同じ)

一、集団討論　戦後労働運動史と私の歩み

報告　田畑　健

討論参加　松本由紀子

清水澄夫

土田教助

竹村民郎

一、会費　八〇円(そば代共)

職場の歴史をつくる会

○ 婦業人の問題

○ 1916年以前労働者を守る法律は殆んどないし工場法の実施1916年）法律の変せんを通じてみた労働者の意識の成長の経過

○ 社会保障の研究

○ 凶作と豊作によって労働人口が変化する 凶作→口べらし出かせぎ→労働人口増大→人身売買→悲哀

※ 下君も凶作のとき周囲やの生活で切実に出てきた経験をもっている。

○ 身売り制度は生産性向上運動の元祖だと思う

○ オートメーションの問題

○ 経済制＝臨人の問題はいつごろからでてきたのか、大正昭和の各時期ではどうだったろうか。

○ 幼児労働は生産にどの様な影響を与えたのか

○ 労働者の一時帰郷の問題

○ 軍国主義時代の労働者の状態を知りたいこと。

○ 臨人は団結すれば最も大きいエネルギーとなる可能性をもつ

○ 最近の中小企業は残業時間が増大しつゝある。

労働者の考え方や

生活はどう変ったか

総結

○ 感性的認識（そのものズバリ）の大切なこと→自己改造の必要さ＝研究の前提条件

○ 労働時間に対する考え方はどう変ってきたか

○ 家父長的な考え方に対する斗いはどうすゝめられてきたか

○ 階級的な見方（選挙等について）はどの様に成長しつゝあるのか（前近代的考え方は若手労働者にも多い）

○ 労働（職場）についての考え方はどの様に変ってきたのか（労働者＝びんぼう人）

○ 職場の新しい斗は何か それを阻むものは何か

○ 政治的な統一行動はどの様に変ってきたのか 現状はどうか

○ 政党に対する考え方はどうだろうか。

討論

○ 安保条約の問題が職場で正しく討論されてない（Ｓ）

○ 統一行動（政治的な面は弱い）

職場の歴史をつくる会　発行　一九五九・六・一〇

が職場に根を下ろしてきたこと（S）

○　組合員は四月五月選挙のとき関心が高かった　ポロラジオで状況を聞いていること　大阪で社会党がのびたことが労働者の問題として討論している　選挙にも関心がもたれて来た（万）

○　組合は有田八郎の推せんに対して消極的である　労働者も有田氏をよくしらない（万）

○　職場で社会的な事件（スト・デモ等）が話し合う雰囲気ができつゝあること（I）

○　親を批判できる様になる（I）

○　現実をつくって批判することが大切である（家庭の改革）（I）

○　子供の経済面からの独立は家父長制との斗いの大きな基盤＝自分で生活できること（m）

○　特売としての労苦感がある（m）

○　親のMSA的援助は拒否していること（m）

○　特売に会社は力を入れているのでニコヨンの人々のように使われる（忙しいが離れがたい職場である）（m）

○　革新政党の問題がつかまれないこと（TA）

○　ハネ上りがいつもとびだしてくること（TA）

○　労働時間に対する考え方はどう変ってきたのか（万）　大企業の労働者はソヴエトの労働者条件を考えているが最近中小企業では残業が当然のものと考えられてきた。

○　最近組合活動に自覚をもってきた少数の人々が生れてきた　この人々はかつての組合再建時代の意識的な少数者とは質的に異なっていること→職場の中核がつくられつゝあること（O）　しかし新しい芽の育つのはおそく指導もないこと

○　これに反して動かぬ人は全く動かなくなった→個人のカラにこもる。（O）

○　革新政党支持の傾向は強いが第二組合をつくる動きも存在している

○　共産党の影響下にある職場の大衆と民同の影響下にある大衆とはどちらが根強いか（O）

○　口労内部では社共の統一行動がおろそかにされる傾向がある　又組合員と組合幹部との結合がうすれている（O）（1953年頃は民同派と革同　共産系とがある程度統一行動ができた）

○　上部機関に斗争の経験の蓄積が困難である＝古い者は古い者・新しい者は新しい者という分離状態となっていること。

1959.6.10

（竹村）

カンパについてのお願い

日ごとに寒暖計の水銀が上っていくようですが各職場で皆さまも御活躍のことと思います。

職場の歴史をつくる会のここ数年間の創造活動の中で生み出してきた諸経験を通してサークルをどのようにしくつくるのか、またその運営はどのようにやると正しく運営されるのか、働くものが自らの手で書いた作品は、その職場、更には広く日本の労働運動の前進にどのように役立つのかといったことがかなり明らかにされてきました。六月例会の様な新しいスタイルで会の仕事の内容を高めてゆくやり方もいろいろと創造されて参りました。このように会のやってきたことにたいしてその意義と重要性が井上清先生、大河内一男先生、鶴見和子先生など各方面の方々からも最近いくつか指摘されてきていることは私たちにとっても心強く思っております。

そうしたなかにあってただ残念なことは会を中心とした会員の団結が弱いことです。とくにそれは直ちに会計面にすぐ現れて毎月の会の正常な運営を弱めています。現在、会の運営は、運営の費用をきりつめているものの毎月若干の赤字を出しているのが現状です。

今後の会の発展の土台として今回も恐れ入りますがいくらかのカンパを皆様にお願いすることにいたしました。何かとたいへんな折御無理かとは思いますがよろしくお願い出来たら幸いです。

一九五九年六月十五日

職場の歴史をつくる会
運営委員会

59. 6. 18.

キリトリ線

申込書

今回会の基金としてのボーナスカンパの趣旨に賛同し
円を納入します。

月　日　　氏名

職場の歴史をつくる会
会計係殿

1959.6.18.

(南島)

年／項	国の内外の歴史	自分の歴史 其の一 松本[illegible]	自分の歴史 其の二 岡畑 健	自分の歴史 其の三 竹村民郎	自分の歴史 其の四 土田敬助
1945	8.広島に原爆投下 8.敗戦	小学校四年生	集団疎開	8.広島の原爆被害者を同日に見て驚く 8.学徒動員中に敗戦 父母朝鮮から引揚げ 中学校ストライキ起る [illegible]	3.高等小学校卒業（秋田） 百姓をやる 6.日鉄秋田車電区に就職 10.鉄道青年学校入学
46	3.労働組合法施行 5.第17回メーデー（50万） 食糧メーデー 10.10月攻勢			3.中学校卒業 祖母栄養失調で死亡 5.第一製薬入社（[illegible]）	3.夜間中学受験失敗
47	2.2・1スト中止 2.産別民同の発生 5.新憲法施行 全労連の発足			4.立命館専門学校理科入学	3.鉄道教習所中等部の試験を受け失敗 受験勉強
48	7.マ元帥"国家公務員法"改正指令 8.朝鮮人民共和国成立 9.全学連結成	4 中学校入学（[illegible]）	4 [illegible]小学校入学	4.立命大予科（京都）入学 教員となる（京都市立西院小学校） 2年生受持ち 5 メーデーに出る	5 教習所合格、分教所（[illegible]市）へ入所
49	7.三鷹事件 8.松川事件 10.中国政府樹立			4 3年生受持ち（立命大文科1年） 教員のレッドパージに反対、以降組合活動に参加	7.大量首切り27名中9名の同期生去る 9 教習所卒業 10 秋田車電区に赴任
50	1.コミンフォルム日共批判 6.朝鮮戦争はじまる 7.総評の結成 7.レッドパージはじまる（[illegible]）			4.4年生受持ち（立命館大文科2年）	2.大館車電区に転勤 4.大館定時制高校に入学 6.病気（肺）となる 12月まで休む
51	4.マッカーサー辞任 9.講和条約成立（サンフランシスコ）	4 [illegible]学校入学（[illegible]） 8.[illegible]	4.[illegible]高校定時制入学 新聞配達（朝刊のみ月給800円） 7.岩崎商店入社（2500円）	4 4年生受持（立命3年）	朝鮮戦争は北鮮が先にやったと信じる、[illegible] これから新憲法に疑問をもつ 1.車掌手となる 4.選挙権を得る 9.[illegible]
52	2.日米行政協定 5.血のメーデー 7.破防法 12.炭労、電産のスト		4.高校[illegible]部に入る	4.5年生受持ち（立命5年） [illegible] 分会も強くなる 6.破防法反対斗争（[illegible]）	労組と社会科学に注目しはじめる。 父の急病、鉄道はもう止められない…で覚悟[illegible] 家に送金しなければならない[illegible]

53	1. アイク大統領に就任 3. スターリン死亡 5. 内灘 6 朝鮮戦争終る		読んでいた本 大岡昇平　野火 池田潔　自由と規律 トルストイ　芸術論 12 岩崎商会退社	3. 服部之總先生をたよって東京に上京 国際文化情報社入社 (300年史) 7. 歴史評論編集部に移る	内灘基地内灘に注目 M.S.Aを知りながら批評を始めるしる。 平木千[illegible]始めて[illegible]に参加[illegible]
54	5. ジュネーブ会議 6. 近江絹糸の人権闘争 12. 鳩山内閣成立	3. 入試失敗 4. 高校卒業 父のもとに帰り母と生活 7 松尾や入社(出納係) 12 うたおう会に入会。	2. 落合長崎郵便局の臨時雇(集配人) 日給280円 3. 郵便局をやめる 4. [illegible]	日鋼 近江絹糸 [illegible]争の各方面の仲間と共に「職場の歴史をつくる会」をつくる。	3. 定時制卒業、働きながら大学に行こうと東京への転勤のチャンスをねらう。 副主任となる。職業の労苦感なくなるが誇りはない
55	2. 生産性本部創立 7. 日共6全協 8. 原水爆禁止世界大会(第1回) 9 砂川闘争始まる	歴史研究サークルに入る。 10 出納中で一日一枚をはじめる	権 11. 営業所へ入社 2. 渋谷営業所に勤む 3. 戸山高校卒業	4. 父母上京 5. 職場の歴史特集号(歴史評論)を出す。NE職場サークル員となる 10. 歴史評論退社	職場コーラスに入る(国鉄の歌声に参加) 組合役員が主になって学習会開く 参加する。
56	2. ソ連共産党20回大会 10. 日ソ国交正常化に関する共同宣言 12. 石橋内閣成立	7. 代議員選挙(立候補)[illegible] 10 砂川へ行く 職場の歴史に興味を持つ	3. 支部委員に選ばれる 4. 中労学院入学 5. 27回メーデーに初参加	職場の歴史をつくる会に再会す。 2. [illegible]の手紙(機関誌2号) 4. 三年寝太郎(3号) 5. 職場の歴史(河出新書)を出す。	組合の中に派閥があることを知り、組合は信用ならないと思う。いろいろな職場の人と知り合いになる。 6. 東京大井工場に転勤
57	2. 岸内閣成立 7. 新潟闘争(国鉄) 12. 日教組勤評反対職場大会	2. 職場の歴史サークル結成(入会) 5. メーデー初参加 11 サークルの歩みをまとめる	3. [illegible]より組合活動について[illegible]出る 10 国民文化集会(歴史)出席	5 会のことば(4号) 1. 組合史の書き方報告(6号) 6. 会のことば 8. 父死す 父の歴史を語る会 9 いいやいなく(8号)	東京の生活に疑問をもち田舎に帰ろうと思う 日記を中心に 4. 中労学院に入学([illegible]を求めて)
58	1 全逓中執委で低姿勢に批判集中 5. ドゴール登場 第2次岸内閣成立	1. 職場の歴史サークル中心でスキーに行く 3. 運営委員となる 7. 下宿開始	6. 会に入会する。	11 職場の歴史について(9号) 8. 都会に生きるについて(11号)	10. 職場の歴史の総会に出席(入会) 11 国鉄サークル会合 戦後13年の自分の歩みを書くことになる 4. 自分の歴史を書き上げる。 5. 友達が家を建てた話(機関誌10号)

資料提供した人　松本由紀子、田畑健、竹村民郎、土田毅助
企画と編集　竹村民郎
カッティングと印刷　岡島博
※ 無断で転載や引用することは固くおことわり。　会員限定発行

1959.6.16　職場の歴史をつくる会発行

組合結成五周年記念に向って

私達の手で私達の歴史を書きましょう

まえがき

一九五八年九月恩給局職員組合第九回定期総会で職場の厂史をつくる会から"組合結成五周年に向って、職場の厂史を書こう"という提案がなされ満場一致で採択された。しかしながらこの一年、具体的取り組みもなされないまゝ現在に至っている。と云って私達は職場の厂史をつくる運動を放棄しようとか、あきらめ結局、なる様になれといった考えを持っているのではなかった。

全国に働く労仂者の中に、今、新しい物のみかた、物の考え方といった、いわゆる科学を学びたいという気運は非常に高まって来ている。その一つとして労仂者自身が労仂者の手によって書かれた"職場の厂史"組合の厂史"を書く運動は戦後非常な発展をとげた。しかしながら、これら厂史を書く運動は他の科学を追及する気運の高ま[illegible]較すればまだ／＼たちおくれた不完全なものと言わねばならないであろう。

こうした現象も恩給局のみの職場にも云えることだと考える。職員の中には、職場の厂史を書きたい、組合史を書きたい、あるいは個人の厂史を書きたいといった気運はあるが、中心になって行動を起さなければならない人の中に於ても、厂史に対する理論の不足がたえず現れ、具体的な方法論も打ち出されないまゝ厂史を学びたいという要求を上手に組織出来なかった弱点はあった。

恩給局に組合がつくられてから五年になる。この五年間の厂史を書くことによって、当局と組合との関係大きくは日本の情勢はどう変ったか、或るいは世界の流れといった中に、恩給に働く私達がどのような厂史的位置におかれ、どう発展したかをつかむことが出来るであろう。こうした厂史的現実の中にしばしば自身の位置を見失ったり、自分の行動に疑問を持つようなことがある。こうした労仂者内部の混乱をさける為に、私達の手で、私たちの厂史を書くことが必要であろう。それによって、労仂者としての任務もはっきり認識するであろうし、労仂者が単に自分で経験できる範囲をこえて、自ら全階級を解放に導びくであろう。

こう云った観点から私たちは、組合結成五周年記念に向って恩給局の厂史をつくる運動を大会で決し、ここに厂史をつくる運動を組織するために計画を立案し、皆さんに討論して頂きより完全な運動を進めて行きたい。

その前に、過去の運動を把握し、その上に立って私達各局で「職場の厂史」の運動を進めて行くのに立と考えたが、そこで不完全ではあるが若干運動を述べることにした。

労仂者階級の厂史に対する要求はどう発展したか

戦後、労仂者階級を中心とした民主努力は生活の改善と、職場の民主化を目指して意欲的な斗いをみた、それにともなって、日本帝国主義と軍国主義の主要な精神的支柱の一つであった皇室中心主義の「厂史」も崩壊した。こうした古い厂史学の非科学性、欺瞞性は厂史学者から激しい攻撃を受けながら、新しい厂史学が急速に発展し、厂史の書きかえ運動は進行した。しかしながら天皇主義、軍国主義の欺瞞の犠牲となった国民は古い厂史に疑いをもちながらも、新しい書きかえられた厂史をただちに信用したのではなかった。ただ国民大衆が厂史の主人公であるという思想は広汎な国民の民主々義運動の高揚の中で労仂者階級を中心に民主努力の中に組織され、広まった。

そして支配階級が一時的にせよ動揺した時期をへて現実の政治の主導権が支配階級にはっきり握られ、労仂者階級を初めとする国民の斗いが一層困難をまして来た。米ソを先頭とする全世界的な帝国主義対社会主義・民主々義努力との「冷たい戦争」の激化、米国の対日政策の露骨な帝国主義化、それに指導され、敗戦のショックから経済的にも政治的にも自った日本の支配階級の反動化、四八年、国家公務員の罷業权のはくだつ、四九年、松川事件のデッチ上げ、そしてこの年を通じての大規模なレッドパージ、五〇年、朝鮮戦争のための共産党の半非合法化、一方五一年、日本全土の米国軍事基地化、特需をてことする独占資本主義の経済的復興、再軍備の開始、公職追放の解除と社会のあらゆる方面における反動勢力が復活して来た。このような情勢は労働者階級を先頭とする全民主勢力がいやおうなしに民族の独立と、平和擁護の運動に立ち上がざるを得ない情勢となった。

米帝国主義の事実上日本占領の継続という事態に直面した日本国民は、国民一人ひとりが厂史を創造する主体的な力であるということ、厂史をつかみとることによって将来についての希望と勝利への確信を強めるという強い要求となって現れて来た。

専門的に厂史を勉強したり、厂史の本を系統的に読んだことのない労働者の大多数が、厂史的な認識のきっかけをつかんだのは、多かれ少なかれ日常関心事（政[illegible]あり、米帝[illegible]、日本の反動勢力の[illegible]烈とする中で、労働者階級は主体的に厂史の発展の姿をつかみとるという要求に高まって来た。

その一つとして「国民のための厂史学」の運動の中で「村の厂史、工場の厂史」を書く運動が四八年、石母田正氏によって提案され「地域研究のすゝめ」「幕末維新における村の変改」「村の厂史、工場の厂史」等のように郷土史家や現場の教師から具体的作品によって応じられ、更に五二～五三年にかけて地方の百姓一揆の研究や、或るいは「石間をわるしぶき」等具体的作品を生むようになった。そして「福員の厂史」「或る老農民の厂史」「底場の厂史」（底場の厂史をつくる会）というように「村の厂史、工場の厂史」を書く運動自体が一つの伝統的タイプを形式するに至った。

こうした労働者や農民・市民がみずからの手でみずからの諸経験を記録し、その中から教訓をつかみとる運動はまだ幾つかの弱点や欠陥をもちながら発展をとげて来た。

職場の歴史をつくる運動とはどのようなものか

会の設立とその情勢

職場の歴史をつくる会は今から五年前、一九五四年に設立された。

この年はビキニ島の水爆実験の開始と、国内において、はMSA体制による第一次合理化計画―経済自立三カ年計画―によって、日産自動車・三鉱連、尼鋼、日鋼室蘭等々王子苫牧の斗争に匹敵する大争議が五三～五四年暮にかけて起り、東証、中小銀行争議その他無数の中小企業の斗争も至難した。こうした労資両階級の激しい斗いに頭をつっこんでいるすきに近江絹糸の女工さん達が自然発生的に合理化のしわよせにたえかねて斗いに立ち上り、人权斗争として急速に斗争が拡大していった。

この頃から、職場に新しい物のみかた、考え方―科学に対する要求が急速に高まって来た。

〝働くものこそ歴史の主人公〟であるという合言葉をもって益々困難になる斗争の中から生活と職場の経験をはかり、日常ふだんある諸経験を通して労働者が主体的に歴史の発展の姿をみきわめよう。そのために労働者みずからの手でみずからの諸経験を記録し、歴史的認識を深め、将来についての希望と確信をつよめる道標としよう。といった観点に立って「職場の歴史をつくる会」が設立されたのである。

会の発展をもたらしたもの

職場の歴史をつくる会は労働者を主体として科学を追求し、歴史を創造する運動を始めた。しかしながらこの五年間「職場の歴史」を科学的にとらえようとする運動はまだ〳〵完全なものにまで発展を見るに至っていない。これは「職場の歴史」運動にとり組んでいる労働者が敵の資本攻勢の激しい中で職場と生活のっながりを主体的にとらえ文学観を発展させる理論の弱さから生れたものと考える。

一方、会の設立以来基本的運動の方向を支柱としてこの五年間労働者の中から具体的作品が応じられて来た。

その前夜（思潮の文学）N工場の文学、山八毛織工場の文学、炒精工場と労働者の変遷史等の斗争史的なものと、都会に生きる、負けちゃならねえぞ、友達が家をたてた話や、銀座の生態等の個人の文学の二つの形態が現れて来た。

これら二つの形態はあくまでも「職場の文学」運動を基本的柱にした方法論を実践として応じられたものであった。　しかしながら職場の文学をつくる会発行の機関誌を読まれた読者に何か「職場の文学」運動のスタイルがこのようなものであるかの印象を与えた事は否定出来ないことであった。

中には建設的な批判もあった。作品が一職場　一個人の経験をあまりにも強く出しすぎ、大極的な社会の流れの中の位置ずけが明確を欠いている、とか調査の不充分から客観的に物をとらえることが出来なかったの、ではないか等の意見がよせられた。

他方、斗争史的なものあるいは個人の文学といったものゝ底流を見ず、単に作品を現象的にとらえた人々の中から「これりゃスゲエ」とか「やつらもかんがえ事をするもんだ」といった、組合を結成したは「」なしさ」「斗争の「激しさ」」、敵の攻撃の　れてきた等々を書くことが職場の文学運動だと認識している傾向があったのではないだろうか、そのために斗いの激しさ、敵の攻撃の激しさ、団結の尊さばかりを要求するために、「職場の文学とは直ぐにやくに立たないではないか」とか「こんな様なものは社会主義の世に成つて書いたらいゝではないか」といった声が聞かれた。

特に、生活記録と個人の文学の差違が明確にされないまゝこうした意見が出て来たのは運動の反省点として考えなければならないであろう。

しかしながら運動を進める会員内においても理論の弱

さから生活記録と個人の厂史をゴッチャにしがちな傾向がなかったでもなかった。

個人の厂史と生活記録とはどう違うか

二つの活字を並べた時には「厂史」と「記録」の違いで、その差違は明らかであるが、作品となると両者を混同してしまう傾向にある、その為に作品を読まれた読者は〃「個人の厂史」といわれるが、これは厂史ではなく(生活)記録ではないか〃といった意見があった。本当に個人の厂史は生活記録と同じものであろうか、決してそうではない。

労仂者が個人の厂史を書くことは、生活にひしくと迫って来る苦しさ、職場においては、敵の攻撃が激しい中で苦しい斗いを続けて行かなければならないという困難の中で団結というものがいかに尊いものかを大衆に知らせていくのではなくて(これは他でやればよい) 生活に迫って来る生活の貧困化の原因、職場(生産点)へは敵の攻撃がたえず注がれているその原因は何か 敵の攻撃が激しいというがではその攻撃が同質のものか、質が変ったとすればどのようにして変って来たか等々の生活点と生産点の結合をはかり、日常の諸経験を媒介にして大衆的に厂史観を育ててもらう事であると考える。

現在、全労仂者階級の統一行動が発展して来ている時期に、労仂者階級の役割の不明確さから動揺、混乱が生れてるのではないだろうか、

私たちは団結の尊さを作品から教えられ、知らされるのではなく、団結の必要性が強く叫ばれているにもかかわらず職場の団結も斗いの中に乱れがちな、そして大きくは全労仂者階級の統一した団結が出来ない原因は何かを厂史的経験の中から導き出し、労仂者のハッキリした位置づけを行い労仂者階級の役割を認識し自覚してもらうのが個人の厂史運動の役割であると思う。

そして単に「個人の厂史」を書くことにとどまらず、

―過労仂者　　、ある経験の範囲をこえて――自

からを全階級関係の中の一点として正確に位置づけ[illegible]全労働者を解放へ導びき、方向ずける運動が「職場の歴史」を書く運動であろう。

私たちが職場の歴史の書く運動を進めてゆくためにどうとり組んだらよいだろうか

前章で「職場の歴史」運動の発生とたその情勢、その発生、そしてその過程と具体的作品の評価、反省が書かれ「職場の歴史」運動の方向ずけがある程度の理解出来たろうと考える。

その中から私たちが恩給局の「職場の歴史」を書く仕事の方向づけも必然的に考え出されると思う。しかしながら方向ずけだけでは私たちの仕事が出来るものではない。私たちが「職場の歴史」を書く仕事を具体的に進めて行くには必然的に技術的な困難が考えられる。職場の歴史が一個人によって書かれるならば、それは技術的な[illegible]しか考えられないのであるが、私たちの進めて行こうとする「職場の歴史」を書く運動は一個人によって書かれるものでなく、大衆的に職場の歴史を創造し、大衆的に科学を追求する運動である。そこに技術的むつかしさが生じて来るのである。

こうした技術的困難を克服するために一、二の方法を提案し皆さんの討論に供したいと考える。

○概　説

恩給制度の発生とその歴史

恩給制度の社会的役割と恩給に働く職員の関係

○総　括

旧軍人恩給復活と社会的情勢

職員の膨脹と職員の募集実態

雇傭契約の実態ー臨時職員・雇ー

賃金の形態　日給制（二四五円）月給制

職員の構成

労働条件の実態
職員の上司、職場施設に対する考え方
職員の自主的要求(教育)
組合の組織
社会的情勢、以下各項を総括する。
○身分保障(権利)の問題
一五日の線の問題(雇傭契約)
病気療養者に対する首切りひんぱん—撤廃(55年6月)
病休三ヶ月間認めさせる——その他病休の問題
失保、健保、共済組合加入の問題
健保加入五五年一月— 共済組合加入五六年四月
ゴールデンウィーク斗争—有給休暇獲得五五、八、
有給休暇、生休の獲得の問題
生休獲得五六、一二— その他の実施状態、
定員化の問題
臨職問題、常勤問題、
臨職問題が全国的に広がった背景と情勢、
定員化問題に伴う待命制(五七、一〜)をどう見るか

○賃金の問題
日給二四五円——二〇円、二五円、三〇円の賃上げ斗
年十二月、—給与増額定期昇給獲得五五、八、
月給制に五六、四——一般公務員並に、
格付不均衡是正の問題
職場における人事院勧告に対する考え方、
人事院に対する見方はどうであったか
超勤問題に対するとり組方、
超勤に対する考え方
夏季、年末十α斗争
○平和の問題、
原水爆禁止運動について
日中、日ソ国交回復運動について
砂川基地反対斗争について
プライス勧告と沖縄問題について
警職法改悪反対の斗いについて
その他
組合はどうとり上げ、どうとり組んだか、組織的にと

り組めたか、組め反かったか、その企画、
平和を守る会、日ソ、日中、その他のサークルなどの
ような役割をはたしたか、
○厚生施設にからむ労働条件改善の問題、
医療関係
診療所の利用度、病気による欠勤状況、入院、家
療養、短期欠勤
売店、食堂関係、
職場の設備、建物、器具、その他、
厚生上の使用の問題
レクリエーションタイムと春秋競技大会
当局のPR、HRと職員の見方、考え方
○文化問題と職員の自主的教育、
サークル、組合結成前後、現在の活動
同好会　職制のみの会、
職員をまじえた会 ＞ 当局のPR、HR
組合員のみの会
組合講座、
その他外部の講演会
マスコミの反動化と文化運動—情勢—
○当局の攻勢（思想）と職場の思想の変化、

以上七区分に分けた。

私たちが丁史を書くにはまず調査（きゝこみ）資料あつめ、資料の整理、問題のとらえ方（評価）を行って作品にとりかゝるのが定道である。しかしながらこれら七区分したものを評価、反省をやっていたならば膨大な時間をついやしてしまう。そのためには一区分づゝ分担をきめその分担に当った人は調査、資料あつめ、資料の整理、そして問題点をとらえ、作品を書いて頂く、その出来たものを大衆的に討論を行いより完全なものとして行く、こういう方法をとった。但し、概説、第一の問題（総括）は全体が出来

上った後にまとめたいと考える。

職場の厂史を書くため組織的運営をどうはかつたらよいだろうか

○「職場の厂史」をつくる運動に賛同される方に出来る限ぎり参加して頂く。

○「職場の厂史」をつくる運動のこのペンプを配布し、第一回の会合を開いた時をもって会の組織を確立する。 その路線（[illegible]）

○二週間に一回の定期会合をもち、[illegible]曜日を週の一[illegible]日とする。その他詩[illegible]、資料、作品の作成に当ってはき分担で密接な連絡をとって「職場の厂史」を書く運動を進めて頂く

○会合は具体的作品の準備、意識、あるいは厂史の研究、又は活動が協助言者を必要とする場合は職場の厂史をつくる会より助言者をアッセンして頂く。

○作品完成の日時の設定を、五周年記念文化祭付近週間に入る十一月十日におき、その日をめざして努力する。

以上

メモ欄

1959. 9 10

国民文化全国集会速報

NO 2

東京都千代田区富士見町二ノ三
国民文化会議
電話(30)一三四三番
振替東京三一二六番

開催地関西の準備会開く

九月一日、京都東山荘において、関西六県（うち滋賀、和歌山は欠席）の代表による集会のための第一回準備会が開かれた。出席者は各県評、専門家など二十二名、関西文化会議会長恒藤恭氏をはじめ小野十三郎、辻部政之助、山元一郎、依田義賢、一円一億、石原昌氏らが見えた。なお東京からは上原会長も特に出席して開催地関西に対する挨拶と協力の要請を行った。

討議は、①集会を大阪で開催することの意義、②集会の日程と運営。③分科会のテーマ、④各県の参加体制、⑤その他の順に行われたが、初めての準備会であり、十分ほり下げた論議には至らなかった。しかし大阪集会に対する理解はふかまったものと考えられ、今後の関西における準備活動は一段と活潑化することであろう。

分科会のテーマに関する関西の意見

○大阪からの集会参加者は初めての参加が多いと思われる、他の地方からの参加者と論議がうまくかみ合うかどうか心配だ。

その他について

1. 作品発表について

集会に発表される作品は関西で準備する。作品の選考その他は次回の準備会で決める。

作品発表について

関西としては候補作品として次のものを考えている。

○大阪府職員組合の劇
○国鉄東灘のシュプレヒコール「貨車のうた」
○人形劇団「クラルテ」の劇

国民文化会議映画部会では運営委員会をひらいて検討した結果全医労製作のスライド、富士フイルム労組映画製作活動、本洲製糸の八ミリ映画製作活動等にもあるが、次の2つの場合の製作活動について推薦することをきめた。

○動力車労組の十六ミリ映画製作活動
○「憲法」「日本の政治」「安保条約」など総評が主体となった

○東京の方から現在出されているテーマの表現は漠然としていて分りにくい、もっと焦点をしぼってほしい。

○職場の人たちが参加して討議できる具体性のあるテーマが十分用意される必要がある。

○国民文化の概念、関西文化、地域文化とは何か、など基礎的なことをどこかでやったらどうか。（これは全体を通してやることに一致）

○スポーツの問題を重視する必要がありはしないか、マスコミとスポーツ、オリンピック問題、コマーシャルとスポーツ、労仂者とスポーツなど今日の生活にかゝわるスポーツの問題が多い。

○国民文化と何々、というふうに大きくかまえても一寸とっつきにくい、発言意欲のでるような形をとってほしい、例えば教育の問題なども、〃教育になにをのぞむか〃というように出せば発言し易い。

関西各県の参加体制について

京都、八月九日サークル活動家と労組との討論会を行ったが、
具体的問題の討議にまでは入れなかった、今後も続ける。

兵庫　九月中旬に集会のための準備実行委をもつ予定、兵庫総
評や自由と文化を守る懇談会などが協力してやる。

などが報告されたが、更に座長（大阪、浜田知章氏）から、各県毎に参加の体制を進めるよう要請があり、全員でこれを了承、なお関西全体の準備体制を固めるため、今回のような関西ブロック準備会を再度開催すること、及び関西六県（滋賀、和歌山、京都、奈良、大阪、兵庫）で関西国民文化会議連絡会をつくり、連絡センターは関西文化会議事務局とすることなども確認した。

製作活動。

映画特別試写会について

最初「人間の壁」が考えられていたが、邦画の製作条件などがむつかしい問題になるので、映画部会運営委員会では、洋画その他を含めて、検討中であるが、考えられたものとしては「わらの男」「いとこ同志」「最後の戦線」「シュパイデル将軍」「エイゼンシュテインの生涯」「吉衛門熊谷陣屋」その他である。

集会日程

十月二十三日（金）
午前
記念講演「文化と政治」上原専祿（国民文化会議会長）
午後
作品発表およびその討論
夜
映画　特別試写会

十月二十四日（土）
午前と午後　問題別分科会
十分科会に別れて討論の予定。分科会テーマは目下検討中。八月中に成案速報第二号でくわしくお知らせします。
（各地方からもテーマについての意見をおよせ下さい）
夜
ジャンル別交流懇親会

十月二十五日（日）
午前
問題別分科会
午後
全体会議、その後有志懇談会

おねがい

問題別分科会のテーマについては、速報第一号にも報告したように、目下各方面で検討中であるが、九月十日、常任運営委員会を開催し討論した。関西からも関西国民文化会議事務局次長浜田知章氏が出席し、関西の意見を伝えた。

左の記事は常任で討論したものだが、多くの人達の意見によって充実したものにしたいと思います。あなたの御意見をおよせ下さい。

サークルの創造活動をどうすゝめるか（文学、芸術、音楽、演劇等）

① われわれの生活と意識をどうとらえているか。とらえるにはどうしたらよいか。

○サークルからどんな作品が生まれているか

○今日の芸術家は労働者をどうとらえているか。

○よい作品とは何か－大衆性の問題

○専門家、学者とサークルの結びつき

② 創造の組織と観賞の組織とはどのような役割関係をもっているか。

○サークルを停滞させるもの（内部的条件）は何か

○創造サークルと鑑賞サークル・団体はどうちがうか

○新しい創造サークルのありかた。

○鑑賞サークル・団体の意義と活動家の役割

③ 学習・生活記録・職場の歴史などのサークルの進路はどうあるべきか。

マ検討すすむ

地域の文化施設はどのように利用されているか。

広報は誰のために出されているか

社会教育法改正によって、どんな問題が生れてきているか。

国民の文化を創り出していくうえに労働者はどんな役割をもつているか。

○労働者はどんな文化要求をもっているか、何が生きがいか

○労働組合の文化運動は労働者の要求にこたえているか。

○労働者階級の文化要求はどんなものだろうか、階級的な意義とか思想とは、それは他の階層の要求・意識・思想とどんなかかわりをもっているか。

○サークルと労働組合の文化運動との関係はどうとらえたらよいか、この両者を前進させるために何をしたらよいか。

わたしたちの力、家庭の力、組織の力でマスコミとどうとりくむか。

○ミッチーブームから安保改定まで過去一年間におけるマスコミ界の大きな動きにわたしたちがどうとりくんだか。

○現在おこっているマスコミ界の動きとその意味。

○今後わたしたちはマスコミの場でどのような抵抗と創造を組織できるか。

国民文化と教育について

○父母や労働者は、教育にたいし、また教師にたいして、何をのぞんでいるか、どのような子どもであればよいと考える。

○勤評や、とくに今年は教科課程など、教育に加えられる政治的圧力はどのようなものか、それとどうとりくむか。

○国民文化と教育についてーわれわれはどのような国民であればよいか。

○身のまわりの認識から科学的認識へどうたかめていくか。

○われわれは何のために学習するか。

○サークルと職場のつながりをどう理解するか。

全国的な文化交流をふかめつよめるためにはどうしたらよいか。

○文化運動にとって現在何が必要か、決定的にかけているものは何か。

○地方の文化組織はどのようにつくられ、どんな問題をかかえているか。

○中央と地方の文化はどうかかわりあうべきか。

○昨年の集会で努力目標となった新雑誌発刊の具体的条件を検討しよう、新雑誌の意識、内容、組織の問題など

○現在、出されているサークル雑誌の問題点を考えよう。

地域毎の文化交流をふかめつよめるためにどうすればよいか。

○地域のなかの文化活動（とくに青年、婦人を中心とする）は最近どのように動いているか、それは地域の青年婦人をしっかりとらへているだろうか。どこに問題点があるだろうか。

○市民と労仂者、労仂者と農民の交流はあまり進んでいない、なぜだろうか。どこに問題があるのか。

○市町村などの自治体と地域の文化活動との関係を認識しなおそう。たとえば、以下のような問題を考えよう。

○　市町村の文化予算はどのようにつかわれているか。わたしたちは文化要求をみたすためにどんな運動を市町村にたいしておこなってきたか。

○　県庁、市役所、村役場に仂いている人達の組合（自治労）はどんな文化運動をしているか、地域住民との協力はどうか。

分科会テー

国民は文化の問題として政治とどうとりくむか

○当面する安保問題を一人一人のものとするとはどうすればよいか。

○われわれは選挙のほかにどのような政治とのとりくみ方をすべきか。

○署名運動、デモ、集会のやり方、決議の仕方など大衆政治運動のやり方について、もっと工夫すべき点はないか。

○私たちのまわりのさまざまの文化には、どのような政治の影響があらわれているか、これとどのように対すべきか。

○　国民文化と生活・余暇について

○スポーツ、かけごと、娯楽、リクリエーション、娯楽マスコミ、宗教などの流行やしん透はどううけとられているか。それをどう考えるか。

○働く人達の労働の余暇はどのように使われているか。どうあればよいか。

○「家庭電化」など、消費生活や生活技術はどう変ってきているか、これが人々の意識にどのような影響をあたえているか。

○働く青年達のものの考え方、感じ方はどうなっているか、それをどう評価するか。

○「文化的な生活」とはどのようなものか、そのために何が大切か。

以上の三つの分科会は、なお検討中であるが、教育の分科会では「どのような子ども、どのような国民であればよいか」を中心に、政治の分科会では「政治についての正しい姿勢のあり方」を中心に、生活、余暇のところでは、われわれの生活と文化について、文化についての考え方そのものについて　りたいと考える。

大阪集会参加者（九月十日現在）

上原専禄　南博　日高六郎　北川隆吉　稲葉三千男　武井昭夫　針生一郎　佐藤殻　佐木秋夫　佃藤恭　小野十三郎　竹内良知　西口克己　小川隆太郎　港野喜代子　井上俊夫　玉井敬之　大岡治　中村九一郎　山本晴義　坂本賢三　津留宏　杉之原寿一　黒田了一　道井直次　内田朝雄　高木正孝　山口一郎　高原宏平　松川秀郎　住谷悦治　森信成　小島輝正　陸井四郎　一円一億　小松益喜　漆野純一　橋本正一　北島三郎　内海繁　大芝孝　猪野謙二　讃塩信雄　赤松啓介　中川竜　馬場貫司男　安永武人　山元一郎　北川鉄夫　池上徳三　一沢清　依田義賢

伊勢湾台風の被害を受けられた
藤本委員の御家族にカンパを!!

去る九月二十六日の台風で　藤本委員の郷里のお宅がつぶれてしまいました。

不時の災難に会われた藤本君は「N労組の歴史」をかいて以来の古くからの会員です。

郷里で災害と斗っておられる御家族の方々を力づけ、少しでも再建のたしにしてもらうため、私たちの会でもカンパを集めたいと思います。会員諸君の協力をお願いします。御家族・友人にも出来るだけ呼びかけて下さい。近いうちに係りが伺いますから宜しく。

記

一人　一口　五十円以上。

尚　藤本君の郷里は左記の通りですから、励ましの手紙をかいてあげて下さいが

長野県須坂市　相之島町
藤本繁雄
同　小春　様

又、伊勢市におられる　長谷川会員からは　まだ何の便りもありませんが、台風の通路と当りますので　お見舞の手紙を出してあげて下さい。

三重県　伊勢市浦口　二八一
長谷川　加代　様

別伸

古くからの会員　岡島　博君が、来る十一月三日めでたく結婚なされることになりましたので　会より規定により二百円をお祝いとしてさしあげることにいたしました。

一九五九年　十月　十八日

会員各位殿

職場の歴史をつくる会運営委員会

ロケットに月面探険（一九六〇年の初夢（現実？）が楽しみでございます。

安全保障条約改定をめぐる内外の緊張した動きに今年も暮れていきますが、会が嵐の五九年を明日をみつめる姿勢で一貫できましたことを皆さんと共に喜びたいと存じます。

今年は中ロリビエト同盟等でも職場の歴史運動が多彩にひろがりその様子が私共に海潮音のように聞えてまいりました。六〇年度は会の実績を様々な形で発表したいものでございます。

従来運動推進の機関部としての"常任"体制は必要以上に常任の方の生活上の犠牲をともなって続けられてきましたことは御承知の事と存じます。六〇年度委員会はこの"常任"問題の合理的な解決えの明るい見通しをもっております。このように委員会は五九年から六〇年えの條件を着実と準備しておりますが皆さんにも㈠常任費未払い当会借入金の清算の問題について具体的に うらえ

力をお借り頂き度く存じます。このため会では十二月一日から三〇日迄目標額一万阡五百円（夏期カンパ実績約一万壱阡円）の冬期ボーナスカンパ運動をすゝめます。皆さんの職場に担当委員が参りました節はよろしくお願いします。

十二月一日

職場の歴史をつくる会

運営委員会

十二月の予定

十二月九日（水）歴史学教科書（[illegible]）研究会——竹村講師

十二月十六日（水）委員会〃科学運動と修正主義——報告 國府田委員

十二月二十三日（水）委員会五九年度の成果と課題 報告——竹村委員

十二月二十五日（金）忘年会

詳細は追って発表

時間はいずれも午後六時三〇分

特急のおしらせ!!

清水委員の〃魂あいふれて〃（十八号を見よ）の合評会を〃つぎの要領でひらきます。みなさんの批評をもとに書き方をして五月中に出版します。おいそがしいとは存じますが御都合をつけて必ず御出席下さい。感想文はこの日までに送って戴ければ幸です。まとめて討議資料をつくりたいと思います。

○

日　時　三月二十日（日曜日）午後六時～九時半

場　所　事務所

会　費　茶菓子代　三十円。

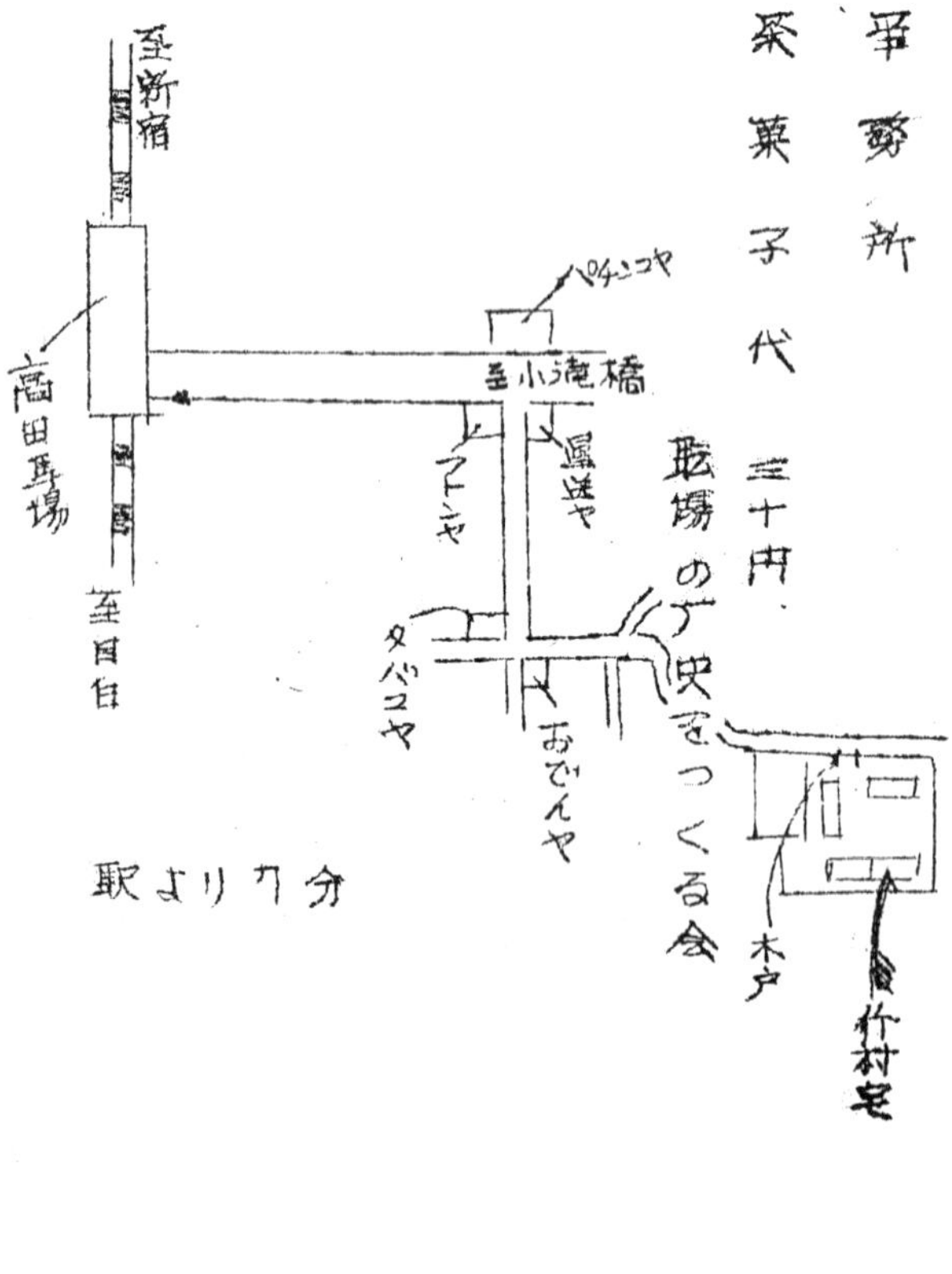

出版の案内

一、現代史の方法　上・下

国民と歴史　竹村民郎

戦後さまざまな歴史的経験のなかで人民大衆こそ歴史をつくる者であることがあきらかになりつつある。今日までにどのようなあたらしい歴史意識が国民のあいだに成長してきたのであろうか。国民運動の中核は当然労働者階級であり、それは国民の大部分をしめ、もっとも階級斗争の経験が蓄積され、本質的に買弁的要素をもたない。

日本の労働者階級は歴史にたいしてどのような高い見識と要求をもっているだろうか。

本章では国民のための歴史学運動、職場の歴史をつくる運動の諸経験の総括のなかから前述の課題についていくつかの問題を提起する。

二、国民のための歴史学の理論的意義　石母田正

民主主義科学者協会の提唱による科学運動は歴史学の分野では〃国民のための歴史学〃運動として展開した。この運動は日本の学問全体に通じる主体性の欠除とマルクス主義歴史学の抽象的側面に大きな疑問をなげかけたものであった。[illegible]歴史学の科学性の樹立への模索のなかに展開された国民のための歴史学運動の理論的意義の解明のために、それはどういう情況の下で、どんな意図で提唱されたのか、どこに積極的意味があったのか、これらの問題のなかでその理論的な欠陥を明確にし、情勢分析に誤りはなかったか、等々について学ぶべき教訓を検討しようとするものである。

三、戦前の歴史教育―世界史教育を中心に―　太田秀通

戦後の民主化運動の高揚のなかで、皇室中心主義による歴史教育は全面的に否定され、その誤りはあらゆる角度から批判された。しかしこれらの批判は主として旧来の日本史教育にむけられ、戦前の世界教育がもった誤りについては殆んど否定もされず批判もみられなかった。本章では戦前における世界史教育のもっていた内容的検討を通して、その役割を批判し、かつ戦後世界史教育の正しい発展の足がかりを提供するものである。

四、今日の歴史教育　家永三郎

安保改訂をめぐる政府の動向は歴史の進歩に逆行し国民運動のはげしい抵抗にぶつかっている。政治に現

れたこのような矛盾は教育にも反映し、勤評問題道徳教育の再建などの動きと互って現れている。今日歴史教育の分野におけるこのような傾向はどのように現れているのか。また真実にもとづく歴史教育をまもる道とは何であるのか。この問題意識に従って、ここでは教科書改悪などの諸問題を論考する。

以上　上巻

五、戦前の歴史学の果した役割　遠山　茂樹

六、戦後における歴史学の役割（五〇年を境として前段　奈良本辰也　後段　岩井　忠熊）

七、歴史学の現況と課題　井上　清

八、サークルの組織と運営の問題
　―職場の歴史をつくる会について―
　職場の歴史をつくる会

九、労働者の意識の成長について
　―座談会―　司会　竹村　民郎
　遠山　茂樹
　職場の歴史をつくる会々員

○発売日　上巻　五月六日　下巻六月六日予定

○定価　一五〇〜一七〇円程度

出版記念会のおしらせ

会員のみなさん、出版についてなにかと御心配をいただき有難うございました。今日の勝利はくるしい条件のなかで、自前で道をきりひらき、理論的な勉強を蓄積するなかからかちとったものであります。たとえば自分の歴史をつくる運動のなかで会員がどんな創造への苦労をしたかを考えてみてもそのことはよくわかるはずです。わたくしどもは着実な創造へのつみあげと目立たない日々の会活動の意味をただしく理解する必要があります。量の積み重ねが質の転化をもたらすという弁証法はここにもつらぬいていることを確認しましょう。会の土台ずくりといえば前時代的で非能率的出版といえば苦労のいらない速成コースとうけとる考え方に反対します。わたくしたちはその前途になお土台づくりの苦痛があることをしっています。しかしその苦痛にたえぬくことを誓います。それはわたくしたちがねいもうな土台づくりによる質的変化の必然性を信念として自覚しているからです。このたびの出版が教えるそのような教訓を確認しつ団結をかためてさらに前進しようではありませんか。会では一夜出版記念会をひらき、これまでの苦労を語りあい会員の努力を顕彰するとともに、お祝のコンパを盛大にしたいと思

います。詳しいことについては後日みなさんに送る招待状にゆずります。日時は五月一四日（土）ー一五日（日）のいずれかに致します。

現代史の方法を職場に一冊!!

運営委員会

わたくしたちはこれまでに、思想（理論）のたゝかいがどんなに日本の労働運動、民主的な運動におくれているかを指摘してきました。いわゆる斗士的な職人的な実践ではH.R.P.R.のあみに対抗することはもはやできないのが職場の現実ではないでしょうか。〃現代史の方法〃は職場の思想のたゝかいにあたらしい問題を提供し見とうしを示すものです。それぞれの職場やしりあいの人たちの職場に宣伝し討論をひろげてください。出版係はポスター（五〇〇枚）をつくることを書店に交渉中です。また事務所に直接申しこみのあった分は定価の二割引であつかう予定です。

運営委員会　出版係

東の櫻 南の国
ー会員だよりー

前略　ありがとうございました。このたび北区の生活協同組合の就職しましたことを皆さんによろしく伝えて下さい。会の出版記念の合宿のための会場ですが箱根湯本方面をしらべてみましたがこゝの生活協同組合の関係しているところはありません。従って独自に交渉する必要があります。

四月八日　松本幸八郎（氷川下）

前略、北国の福島も櫻がほころび始めようやく春めぐって来た感じです。先日はお葉書有難うございました。あまり忙がしいので会からの会報等も読むひまもなくつみあげて置くような仕末で失敬しています。健君は教員の検定試験がB級だったとかで残念なことでした。この上は採用を祈るのみです。僕は五月三日挙式の予定です。尚、会費五〇〇円同封しますからお受納下さい。

四月十一日　岩浪安昭（福島）

お便り拝読いたしました。着いてすぐ風邪でやられ、すごく熱を出しとうとう一週間もねてしまいました。ひどい三日ほどは熱のせいか〃かゆ〃をたべても吐いたりでなにもたべずにすごすなどひどい目にあいました。今月（一四日）やゝよいようですが、

（出版後の対策）これは民科でも大研でもなく、会がたてねばならぬこと。もうすこし情勢を見てと思っていましたが四月中の〃運営〃でこれについて十分やったら（やる必要がある）と思います。そこで当然(6)のどう宣伝していくかといったことについてもその際簡単にでも皆で分工を出しあったらと思います。（出版の宣伝）帰る前、話しておいた如くできたら論集などに知ってる人のいるところなどをたどっていくのがよくはないかと思います。（なおポスターできたら二枚送って下さい）

十三日の新聞（朝日）に戦中の農村出身戦没者の手紙云々とありましたけれど、うまいことに着眼したものと思います。秋田の方でも文学団体が中心となって一つのその動きを支えるような形になっているようです。常任問題の件はどうでしょうか

四月十四日　高橋　秀夫（秋田）

〃農民出身兵士の手記〃の編集（新しい創造活動??）

右の高橋委員の手紙の方かに書いてある農民出身兵士の手記のことは同封してあった秋田魁新報（60年四月四日朝刊）のつぎの記事を参照のこと

「…戦没した県内の農民出身兵士の手記を出版しようという計画が、県内のサークル誌によって結ばれた若い人たちによって進められており、その第一回編集準備会が二九日午後一時から秋田市の県労働会館で開かれることになった。計画を進めているのは青年サークル〃山脈〃〃IDEAグループ〃〃緑の会〃〃展開グループ〃〃考葦〃〃第三群〃秋田のこだま〃の七グループの会員で結成した。〃戦没農民兵士の手記出版センター〃でできれば今年中に実現させたいと語っている…」また岩手県の〃農村文化懇談会〃でも昨年十一月から〃戦没農民兵士の手記〃の編集にとりかかっている。

なお、この出版は県内の戦没農民兵士の手紙や日記を集めて行なわれるもので、同センターで広く県民に戦没兵士の手紙や日記を寄せてくれるよう呼びかけている。

①　戦没農民、労働者、商人兵士の手紙、日記写真遺書など。満蒙開拓義勇軍、従軍看護婦も含む

②生きて帰った農民、労働者、商人兵士の手紙、日記写真など。

体験記録と工場・公社史

中国　盛んな「厂史」への参加

（一九六〇年三月二十一日
日本読書新聞記事より転載）

革命史の体験を記録する運動がおしすゝめられて来た結果、こゝ数年来、大規模な大河小説が続々と書かれ始めている。しかし体験記録の運動はそこで終ったのではなかった。それはこゝ二、三年の間に工場史、人民公社史、部隊史編纂の運動に生れかわったと見られるのだ。〃麦田人民公社史〃（昨年の〃收穫〃二号）を見てみよう。これは義務労働のためその地に派遣された作家たちがまとめたものだがその地域の農民による過去の体験の記録、その地域に伝わる説話、農地改革の経緯、およびその地域の丁史、地理の概要等から構成されている。この構成全体から麦田人民公社の姿、その全体像が古い農村から農地改革を経て人民公社の組織へと進む時の経過をともなって浮び上って来る・・・・。工場史も同様である。すでに二十余点出版されているが（昨年の〃文芸報〃[illegible]号および今年の〃読書〃2号の石泉の報告による）いずれも同様な編集方式をとっており解放前のストの丁史を浮き出させたこの（〃赤色の安源〃）解放后の新たな生活体験と照明を当てたもの（〃列車のゆりかご〃）および〃武漢鋼鉄会社建設史話〃のように全く新しいコンビナート建設をテーマとし、その工員がコンビナート史を書き綴ったものなどがあるという。

東京都新宿区戸塚町三ノ二〇五
（竹村方）
工場の歴史をつくる会

職場の歴史をつくる会
春季合宿と出版記念御案内

新緑の季節となりましたが皆さまには充実した日々をおすごしのことゝ存じます。さて職場の歴史をつくる会では来る五月二九日春季合宿と出版記念会を区立中央会館でおこなうことになりましたので御案内申し上げます。

このたびの合宿の日程はくわしくは次ページに記すとおりでございますが、とくに研究テーマとして〝独占資本主義による職場支配とその構造〟をとり上げます。安保改悪と自由化という大問題を念頭におきながら独占資本の職場分割支配の方向にスポットライトをあてようというものです。職場会員、研究者学生会員が職場の経験や研究の成果をもちよって討論をふかめ自分の歴史、職場の歴史、村の歴史などを書く仕事の発展にプラスするものをひきだしたいと考え準備をすゝめております。普及講演は、職場の歴史をつくる運動の積極的評価を目標にしておこなわれます。出版記念会は〝現代史の方法〟の出版を記念し、これまでさまざまなかたちで御協力くださった会員の皆さまとともに祝盃をあげたいと存じます。

会員各位の御出席をお願いいたします。

職場の歴史をつくる会
運営委員会

緊急のニュース

No.1

一九六〇年六月二二日
職場の歴史をつくる会発行

五・一九　五・二〇　六・四　六・一〇　六・一五　六・一八

戦後史の大きな日付けのなかに、生き、たゝかっている全会員のみなさんに訴えます。

会の機関誌一八号では〝国会え進め〟というテーマで故樺さんを追悼し

あわせてわたくしたちの体験記録をまとめます。

七月五日の〆切りまでにあなたの（職場の）記録をおくって下さい。（送り先　会事務所　　）

全会員の一〇〇％の御協力を要請する次第です。

なお、さし迫る安保無効のための国民的なたたかいに、はせさんずるにあたり、委員会といたしましては、

六月二五日臨時会議をひらき〝安保斗争をめぐる諸情況と会の立場〟について検討することとなっております。

全会員のみなさん!!、職場の歴史をつくる会の旗をたかくかかげて、今日の斗いをすゝめようではありませんか。

六月二二日　統一行動の中で

職場の歴史をつくる会。

会員集会を開こう

――現在の情況における職場の歴史と運動のありかたを追求するために――

職場の歴史をつくる運動はいかにあるべきかが、今日ほど切実に問われたことはありません。二五日の委員会でも緊張しかつ充実した論議がすゝめられ、あたらしい意識的な会活動のプランが、こまかい設計図までふくめて提案可決されたのです。会としては、会員夫々が自分の職場や学校で民主主義をまもる国民的な運動にさんかし、多忙な日々を送っているその貴重な諸経験をもちより、話し合う中から　このたびの新方針を討議し会員の総意として決定したいと存じます。私たちのプランは次の通りです。この集会を実現し成功させましょう。

1. 9月二十日午后六時　於事八所（金曜日）2　委員会のあいさつ　3　現下の情況における会の在り方（新方針）
4. 会員の活動報告と意見の発表。
5. 職場の歴史をつくる運動の国民運動における位置（方針の討論）

声明

職場の歴史をつくる会は、岸内閣と自民党による五月二十日未明の安保条約の強行採決に抗議します。

権力と数の力による民主主義の破かいにもかかわらず、岸首相は一身をなげだしても民主政治をまもる決意が必要だといっています。わたくしたち国民は、岸首相とその徒党が日本の民主主義についてかたるなんらの権利も、資格もないことを主張します。

審判は国民がすることこそ、まさしく国民の権利であり義務であります。いまや一千万余の日本国民が岸内閣打倒と日米軍事同盟締結破棄のたたかいにたちあがりました。ただちに岸首相の退陣と国会の解散を要求する声なき声はひびきあい、巨大なさけびとなりつつあります。

職場の歴史をつくる会も、この怒りの大行進にさんかし、ファッシズムの見えないわなを全国のあらゆる職場や家庭、町や村にはりめぐらそうとする陰謀をてつていてきに追及してたたかいます。

〝国民は政府よりかしこい〟わたくしたち日本国民はテロやリンチなどものいっさいの弾圧にその叡智と団結の力でたたかい、かならず暴政をたおして、世界の平和を熱愛する人民と握手できる日をむかえることができるでしょう。

職場の歴史をつくる会も、そのたたかいを最後までつらぬくことをここに声明します。

一九六〇年、七月一日

職場の歴史をつくる会
代表　竹村民郎

殿

父の歴史をかたる会に集ろう!!

会員のみなさん、今年も父の歴史をかたる会がちかづいてきました。一九五七年八月、会長竹村民治郎さんは、胃がんのために、針金のようにやせていきました。

経済条件も会員の団結もよわかった当時、"けがと病気は自分もち"という気分も、会の一部にあったことは、否定できません。しかし会長竹村民治郎さんは、死の直前まで会の前進に期待し、日本の青年に希望をかけていました。（機関誌8号、いやいかんを読みかえして頂けば幸いです）日本の労働運動は多くの戦士のしかばねのうえに、きずかれてまいりました。

今年になってからも、わたくしたちは、三池労組の久保清さん、東京大学学生樺美智子さんの死を追悼し、たたかいの決意をあらたにしたのです。竹村民治郎さんの死もまた、解放のためのたたかいにたおれた戦士の一人として記念されねばなりません。抵抗権の思想がようやく日本にめばえはじめた今日、わたくしたちがこのようなあつまりをひらくことは、大きな意義をもつものであります。

会員のみなさん、父の歴史をかたる会を成功させましょう。今年はとくに、あたらしい機関誌「安保斗争と自分の歴史」特集号の合評会もかねて、一夜を有意義にすごしたいと思います。ふるって参加して下さい。

父の歴史をかたる会について

一 八月一五日 月曜日 午后六時
一 会事務所
一 用意するもの 機関誌二〇号
一 菓子代 五十円

一九六〇年七月三一日

職場の歴史をつくる会
運営委員会

口第一回作品研究会口　職場の歴史をつくる会
作品研究サークル

『N労組の歴史』の研究

職場の歴史をかこうという声は、昨年 安保斗争を斗った労働者の中から、これからの運動の発展のために大きく叫ばれています。私たちの会は、その要請にこたえ飛躍的に発展するため 会員一人々々が 会の歴史を学び その理論を身につける必要があります。

今回、作品研究サークルという名称のもとにその研究を続けていくことになりました。第一回の研究会には、河出新書「N労組の歴史」をとりあげます。これについては竹村氏が「現代の文学」の中で分析を試みていますので、それを一応の参考として進めてゆきたいと思います。各自一読してきて下さい。

記

とき 三月二十五日(土)午后六時〜九時
ところ 事ム所
会ひ 二〇円(茶菓子代)
報告者 田畑 健
資料 歴史評論六十六号(古本屋で三〇円位で買えます)
河出新書は、会員に限り一二〇円というところを一〇〇円でおわけします。事ム所まで
当日は必ず御出席下さい。

1961.4.23、
高橋喜夫 報告

第2回作品研究会

——きみよの手記—— （广幹66号 1955・5）

Ⅰ 1954年 —〈東証争議の前後〉—

○炭労賃上げスト（1〜3月）
○国鉄 （3月）
○日教組、教育二法案闘争（2〜5月）
○私鉄総連 （4月）
○尼鋼 （3〜7月）
○近江絹糸 （5月〜 ）
○全鉱連 （9〜10月）
○日鋼室蘭 （6〜 ）
○証券スト、大阪・東京（8〜11月）

Ⅱ 東証ストの概況

労組の結成→争議

Ⅲ「きみよの手記」のもんだい。
○書いた人
○組合の結成とストの時期の職場の動き
○斗争と職場の人々の動き。

Ⅳ この争議（作品）をとおして何を学んだらよいか。
○政府→ピケの禁止……三池スト（ホッパー）
○我々の側

（メモ）

全国の労働者の皆さんへ

私達ソニー労働組合は、現在賃上げ三八二一円をかかげて斗っています。

ところが、会社は、ゴリッパなビルを建て、厚木には五万坪にもおよぶ広大な土地を購入しているにもかかわらず、たった二、三三〇円しか回答をして来ません。それどころか労働協約を一方的に破棄し、一部の職制を使って〃第二組合〃まで作らせて来ました。

そして自から作った第二組合とだけ交渉を持って私達ソニー労組をまったく無視して来ているのです。

暴力で組合活動に介入

さらに会社は、代議員に立候補した組合員に対して課長がなぐる、けるの暴力行為を加え、会社構内に入ろうとした組合役員を守衛を動員して暴力によってつまみだすのです。

世界一の低劣な労働条件

会社は、二言目には『世界のソニー』だなどと宣伝しますが、外面はよくても内に入ってみれば、最低六、五〇〇円平均約一二、〇〇〇円と云う低賃金、厚生施設は皆無、配転は会社の思うまま、休み時間でなければ便所へも行けない労働強化、この様な会社に対し、私達は立上りました、人間としての権利を守るために。

メーデー参加の労働者の皆さん、この私達の斗いを御理解下さい。そして支援を御願い致します。

第三十二回メーデー万才!!

昭和三十六年五月一日

電機労連
東京地協
ソニー労働組合

声明

職場の厂史をつくる会は、労仂者の生活をするどくみつめ、独占資本による労仂者の搾取と、全国民に対する国家独占資本主義の収奪と支配を暴露し、その本質を明らかにし、同時にそれに対するたたかいの方向を明らかにするために努力しています。

昨年の安保斗争は私達に数多くの教訓を残しましたが、その時、あるいはその後、独占資本の手先たる右翼によるテロ行為が続発し、国民の民主的な権利が、陰に陽におびやかされています。そうしたテロに対する国民のいきどおりをゆがめ、いわゆる「左右の暴力」論にのり、右翼テロを防ぐためとしながら、実は左翼、つまり、憲法に認められた大衆運動に対する弾圧を目的とする「政治的暴力行為防止法案」なるものが、自民、民社両党共同提案として国会に上提され、去る三日には強引にしかも違法な手段で衆院を通過させるにいたっております。

前述の私達の立場から、こうした法案には断固反対し、国民の諸権利を忠実に政治に反映させるためにたたかうことを決意しました。そのために会としてはもとより、会員もあらゆる場所で、あらゆる手段と方法をもって「政防法」粉砕のためにたちあがります。更に会が当面主力を注ぐことを決定した「国鉄労仂者の厂史」の研究を通じても、国家独占資本主義の本質を暴露し、そのあらゆる政治的抑圧、経済的搾取に対してたたかうことを声明します。

昭和三十六年六月

職場の厂史をつくる会総会

おねがい

夏のボーナス斗争もいまがたけなわとなっていますが、早いところではもう相当の成果をあげてその袋を手にされた方もあると思います。　日に日に物価が上昇する折、その支出にも頭をひねっておられることと思いますが、これからの会の運動の発展のために恒例のボーナスカンパをおねがいしますので、これを是非予算の一部に入れて下さるように御協力下さい。目標総額は一三〇〇〇円（昨年は一二〇〇〇円）ですが、係の者がお伺いしますので、額等については御相談下さい。　なお、遠方の方（都内、地方会員を含む）は、会事務所へお送り下されば事務上好都合ですのでよろしく御協力下さい。

ボーナスカンパ分支出予定

一、機関誌　二〇号記念	六〇〇〇円
二、田畑会員への返済（タイプライター代）	三〇〇〇円
三、テープ　一巻	一〇〇〇円
四、印刷機のローラー・網	二〇〇〇円
五、その他	一〇〇〇円
合計	一三〇〇〇円

＝速報＝

61年上期目標額 13000円，18日現在，すでに目標の1/2が集まりつつあります。

（係）

会費滞納一掃運動に協力を!!

六一年下半期をむかえ現在、新しい意欲と行動にたちあがるために、会費の滞納一掃運動をおこしますので御協力下さい。

なお、滞納一掃運動で集めた金額は次のように使う予定です。

一、田畑会員への借金返却（タイプライター代の内）　七〇〇〇円

二、タイプ代費用のプール　五〇〇〇円

三、機関誌費用のプール　五〇〇〇円

合計　一七〇〇〇円

六一年六月現在

会費滞納総額は　一六、六五〇円です。

職場の歴史をつくる会運営委員会

1961年2～5月 会計報告				
	収入	支出	残高	累計残高
2月	4974	4761	213	−32787
3 〃	4003	3950	53	−33240
4 〃	253	160	83	−33200
5 〃	2293	1980	313	−32980

○ 残高は翌月の収入に整理の便宜上入れてあります。
○ 各月の収入は会ヒが主で、若干のカンパ、借入金、書店よりの返却金等があります。
○ 累計残高は（−）で赤字ですが、これは昨年中の借入金が13000円とタイプライターの借入金20000円とが主なものです。

「特別研究集会」のお知らせ

「現代史の方法」下巻の発刊もまじかとなり、歴史の活動も各層からの注目を集め始めています。いよいよ当会も「国鉄の歴史」の本格的な研究が始まり大衆化しつゝあります。猛暑を避けて、郊外で研究討論集会を開く計画をたてました。会員多数の参加を期待して、早めに連絡いたしますから、是非予定に組入れていただきたいと思います。

とき　8月23日(水)夕方～24日(木)
ところ　秋川渓谷　国民宿舎「止水荘」
都下西多摩郡五日市町山田970　TEL 五日市387
新宿ー中央線40分ー立川ー青梅線15分ー拝島ー五日市線15分ー武蔵増戸下車
徒歩約15分弱
おかね　交通費　往復300円　宿泊費　1泊2食付　500円

研究討論の内容
「53・4年の国民運動の定着と拡大」　報告者　竹村
「労働者の歴史に対する要求」　〃〃〃　宮沢・岡島・田畑
「歴史運動の現状と課題」　〃〃〃　高橋
「歴史の文章作法について」　〃〃〃　岩浪
その他……水泳・魚釣り・バレーボール・等の遊戯ができます。

〈時間割〉
23日　19時～23時：研究報告、討論
24日　6時起床・散歩　7時朝食　8時～12時：研究報告、討論
13時～15時：娯楽…現地解散

◎ 宿舎の関係もありますので至急出席される方は即連絡下さい。　係　島田

八月研究会のお知らせ
〈資料と作品の研究〉
一、四六、七年の品川客車区の資料について
報告者　宮沢武人
一、「特急さくらが走るまで」の反省と成果について
報告者　岡島博
問題として
一、今日の労働運動を発展させるためにどうすべきか
――一九四六・七年の歴史の関連について
一、当時の労働運動の内容を資料からさぐりだし研究する
とき　八月八日(火)一八時より
ところ　会事務所
原稿　宮沢

『父の歴史を語る会』のお知らせ
職場の歴史をつくる会も七年目の歴史を迎えましたが、会の進展の中でいろいろと一緒に協力して下さった竹村さんのお父さんが、四年前に亡くなられました。その時以来、お父さんを偲びながら、毎年お互いの父母を語る会を開いてきましたが、今年も「父の歴史を語る会」を開きますので是非御参集下さい。
一、八月一五日(水)
一、会事務所
原稿　岡島

婦人懇談会の開催について
好評の第二回目です。是非御出席下さい。
七月二八日(金)十八時より
蛇の目寿司本店　新橋駅烏森口すぐそば
係　飯塚・阿部
原稿　[illegible]

カッティング
印刷　）内畑

9月11日　運営委員会報告

〃最近の職場の内外の状態と展望

①去年「現代史の方法」出版以降会の条件は有利になっている。懸案の常任問題が解決したのもそうしたなかに可能となっていった。
それと同時に、そうした新情勢に即した会の組織の対応が不十分であったためにいくつかの問題も生じている。

②外においても。会と関係のある各種サークルが出版といった形で、それぞれの内容を提示公表してきている今日、会が従来のサークル的様相を依然として保持していることは大きなマイナスである。その態度を改めねばならない。

③田島委員の手によって国鉄品川の資料が得られた。本会のこれまでの反省の上に立ってこの資料を手がかりに、国鉄の究明に会の主力をそそいでいきたい。

④したがって、会の今後の展望をもつためにも、会員全体の一致協力体制が必要であり、総会を持つ理由もそこに存する。

（とくに③と④について、総会で詳細に説明し検討したい。）

御案内

9月の総会をつぎのような要領で行います。ふるって御参加ください。

議題

△1961年度上半期の会活動の成果と課題

△1961年度下半期の運動のすゝめ方

（左頁の委員会報告参照）
提案　委員会

△核実験実施をどうみるか

（討論）

日時
9月22日(金)　連休の前夜PM6.30〜10.30

場所
三楽ホテル　西武線下落合駅前
国電高田馬場駅乗換え　西武線一つ目
ホテル前に「竹村氏の会」と掲示します

会費　100円

地図

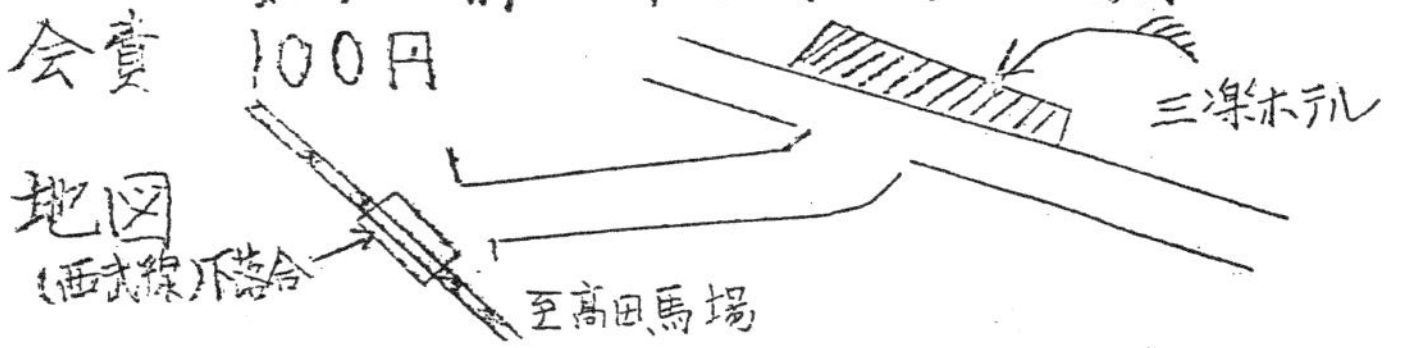

竹村

戦後生活記録運動資料

作成／国民文化会議生活記録部会・日本生活記録センター

1945（昭20）	山形県東根町若木の青年たちが＜自然＞を発行　その中に生活記録がみられる 栃木県芳賀郡大内村にサークル＜黎暁会＞が生れ、調査・手記が＜紺碧＞にのる 山形県本沢村を中心に斎藤二良・無着成恭らが＜草酣＞を創刊、生活記録活動をはじめる	＜旋風二十年＞ ○　新日本文学会創立
1946（昭21）	山形県北村山郡長瀞村の青年会で学習会を行い、そのなかで記録するノートが生れる	○　当用漢字・新かなづかい制定 ○　「くにのあゆみ」発表 ○　第二芸術論論争 ○　政治と文学論争 ○　第一回芸術祭、第一回国民体育大会
1947（昭22）	生活記録雑誌＜山脈＞創刊 石母田正／村の歴史・工場の歴史　（歴史評論　1）	○　世代論 ○　主体性論 ＜葦折れぬ＞ ＜愛情はふる星のごとく＞ ＜はるかなる山河に＞ ＜流れる星は生きている＞
1948（昭23）	山形県北村山郡神町の開拓村で青年会が中心となつて、文集＜おさなぎ＞を発刊 牧瀬菊枝著＜美しき実りのために＞学生書房	河上肇　＜自叙伝＞ ＜長崎の鐘＞ ＜ペン偽らず＞ ○　ノンフィクションもの出版全盛期

1949（昭24）			＜きけわだつみのこえ＞東大協組出版部
			＜この子を残して＞
		人生雑誌＜葦＞創刊	＜生残つた青年たちの記録＞学生書房
			＜私たちも歌える＞　学生書房
			○　下山、三鷹、松川事件
1950（昭25）			○　ゴミンフォルム、日共を批判
			○　朝鮮戦争
		＜作文と教育＞創刊	○　レッド・パージ
			＜人民文学＞創刊
1951（昭26）		無着成恭編＜山びこ学校＞青銅社	○　桑港講和条約・安保条約調印
		須藤克三編＜山びこ学校から何を学ぶか＞　青銅社	○　民間放送開始
		＜魂あいふれて－24人の教師の記録＞百合出版	○　日青協創立
	10	朝日新聞（東京）＜ひととき＞欄もうける	＜ニッポン日記＞
		平塚らいてう・櫛田ふき編＜われら母なれば＞　青銅社	
		丸岡秀子著＜農村生活の設計＞　社会教育連合会	
1952（昭27）			わだつみ会編＜日本の息子たち＞
	1	雑誌＜人生手帖＞創刊	峠三吉＜原爆詩集＞
	1	朝日＜ひととき＞婦人の投稿をのせはじめる	
	6	東亜紡織泊工場労組＜私の家＞発刊	○　メーデー事件
	8	第1回作文教育全国協議会　中津川で開かれる。鶴見和子・沢井余志郎ら参加。日本作文の会発足	○　国民文学論争
	9	生活をつづる会　鶴見和子を中心に、思想の科学研究会の事務所で開かれる	○　文学全集刊行はじまる
		石母田正著＜歴史と民族の発見＞東大出版会	

1953（昭28）

国分一太郎／生活記録をおとなのものにするためには　<芽>1月号

<原爆に生きて一原爆被害者の手記>三一書房

石母田正著<続　歴史と民族の発見>　東大出版会

黒須つる子／学童疎開（聞き書き）<芽>

3　東亜紡織労組泊支部婦人部　　<私のお母さん>発刊

12　同　上　に<生活を記録する会>が生れる

生活を記録する会編東亜紡織労組泊支部発行<母の歴史>発刊

丸岡秀子著<生活の録音から>和光社

第二回作文教育全国協議会（東京御茶の水）で日本作文の会の綱領をきめる。その中で作文をおとなのものにするよう努力することがきめられた。

○　NHKテレビ放送開始

○　スターリン死去

○　第一回日本のうたごえ祭典

<機械のなかの青春>　三一書房

<内灘>　社会書房

1954（昭29）

国分一太郎／生活綴方運動の動向<文学>1月号

長野県青年団が生活記録運動をはじめる（南佐久郡田口村青年団の田口ゆりらが始めたリレー日記）

山田うた子／生きる<文学の友>3月号より連載

沢井余志郎／働く娘たちのつづり方運動<作文と教育>5月号

生活をつづる会　のなかに<ひなたグループ>生れる

来栖良夫／若い人びとの文章運動のために<青年団>6月号より11月号まで毎号

鶴見和子編<エンピツをにぎる主婦>毎日新聞社

NHK・私の本棚・の時間に<エンピツをにぎる主婦>から三編をえらんで放送

鶴見和子／主婦と娘の生活綴方一生活をつづる会の中から問題を拾って<作文と教育>7月号

木下順二・鶴見和子編<母の歴史>　河出書房

国民文化会議準備会編<日鋼の母と子ら一日鋼室蘭の闘争から>　国民社

<星はみている一全滅した広島一中一年生の父母の手記集>　鱒書房

大塚俊雄・森山祐編<村の生活記録>　長野農文協

全繊同盟教宣部編<解放の歌よ高らかに一近江絹糸人権闘争の手記>　全繊同盟

<明日のある娘ら>三一書房

○　MSA協定　調印　3

○　第五福竜丸水爆被災　3

○　教育二法制定　5

○　新書版出版流行

○　朝鮮休戦協定　7

日青協に　生活記録研究会生まれる。機関誌＜生活記録運動＞創刊　1～4号

日青協生活記録研究会／生活記録の火を全国にひろげよう　＜作文と教育＞4月号

同　上　　　　　同　上　　　　　＜青年団＞4月号

日青協女子活動特別委員会／新年からはじめたい記録活動　＜青年団＞1月号

笠原千鶴／生活記録と生活算術　＜新日本文学＞2月号

佐々木基一／生活記録と文学＜作文と教育＞5月号

新井恒易／生活をつづる村の青年たち＜作文と教育＞5月号

古谷綱武編＜町の生活雑記＞　新評論社

寒河江善秋／生活記録運動をおこしたわけ　＜青年団＞4月号

国分一太郎／生活記録と文学運動＜新日本文学＞5月号

小野十三郎／生活記録からの出発＜新日本文学＞5月号

国分一太郎著＜生活綴方ノート＞新評論社

国分一太郎／生活記録の位置＜多喜二と百合子＞6月号

久野収・鶴見俊輔著＜現代日本の思想＞岩波書店

牧瀬菊枝／おとなのつづり方＜作文教育講座・現代教育と作文＞河出書房

古谷綱武／婦人の生活と作文　〃　〃　〃

野間　宏／日本における作文　〃　〃　〃

上原専禄／作文態度と問題点　〃　〃　〃

読売新聞社編＜若い河―青年学級生の生活記録＞　読売新聞社

上原専禄・芹沢光治良・亀井勝一郎・丸岡秀子　＜若い河＞河出書房

西尾実・滑川道夫・国分一太郎・倉沢栄吉
波多野完治・宮坂哲文　―座談会―　／現代作文教育の展望＜作文教育講座＞河出書房

鈴木道太／母親と手をむすぶわたしのやり方＜作文と教育＞7月号

楠長之助／記録的価値と芸術的価値

小松とき子／主婦の生活綴方＜思想の科学＞8月号

北原直行／父と娘の記録　〃

上原専禄他／生活綴方運動の問題点　〃

鶴見和子／生活記録運動の展望＜文学＞9月号

国分一太郎／生活記録の文章＜生活と文学＞9月号

○　バンドン会議　4

○　ジュネーブ巨頭会談　7

○　日共六全協　自己批判　7

○　国民文化会議発足　7

○　第一回原水禁大会　8

○　第一回母親大会　8

○　民主党＜うれうべき教科書＞配布

○　剣豪物小説ブーム

鶴見和子／おとなの作文＜作文と教育＞10月号
藤田恭平／村の教師と青年たち―東北の農村をたずねて＜作文と教育＞10月号
滋賀県青年団／生活記録で新しい出発＜青年団＞10月号
長谷川高市／青年と生活記録の歩み　〃　〃

11　＜生活と文学＞創刊
野間宏／生活綴方・記録と小説・文学＜生活と文学＞11月号―56年6月号
竹内好／生活記録と文学　〃　〃
国分一太郎／気持ばかりで書くな、物事を書け―文章の書き方＜生活と文学＞12月号―4月号
戸田唯巳／書いて考えるおかあさんたち＜作文と教育＞11月号
中村和江／文集つくりをするおかあさんたち　〃　〃
栗田やす子／生活をつづる会ひなたグループの歩み　〃　〃
重松敬一／生活記録と広報活動＜青年団＞11月号
国分一太郎／生活記録と文学＜群像＞12月号

1956（昭31）
国分一太郎／日本教育新聞の雑誌評者の偏見―生活記録と文学のこと＜作文と教育＞1月号
真田巖／地方都市の主婦の意見＜生活と文学＞2月号
国分一太郎・太田堯／生活記録をどう書くか＜青年団＞2月号
日本生活記録研究会編＜青年と生活記録＞百合出版
中島健蔵・国分一太郎・壷井繁治・岡本潤
本多秋五・佐々木基一・西野辰吉―座談会　／生活記録と文学＜新日本文学＞
高田佳利／職場の生活綴方運動について＜ひろば＞（全銀連）2月1日号、2月15日号、3月1日号
全銀連関信支部文化部編／職場の生活綴方特集＜くみあい手帳第8号＞全銀連関信支部
小森孝児／らくがき帳運動と文集づくり―近江絹糸の書く運動＜生活と文学＞5月号
安藤邦男・鈴木実・橋本三郎・片山悠他／生活記録と文学＜文学＞3月号生活記録特集
小野十三郎／生活記録のむずかしさ　〃　〃　〃
照井三郎／生活記録を書き、話しあわれるまで＜青年団＞6月号
松原てい子／生活をつづる会のこと＜生活と文学＞7月号
高山貞章／夕張鉱の主婦会の場合　〃　〃

○　ポズナニ暴動　1
○　昭和史論争
○　スターリン批判　2

相沢秀雄／生活綴方運動の歩み＜生活と文学＞７月号
大田堯／話し合いの記録から生活記録へ＜作文と教育＞７月号
無着成恭／生活記録の目的と方法について　〃　〃
鶴見和子／生活記録運動の現状とこれから　〃　〃
庄司敬蔵／母親の生活記録グループ　〃　〃
鶴見和子／生活記録はどこから生れどんな働きをもつか　第五回作文教育研究大会資料
〃　／生活記録の書き方と運動のすすめ方　＜作文と教育＞８月号
編集部／坂本先生と直ちやんと本雄とまき子と＜青年団＞１０月号
須藤克三／苦しみの闘いから生れた姿　〃　〃
藤原審爾／生活記録について＜生活と文学＞９月号
野間宏／記録ー小説を中心に　〃　９月号・１１月号
針生一郎／ルポルタージュの方法　〃　９月号～１１月号
生活を記録する会／仲間たちの結婚式＜作文と教育＞１０月号
真壁仁編＜弾道下のくらしー農村青年の生活記録＞毎日新聞社
〃　＜石をもて追われるごとく＞英宝社
須藤克三編＜村の母親学級＞新評論社
〃　＜村の青年学級＞　〃
〃　＜村の青年団＞　〃
生活をつづる会編＜お母さんと生活綴方＞百合出版
石母田正・江口朴郎編＜講座歴史(1)　国民の歴史＞大月書店
磯野誠一・木下順二・鶴見和子・丸岡秀子編＜仲間のなかの恋愛＞河出書房
婦団連編＜麦はふまれてもー砂川の母と子の文集＞
高橋昭著＜村の生活記録運動＞農文協
野間宏・国分一太郎編＜文学サークル＞理論社
横浜銀行従組十年史編集委員会編＜組合十年史＞横浜銀行従組
全国小学校婦人校長会編＜おかあさん先生　第１集・第２集＞第一弘報社
古谷綱武編＜町の生活雑記＞新評論社
〃　＜村に生きる日々＞〃
＜壁あつき部屋ー巣鴨ＢＣ級戦犯の人生記＞理論社

○　スエズ動乱　１０
○　ハンガリー事件　１０
○　第一回国民文化全国集会　１１
○　熱海の＜お母さん文集＞事件
○　平凡社＜人間の記録双書＞はじまる
○　＜週刊新潮＞創刊
○　労組などにも生活記録ひろがる

１９５７（昭３２）

木下春雄・山生正巳／青年の生活記録学習を検討する＜教育＞２月号

須藤克三・木下春雄・西山秀尚他／生活記録とはなにか一行事とはなにか、共同学習とはなにか＜青年団＞３月号

高田佳利／組合史づくりの方法＜銀行労働調査時報＞４月号

鶴見和子／生活記録部会報告＜作文と教育＞７月号

井上てつや／村の青年たちとはじめたサークル活動＜作文と教育＞８月号

編集部／夜学会のなかまたち一生活記録はなぜかくのか＜青年団＞９月号

がらくた会／マキちやん・ネコちやんもほんとうにかわつた　〃　〃

大田茂子／私のすこしずつの歩み　〃　〃

口田彰／生活記録の出発点とその目標＜作文と教育＞９月号

真田巌／生活をつづる主婦の会といつしよに歩いてきて（千葉）＜作文と教育＞１０月号

久保田正文／生活記録と小説の間＜新日本文学＞１０月号

工藤英敏／生活記録雑感　＜青年団＞１１月号

無着成恭／生活記録と創作　〃　１２月号

鎌田定夫／生活記録運動の性格と方向をめぐつて一国民文化全国集会の討論のなかから＜作文と教育＞１２月号

北村雪彦／生活記録と文学＜新日本文学＞１２月号

丸岡秀子著＜知と愛の流れ＞理論社

国分一太郎著＜生活綴方読本＞百合出版

近江絹糸労組編＜らくがき＞三一書房

永丘智郎編＜日かげの労働者＞　〃

新井恒易編＜書くべえ話すべえ＞〃

山形市連合青年団編＜明日をつくる青年たち＞山形市教育委員会

草の実生活記録の会発足

○　大衆社会論

○　中間文化論

○　スプートニク１号打上げ

○　中共新整風運動

○「サークル村」創刊

１９５８（昭３３）

若宮きぬ／網走の野にひろがる生活記録＜青年団＞２月号

埼玉大児文研生活記録グループ／生活綴方・生活記録をどう理論化するか＜作文と教育＞２月号

石田・岩沢・栗田・木下・無着・山口・鎌田・国分／座談会・生活記録について　〃　５月号

須藤克三／むらの生活記録運動をすすめていくために＜作文と教育＞７月号～５９年１２月号

須藤克三／生活記録の書き手をひろげ、深める運動のために＜作文と教育＞8月号
編集部／生活記録の運動をひろげ、深めるために一大会分科会のまとめ　〃　10月号
三浦つとむ／話しあい学習とリーダー＜季刊・農村文化運動＞12月号
鶴見和子他／生活記録　日本作文の会編＜生活綴方事典＞明治図書
中島正美／長野県の生活記録運動　日本社会教育学会編＜小集団学習＞国土社
中村定興他／サークルとしての職場内小集団　〃　〃
国分一太郎著＜文章入門＞新評論社
樋口茂子著＜非情の庭＞三一書房
＜敵よりも一日ながく一統一と団結の96日＞株島炭鉱労組闘争記録集
辻アイ著＜母ちやんが書いた＞未来社
職場の歴史をつくる会編＜職場の歴史＞河出書房
丸岡秀子編＜明日を呼ぶ母の声一日本の母の生活記録＞東洋館出版社

○ 勤評反対闘争

○ 警職法反対闘争
○ 皇太子妃発表
○ 週刊誌時代はじまる

大牟羅良＜ものいわぬ農民＞
溝上恭子＜日本の底辺＞

1959（昭34）

岩沢文雄／生活をつづりあい、話しあう学習の道＜作文と教育＞　4月号
牧瀬菊枝／戦争体験を書いて　〃　7月号
須藤克三／生活記録の領域と課題　〃　8月号
竹内好／生活記録運動についてのまとまりのない感想＜月刊社会教育＞9月号
さがわみちお／生活記録運動の系譜とその今日的問題点　〃　〃
三井為友／生活記録と人間の変革　〃　〃
重松敬一／人生雑誌の人生記録　〃　〃
佐藤藤三郎他／山形県の生活記録運動　〃　〃
伊東三郎／各国の生活記録・概括と紹介　〃　〃
日高六郎／サークル的姿勢を支えるものは何か＜作文と教育＞9月号
来栖良夫／生活記録の領域と課題　〃　10月号
粟田やす子／小さな幸福＜思想＞10月号
高田佳利／組合史づくりの過程とその問題＜文学＞10月号
沢井余志郎／生活記録＜文学＞11月号
須藤克三／生活記録　〃　〃

○ 創価学会政界へ進出
○ 山岸会事件
○ 「朝日ソノラマ」など音のでる雑誌はじまる
平凡社＜世界大百科辞典＞

鶴見和子・牧瀬菊枝編＜ひき裂かれて＞筑摩書房

大久保忠利著＜母たち娘たちの話しかたと書きかた＞春秋社

大久保・内山編＜しあわせと影ーつづり方集＞　〃

村山ひで著＜北方の灯とともに＞麦書房

丸岡秀子著＜若い娘・若い妻・若い母のために＞知性社

全鉱主婦協議会編＜橙色の空ー主婦の生活体験記＞全鉱主婦協議会

1960（昭35）

須藤克三／生活記録運動の発生＜月刊社会教育＞　6月号

〃　／生活記録運動の展開　〃　7月号

宮原誠一／青年と教師ーなぜその接触が必要か＜作文と教育＞4月号

佐藤藤三郎・馬場四郎・今井誉次郎・神保良太郎　〃山びこ学校〃と〃二十五才になりました〃のあいだ

大熊信行・矢川徳光・鶴見和子・秦玄竜・八木保太郎　＜作文と教育＞7月号

寒川道夫・須藤克三他　ー教育・教師・生活記録・生活綴方をめぐるー

須藤克三・鶴見和子・大田堯／青年婦人の生活記録運動ー生活記録運動の創意性＜作文と教育＞8月号

佐藤藤三郎著＜二十五才になりました＞百合出版

島田武雄編＜聞いてくれ　みんな＞麦書房

全国農協婦人組織協議会編＜映画荷車の歌感想文集＞農協

三菱美唄炭鉱労組編＜炭鉱に生きる＞岩波書店

草の実生活記録の会＜十八集＞発刊

○　安保反対闘争

○　三池争議

上野英信＜追われゆく坑夫たち＞岩波書店

溝上泰子＜受難島の人びと＞未来社

原太郎＜日本の歌を求めて＞未来社

1961（昭36）

第五回国民文化全国集会生活記録分科会記録

篠田定夫／生活記録運動は前進するー停滞を破る新しい文体と新しい枠組みを＜作文と教育＞3月号

〃　／戦後生活記録運動の一総括ー運動の新しい前進のために　〃　7月号

〃　／生活記録運動の現段階＜国民文化＞　9月号

鶴見和子／ワクを破ること　〃　10月号

高田佳利／職場の生活記録運動の問題点〃　11月号

日本生活記録センター設立準備会／日本生活記録センター設立のためのよびかけ

鶴見和子／生活記録運動のこれまでとこれから＜日本の記録＞1号

○　島中事件

高睦利／混迷する職場生活記録運動の行方　<日本の記録>1号
高橋啓吾編<青年若妻生活記録運動史>岩手県教育委員会
新潟日報社編<若い農民>未来社
白鳥邦夫著<無名の日本人>未来社
丸岡秀子著<女の今日>雪華社

１９６２（昭３７）

川田じ子／日本生活記録センターの発足と生活記録運動の展望<文化評論>２月号
北川きよ吉／記録のもつ意味について<日本の記録>２号
白鳥邦夫・岡本新／実感の問題とその周辺　〃　〃
来栖　国分・須藤・鶴見／生活記録運動の再出発とセンターの確立のために<作文と教育>３月号
針生一郎／生活記録と文学をめぐつて<国民文化>４月号
金子ﾖ夫／生活記録運動における記録の意味について　〃　５月号
日高六郎／生活記録運動と私<日本の記録>３号
竜田夏／生活記録運動の新しい芽<国民文化>９月号
植松ﾐ作／生活記録の新しい発展のために<日本の記録>４号
村山ﾐ／生活記録運動の現状と問題点　〃　〃
第六回国民文化全国集会生活記録分科会記録
大久保・内山・馬場編<つづり方集・女の夜明け>春秋社
千葉銀行従組編<夜とヒルの記録>千葉銀従組
大牟羅良編<北上山系に生存す>未来社
声なき声の会編<またデモであおう>東京書房
白鳥邦夫著<視点・時点>野呂事務所
先崎金明<サークル活動の方向>　三一書房

１９６３（昭３８）

日高六郎／生活記録運動—その二、三の問題点<日本作文の会編　講座生活綴方　５>百合出版
竜田夏／生活記録と現状変革<現実と文学>３月号
遠藤豊吉／書評・<生活記録運動のなかで><作文と教育>４月号

<戦没農民兵士の手紙>岩波書店
上野英信<日本陥没期>未来社
高津勉<黒潮のはてに子ありて>鏡浦書房
<現代日本の底辺>三一書房
<日本残酷物語>平凡社
森崎和江<まつくら>理論社

○　「国つくり」「人つくり」
○　ペーパーバック時代

—１０—

能代山脈の会／特集・日本の町<思想の科学>5月号

鶴見和子著<生活記録運動のなかで>未来社

大牟羅良編<野良着の声>未来社

杉浦明平・村上一郎編<記録文学への招待>南北社

野添憲治編著<土に生きる一秋田農村の記録・附録　秋田県サークル運動史・同年譜>秋田文化社

中本たか子<わたしの安保日記>新日本出版

森・秋山<恐るべき労働>三一書房

1964（昭39）

草の実会第七グループ編<戦争と私>草の実会

国民文化会議編<日本文化の現状と問題点>国民文化会議

大牟羅良編<あの人は帰つてこなかつた>岩波書店

特集・保健婦の手記<生活教育>4月号

及川和浩編<嫁と姑>　未来社

小原徳志編<石ころに語る母たち>未来社

雑誌<部落>生活記録特集

山口勇子著<かあさんと呼べた>草土文化

第七回国民文化全国集会生活記録分科会記録

○<愛と死をみつめて>ベストセラーになる

1965（昭40）

高田佳利／これからの組合史づくりのための覚書<銀行労働調査時報>5月号

北陸銀行職組組合史編纂委員会編<組合の歩み>北陸銀行職組

池田寿介・丸山義二編<伊那谷につづるかあちやん文集>家の光協会

草の実生活記録の会<十人集>15号記念<わたしたちの戦後>を発行

草の実生活記録の会<喜びも悲しみも一私たちの戦後二十年>　朝日新聞社

福田須磨子<生きる一被爆後20年の生活記録>

原水爆禁止長崎協議会<炎と影一被爆者20周年の手記>

いづみの会編<主婦の戦争体験記一この声を子らに>風媒社

山代巴編<この世界の片隅で>岩波書店

広島市原爆体験記刊行会編<原爆体験記>朝日新聞社

戸塚廉・竹田友二編<村に残つた子らの抱負>明治図書

松本貞夫・四篭一郎著<その日の広島一キリスト者の原爆体験>新教出版社

NETテレビ社会教育部編<八月十五日と私>社会思想社

職場の歴史を作る会 年表

No 1

1954年	前史
4.20〜7.5	尼崎製鋼の斗争
6.3〜9.16	近江絹糸の斗争
6.28〜12.26	日鋼室蘭の斗争
10.9	恩給局組合結成準備会
10.19	家永,和島両氏を囲む座談会
10.26	氷川下の歴史をつくる会結成. 東証スト
11.1	民科歴史部会全国総会
11.2	氷川下歴史をつくる会第一回研究会
11.16	――〃―― 第二回研究会
11.18	恩給局組合結成
12.1	氷川下歴史をつくる会「工場の歴史・労働者の歴史・青行隊の歴史を作る会」のセンターとすることを決定
12.7	斗いの歴史を語る会行う
12.11	N労組結成する
12.13 ?	工場の歴史・斗いの歴史をつくること提案 ―アッピール
12.14〜12.21	工場の歴史を作る会座談会 国労会館
1955年	
3.15	工場の歴史を作る会を「職場の歴史を作る会」に発展する (大和書房会長・古代史研究家)
	創立期 1955年〜1956年

1949年に「人生記録雑誌」と称した「葦」が発刊され、「野麦峠」を書いた山本茂実や大和岩雄の編集で創刊した。1952年大和岩雄は『人生手帖』(月刊)を創刊。無名の人々の手記、日記の投稿と、無名人の生き方指針を載せた「人生記録雑誌」は1955年頃にピークを迎え、10種類に近い類似誌が刊行された。当時働く青年たちをとらえたのが、これらうたごえ運動と生活記録運動である。朝日新聞の家庭欄の「ひととき」がはじまったのもこのころである。大宅壮一は、「人生手帖」をマルクス主義を読みやすくして「マルクスみかん水」と書き、「人生手帖」の読書会として組織した「緑の会」は「日共青年工作隊」と新聞に書かれた。一方、「進歩的な人」たちからは「理論がない」「俗流大衆路線」と批判された。
……私の出版人生五十年の中で人生記録の出版は思い出をもっている。高度成長以前の貧しい時代、多くの若者たちが悩みの体験をつづった記録だった。

2000年12/13 AM 大和岩雄『人生記録雑誌』

No. 2

3・29	才一回総会 教育会館 所工場の労动者・近江絹糸・日鋼・
	国鉄・東京証券・地下鉄・厂史学者・学生集る。
4・10	井の頭公園ピクニック 32名参加
4・	「きみよの手記」一 東証の厂史がつくられる。
5・	厂史評論"耺場の厂史"特集号出版する。
6・8	学生・厂史学を学んでいる人達に参加 ---- アッピール
6・	富士演習地返還署名運動に参加．会員有志現場に行く。
6・28	総会"耺場の厂史"特集号合評会
7・15	耺場の厂史を作る会ニュース 発行 No1.
8・16	—————〃————— No2
8・	河出新書"耺場の厂史"の編集計画
8・22	耺厂 庶務だより No1 発行
9・	"耺場の厂史"機関誌創刊号発行
9・9	北海道王子製紙苫小牧工場・組合史編集委員と懇談会
9・30	総会「耺人の厂史」「石川島の厂史」提案・討論する。
9・	ワルシャワ大学日本文化研究所長コターニスキ氏書簡くる。
10・	国民文化会議に加入する。
10・17	総評新聞に「この手この函」(竹村民郎氏)のる。
10・20	「耺場の厂史」の原稿募集する。
10・28	耺厂連絡会議「耺厂」の発行(河出)に対する討論

No. 3

11・	『職場の歴史を作る会』会則つくる。
11・20	民科歴史部会総会「国民の歴史運動」について会の立場と見解発表
1956年	
2・	恩給局婦人対策部「母の歴史」を発表
2・10	職場 はつ春の集い
1	私鉄新聞「職場」特集号 読書案内出る。
3	日本鋼管鶴見労働組合「砂村工場の歴史」の発表
3	「職場の歴史」機関誌2号発行
3・5	福島県教育新聞「職場」特集号 読書案内
	総会 機関誌合評会
3	職場連絡会議
	「職場の歴史」機関誌3号発行
5・	「職場の歴史」河出 出版する。
5・7	新読書「職場の歴史」特集号 読書案内でる。
5・	「職場の歴史」機関誌4号発行
5・28	国際電々「職場の歴史を作る会」発足する。
5・31	新日本通信「職場の歴史」特集号 読書案内でる。
6・	「職場の歴史」機関誌5号発行
8・	王子製紙労組・青森銀行労組へ労組学校の講師 竹村・青山両氏参加
9・	「鶴鉄十年史」編集委員・北海道美唄炭坑の編集グループ交流

9		国民文化会議と協力し、組合史編集講座計画進める。
9		日本水素労組（福島）に組合史の書き方指導。竹村民郎氏参加。
10		国民文化会議集会に参加する。
10	25	耺厂3周年記念作品資料展示会
11	3〜4	組合史をつくる協議会設立の討論。
1957年		
1		「耺場の厂史」機関誌6号発行
3		Sサークル“サークルの厂史づくり”を進める。
3		1957年才一回総会、耺場にサークルを作る動きを進める。
3		中国科学院院長郭沫若氏より会に書簡くる。
4		国鉄品川サークル「春斗を準備するもの」をつくる。
5		国際電々サークル「第のうた」をつくる。
5		整々社（国際電々）サークル「進むことを知っていた」をつくる。
5		Sサークル「大根物語」をつくる。
6		「耺場の厂史」機関誌7号発行
6		会主催で戦後の労働運動の厂史研究会を開く。
6		恩給局耺場の厂史を作る会“ある組合員の厂史”をつくる。
7	21	才二回総会才一部機関誌合評会 才二部総会 延60名
7	25	運営委員会 出席者8名 運営委員会ニュース1号発行
8	3	砂川へ行く計画（中止する）

8・13	竹村民郎氏 父死亡する。
8・24	運営委員会 出席者5名 運営委員会ニュース2号発行.
9・7	運営委員会 出席者8名 運営委員会ニュース3号発行.
9・9	Sサークル開く
9・10	Aサークル準備会
9・14	国鉄サークル正式結成
9・15	「職場の歴史」機関誌7号発行「父の歴史・いいやいかん」その他.
	父を語る会（国労会館）
9・17	総務部会
9・18	Aサークル結成する。
9・20〜23	理論学習会
9・25	会計部会
9・26	国鉄サークル
9・27	運営委員会 出席者8名 運営委員会ニュース4号発行
9・28	Sサークルの転期？
9・30	機関誌部会
10・3	組織部会
10・5	会計部会
10・6	ハイキング（雨天の為 天然温泉） 参加者10名
10・7	組合史協議会

No. 6

10・8	国鉄サークル
10・11	運営委員会 出席者7名 運営委員会ニュース5号発行.
10・12	機関誌部会
10・14	Sサークル
10・15	組織部集会
10・21	〃 国民文化会議打合せ
10・22	機関誌部会
10・24	Sサークル
10・25	機関誌部会
10・26 27	国民文化会議、職場の厂史を作る会参加。厂史分科会ー職場の厂史をつくる会竹村民郎氏司会の下で議題①組合史編集の経験②職場の厂史学習サークルの問題③職場の厂史をつくる運動で労働者と知識人の関係に討論が集中す。厚生省厂史サークル、全食糧、岩崎通信機、鶴見俊輔氏等参加.
10・28	運営委員会 出席者9名. 運営委員会ニュース6号発行.
10・29	国鉄サークル
11・5	機関誌オ9号編集委員会
11・6 11	原稿編集委員会
11・11	国鉄サークル
11・17	オ3回総会 会員の増加. N労組の厂史
11・	「職場の厂史」機関誌9号発行
11・	会員の卒業論文を聞く会
11・	常任体制が始まる。

No. 7

12		"きかんしゃ" 国鉄職場サークル機関誌発行する。
1958年		
1		会の有り方への研究が進む（アンケート等を通じて）
1		品川国鉄サークル職場の歴史原案（1年計画）作る。
1		会の出版事業の可能性の検討始まる（至誠堂協力す）
1	28	会合　出席者4名
1	31	会合　出席者6名
2		S店サークル職場の歴史原案（1年計画）作る。
2	1	会合　出席者4名
2	10	国鉄労働組合静岡大会（新潟斗争の評価）について会活動家で研究会を行う
2	15	会合　出席者6名
2	17	会合　出席者4名
2	27	会合　出席者6名
2	28	会合　出席者7名
3		全て文化職場の歴史をつくることの重要性を評価する。
3		「支線が駅を建てた話」が作られる。
3		「唇一藍」がつくられる。
3		「空標」がつくられる。
3	15	会合　出席者8名
3	17	会合　出席者8名

3 25 会合 出席者 7名

3 28 会合 出席者 5名

3 31 会合 出席者 7名

4 全逓主催職場の歴史をつくる運動についての座談会 前進

4 3 会合 出席者 7名

4 4 会合 出席者 7名

4 6 花見 隅田堤桜 参加者18名

4 14 会合 出席者 5名

4 25 会合 出席者 7名

4 28 会合 出席者 8名

4 29 会合 出席者 6名

5 1 会合 出席者 6名

5 総会「自分の歴史をめぐる問題」の討論.

5 機関誌「職場の生活」10号発行「友達が建てた家」他.

5 全日通労働組合運動史第一巻出版（竹村峰任委員企画）

5 賛助会員制度新しくつくる。

木下順二．鳥居宏．鶴見俊輔．鶴見和子．武田清子．中岡三益．佐藤弘一

山口啓二．南博．倉橋文雄．石母田正．岩波安昭．至誠堂

5 6 会合 出席者 6名

5 7 会合 出席者 6名

No. 1

5	8	会合　出席者9名
5	11	会合　出席者5名
5	12	会合　出席者7名
5	23	学習会　出席者6名
5	24	会合　出席者6名
5	25	運営委員会　出席者7名
6		機関誌『職場と生活』10号合評会
6		ワルシャワ大学日本文化研究所長コターニスキ氏の座談会
6		全電通労働組合電気通信研究所分会と「オートメーションと文化運動」について座談会を開く
6	3	会合　出席者7名
6	6	会合　出席者5名
6	8	会合　出席者5名
6	13	会合　出席者8名
6	14	機関誌11号編集　出席者5名
6	17	会合　出席者9名
6	18	機関誌11号編集　出席者6名
6	23	会合　出席者9名
6	24	会合　出席者9名
6	25	会合　出席者8名
6	27	学習会　出席者7名

No.10

7	2	会合　出席者7名
7	11	学習会　出席者10名
7	12	夏山フェスティバル白樺湖畔にて開催、会員参加者8名、会員外参加者多数
7	15	会合　出席者6名
7	16	会合　出席者7名
7	18	会合　出席者7名
7	22	会合　出席者9名
7	29	学習会　出席者7名
8	2	会合　出席者13名
8		機関誌11号発行「都会に生きる」他
8	8	会合　出席者9名
8	9	会合　出席者6名
8		第2回父母とかたる会開催
8	14	会合　出席者9名
8	16	勤務評定反対民主教育を守る国民大会へメッセージを送る。
8	25	会合　出席者7名
8	29	学習会　出席者8名
9	1	運営委員会　出席者7名
9		機関誌11号「都会に生きる」合評会
9	5	会合　出席者6名

No. 11

9		品客分会機関誌"ハト"に一会員の作品特集す.
9		事務所移転
9	12	会合　出席者5名
9	16	会合　出席者6名
9	26	運営委員会　出席者7名
10		恩給局文化祭に"組合の歴史"「恩給局職場の歴史」出品する。
10		全逓通文化"職場の歴史"特集号発行.
10	5	会合　出席者5名
10	9	運営委員会　出席者9名
10	10	会合　出席者8名
10	25	運営委員会　出席者5名
10	26	総会"自分の歴史をつくる運動の成果と課題"を中心に討論進む.
11	9	会合　出席者6名
11	15	会合　出席者6名
11	20	愛情と信頼を語る会, 結婚した会員との話し合い.
11		機関誌12号発行「負けちゃなんねえぞ」
11	24	機関誌12号合評会「銀座の生態」がつくられる.
11	25	運営委員会　出席者6名
11	27	会合　出席者7名
12		会員の協力により会の文章できる.

No. 12

12	3	会合　出席者5名
12	6	会合　出席者7名
12	11	会合　出席者6名
12	12	会合　出席者7名
12	17	会合　出席者7名
12	22	忘年会　参加者11名
12	23	会事務所にガスストーブ入る
12	28	「人民日報」「革命の戦士はすべてメモワールを書けと主張す。革命をかちとるまでの運動や斗争について手記を書けとよびかけた。
12		職場の歴史をつくる運動の総括を検討。
1959年		
1	1	「職場の歴史」機関誌13号、運営委員会に一本1号発行 会合　出席者7名
1	15	運営委員会「今年度の運動方針」が討論される。出席者3名
1	17	会合　出席者7名
1	19	会合「広い視野に立って会の運動をすすめるか」当面の戦術について」出席者5名
1	25	例会「職場の歴史をつくる会の歴史的経験について」討論。
2	3	運営委員会　出席者7名
2	6	会合　出席者11名
2	25	運営委員会　出席者5名
2	26	運営委員会　出席者7名

No. 3

2	27	例会「社会主義の現段階と日本の場合」討論 出席者30名
3	5	運営委員会 出席者4名
3	10	運営委員会 ニュース20号発行
3	20	「職場の歴史」機関誌14号発行.
3	23	会合 出席者5名
3	25	運営委員会 出席者6名
3	26	合評会(例会)
		日本美術新聞労働組合「個人の歴史、職場の歴史、村の歴史」の討論会
4	12	隅田公園ピクニック
4	25	運営委員会=ニュース21号発行 会合 出席者5名
5	17	「わかもの」誌上に鶴見和子氏「職場の歴史をつくる会」の紹介をのせる. 会合 出席者5名
5	24	大河内一男氏と「職歴」の竹村、高橋の両名の対談、労働運動研究会の「職歴」についての記事に対する抗議.
5	25	例会 出席者6名. 「職場の歴史」機関誌15号発行. 一つの路線他
6	4	運営委員会 出席者7名
6	15	運営費不足のため夏期基金カンパ要請
6	16	「職場の歴史をつくる会」の年表発行.
6	20	「恩給局職場の歴史をつくる会」恩給局の年表発行.
6	25	例会
6	28	運営委員会"組織論についての一考察"報告 竹村民郎氏
7		「職場の歴史」機関誌16号発行

7	10	運営委員会ニュース23号発行
7	12	例会「私の中にある地主思想」報告者浪忠夫氏 出席者4名
7	22	例会「私の中の中国」報告者田畑健氏「[illegible]」報告者田島博氏 出席者6名
7	25	運営委員会ニュース23号発行 ?
8	2	「父の歴史を語る会」 出席7名
8	22	運営委員会ニュース24号発行
8	26	運営委員会"出版の問題" 出席者7名
8	27	会合 出席者7名
8	29	会合 出席者7名
9	3	研究会"地主の執着の問題"
9	7	会合 出席者7名
9	10	運営委員会"誤った思想の問題を克服するための討論 出席者8名
9	30	運営委員会ニュース25号発行
9	16	森永サークル公演会
10		思給研究所の歴史をつくる会「私達の手で私達の歴史を書きましょう」発行
10	4	運営委員会ニュース臨時号発行. 運営委員会 出席者10名
10	16	座談会"読書と共に考える" 出席者4名
10	17	会合 出席者9名
10	18	運営委員会（伊勢湾台風の被害を受けた会員の家族へのカンパ呼掛）
10	19	会合 出席者3名

No.15

10	23	座談会　出席者8名
11	1	運営委員会ニュース26号発行
11	5	会合　出席者6名
11	13	研究会　講師竹村民郎氏　出席者7名
11	22	研究会“転形の群像”報告 高橋氏 出席者6名
11	25	会合　出席者5名
11	29	会員の結婚祝賀会　出席者12名
12	1	運営委員会 冬期カンパ要請
12	9	理論学習会「世界観と実践」出席者11名
12	12	「職場の文化」機関誌16号発行
12	16	理論学習会“何を学んだのか、イデオロギー斗争” 出席者6名
12	21	理論学習会　出席者7名
1960年		
1	10	運営委員会　出席者3名
1	12	運営委員会“大衆追随主義と手を切る”
1	13	理論学習会“実証主義”を討論　出席者5名
1	15	新年会　参加者7名
1	25	運営委員会「今年度の活動方針討論」出席者6名
		理論研究会 主題「島田徳和氏の論文」
1	31	「職場の文化」機関誌17号臨時増刊号として発行

No. 15

2	1	運営委員会ニュース28号発行（1月運営委員会ニュースも含む）
2	17	学習会"学習の組織化" 出席者5名
2	25	「冬の夜のつどい」 八王子 東京都青年の家
3	15	会報29号発行（運営委員会ニュース）
3	20	合評会 出席者11名
3	26	運営委員会「会の継続をどうするか」を討論 出席者6名
4	1	花見 参加者8名
4	15	運営委員会ニュース30号発行
4	25	運営委員会 出席者5名
4	29	運営委員会 出席者4名
5	1	運営委員会ニュース31号発行「現代史の方法上」出版案内
5	5	現代史の方法出版記念会 出席者7名
5	6	現代史の方法（上）発行 三一書房
5	11	研究会
5	25	運営委員会"安保情勢"、"理論と実践"討論 出席者6名
5	26	読売新聞誌上に和歌森太郎氏「現代史の方法（上）」の書評
5	29	出版記念集会"歴史運動"について討論 会員出席者11名
6	6	臨時運営委員会 出席者5名
6	7	理論学習会"近代思想の封建思想に対する斗争の過程"討論 出席者7名
6	15	運営委員会ニュース32号発行

No 17

6	22	「緊急のニュース」1号発行 "6.22統一行動の中で"
		東京大学新聞「安保の中の思想戦線」で竹村民郎（職歴代表）荒瀬豊氏対談
6	25	運営委員会 "学学提携" 会の創立の伝統を発展させること。
6	27	日本読書新聞に香地三郎氏「現代史の方法(上)」の書評
7	1	会合 出席者14名. 職場の歴史をつくる会 安保条約強行採決に抗議声明
7	10	教育大学新聞紙上で高橋秀夫（職歴会員）"思想変革をめざす職歴運動" 述べる。
		学習会　出席者5名
7	13	学習会　出席者5名
7	15	学習会　出席者8名
7	16	竹村民郎氏（職歴代表）図書新聞で「職歴運動」を論ず
7	25	運営委員会 出席者4名
7	30	運営委員会ニュース33号発行（安保条約抗議声明）
8		「職場の歴史」機関誌1号発行. 特集 "たたかいの記録" 自分の歴史前進のために、
8	2	三池労働組合有志と語る会　会員出席者9名
8	5	運営委員会　出席者4名
8	10	学習会　出席者5名 "国鉄職場の問題点"
8	15	女の歴史を語る会　出席者7名
8	25	運営委員会ニュース34号発行. 運営委員会　出席者3名
8	29	合評会 "たたかいの記録" 出席者7名
9		職場の歴史をつくる会 山形支部発足

No.18

9.4	運営委員会　出席者6名
9.14	学習会　出席者5名
9.15	運営委員会ニュース35号発行"新しいプランと行動"
9.17	例会"職場の歴史をどう書くか"　出席者10名
10.3	レコードコンサート　出席者5名
10.12	学習会
10.13	運営委員会ニュース36号発行「浅沼社会党委員長暗殺に抗議」
10.16	臨時運営委員会　出席者5名
10.25	運営委員会、学習会　出席者5名
11	運営委員会ニュース37号発行　（竹村民郎　東京経済大学に勤務）
11.6	総会
11.13	山形支部集会、学習会　出席者4名
11.25	運営委員会　出席者5名
12.9	学習会　出席者3名
12.22	例会（会の成立意義、日本労働運動と合理化の問題）
	研究会"会の成立以来の歴史研究"
12.27	会に和文タイプライター入る。
961年	
1.1	運営委員会ニュース新春特集号発行"会の旗をたかくかかげよう"
1.8	新年会　参加者6名

1		運営委員会ニュース39号発行（1月例会報告要旨）
1	12	研究会、モスクワ宣言（中ソの見解に関連して）報告田島泉氏 出席者7名 正 島田泉
1	18	運営委員会 出席者 5名
1	26	運営委員会 出席者 8名
2	5	運営委員会 出席者 4名
2	28	運営委員会 出席者 5名
3		運営委員会ニュース40号発行"新しい動きについて"
3	25	第一回作品研究会"N労組の歴史"職場の歴史をつくる会作品研究サークル 報告 田畑建氏、出席者9名.
4		運営委員会ニュース41号発行 第一回作品研究会報告"広い視野と独自活動"
4	23	第二回作品研究会"きよみの手記"（ア評66号）をテーマ 報告高橋秀夫氏 出席者5名
5	8	会合 出席者 6名
5	21	運営委員会ニュース42号発行"集団研究に全員の積極的参加を"
		第三回作品研究会"大根物語"報告 岩浪忠夫氏（Sサークル）
5	30	総会 集団研究―国鉄品川の歴史をつくる意義について 報告竹村振衛氏.
6	5	政治的暴力行為防止法案に反対声明
6		運営委員会ニュース43号発行
6	27	運営委員会"国鉄研究を進めることの確認" 出席者6名
7	14	会合 出席者 8名
8		運営委員会ニュース44号発行"国鉄の集団研究は成功する"
8	15	父の歴史を語る会 出席者 6名

No.20

8	27	会合　出席者9名
9		運営委員会ニュース45号発行
9	8	運営委員会　出席者3名
9	11	運営委員会報告“最近の職場の内外の状態と展望”出される。
9	22	総会（下落合山楽会館）1961年度の反省と運動の進め方として国鉄品川における研究発表会におく。
10		運営委員会ニュース46号発行“創立七年目をむかえて会の現状をさぐる。”
10	10	「品川の厂史」第一回研究会　出席者5名
10	18	〃　第二回　〃　出席者？
10	23	〃　第三回　〃　出席者7名
11		運営委員会ニュース47号発行“12月祭”
11	3	「品川の厂史」第四回研究会　出席者7名
11	15	研究会
12		12月祭（会創立記念の集い）
12	3	シンポジウム「組合と職場の厂史運動との関係」出席者17名. 「会発展途上の危機はいかにしてのりこえられたか」 懇親会
12		「国鉄研究」と討論の夕
12		運営委員会ニュース48号発行“会の発展は私の成長だ”
12	25	運営委員会　出席者6名

No.21

1962年

1		運営委員会ニュース49号発行"新しい状況と新しい行動について"
1	5	研究会（国鉄）"国鉄品川の研究を進めるにあたって"
1	10	運営委員会　出席者2名
1	14	運営委員会．"国鉄品川の研究推進の打合せ""1961年の活動の反省と今後の展望""山形支部報告"　出席者5名
1	22	研究会"2・1ストの評価""2・1スト研究の今後の方法"　出席者5名
1	29	運営委員会"他団体と個人との提携"討論．出席者3名
1	30	大阪に移転する会員の送別会　参加者12名
2		運営委員会ニュース50号発行，運営委より"新しい状況と新しい行動について"
2	12	研究会"2・1スト"　出席者5名
2	26	会合　出席者5名
3	5	運営委員会"会運営について"討論
3	17	研究会「山形からの会員をかこんで」出席者5名
3	27	3月の会の集い．運営委員会　出席者4名
3	30	4月国鉄品川発表についての準備会
4		運営委員会ニュース51号発行　3・4月合併号
4	2	研究会（国鉄品川）　出席者4名
4	7	研究会　出席者2名
4	10	品川客車区分会で研究報告会が行われる。会員出席者8名
4	25	運営委員会　出席者4名

No.22

5		運営委員会52・53メーデー記念号発行
5	10	運営委員会「三河島問題」「国鉄研究集会が開かれるまで」
5	25	運営委員会
5	28	運営委員会
5	31	運営委員会
6		運営委員会ニュース54号発行「総会をむかえるにあたって」
6	6	会合　出席者6名
6	20	研究会
6	30	総会
7		運営委員会ニュース55号発行
7	10	総会「田町電車区はだか事件が討論の的となる」
7	14	文化史を語る会　品川国鉄高輪荘
	15	ーーーー〃ーーーー〃ーー
8	6	運営委員会　出席者4名
9	5	竹村民郎氏小平町へ転居　同時に事務所も移転
9	9	運営委員会　有楽町クラブにて　出席者4名
10	25	運営委員会ニュース56号（8・9・10月合併）発行「総会準備特集号」
11	6	運営委員会　出席者4名
11	15	運営委員会ニュース57号発行
		「職場の歴史研究の反省と当面する若干の問題」竹村民郎氏

No. 23

11.28　研究会　出席者3名
12.6　総会　私学会館にて
12.10　運営委員会ニュース53号総会特集号発行.

1963年

1.15　新年会　参加者5名
1.19　会合　品川にて　出席者5名
2.7　運営委員会　出席者3名
4.11　会合　出席者3名
7.3　総会　市ヶ谷私学会館にて
7.17　総会　品川にて
7.20　会合　田町電車区にて　出席者6名
8.4　運営委員会　出席者4名
8.24　「文の歴史を語る会」市ヶ谷私学会館　出席者6名
10.5　運営委員会　出席者4名
11.2　運営委員会　出席者4名
11.20　「職場の歴史」機関誌20号発行. 特集三河島以後（田町電車区ハダカ事件）機関誌特別附録——鶴見、三池の事故への抗議——
12.6　総会　市ヶ谷私学会館.
12.19　運営委員会　出席者3名.

No. 24

1964年

1 15　運営委員会　出席者 3名

1 19　運営委員会　出席者 3名

1 30　運営委員会　新宿白十字　出席者 4名

2 4　会合　高田馬場大都会　出席者 7名

2 31　「会員之名の送別会」高田馬場大都会　出席者 8名

4 12　花見　小金井公園　参加者 4名

5 10　理論研究会"石原忠男著「マルクス主義経済学の基礎」"討論

6 11　理論研究会"中井正一著「美・芸術とは何んであるか」"討論

6 18　理論研究会"窮乏化法則の論理"討論

6 22　理論研究会"中井正一著「美と集団の論理」"討論

6 27　理論研究会"資本論"

7 4　理論研究会"資本論"

7 8　理論研究会"資本論"

8 14　会合　銀座ブラジルにて　出席者 5名

10 5　理論研究会"資本論"

10 10　理論研究会"資本論"

10 12　理論研究会"資本論""美と集団の論理"

12 2　「職場の歴史をつくる会」10周年記念　中野区民会館にて

12 7　「職場の歴史」機関誌2号発行、会創立10周年記念特集"職場の歴史をつくる運動の伝統と創造"

1965年		
1	13	理論研究会　出席者　之名
1	21	理論研究会　出席者　之名
2	3	理論研究会　出席者　之名
2	17	理論研究会　出席者　之名
2	27	総会　中央区民会館にて.
3	16	竹村民郎氏 小平団地に転居. 同時に会事務所も移転
3	26	理論研究会　出席者　之名
4	9	理論研究会　出席者　之名
4	22	理論研究会　出席者　之名
5	8	理論研究会　出席者　之名
5	25	理論研究会　出席者　之名
6	1	理論研究会　出席者　之名
6	8	総会　市ヶ谷私学会館
6	9	理論研究会　出席者　之名
7	2	理論研究会　出席者　之名
7	4	合宿（理論研究会）
7	5	合宿（理論研究会
7	10	「職場の歴史」機関誌22号発行 "職場の歴史と生活記録"
9	24	総会　中央区民会館

10.27	理論研究会
11.11	理論研究会
11.18	理論研究会
11.25	総会　中央区区民会館
12.2	理論研究会
12.7	理論研究会
12	職場の丁史　横関氏による発行
1966年	
1.9	新年会
2.12	理論研究会　出席者4名
2.13	会合　出席者4名
2.25	理論研究会　出席者4名
3.12	総会　新宿ランブル
3.25	理論研究会、御徒町中華料理店にて。出席者5名
5.6	理論研究会　御徒町中華料理店　出席者5名
5.25	理論研究会　中央区区民会館　出席者4名
6.30	Z・リスト理論研究会、銀座ブラジルにて。出席者5名
7.11	理論研究会　御徒町中華料理店　出席者4名
7.25	現勢台湾（理論研究会）　御徒町国鉄高架下にて。

"職場の丁史をつくる会の当面する役職として加任務，

No.26

7.26	会合	[illegible] 出席者6名
8.25	理論研究会	"政治とは何か" 御徒町学習協会 出席者4名
11.9	理論研究会	御徒町学習協会 出席者4名
11.25	理論研究会	"ヤーゲンダーについて" 御徒町学習協会 出席者4名
1967年		
2.7	理論研究会	"66年の政治成果と課題" 御徒町学習協会 出席者5名
2.15	理論研究会	出席者2名
2.24	理論研究会	"世界日本資本主義はどう変るか" 御徒町学習協会 出席者6名
3.4	理論研究会	出席者2名
3.10	理論研究会	荻窪区民会館にて 出席者9名
3.18	理論研究会	"資本論" 御茶の水ウィーン 出席者3名
3.24	理論研究会	"コミンテルン第7回大会" 御徒町学習協会 出席者6名
3.29	理論研究会	"資本論" 新宿ローレル 出席者3名
4.10	花見	竹村氏宅にて 出席者9名.
4.16	理論研究会.	"なぜ負けたか" 御徒町学習協会 出席者6名.
4.20	理論研究会	"資本論" 出席者4名
4.26	理論研究会	"パリコミューン" 御徒町学習協会 出席者6名
5.10	理論研究会	"資本論" 出席者4名
5.25	理論研究会	"労組の現状" "フランスの状況" 御徒町学習協会 出席者4名
5.30	理論研究会	出席者4名

No. 22

6.8	理論研究会 "資本論" 出席者4名	
6.11	理論研究会 出席者9名	
8.4	理論研究会 "資本論" 出席者3名	
8.8	夏期合宿（理論研究会） 於:那珂川渓谷山田旅館	
8.23	理論研究会 出席者4名	
8.29	理論研究会 "ジャーナリズムについて" 衛藤町生活会館 出席者5名	
9.5	研究会 "年表作成―戦後運動の大衆運動の分析" 新宿サロンにて 出席者5名	
9.15	理論研究会 出席者5名	
9.23	研究会 "京都グループの件に関し" 銀座のランブルにて 出席者5名	
9.25	京都グループニュース No.1 発行	
10.5	理論研究会 高田氏宅にて 出席者5名	
10.9	京都グループ会合 五條の某会館 出席者8名	
10.20	会合 山の上ホテル 出席者4名	
11.6	理論研究会 "資本論" 代々木荘 出席者3名	
11.7	理論研究会 "資本論" "原理の意義" 代々木荘 出席者4名	
11.	"市民社会の運動と論理"の出版を決定する。	
11.29	理論研究会 "資本論" 出席者3名	
11.30	会合 衛藤町生活会館 出席者4名	

No.23

1968年

1.30　理論研究会〝反[illegible]運動の評価〟討論　明大大学院　出席者4名

2.9　理論研究会〝資本論〟新宿白十字にて　出席者3名

3.21　理論研究会〝資本論〟新宿白十字　出席者2名

3.30　理論研究会〝戦〜'56年代派の評価〟吉明[illegible]　出席者4名

4.2　理論研究会〝資本論〟新宿白十字　出席者3名

4.7　理論研究会〝資本論〟新宿御苑　出席者3名

4.18　理論研究会　明大大学院にて　出席者4名

5.8　理論研究会　明大大学院　出席者4名

6.7　理論研究会〝資本論〟　出席者3名

6.15　理論研究会〝55〜65年の[illegible]の評価〟〝70年評[illegible]〟討論　明大大学院　出席者3名

7.13　理論研究会〝資本論〟

7.22
7.23　夏期合宿（理論研究会）[illegible]〝[illegible]〟[illegible]討論批判

8.1　理論研究会〝資本論〟新宿白十字　出席者3名

8.6　理論研究会　明大大学院にて　出席者3名

8.5　理論研究会　明大大学院　出席者2名

8.14　理論研究会〝資本論〟　出席者3名

8.27　理論研究会〝資本論〟明大大学院にて

10.17　理論研究会　明大大学院　出席者4名

No.28

石川島造船所労働運動史 70529 藤崎.

06.2.4 罷業 要求・15銭の賃上 参加者750

15.12.25 資本金204万円　　14.5 友愛会京橋[illegible]分会結成

17.1.24 賃上要求　　16～18 設備拡張（社史p28）

6.25 資本金500万円　　18の配当金 40.0%く p41

9.21 賃上要求

18.8.? 自彊会結成 神野信一ら

8.6 賃上要求

10.28 若松分工場で、要求・8時間制、賃上

19.7.14 要求・4割賃上 参加者700名

指導者 高山治郎ら

21 2,353名がスト

10.28 若松分工場 要求・8時間制

12.21 大日本技工組合結成

20.1 石川島の友愛会支部（斎藤忠利ら）発展解消

9.25 「技工」創刊

11 深川分工場設立 自動車

21.7.24 造船工労組合結成

背景 3.27首切 6月正義団結成 ← 資本への抵抗

理事長 高山 組長・伍長中心に3000名

綱領 生存権の確保、etc

宣言 穏健ナル手段

規約 逆戻付規定なし　23.7までに7支部150名

9. 「鉄鎚」1巻1号

10.8 怠業

賃金、共済組合の不正 9・11 昇給案の不平等

要求・賃上 公平分配 解雇等手当

ロックアウト、解雇撤回 弾圧 切崩し

大迫陸軍大将調停（小松2のp53）

11.14 目白署長による調停 〈石川島争議経過報告（鉄鋼22.1

10.30 惨敗 解雇者55名 ~2）〉

12. 解雇者で中央支部結成

怠業状態続く、裏切者300名無料作業（？）

22. 3. 「鉄鋼」2-3 普選批判

5.15 争議 職工間の対立、犠牲者の復職要求→ 解雇158

幹部20余名、復職辞任

6.17 補充工場休職問題で怠業 → 解雇9名

23 1 工労、「合同派」に、（労働運動史p447）

9.1 被害 約593万円 12.25 資本金300万円に

職工2,700名一時全員解雇 → 2,000名再雇用

組合壊滅の危機 → 被害工場で再建（職工数1,250名~）

24. 1 関東鉄森林代表協議会 工労除外さる。

4.20 関東鉄工大会

7.1 自動車部争議 要求・労働時間短縮

9 万木講習会結成 神野ら職長・組長中心

9.21 工労3周年大会 新綱領…斗争主義、教育部充実

理事長に斉藤忠利 組合員1,100名 ↓ ｛木 研究会 / 月 読書会｝

機関紙発行「工労」（11.25創刊）

12.28 「工労」2号 方向転換論 左翼色強める。

総同盟関東地評1號 工労オルグに侵略対策決定

25. 1.28 「工労」1の3　産別合同

5.24 評議会結成　工労1,300名も参加

6.21 関東金属工場評議会結成

8. 上 コミュニスト会の結成決定

22 関東金属結成　70余工場3,800名

組合長・吉野

9.29 金属産業総

26. 3. 6 関金関係労働組合員 ← 2.7 プロフィンテルン指令

茶話会（杉浦 p493）

7 関東金属労組1大会　委員長・斉藤忠利

4.11 評議会2大会　伊達廉一分会幹事長ら解雇

7.22 要求・賃上（2割）、除隊後の無条件復職保証・罰金制廃止

解雇者の復職・衛生設備改善

参加者　600名 or 966名（青木 p685）

8.10 妥結　8月参加者　2,400（労働年鑑8 p148）

9.13 罷業　約2500名　要求・賃上2割・工場委制度改正

18 妥結　解雇43名　大久保秀次、西山仁三郎ら神野と接近

10. 9 自彊労組発会式　1,500名 ←

発会式粉砕斗争に300名

10頃 能率研究会・工場協議会設立

12. 4 共産党再建大会

27. 2.22 党組合部　関金大会対策、福本主義の「弊風」打破

3. 6 関金2大会　委員長　湊七良

5. 8 評議会3大会　工代運動を定式化

12. 石川島自彊購売組合設立　都下で最優良

人心をつかむ

11．9　工場オルガナイザー（杉浦p551）

11．　27テーゼ　工場細胞　→　石川島の調査（菊田p163）

12.24　100名解雇

28．1．5　活動家5名解雇

要求・解雇反対・臨時工の本雇化・親方請負制廃止

自彊組合、分会事務所を襲撃

1．末　石川島造船所工場細胞結成

菊田（cap）徳田、佐野、渡辺　　菊田の入党　26.4

伊藤憲一　元・分会幹事長　関金オルグ

芝浩　　関金京橋支部常任

桑原光一　月島機械　　「社会主義運動3」p163．p229

片山信忠　関金オルグ

29．5　武相労働連盟、自彊組合に加入

＜文献＞

小松隆二　戦前日本の労働組合（三田学会雑誌　70・1～2）

東京石川島造船所五十年史　'30

石川島重工業株式会社108年史　'62．2

神野信一講演集　'32

本組合の創立過程　21.9　鉄鞭（21.9～22.4）

造機船工労組合　23.6　労働組合

工労（24.11～25.1）工労組合の歴史　25.1

石川島造船所工場会会資料

石川島造船所争議及批判「労働同盟」創刊号

※大原社研　港区南麻布2・8・4　TEL453・0466　慶応大の先（三の橋）

1970. 6月号

職場の歴史を読んで

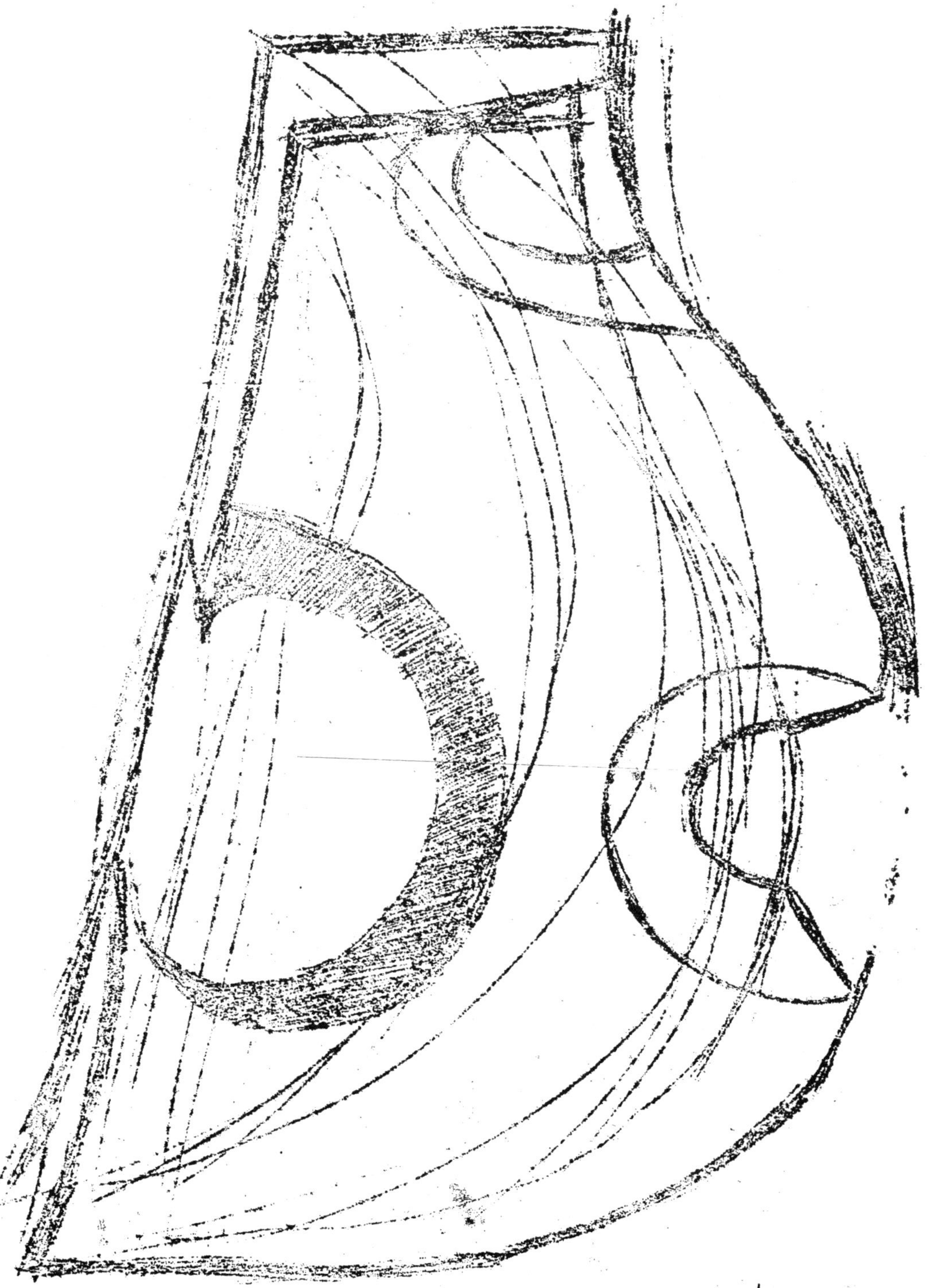

― 職場の歴史を作る会 ―

毛布をかかえて

竹村由起子

以前から いったい労働組合運動をやっている方の家族はそれに対してどのような考えを持っていらっしゃるかにとても関心がありました。

今まで私の読んだ範囲では全て労働者の方がその運動について書かれたものでしたが その家族の方がこういった組合運動を実際に見てどのように感じたかを読んだのは初めてでした。

娘の勤務先がストに入ったという言葉を聞いて 一瞬どうしていいかわからなくつい動揺し 思いつくままに毛布一枚 今一生懸命闘っている娘に対してせめてもの心使いとして持って行った。世間の親たちがほとんどそうであるように何かが起これば 個体的にそれをとらえず目の前のことに心がいってしまう、悲しいことですが いつでもこどもを起こすにあたって肉親としてのエゴがまず一番優先するのかもしれません。

しかしこれを乗りこえていらっしゃる方は実際目の前にこの良いかつまよう スト突入の事実を見て 一人の母親としてではなく一人の人間として自覚め この闘争に対する正しい理解が生まれ 自己のエゴに対してはずかしさを覚えた このことはそれによって初めて母親としての立場をはなれ の側に立つことができたと思いますすなわち闘うものの側に。

だからよく家族ぐるみの闘争という言葉を聞くことがありますが この母親のように本当にその闘争の意味がつかめれば大きな力がりきもつ強力な闘争組織ができるのではないかと 思いました。

特急さくらが走るまで

竹村由起子

私が結婚してまもない頃一度品川客車区をたずねたことがあります。関係者以外立ち入り禁止のふだを横目に見てどんどん品川客車区の組合本部のある所まで歩を行きました。何しろ今まで私とは全く無関係の世界でしたので、いったいここはどういったところなのかしら。など好奇心も一杯にしながらあちらこちらを見回しました。列車を車庫入れにするところとか、作業着を着た人が三々五々分かにまって仕事したり、立ち話をしたり。あるいは事務所のような所から顔をのぞかせていたり、又食堂、風呂、便所焼却炉があり、道のそばには空カンがいっぱいつまった箱がありました。これらのものを見ながら鉄道をとってもなまなましい身近なものに感じました。

旅行シーズンになるとよく電車の中に「○○へは臨時列車　○○号でおでかけ下さい」云々の広告などをよくみかけます。そのかげではそのために労働強化をしいられ苦しんでいる人達のいることを考える人はおそらくいないでしょう。これを読んでいると、列車一台がふえることによって与える影響の大きさを感ぜずにはいられませんでした。

国鉄が公共企業体には違いないが、そこで働く人達は他の職場で働く者と全く変わりないでしょう。しかし、又反面"私たちが日本の鉄道を動かしているのだ"という気持ちは十分にあると思います。私も実際にいってみてそれを肌で感じました。そしてその点からいうと世間一般の職場と性格を異にしていると思います。この点について国鉄労働者の方はどのように考えていらっしゃるのでしょうか。しかし、そうだからと言って、その為に低賃金とか労働強化にがまんする理由は

何もないし ここに書かれてあるような闘争に発展するのは当然のことだと思います。

しかしながら隊の下の方将たち人達は別として この頃 よく思うことなのですが、直接私達に接する流れ作業の人だとか各種印符販売の窓口係の人達を見ていると ストの時などあまり応援してあげたくない気持になるのは私だけでしょうか。それともやはりここでも労働強化が進んでいてサービス精神がとんでしまうのでしょうか。それならそれで充分な人員とりっぱな賃金獲得に一致団結して闘ってほしいと思います。

そうしてこそ初めて 私達の支援も得られるのではないでしょうか。

日鋼室蘭青行隊の歴史

竹村由起子

職場の一隻 特殊ホロちの中で 私にとって一番興味深く ドラマチックなものはこれでした。ちょうど昔っぽく見た映画などが 今のそれとちがって かならず終りに観客を感動させ去ったように ちょうどそれと全く同じような読後感をもちました。

日鋼室蘭青行隊の人々が「もし俺たちのおやじがあさましくたたかってくれたらこんなたたかいをしなくてすんだろう。しかし俺たちはやらねばならない。なぜなら俺たちのあとにつづく子供たちに、二度とこんなことをさせたくないからだ」とか「俺たちこそが虐げられさく取された人々の生活を守る者なのだ。われわれはそういう人たちのためにベストをつくし、た時にはすごいがかくたろう」

なと、これらの言葉の中にこの苦しい百九十日余りの闘争の意味が全て含まれていると思います。毎日塩をなめんばかりの食事、そして緊張の連続、肉体的にも精神的にもぎりぎりの限度まで追いやられ、なおかつそれでも前進あるのみ。たしかに彼らにとってははじめからこれに打ち勝っていくだけの力はなかったでしょう。何度も〃〃反省と前進のくり返しが行なわれています。しかもとっても根気と忍耐のいる闘争。実際で「これらは私達現代っ子にとって一番にが手なことです」でも私たち青年達はその青春という時代があのはげしい情熱、あるいは高邁な理想などで青行隊の人々のような行動を起す「ことが出来るかもしれません。（例えば今日世論をわかしている全共闘運動など）

しかしながらそれだけでは多分途中挫折してしまうに違いありません。現代では世の中にアッピールするものの方が取り上げられやすく、又たしかに、変化のはげしい世の中ではめだつと思えば人からというふうに現象面ばかりに目が移るのは当然のことかもしれません。だからこそよけいにこう言った何の成果も求めないような闘争にかける意味の深さを感じずにはいられませんでした。そしてそれと同時に青行隊の指導者としての隊長さんが〃行動と理論の統一の必要性〃〃理論的に武装された隊長の相談役がほしかった〃云々とあるように、これはまさにこの結実号のトップ〃N労組の歴史〃のまえがきに書かれた「以前は学生という者は労働者とは別の存在のように思った。しかしこういう会をつくっていく中で学生の人たちも労働者の闘いを発展させるのに役だつことをしているのではないかとわかってきた」

ということに通ずるものであると思いました。

私はまだよく〝職場の歴史をつくる会〟の存在意義についてよくわかっていません。でもこれらの機関誌を読んでおぼろげながら主に労働者、学生、学者といった人達がおたがいに助けあってこういった運動をより発展させていくことを知ったような気がします。

特急さくらが走るまで
を読んで

宇賀神和子

現在は超特急まで走り華やかなスピード記録更新のニュースに私達は旅への夢をかきたてられる。

常に満員電車に尻押しされてやっと乗り職場へ通う身であるのにこの不合理さを忘れ一時甘い夢に現実の厳しさを忘れようとするのだ。しかし職場で働く労働者はそんな呑気なことをしてはいられない。電車が一本増えるためにどれだけの労働強化が労働者に押しつけられるものなのか。そして自分を守るためにいかに闘わねばならないものなのかをこの文章は私に教えてくれる。

私達利用者の苦痛も当局労働者の苦痛も同じ原因に根

るものと思うけれども……

強く闘うためには皆が一緒になって闘える要求を出さねばダメだ。何回も話し合いを重ねるうちに過去の経験をも踏まえ皆の一致点の要求を掲げ団結して闘うという気運がいやが上にも盛り上がって行く。肉体を削って労働力を提供せねばならないような状況だからこそどうしても要求を勝ち取ろうとする意欲は強くなるのだ。闘うということの意味、勝ちとるということの困難さをすっかりした筆の進め方のうちに無理なく私に教えてくれるこの力に私は驚きました。このかば「若し吾々が黙々として彼等はもっとひどい仕事量を押しつけてくる。彼らの論理の前に屈しないためには、彼らの合理化をばくろし一層の団結を固めて闘うが合理化政策の前に屈する彼等

以外にないということを、身をもって知った」という中に潜んでいると思う。要求をもその闘かい。一歩々々権利を獲得して行く。着実な歩みだと思う。しかし現在をみるときこの歩みでは追いつけない巨大な資のカがあるようだ。

N労組の歴史を読んで

宇賀神和子

職場の歴史をつくる会で自分の会社の歴史をつくっていく中でいろいろな人達と私たち、労働者との関係が決して無関係なものではなくて、いろいろとからみ合い助け合っているのだということを

知るようになった。社会全体と一個人とのつながりが決してバラバラではないのだということを会の作業を通じて知って行ったということはすばらしいことだと思います。私たちの苦しみはその現場にいる私達が闘うことによってしか解決出来ない。しかし私達だけが苦しいんじゃない。私達の苦しみを理解して応援護してくれる人達もいるのだ。その人達と輪をつなごう。貴重な意識の変革だと思う。

N組は会社の封建性低賃金悪条件に向かって闘いをいどみつつ遂に組合結成に成功する。それは会社の悪条件を詳細に列挙しそれをもとに要求書を作る。粘り強く交渉する。

この苦闘を通して仲間をしっかりと固まりを持つようになり、遂に組合を結成するに至るという歴史をもっている。共通の苦しみの下に団結の必要が、闘うことによってしか苦しみは解決出来ないのだということがわかり労働者としての意識を高めてゆく。

私は今個人企業の中に働いている。作業上に必要なものや生活にあったら便利だなと思えるものは、積極的に言いだせるけれども、私個人の給料や休み時間等についての不満は仲々言い出せ得ない。多勢の仲間の中にいたら話し合えるものだろうにと一人悶々することもしばしばである。やはり階級意識なり労働者意識は頭の中だけではなく身をもって試するうちに強固になっていくのだろうと思う。
この労組の歴史を読んで更にその
感を強くしました。

「きみよの手記」を読んで

小本正弘

この「きみよの手記」は今迄に何度も目を通し職場の歴史の文章で最初に読んだものであるが読む度に感銘を受け感動的ですらある。文章の構成自体が、資本主義の牙城と言われた職場に組合を結成し最後には国家権力との直接の対決へ進むごとにドラマチックな、内容展開をとげることにもあろうが、そればかりではない。例えば、文中でのクライマックス武装警官とピケ隊の一員である作者が対峙した時、彼女の怒りを僕自身の怒りのように感じるのは、何にもまして作者が一人の平凡な女性であることに由来するのではないかと思う。

僕等が普通労働者やプロレタリアートと言う言葉から想起するイメージは、たくましく理想的な人間像であり、怠惰な生活を送りがちな僕自身にはコンプレックスを抱かしめるような存在である。

しかしながら東証に入社した当時
――誇り持ち職場に出ずる朝つを想えば胸の高鳴りやまず――と言う歌に自分の期待をたくした作者は、僕等の身近なごく一般的な女性でしかあり得ない。この様な平凡な女性が、国家権力との対決を　引きおこすまでの激しい闘争を荷ない得ると言う事実が、僕等を強い感情でゆさぶるのだろう。

そしてこのことは、自明の事とされる程一般的な問題を、現実性をもって知らせてくれる。つまり闘いは、完成された英雄により戦われるのではなく、常に動揺を免れ得ないあたりまえの人間によって担われるのであり、同時に戦いが、このようにも生き々とした文学を創造する人間を生み出すのだということを。

「特急さくらが走るまで」を読んで

山本正弘

国鉄グループの人達の作品は、短くともすると一般「文評調の作品の中では見過ごしがちな存在です。

そして作品、、、が自体も先　その二

つの作品の様な魅力に、いささか欠けていると言うのが偽らない感いなのです。少なくとも末尾にある地団研の人の様なしっかりとした感想が、すぐには浮かんでは来ないのです。

それが何に基づいているのか、"これだ"と明確に指摘できないのですが、恐らく作品自体がとても地味で、「東証の「史」、「日鋼室蘭青行隊の「史」」に見られる劇的なストーリーでないことにもよるのでしょう。確かに前の二つには、はなばなしさとは言えないまでも勇ましい闘いが描かれています。

しかしここで再考しなければならないのは、はなばなしく描かれてる闘いとは日常不断に起きるものではなく、ある一定の時期に必然化されるものでしょう。

そうであればこそ、その陰になりがちな労働者の日常的な生活に結びついた、この様な闘いの重要さをも深く認識しなければと思います。

見方を変えるならこの様な地味な闘いが着実につみかさねられ、始めて劇的で巨大な闘いが展開され得るのだと思うのです。

日鋼室蘭青行隊の「史」を読んで

山本正弘

この文章の一節にこんな部分があります。

「ともすれば戦いの中では結果を早く見たいものである。一日も早く結果を見たい。ではなぜ早く結果を見たい気が起きるのか。それは自分の信念に自信がないからである」この一節はすぐさま、かつてのバリスト闘争の経験をよみがえらせます。
当時、日ましに強さを増す五月の陽光とともに、永遠に闘争が終らないようにさえ思え、孤立感に裏打ちされ苛立ち不安はつのる一方だった。とにかく僕等が勝とうが当局が勝とうが、どうでもいいから早く結果が得たいそんな心境でした。そんな時自己を心底から支え得る信念とは何か、あるいは思想とは一体何なのかと考えるのだった。

以前あれ程引かれて読んだレーニンの著作 マルクス・エンゲルスの何冊かも崩て来そうな自分の心を持ちこたえてくれませんでした。――もっとも何冊かの文献でそんなに早く思想なりが体得できては大変ですが―― その当時、弱い自分に何度もハキ気を覚えたのでした。だから この作品に描かれている労働者の群像は、僕自身に羨望の思いさえ引きおこす人達です。ただ確かに、あとがきの中の批判的な文章にもあるように、ここでの労働者は最初からりっぱな人物として描かれているきらいが、なきとも言えないのでしょうが それにしても 以下に展開される労働者の言葉には、卒直に学ばねばと思います。

「……どいつもこいつもえらそうなことをいってやがるが、皆この苦しい段階に入ったらふやけたんではないか」……「このふやけた奴等に、俺達の行動によって教えてやるんだ目覚めさせてやるんだ。青年の力でこのボス共を大掃除するんだ。」

ただここで考えねばならないのは、労働者から学ぶという態度であると思う。つまり学ぶとは、どう言う態度ことなのであるものだろうか。かつてのバリストの時にイヤという程思い知らされた、自分勝手に思いこんだ"思想"が現実にどれほど無力であったことか。

それと同じく、いいかげんな"学ぶ"という態度は、単なる自己救済の為の精神的な"自虐的態度に終るのではと思うのである。

そこでは時にはなまぬるく思えても、学生と言うワク内での自己を見すえだめつつ、労働者の記録を読む他はないと思う。学生である自分がどう大学での諸問題にかかわって行くかと言う問題意識が存在しない限り、これらの労働者の文章もただ頭の中を通りすぎるのみだと思う。

「歴史評論」第六十六号を読んで

藤田昭造

この本の中の二篇について読んだ感想を書かせていただきます。

「特急さくらが走るまで」職場の歴史をつくる会、国鉄グループを読んで、十五年もたったというのに今までわたくしの勤めていた職場に、「公共企業体というわく中に各々を押しこめて、その名によって奉仕のみを押しつけて、サービスだけを強要し、列車の本数が増えても人員を増すところか、人員や資材の減少によって労働強化を押しつけ、満足に働けない様な状態にしている」という指摘があてはまるのにおどろきました。詳しく言いますと、わたくしの職場は東京のはずれ、埼玉県よりのA区教育委員会事務局でした。わたくしが勤務した一九六七年から一九七〇年まででも、人口の急激な増加に伴って、小学校七校、中学校一校、合計八校（約百学級）新設された。しかし、国鉄グループの人達と同様に一名も増員されませんでした。残業はなかば恒常化され、わたくしの退職後欠員のままで、いつ代りの人がくるのかも見当がついていないと聞いています。国鉄の人達は皆で担当助役、庶務助役と直接渉し、「これは各々の要求とは大分かけはなれている」が、皆は困難な斗いに打勝つ勇気を持った。が、わたくしの場合、職場でワッペン・リボン等をつけ意志表示をしたのはたった二人で、何の力にもなりえなかった。後になってまわりの人の話、組合役員の人の話を聞きおどろいた。つまり、組合活動をたり、積極的に賛同の意を示せば、通勤困難な所へ配置転換させられるということでした。それにその時、わたくし自身大きい組織では組合幹部にまかせておけばいいという安易な気持があったのだと思います。理事者側は、慢性的な人員不足を解消しようとコンピューター導入を決定し、それを円滑に押し進めようと組合員へ"コンピューターはこんなに便利なものですよ。"とパンフレットを一人一人に渡し宣伝につとめていた。そこには、コンピューター導入に際してこれまで弊害（強度の精神的緊張、肉体的疲労の増大）については全くふれていなかったし、組合のそれに対する具体的な対策は充分には行なわれていなかった。

第二篇めは、「日鋼の闘争にまなぶ」―日鋼室蘭青行隊のあとがきとして―竹村民郎を読んで感じたことを述べたいと思います。

この文の中で竹村氏は"歴史を学ぶものと労働者"、"現代史を叙述する者の責任"を述べています。わたくしは歴史学を学んでいるものとして本当は何も知ってはい

ないんだと思わされました。わたくし自身
竹村氏の言われた、「一九一八年の社会経済情勢、政治機構云々については、私が卒業論文の題目にしてきたので…」と同じ様な意図がありました。それに前に述べた職場で自己満足的なことしか出来なかったのは、公式的にではなく大きな社会的機構、歴史などをさぐり、それを明らかにすることが出来れば職場の力となることができるのではないかと思っていました。ですから竹村氏の言う、「…私たちは、歴史を貫く法則をつかまえるのに命をかけた先人の蓄積…」と退職して、大学で歴史学を充分にやってみようと志ざしました。
しかし、大学での歴史学の講義といえば理念のうえでは、"国民へ人民"のための歴史学に賛同しているとも思われますが、国民ぬきの歴史学のようです。学会の人とか学生は国民に違いありませんが、歴史をつくる多くの人の大部分は欠落しています。たとえそれがあったとしても過去の事実だけにとどまされているのではないか。わたくしも卒業後、教員となってやろうとしたことばこれと全く同じだったと思いました。
再度、わたくしは何を何のために、どのようにやっていくのかをこれら篇を読んで考えさせられました。

「歴史評論、職場の歴史特集号を読んで」
黒田新治

今回、新たに目を触れたのは、「特急さくらが走るまで」と「日鋼室蘭青行隊の歴史」と「N労組の歴史」と「私もついてゆく—きみよの手記」は以前に河出書房出版の「職場の歴史」に、1字直しされて載せてあったものを読んだことがあった。今回、私が特に強い印象を受けたのは「日鋼室蘭青行隊の歴史」であった。この作品からだけでは、この大きな日鋼室蘭の闘争すべてを理解することはできないか。たし、また他の方法を用いても可能だとは思わない。しかしながら、この作品から「青行隊」というこの闘争をになった主要な運動体を通じて、私に日鋼室蘭の闘争がいかに大変なものであるかを教えてくれた。この闘争は青行隊（機動隊）の運動があったからこそ長期にわたる苦しい闘いを維持することができたのだろう。それと共に青行隊を生み出した、そして育てた多くの人達がこの闘争を可能にしたのだろう。青行隊の隊員たちは現在の私と同年輩の人であったと考えされる。このことを考慮に入れると、彼らの生活のすべてをかけた闘いに対して、必然的に現在の私自身をふり返って見ざるを得ない。「このようなことは前回にも書いたが」たしかに、私は
作[illegible]

現在までなかった。

ことかも知れない。しかしながら、現在まで種々の問題に直面してきたはずである。駒大闘争、それに参加、紙紙の問題……のように為に、これらの事に関して私はどのように考え行動してきたのだろうか。苦しみは誰しもが望むものではないと思うが、苦しまなければならない時期があるのではなかろうか。それにもかかわらず私はその苦しみから一刻も早く逃ざかろうとして、逃れたい気持が先走り、あいまいな妥協することが少なからずあったのではないだろうか。たしかに多くの場合、日鋼室蘭の闘争のように、自分の存在をかけなければならないような状態ではないから、それで済むことができたのかも知れない。だが私にとってそれ以上に問題であるのは、逆に気付いてもその事を徹底的に自分自身に追求せずまたもその過ちをくり返してきたのではないか。このことは私の日々の生活の中に、あきらめ的な、なげやり的な面が潜在的にも表面的にも存在していることなのだろう。私の抱えているこの矛盾が先生によく指摘される所なのだろう。先生はよく「自己黒田はココロの親分だ」と言われる。自己に直面する問題を根底的にとらえていないことなのだ。

私は以上のことをもっと自分自身に追求しなければならないと思っています。それは、個々の具体的事実を通じて行動してゆく以外にはないと思います。

ここに書いたことは前回の領域を脱し得ないが、症評の特集号を読み再度自分と対話する意味で書きました。

耺場の厂史を読んで

特集ー父の厂史ー

耺場の厂史をつくる会

岡島博氏

「負けちゃなんねえぞ」と「座標」を読んでみて共通していえることは、全くすなおな文章であるということである。読んでいるうちに作者を知っているだけにおもわず笑声を出してしまった。これはあくまでも生活記録的な個人の歴史の域を出ていない、自分の生い立ちを振り返ってみたにすぎない。しかも、それは廻りの社会的なものには余り関係なく、ほとんどが自分中心で書かれている。この点からみると、「魂あいふれて」「きみよの手記」の方が同じ個人の歴史でも、会社の中の自分をみつめているという点で前者よりも広いところで書かれているように思う。

しかし、私にはこの小さな範囲の自分をみつめるということは、大切なことのように思える。そればかりではなく、今でも生活記録や個人の歴史を書くということは、運動の中で必要と考えている。それは、これを書いた二人の作者にもう一度同じことを書けということではない。新しく社会のしくみに疑向をもちはじめてくる人達に自分を整理してみさせる必要があると思うからである。批評の中には「これはこれで一定の成果があった。しかし、せまい範囲の見方から脱しきれない欠陥をもっている」と書いてある。そして、運動をもっと広い組合的なものの中でみつめているものに高い評価をあたえ生活記録や個人の歴史は、運動を進めてきた中の過去のものとしてとらえようとしている人もある。たしかに運動が一定のところに止まっていては困る。だがこの見方は一面だけしかとらえてはいないだろうか。個人の歴史にはたしかに批評する人の云うように、感傷的であり、客観性にとぼしい欠陥をもっているかもしれない。しかしその階段を登る一歩は、やはり個人の歴史を書くことだと思う。自分自身を整理してみることである。私はこうゆう意味で個人の歴史運動は、過去のものではなく現代も必要なものだと考えている。問題は、次の階段を用意しておいてやることではないだろうか。

十一月十日

「いいやいかん」を読んで

竹村由起子

「いいやいかん」と言う言葉を持って、その生涯を貫き通した民治郎氏に対して当時の社会が、次第に軍国主義的な、色あいを深めていく中で、その流れに必死になって逆行していく道を選んだ彼にとってそのことは、当然のことだったかもしれません。「子はいつも父の背後で育った。子は父がたって始めて、父が立っていた正面に父を苦めてきたものがぐっと迫っているのを知ることが出来る」私もすでに父を失したものとして、この言葉の持つ意味を深く理解しうるように思います。そして、「父の歴史も言って見れば、過去数回の戦争の為のつまづきの連続であった」とありますが、私の父の場合、その、最たるものであっだと思わざるを得ません。"その"戦争"がどれほど父の運命をくるわせ、死に至るまで精神的、肉体的に苦しめたことか。

私はよく、父がお風呂あがりに一本足でふう〳〵言いながら階段を登って来る姿を見ながら、かわいそうだなあと思いながらも、それが実際どれほど父にとってつらいことか、とうてい理解することが出来ませんでした。

戦争中にひざから下をなくし、列車に乗って野戦病院に行く途中、足、じじよ〳〵にくさらせてしまい、とう〳〵ふとももを少し残した程度の不具者になってしまいました。戦争中、いやおうなしにかり出され、あげくのはてに得たものは、お国の為に戦った傷痍軍人としてのささやかな名誉。それがいったい何になるでしょうか——。父はたいい以来、義足をつけて、不具者だからと言っても絶対に、誰にもまけるものかと言った調子で、人の数倍働いたと母から聞きました。そして、そんな父もやがて死に、火葬場にお骨を拾いに行った時、そこで私は、隠坊をしている人の説明に胸をつかれる思いをしました。「もうこの方は、実際年は五十才だそうですが、七十才以上の体をしている」その説明で私は義足を支える為に、肩からふとい巾のひもを常にさげていたからそうなったのだとすぐ分りました。たえず肩のこりと、足のひえを訴えていた父——私はむら〳〵と戦争に対するやり場のない憎しみがわいて来るのを感じました。でも、ここで考えなければならないことは、私の父がそんなにも苦しめられた戦争に対して、じゃあそんなに憎らしければ、もう戦争はたくさんだと言って何か行動を起せば良いのに何もしなかったと言うことです。その苦しみを自分一人りの向題として、受けとめているということ。ここには、その苦しみを作ったものに対しての追求が全くなされていないという定で、向らの発展が見られません。語はもどりますが、民治郎氏の場合も同じことが言えると思います。たしかに世の中の不合理に対して「いいやいかん」を持って斗われたようですが、いろ〳〵な問題に対して、それをどれもみな、彼個人として受け止め、それを全体的な流れの中で、自分のおかれている立場というものを再認識するということが行なわれていないと思います。だから私達は父のあゆみをしっかりとみつめ、学ぶべきものは学び、あやまりはあやまりとして、みとめ、それをふまえた上で、父の背後にあるものをはっきり見定める目を持たねば、再び、私達も同じあやまちに、おちいる危険性が十分にあると思います。

いいやいかん――父の歴史から――を読んで

宇賀神和子

全文に流れている作者の父への愛情が主人公、作者の父上の生涯を読む以上に清く美しいものにしているように思われます。尊敬できるお父様を持った作者をうらやましく思いつつ、更に父の本当の苦悩を知らずに父の弱点をのみ攻撃して反抗ばかりしていた中・高校時代の私を恥ずかしく反省させられました。"生意気"一本やりで肉親に対する動物的愛情も比較的薄かったようです。常に暖い愛情を求めていた私は求めるに急であって父の失意の感情を知るには小さすぎたのです。父の不幸な生い立ちを想う時、その凍てつくような性格の一部分も今では少しは理解出来るのです。そして作者のような広い目で見られたならばよかったのにと淋しく思うのです。……葬列に集まった人々の中に共通に流れていたものは、父の死を夫々れに自分の問題として受けとろうとする誠実さと、親しい仲間の一人の苦しみを支え合おうとする友情であった。他の人の問題をそれはその人個人だけの問題ではない。生活基盤を同じくする自分達に共通の問題である。重荷を個人の苦悩としして個に帰してしまわずに一人一人の問題として受けとり共に解決してゆこうとする輪の強さと暖かさ。斗いの底辺をささえる思想は力強くてこでも動かないもの。「いいやいかん」の精神に通じるものだと知りました。いかなる斗いの場合にもここを踏み台としてなされる。この踏み台の強弱により斗いを斗い抜けるか否かの別れ目になる。

……父は自分の生活を破壊させていったその素因を晩年に知った。父はその力に抵抗する激流もその晩年に知ったのである。父はもう一度、その生涯を圧迫した力に"いいやいかん"と叫びたかった。しかし、そこで父の力はつきた。作者の父の生涯は個人として常に抵抗の連続であった。自覚する事なく生活そのものが常に不正なるもの、強者への抵抗となっていったのだ。そしてその姿勢は自分の生活をそうあらしめたものに対しての抵抗の力そのものの姿勢であることを晩年に知ったという。どんなにかその激流に飛び込みたかったことでしょう。職場の歴史が出版された時、誰れよりも喜んでそのポスターをいつまでも壁にはって眺めていたという段では、私にとっては未知の人でありますが満面に深い笑みをたたえた顔を容易に想像出来るのです。

「いいやいかん」ー父の歴史からーを読んで

山本正弘

この父の歴史を最初読んで感じたのは、竹村民治郎氏に根ざしたヒューマニズムであった。竹村民治郎氏はこの様にもりっぱな人であったか、ということでした。しかし読みかえすにつれ、これ程にもりっぱな人間性を持った人を後年苦しめつづけたもの、その恐ろしさを考えない訳にいかなかった。筆者竹村氏は、「父の歴史も言ってみれば過去数回の戦争のためのつまづきの連続であった」と書かれていたが、戦争を頂点とした近代日本の歩んだ軌跡が、個人にもたらしたゆがみを改めて考えさせられました。

個人的な話しになりますがヴェトナム戦争が起きた時、父と論争する機会を持った。夜の11時頃から2時すぎ迄アメリカの戦争を擁護しようとする父を日頃吸収していた知識を武器にして、一方的に推しまくった。やがて父が僕の理論に屈服する時が来た、父は言った。"しかし最終的にこの戦争はソ連が悪いのだ"そこで僕はそれ以上父を攻撃することをやめた。後になって、あれ程こちらの理論的な攻撃に完敗しながらも、父を支えていた何かを考えないではいられなかった。

頭に浮かんのは天皇制思想の問題、父が物心ついてから一方的に注入されつづけて来た超国家主義教育、それらをひっくるんだ近代日本の歩みが、今日の父の思想の中心を形成して来たのだろうと考えた。

そして今年の6.23のデモで弟が逮捕された時、消耗し切った父の顔を見て何度も思子のやった事に誇りを持て悪いのは国家なんだ”と言う意味のことをくり返した。

その時の心理状態からして僕等の説得に納得する他ない父だったのかも知れない。しかしその後、田舎に帰って見ると父は元の父にもどりつつあった。”お前達のやろうとする気持は解る、しかし自分の身の事も考えないと”。そんな親に対面して感じたのは、弟が逮捕された意味、又父を今日の父たらしめた日本の近現の厂史を平易に説明しきれない自分自身の勉強不足でした。

小さい頃、父母の想い出ばなしを聞く時感じたのは個人の歩みに対するつきない興味でした。しかし現在はその背後にある巨大なもの、それに圧倒されそうな気持です。それと比べ自己の武器とする学問を振り返ると、冷汗が出る思いです。

「いいやいかん」ー父の歴史からー を読んで

藤田昭造

この「いいやいかん」が書かれた時代と現在と比較すると、社会情況は変り、”父の厂史”をとりまく環境も変っているように思えます。それは、『今の世は、けがと病気は自分もち』〈「いいやいかん」その一〉から新しい労仂災害〈キーパンチャー病、ベンゾール中毒など〉が起っているが、健康保険制度は問題を含みながらも一応は整っている。”看護婦さんを部落出身者であるというだけで退耻させられる傾向から雇用制度も能力主義をとっていくように近代化されています。めまぐるしい交通機関の発達、家庭製品の電化を中心に生活の近代化など、の恩恵にわたくしたちがあずかることは少く、依然として生活は楽ではありません。

このことは変っていません。本文中の、「夫々の父母を誇ってゆく中から長期の見通しをもって斗はれる斗りであればある程子が父の厂史を支え父が子の斗いに共感するという思想の高さを必要とする』〈同書その二〉の思想の高さはなくなってしまったのではないでしょうか。それは特に、69〜70年の学園斗争、反戦運動に対して親がいだいた感じに顕われています。〈これは親だけに顕われたのではなく、若い世代の人々へ私も含めて」にも見られました。」気持はわかるが、方法はいけない。"というように父は子の斗いを理解できなくなってしまっているのではないでしょうか。ひどくなるとこれを心理学のいう青年期の第二反抗期という考え方で片付けられているようです。これとは反対に子が父に対して批判が起きています。「私はこれから書こうとする短いメッセージを戦争体験者の、とくに現在日本で平和な日日を送っていると考えている不特定の私の父への愛をこめて送ります。「父よ、私の親愛なる父よ、貴女は私を完全に裏切ったのですね。でも、これは、私に対しての裏切りではなく、貴方自身への裏切りを意味するものだとこのごろ私は考えるようになりました。……現代の眼8月号」この親子の断絶の原因は、資本主義社会の発達につれて、高度の技術による分化うんぬんという社会学の説明もそうでありますが、"父の厂史を書こう"という主旨だ政治史、経済史、文化史など、学校教育でおおいかくされてしまい、広がらないのでしょうか。

家庭内の日常の……した事に爆発すると、父は片意地の権化なり、妻と子をてこずらせた。「へっ、いいやぃかん」その三」これは顔もおぼえていないくらいに父を早く失くしたわたしにある種の羨望を感じさせました。これはわたくしだけの誤った見方かもしれませんが、個人の厂史を書くことは、政治史、文化史などに含まれない個人の日々の生活を描くことで大切な意味を持っていると思います。わたし自身、はじめて「いいやいかん」を読んだとき、作者の父の生きた厂史に自己貫徹的なところにひかれました。しかし、「いいやいかん」には、作者の父個人だけとり上げられているようです。そこには父と子それぞれ父どうし、子どうし、父の子の社会がありません。これはともすると個的存在が一定の社会関係の結びつきと、個的存在それ自身によっての自己貫徹的な一サイクルの環にすぎないということを見落してしまうのではないでしょうか。

わたしにとっての父は二人の兄であるような気がします。

「いいやいかん」を読んで

黒田新治

"いいやいかん"の一文は、竹村民郎氏が父を失って、これからの自分達の運動をより発展させるために、父の歴史を学ぶ必要から書かれた文章である。この文章には氏の父がその一生の中で、いいやいかんの一徹さを持って、自分の信念を貫いてきたことが語られている。この一徹さは、あまりにも正しいことを通したがために、数々の苦難に直面しなければならなかった。このことを氏は、子として父に対する愛情と、自分もまた先人の斗いの跡を受けついでゆかなければならないという先人に対しての尊敬の念で語っており、私に強い心を与えて下さいました。私もまた父の歴史を学ぶ必要を教えられました。

私の父は大正三年に、一鉱夫の次男として生まれました。出生地は秋田県の平鹿郡にある増田町といういなか町です。父が生まれてから、弟と妹が生まれ、兄と合せて四人兄弟として育ちました。父は尋常高等小学校を卆業すると、当時鉱夫の子供がそうであったように、鉱山に鉱員として勤めました。父は勉強が好きで上級学校に進学の希望を持っていたが、下に就学中の弟と妹がいて、兄も小学校を卆業すると同時に鉱山に勤めなければならなかったという経済状態で、その希望はすぐにはかないませんでした。しかし父は進学の意志を捨てることができませんでした。妹が女学校を卆業した後に、岩手県にある鉱業所に転勤して、自炊生活をして上京する資金をためました。その時父は満で21才だったそうです。上京して昼は亀井戸にある町工場で仂き、夜は早稲田大学の付属専門学校(鉱山)に通いました。当時、同学年では父が最年長だったそうです。現在の人間としての父を造っているのは、この苦学した時期の影響が最も強いと思います。そして、三年間の苦学を終えて、以前に勤めていた会社に再就職して現在に至っています。そして今年定年退職をむかえました。

しかし、この間決して平穏無事に過ぎたわけではありません。父の場合も太平洋戦争の影響は大きかったのです。父は耳が遠い、ことと、身長が足りないので懲役は免除でした。この事は今考えれば大変良かったのですが、父は大変残念だったと思います。戦争には行かなかったといえ、兄と弟を戦死させたことは、大きな傷として残りました。

父が母と結婚したのは、昭和二十年です。この結婚が、私と父の関係を生んだのであり、戦後の父の生活を決めたのです。(私は父と母の実子ではありません)母は、家が貧乏な家庭に育ったために、学校にも満足に行けませんでした。当時、東北の貧しい農家の娘が多く人買いに買われたと聞いたことがありますが、母は尋常小学校も卒業しないうちに、新潟県に子守として貸されました。このような貧しい母の生家は、戦争で長男と次男を失ってしまい、就学中の子供もいたので以前にも増して苦しい生活でした。こんな中で、祖父と祖がいちばん頼りにしていた、三男が肺を病んでしまったのです。この時に祖父は、あまりにも家計が苦しいので医者にかけることができなく、死んでもしょうがないと思ったそうです。戦後まもない頃なので私の父も父の母、妻それに私を養ってゆくのが精一杯でした。しかし、父と母はこんな時こそ自分達が役立つ時と考え、母も農家に仂きに行って収入を得て、祖父の家の家計き持ち、難局を乗り切りました。これ以後も父は骨身をおしまず、母の兄弟、父の妹に対する援助をしてきました。

　私の父は母の親類に限らず、週囲の人で困っている人がいると力になっていたようです。今回は私に最も印象に深い事だけを書きましたのでふれませんでした。しかし組合運動などに積局的に参加して、自分に加えられているこれらの問題を根本から無くしようとはしませんでした。そういう事を考える事もできなかったのかも知れません。ですから、父の行いは多分に、家父長的感覚であったと思われます。

このように見てみると、父の場合は、〝いいやいかん〟の民治郎氏のように、一貫性を持った自分の信念で生きてきたのとは大分違うと思います。父は、父の周りの人間がそうであったように、社会の底辺に生きてきた人間であり、その経験から自分より苦しい人間がいたら力にならなければという考えであったと思います。民治郎氏のように、自分の信念で積極的に社会の不正、腐敗に斗うということにはならなかったのです。

　父のようなやり方では、父と母が苦しんできたものは根本的には解決されない事は明かです。しかし私は、父と母が歩んできた道にもっと学ばなければならないと考えています。

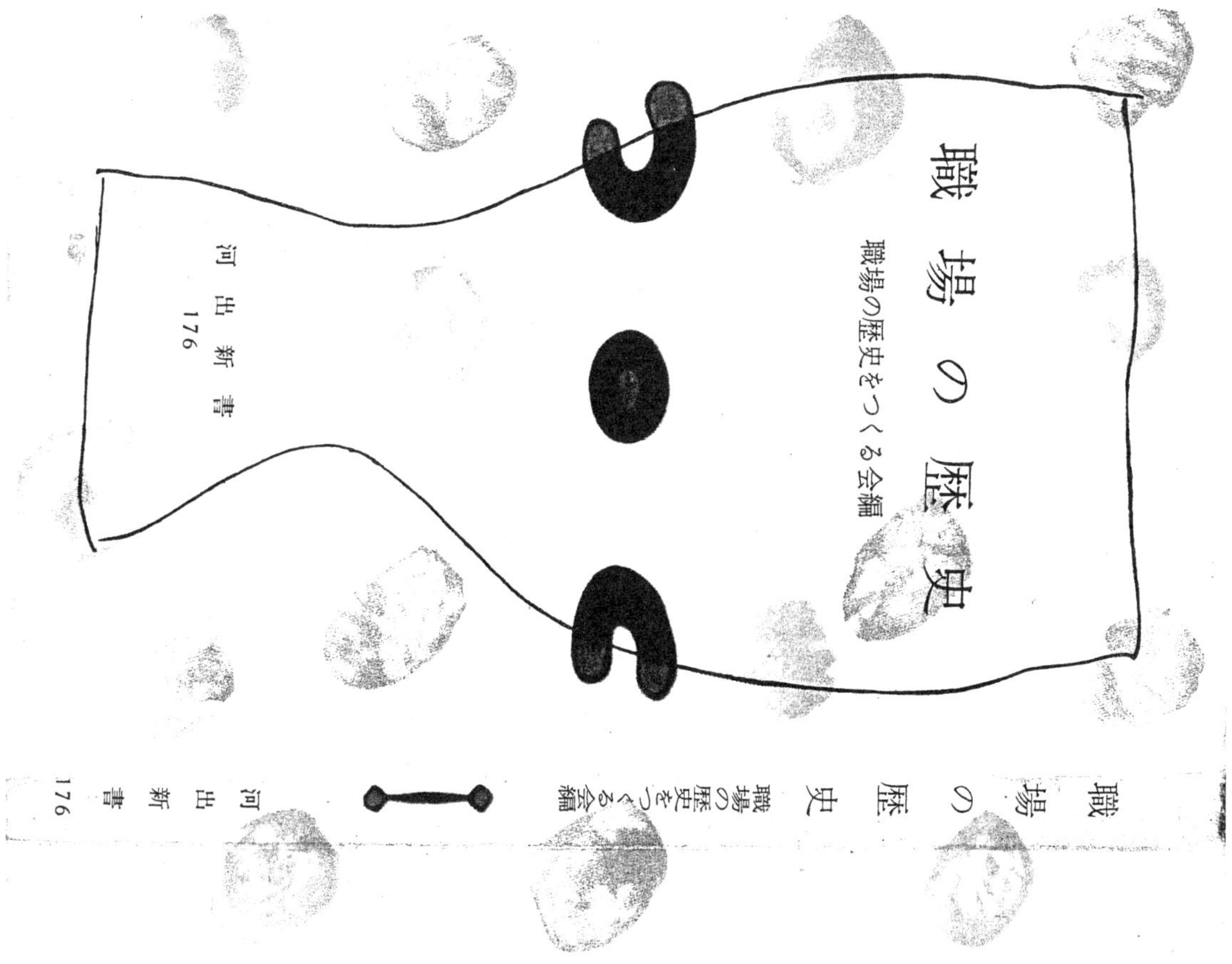

職場の歴史
職場の歴史をつくる会編
河出新書
176
職場の歴史
職場の歴史をつくる会編
河出新書
176

職場の歴史

職場の歴史をつくる会編

河出新書

装幀　庫田叕

過去に耐え
未来に向ってひらかれた五本の指を
一つずつ折って握りしめる
そのこぶしは
杭のように黒い柵のように
この大地に生えている

職場の歴史をつくる会のつどい

目次

I　人間の歴史

東証の歴史……………………職場の歴史をつくる会・東京証券グループ……八
N労組の歴史……………………職場の歴史をつくる会・N工場グループ……五〇
恩給局の歴史……………………恩給局職場の歴史をつくる会……八三

II　生活の歴史

炭礦の生活史……………………三菱美唄炭礦文学会・炭礦史編集委員会…　一一八
王子製紙の歴史……………………王子製紙労組組合史編集委員会・梅津信行…　一三八

III　働くものの現代史　——戦後十年史——

はだか日本現代史……………………職場の歴史をつくる会…　一四三
〔詩〕手……………………小野一男（私鉄労組員）…　一五九

Ⅳ 働くものの歴史について

歴史の職場……井尻正二…一六四
『職場の歴史』をめぐって……石母田正…一八四
労働運動史研究についての雑感……林基…一九七

Ⅴ 『職場の歴史をつくる会』について

この手千両……竹村民郎…二〇八
――あとがきとして――
会のしおり……職場の歴史をつくる会…二二六

Ⅰ 人間の歴史

東証の歴史

私は兜町が好きです

私は　兜町が好きです。
白いドームの取引所が好きです
　だから
株価の電気表示器におびえのない生活が欲しいのです
　そして
のびのびとパンチのキイをたたきたい

新しい空気！
みんなが欲している新鮮な大気！

私は兜町が好きです

白いドームの取引所が好きです

巣立ち

今日よりは新しき心抱きて巣立ちせん幼きわれに陽よ輝やきて

かんかんにおきた炭を、山盛りにした大火鉢二つのひろい部屋は、駐留軍から接収解除されたばかりらしく、荒れはてていた。窓は破れ、壁は崩れ、荒い板がドアに釘づけになり、赤いペンキがWAY-OUT(出口)とかENTRANCE(入口)とか、ところどころに記していた。

「外観は、すばらしく貫禄があるけれど、内部は案外ね！　がっかり。」

都内の少女らしい活潑そうなひとりが、首をすくめていう。地方から出て来たばかりの私た

ち数人は、黙って火鉢に手をかざしていた。

今でも、まざまざと思い出す二十八年、三月の新入所員講習の第一日は、こうして開かれた。この部屋で、残り雪の寒さに震えながら、私たちは、東京証券取引所というものの講義を聞いた。

東洋一の証券市場であり、日本経済界の中心であり、また、民主主義の新しい日本経済界を築く、大きな使命をになっているということを。

そして、指定(今は特定)普通銘柄というものを知り、寄付《よりつき》・大引《おおびけ》・玉《ぎょく》などの特有のことばを覚え、金ヘン、糸ヘンで大ゆれする日本の経済界を知ったのだ。講習の最終日、係の人が話した。

「この取引所には、労働組合というものがありません。すこしでもアカの感じのする人は、すぐ採用を取消します。」と。アカの人は絶対にとりません。

水をうったように静かであった。

「みなさんの待望の給料は、税込み総額六、四六〇円、本俸三、八〇〇円、その他」――安い安いというざわめきに「安いといえば安い――、高いとおもえば高い。しかし、食べるだけのものはさしあげます」落ちついた係の人のことばに静まりかえった中で、就職難におびえていた地方出の私の心は、はい、はい、とすなおにうなずいていた。

「ただし、賞与は、年四回です。」

(皆さんの待望の給料は………)

「ああ！」救われた。ほっとした思いのざわめきが風のように室内をよぎり、私の心を包んでしまう。

「賞与が三ヵ月ごとにある！」

九人家族で、父一人の現金収入に大学から小学校までの、ひよこ七人が私の兄妹。私の卒業を待っていた母！

明るい気持で胸が躍った。このしゃれたドームのある、数少い特殊なオフィスガール！　なんとすばらしい。

「お勤め、どちらですか」って聞かれたら、「東京証券取引所です」って胸をはって答えよう。

人言うに疑いも持たずうなずきしこの幼な心を育みゆかん
誇り持ち職場に出ずる朝々を想えば胸の高鳴りやまず

12 「編み下げ髪」より歩んで

砲火ゆる朝鮮の野に菊摘みしおさなら愛し幼らかなし
幼らの髪吹きわける轟砲を想えば悲し人の世よ血よ

朝鮮に動乱の起きた二十七年の夏から、二十八年の三月にかけての時期は、いままでになかったほどの株式ブームを招き、取引所は半日で「立会」を中止して、清算事務を徹夜で続けたほどだから、客を扱う証券会社の仕事の忙しさはひどかった。証券会社の一女子事務員が、その労働強化にたえられず、その実情をある雑誌に投書したため、馘首されたということまであった。

——その頃の私は田舎の高校の三年生であった。荒れはてた野原に砲声が響き、人のいない山かげに野菊を摘む、私と同じように髪を「三つ編」にした朝鮮の幼女らをニュース映画でみ、また、投書した女子事務員の記事を図書館の月刊雑誌で読み、少しは胸をいためたこともあるのどかな日々を過していたのであったが——

このブームを機会に、アメリカの優秀な統計器を使用することになり、私たち女子数十名が採用されたのだ。でも、その機械は八月にならないと日本へ到着しないという。八月までの半年間を、オモチャのような模型器と他の会社への出張練習で過したのだったが、受入態勢の整っていない、しっかりと自分の席を据えられない職場を見て寂しかった。学校を卒業したての新鮮な心をもち続けることの難しさにも同時に気がついて、そのことが寂しさを二倍にした。

一、考えること
二、趣味に専心すること、遊ぶこと、旅行すること
三、他の職場の人々と〝語りあう〟こと

私は寂しさに負けまいとして、こんなことを漠然と考えた。何とか実行できそうな気がしていた。それに所内の人びとの話も、日が経つに従ってぽつりぽつりと聞けるような落ちつきを、とりもどすこともできた。が、その人びとの話の暗さに、私は以前の不安を、またも胸いっぱいにしなければならなかった。

「給料は安いよ、驚くほど。」
「年四回という賞与でもなければ、こんなところに、うろちょろしてるもんですか。」
「忙しい時は徹夜、徹夜、注射うちながら、その日のうちに清算事務は遂行しなければいけないんだって。」
「そんな出来高の多い期末の賞与が、証券会社の十七、八歳の場立連の半分だ。最高の人がですよ。」
13 「ちょっとヒマになると赤字だ、赤字だ。」

14 「意味のわからない大人事異動が突然発表されたり——。」

希望にもえていた私の胸から、少女の感傷が、一枚一枚はがれていくような気がしていた。夏の日は暑かった。九月には改築工事が完了するとのこと、震えて講習を受けたあの部屋が、銀灰色のペンキに縁どられ、明るい蛍光燈を天井に並べて、次第に私たちを迎える態勢を整えていた。

二十八年十月、アメリカからの統計器が正式に活動を始めた。どぎまぎしながらも、パンチオペレーターという珍しい名称に、心を躍らせた私たちは、練習器とは全く違う生き生きした気持でキイと取り組んだ。嬉しかった。ただ嬉しかった。解いたお下げ髪にゆるくパーマがゆれていた。

ミスが多いとか、手作業よりも遅いとか笑われたこともあった。みんな必死だった。課長も係長も、男子も女子も、今に全機能を発揮させるぞと、株界の危ぶむ注目を意識してがんばった。

あとで聞くと、この清算事務の機械化は、株界の中でも最も大きな論争の一つだったとのこと、すなわち、非近代的な労働強化でこなしてしまうという古老組と、この街では力の弱いインテリ組の機械化主張とで……。失敗したら、どんなことになったか——。

また、十月という月は、毎年の定期昇給の月だということを、私たちは知らなかった。同期

「ロウドウクミアイがあるといいな」
「ツクリマショウカ？　でもコワイな」

入所の男子オペレーターが昇給していることも、九月の賞与の額が私たちと差がつけられていることも、私たち女子は知らなかった。けれども、それはいつかはわかる。同じ仕事をしているのに、同期入所なのに、どうしてかしら？　私たちはぶつぶつ言いはじめた。でも大きな声にはならなかった。私も声にはしなかった。不満を抱いたままの私たちに、かかわりなく日は経っていった。その間にしっかりした基盤のない日本経済を如実に示して、株の取引高はぐんぐん低下していった。

めざめ

登録取消を受けし会員のコードナンバーに赤
線ひきて何処にか痛み覚ゆ
夏相場秋相場とて期待しつつまたも値崩るる
株価キイにたたく

ガラス張りのパンチ室には、ミズヨウカンを思わせる蛍光燈が明るく輝やき、どっしりと据えられた四十数台の電気計算器に取り組む私たちの中にも、次第に不満が拡がっていった。休憩室が欲しい、更衣室が欲しい、食堂がほしい。それが出来ぬなら、せめて食事時のカーテンだけでもｅｔｃ。

そして、こんな会話が交わされていた。

「あなた今月いくら引かれる？」

「三千円程……下宿代が大きいからなるべく節約しているのよ。でも現金がないから、ついチケットを使ってしまうでしょ。靴代の残りを払ったのと、毛布を買ったのよ。」

「とってもやってゆけないわ。」

「残業で稼ぎましょうか。」

「だめよ、帰りに何か食べるとアシが出ちゃうわ。なにしろ少いんですもの。それに私たち若いのよ！」

「ロウドウクミアイがあるといいな。」

「ツクリマショウカ？　でもコワイな。」

ささやきあうだけで、いつも終ってしまうのだ。

そして証券会社の人々との座談会では、「不平を言ったり、相談をしたりすると、すぐ上に聞

えてしまって、皮肉られたりするんで恐しいわ」という女子事務員や、「ちょっと服を変えて来ると、上役に『いい年をして大したオシャレをする』などと、嫌味をいわれるので……」という二人のお子さんを持つ戦争未亡人や、「この街へ入ると全くガリガリの出世欲にとりつかれるか、惰性で生きてゆくかのどちらかになってしまうんです」と嘆く大学を卒業したばかりの男性の声、しかし、数年を、この街で過した人びとの声は、もはや聞えはしないけれど……。

輝やくばかりに美しく、女らしくなった学友たちは、今はそれぞれの職場のホープとなっている。

「いまどき労働組合がないなんて――。」

「よく不平をいわないわね。学校時代のあなた、そんなに、しんぼう強かった？」

「私たちなんか、坐りこみやったのよ。あなたより大人ね。団結すれば恐いものなしよ。強くなれっ。」

ああ、お友だちは皆、私より大人。私よりもすばらしい人生を胸を張って生きている。どうしよう。どうしよう。……誰か、すっくと立ち上ってくれる人はいないかしら。

私は……私はだめ、まだ自分の足では立ち上れない。私は、いえ、私だけでなく、私たちみんなが、このように考えながら毎日を過してきた。

18 家では「いいのよ、いいのよ、上を見れば限りがないものよ。給料遅配のところもあるんだから」と母にいわれる。「職のない人が何万といるんだよ」と父に諭される。「でも、いやっ」私はひとりでは立ち上る勇気がないくせに、それでも不満のつぶやきを止めなかった。

そして政治不安に出来高は激減し、デフレは日本中に浸透していった。

石壁にしとしとと秋の雨にじみ営業停止のビルに暗き灯はともりたり

目をくぼませて

意志薄弱のわれなればせめて眉にと強くまゆずみをひく

冴えわたる星夜に祈る胎動は黒きビル崩す神怒なるらむ

七月に入ったばかりのある日のお昼休み。私は、ひとりお部屋に残って本を読んでいた。そこへ同じ文化部サークルのMさんが見えられて、「小さい会合を持ちたいが、よく考えてからでよろしいですから参加しませんか」といわれた。一瞬、目がくらむような気持がした。Mさんの真剣な様子に、ただ気の転倒した私は、満足な返事もできないしまつ。考えても、考えてもあとじさりする私の心！　こんなつもりではなかったんだけれど――。

その夜、目をくぼませて家に帰った私は、そのことを父母に話した。

「そんなこと、おねがいだから、やめてね。参加しないで！　ほんとに、ほんとにやらないでね。あなたは何も知らないんだから」と母。涙を浮べて私にいう。

「いい、いい、そんなことに、おまえひとり参加しなくたって大丈夫なんだ」と父。

どうしよう、どうしよう、Mさんの真剣なひとみ。どうしよう。

クビ！　クビ！

翌朝、げっそり頬の肉のそげたのを意識しながら、どうしたことか一直線に係長の前へ行ってしまったのだ。入所当時、困ったことがあったら、おとうさん、おかあさんと同じように思って相談に来なさいといわれたことをかすかに思い出しながら――。

仰天した係長に、問われるままに、まるで催眠術にかけられた人形のような私は、会合の主だった人から、場所から、時間からを洗いざらい言ってしまったのだ。かすかに、いけないんじゃないかしらという気はしていたが、ことの重大さにすっかり動顛している私だった。慌しく動きまわる課長、係長。始めてことの真相を知った私は、あまりの軽はずみな行為にMさんに何と言いわけしたものか、すっかり迷ってしまった。決心してMさんのところに馳けつけた私は、泣きじゃくりながら私のおしゃべりのてんまつを話した。

さっと顔色を変えたMさんは、それでも「いいよ、大丈夫だ、心配することはないよ」と力

19 強く私を慰めてくださったが、何としても弱ってしまったらしく、しばらく考えておられた。

20 ハンカチを噛みしめ、こみあげてくる涙でどこを歩いているのか意識もない帰り道、もし、Mさんが、このことで馘首されるようなことがあったら、あの瞳の大きな可愛らしいお嬢さんに、秘かに学費を送ろうと固く心に誓った私だった。（先日も、お友だちにこのことを話したら、大変な決心をしたものねと笑われてしまったが。）

そのまま私は、改めて自分の行動謹慎のために、会合に参加することをとりやめ、心疼く日を送っていた。

〝友と語りあう〟ことを知らない職場の二年生の私のすがたであった。

しかしひそかな胎動は続けられているようだった。

三つ編の髪ときし日頃の不安など日増しに強く胸に打ちくる

組合　遂に結成！

夏の朝冴え冴え香る組合結成宣言書胸轟きて大きく呼吸す

日焼せし面ひきしめて説得に努める友は労組の幹部

七月二十八日。私は、この日を忘れない。朝、八十年の暗い街の伝統に、一刃のメスがひらめいたのだ。若々しい勇気があふれるばかりの男女数名の方々の手によって、各入口でつぎつぎに配られる宣誓文の紙、紙、紙。東京証券取引所労働組合の誕生の瞬間だった。これこそ、

私たちが待ち受けていたものであった。明日への明るい希望の灯を見出した私たちの名前で署名用紙は、ぞくぞくと埋められ、数分にして過半数に達し、結成をみたのだった。

あの日の、あの晴れた朝の室内のざわめきを私は、いまもまざまざと思い出す。

「すごいわねえ。とうとう私たちにもできたのね。」

「でも、どうなるかしら、心配だわ。」

「心配？　この空をごらんなさいよ。このすばらしいお天気を。これこそ組合結成日よりじゃないの」T子さんの声にわく歓声。

「しっかり団結してゆきましょう」うなずきあう中に、なにか頼りなげな幼さがあるのを見逃せなかった私たち。

「まだ署名の済んでいない方は、お早く願いまあす」わざとふざけたようにいう係の人に、「だれとだれが入ってるの？」とか、「一番あとでいいわ」とかいう友に、私は、はっきりすめることもできず署名用紙にサインしてきっちりと朱肉を捺した。

「ああ、とうとうやった！」と感嘆する証券会社の友の言葉を聞いて私は、自分の勇気のなさを恥しく、さびしく思っていた。

緊張しきった顔でMさんが見えられ、パンチ室全員加入を感謝して行かれた。

その後姿が、ぼうっとかすんで私はしばらく首をたれていた。

（男女平等？）

さあ、単調な日々がドテン返しとなった。総会、職場大会、総選挙、評議員会、労働歌の練習、赤旗を振る、労働協約、ユニオンショップ等々、やつぎ早やの新事実をかけ足で追いつづける。にがりきった理事者の顔の中を、証券従業員の好奇心と羨望のまなざしに呼びかけながらのかけ足だ。よろこびに満ちた明日への夢をしっかりと抱いてのかけ足はなんと力強いものであったことか。係長以下総組合員六五六名。

「シマにも時代の波が押し寄せたんだ。」

「資本主義の牙城も時代の行進は止められない。」

「一筋なわでは動かぬツワモノどもに、よくも食いついたもんだ。」——

巷の声はさまざまだった。

八十年の封建性打破して生れし吾が労組歴史の一ページ一九五四年七月二十八日

如何ばかり苦しみ気づかいやつれしか讃えよ讃えよ勇ある人らを

どんな種から？　——私たちの場合——

はじめ、大学を卒業した方々が、小さな研究会のようなものを持ち、取引所では古株のMさんを入れてすすめて行くうちに、取引所内の体系の全くない給与格差の不合理な点に気付き、なんとしても組合を結成して、皆に知らせるようにしなければならないということで、動きはじめたのだそうだ。一人の仲間が五人の仲間を連れて来ることにして、場所と時間を定めたとのこと。取引所の幹部の数人、課長、係長の幾人かもうすうす気付いていたらしい。なかにはMさんが直接、「組合をつくりますよ」と宣言したのに対し、「わたしたちは全く知らないということにしておいてほしい。しっかりやってくれ」と、ひそかな応援をする人もおられたとのこと。いかに今まで苦しんで来たかを如実に示している。それにしても、いつもは黙然としたMさんの恐しいような危険な行動に、思わず背筋がつめたくなった。

Mさんの話によると、何回も結成計画をしては打ち崩されて、お友だちは何人も取引所を去って行かねばならなかったとか。

大阪が結成！　女工さんの起《た》った近江絹糸、この時を逃したら！

総　会

「始めてだわ」「知らないなあ」「見かけたことないね」こんな会話がひそひそ交わされる。「委員長のHです」小柄の精悍な感じの人、「副委員長のTです」貴公子型の人。「副委員長を努めさせていただくMです」ほっかりとした暖かさを感じさせる最年長のMさん。「書記長のKです」ヌーボー的な人。知っているのはMさんだけ。みんな頬はやつれ、髪には油気が全然ない。女子の方三人、目をくぼませた婦人部長のSさん。宣誓文配布を手伝っただけよ、といいながらも感激に声も出ないKさん。なにかの催し物でもない限り、所員全員が集うことなど一度もなかったことである。新入学の小学生の気持のように、期待と不安で、すがるように委員たちを見守る。そして、協力をお願いしあい、幼い組合は歩み始めたのだ。

初の要求

聞きかじりの労使の在り方をささやかな夕餉を前に妻に説きたり
思うままに発言し得ぬは悲しかりディスカッションに不馴れなる吾
労働歌響ける内に始めての要求通りて涙あふれし

さて、組合の初めての要求項目は、

一、九月期生活補給金一律二ヵ月の獲得
一、ユニオンショップ制を認めよ
一、労働協約の即時締結
一、最低賃金の確保と給与体系の確立
一、男女差別の撤廃
一、人事の明朗化
一、取引所の主体制の確立
一、兜町全従業員団結せよ
一、投資家保護の徹底

の九項目の盛だくさんとなった。

初心な組合の総会、筆太々と書かれたスローガンが講堂の緋の幕にさげられ、絶え間ない労働歌の合唱とゆらぐ幾本もの赤旗。

覇気に充ちた委員長の声がマイクを通じて響き渡る。ディスカッションを知らぬ組合員だけに意見は全然出されず、歌声と旗を振ることに今までの不満を爆発させているのみ。

団体交渉、団体交渉、労使ともにまったくの未知なことだらけ。パンチの列の間に私たちは、しっかりスクラムをくみ若い乙女の意気をうたい、ガラス張の廊下を通る見学の方々の目をしばたたかせるのであった。

若い執行部の熱意と一度に立ち上った六〇〇余名の組合員の歌声に怖えたのか、生活補給金は一・八ヵ月という圧倒的勝利に終った。

機関紙の発刊がプリント刷りから、活動となり、写真が入り、ユーモアが入り、労働協約、ユニオンショップの解説がかんで含めるやさしさで掲載されるようになった頃には、誕生三ヵ月を数える組合となった。

秋風が吹き始め、向いの会社の窓が夕陽に映える美しい日々であった。

第二回の闘争

団交の結果報告に感激せし夜半は労働歌耳はなれざり
赤旗の波ゆる昼のひとときを心しこめて労働歌うたわむ
高らかに労働歌うたう青き朝意識して感激をもつわれ十九歳
紅らみし木の実を活けしこの夜ふけ夜気吸いつくす心持ちおり

ひきつづいて組合はベースアップの闘争と取組んだ。三ヵ月を経たとはいえ、労働歌も数知らず、スクラムの組み方も満足にできぬ私たちであった。勉強も不足、情報宣伝も不充分、ただ、第一回の要求がたやすく通ったことが、みんなの胸に積まれていた不満の出口を一層おしひろげたのであった。

一、完全ユニオンショップ制を認めよ
一、平均賃金一九、八四〇円の絶対獲得！（現行一二、三九九円の六〇%アップ）
一、家族手当最高四、五〇〇円を支給せよ（現行二、五〇〇円）
一、交通費実費全額を支給せよ（現行最高五〇〇円）

このような四項目を掲げて新たな団交に入った。

この中の六〇%アップのことについては、一番身近なことだけに、組合員の論議の焦点となり、アンケートによる経済状態及び総会での活潑な討議の末の決定であった。

だれもが六〇%のベースアップと聞くとびっくりするが、決して個人個人に六〇%アップをするのではなく、低賃金に加えて情実による激しい凸凹を修正するためには、ぜひとも必要な最低限の要求であったのだ。

その凸凹の例として四四歳の五人家族の守衛さんは一二、〇〇〇円で生活し、また四二歳の同一勤続年数のある人は一四、〇〇〇円であり、ある役付は四〇、〇〇〇円という月給をとっている。上には厚く、下には薄くの制度が積み重なってできたこの格差を埋めるためには、当然の要求であったのだ。

本を読みながら手さぐりで、団体交渉へ乗り出す若い組合執行部と、それに必死に縋ってゆ

く組合員と、労働組合というものを、ただ恐れていて、対決する予備知識をまったく持ちあわせていない経営者との間で、何回も何回も団交が重ねられた。回答はなかなか得られなかった。総会の席上でも、

「皆さん、団交の結果がいつ出るか見通しがつかないので、一応女子組合員の方は帰っていただきたいと思うのですが」との声が何回も聞かれる。

「帰りません、団交の結果報告を待ちます」女子組合員の張りきった返答。

しかし、難航に難航を重ねる団交結果。旗を振り、歌い、少し疲れてキャラメルの箱を手渡しあっては「がんばりましょう」と誓いあう私たちだった。

闘争態勢が整えられてゆく。

白鉢巻に、墨くろぐろと〝東証労組〟と書き込んでビラ配りをする。電車道路の街角でビルの横で、小さな証券会社の露地に、秋の朝の空気を胸いっぱいに吸いながら。

「まあ、しっかりやってください」落ちついた声で応援してくれる初老のサラリーマン。

「しっかりやれよ、がんばれよ」と幼面残る場立さん。

「やってね！　うちの労組は御用なの、腰くだけよ」ヘップバーンのお嬢さん。

「おはよう」ビラだけをひったくる恥しがりやの青年。

そして、お昼休みのデモ行進。青行隊旗を持って三々五々とドームの前に集る。鉢巻の姿に

（シマ（兜町）にも時代の波がおしよせる）

少女らしいりりしさをひそませる工夫をし、プラカードに諷刺やら、ユーモアやウィットや、訴えを表わし、高らかに歌をうたいながら街を歩く。

放送局の係員がテープレコを持って追って来る。テレビのフィルムを巻く音が耳許にする。フラッシュが絶え間なくたかれ、使用済みのランプが次次に川へ投げ込まれる。ものすごい人だかり、奇異の目をみはる老舗の老人。感激に目をうるます事務員。三菱倉庫の屋上から歓迎の紙吹雪が散る。出来高の激減したこの数日、兜町の人々の表情が暗い。だけど――だけど

さあ、力いっぱい闘おう。

団交決裂！

労働歌はつづく大会はおわらんとす若き乙女らのスクラム固し

団結のうたごえひびく団交に姿勢を正し強くダメ押す
十月十三日の団交で十八日午後二時を期限として最後の回答を求めた結果は、あまりにも無惨な、あまりにも誠実さのない経営者側の態度であった。

一、ユニオンショップ制の事実上の拒否
一、部課長を含む平均賃金一六、九〇一円（二一％アップ）しかも十月の定期昇給分を含む。組合員のみの平均賃金は一五、〇〇三円とする。
一、家族手当、最高三、〇〇〇円支給
一、交通費実費全額支給
一、賞与は現行支給率よりの年平均〇・六ヵ月分の削除、

私たちの怒りは爆発した。これでは、実質的にはわずか八％のベースアップでしかないのだ。

0回答にも等しい！

すっかり暮れた夜空に、労働歌が流れてゆく。

ス　ト　権　確　立

取引所がストをしたら？　ラジオも新聞もその重大性を大きく報道している。私たちも自覚している。事態を平和に解決しよう、私たちは、なおも交渉に日時を費やそうという声にも耳を傾けた。しかし、完全に無駄だということを知って、全員投票でスト権が確立された。スト通告！　機敏に動ける服装、お米を五合、ついに最悪の事態となった。報道陣のあわただしい動き。私たちは団結だけが武器だ。聞けば理事者たちは、ひそかにスト対策に狂奔し、弾圧をくわだてているとか――「民衆のハタァー」デンデン、「アカハタは――」デンデン――。

しっかりとスクラムを組み、ひきしまった心で歌をうたう。太鼓の音が殿堂に響き渡る。うなずきあいながら、〝団結〟こそ、最大の最良の唯一の武器なんだと、改めて心に誓う私たちだった。

共闘の人々と

スト通告を発した夜の講堂は、ピリピリとした触れれば裂けんばかりの空気であった。

デフレの真只中、折しも、日鋼室蘭の激しい百十数日の争議、女工さんたちの立ち上った近江絹糸、続く山梨中央銀行の争議、と注目を浴び続ける盲点争議が続発していた。たくましく日焼した炭労の人、馴れきった自信たっぷりの国鉄、その他全商協、全倉庫、全電通の方々が、それぞれ戦歴も深い組合旗を掲げて続々とつめかける。中でも激闘ぶりそのままの日鋼室蘭の方、私たちと同じように白鉢巻の同年齢の山中銀行女子組合員の方に親しみを覚えた。――でも同じ街の仲間がひとりもいない――街の中の別世界なのか――ちらと頭をかすめたこんなこ

とも力強い仲間たちの歌声の響きにすっかり記憶のかなたに消えてしまった。

仲間、仲間、私たちは胸いっぱいのよろこびに自己を忘れかけていた。そう、急に仲間の増えたことを私たちは忘れかけていたのだ――自分自身をしっかりみつめることを――ほんとうに単純だった。争議行為のすすめ方についても、業者から見た私たちの立場についても、その他の状勢を見究めることを考えることを怠ったのだ。

だけど！　仲間たちは強い！　おどおどとまどう私たちを勇気づけ腕をかし、押しあげてくれた。そして、血のつながりを持った友が〝おにぎり〟を分けあい、一緒に歌をうたってくれたのだ。

どんなに心強かったことか――

ス　ト　突　入

白きドームに席敷きて強きライトにポーズしつつ塩むすびの粒を食む
フラッシュにライトに瞳輝やかしスト突入の新事実意識せむわれ
十月二十六日、午前零時を期して、遂に「スト突入」のはり紙をいかめしい正面扉にしなければならなかった。
少し冷え込む深夜、ドームの中にムシロを敷いて待機した。

「十七班！ おにぎりを取りに来てくださあい」伝令の声に班長がすぐにとび出す。大きなお皿に山盛りのまっしろいおにぎり。「うわぁ！」歓声！ 「おいしそうねっ」「うわぁ、たまらない！」まだ番のまわらない班の人が羨望の叫びをあげる。

（その日の東京証券取引所の玄関）

みるみる崩れる皿盛りの山。

「もひとつほしい」小さなつぶやきにほほえみあう。

「私、胸がいっぱいで食べられないからあげるわ」私は、お河童頭の夜間高校生のK子さんにあげる。

「どうもありがとう」素直に受け取る彼女に哀しいような愛しさがわく。

「疲労するから横になっていてください」伝令の声にごろり、

ごろり。頭のそばに靴があり、鼻先に背なかがあり、それでもスキ間をみつけて横になる。ふっと十年前のサイレンの鳴り渡る夜を思い出す。応援団体の続々つめかけるざわめき。ニュース映画のライト。テレビのライト。カメラマンのフラッシュ。

「ちょっと、ちょっと、そのおにぎりにぱくついててよ、ストップ、ストップ。そのままでえーェと、お皿をカラッポにしといてね」新米らしいカメラマンが勇んで三脚を運んで歩く。友だちの笑い声。ふっと、きびしいライト。私にむけられているテレビのレンズ。

「ねえ、眠ってて、眠ってて」私は恥しくなってハンケチで顔をおおってしまう。「ちょっ、ちょっとですからさあ、お嬢さん、寝顔だけ」みんなが、どっと笑う。私はハンケチをはずさない。翌朝の新聞に〝鉢巻も薄汚れ疲れきった女子組合員〟という見出しの写真があった。

報道陣の攻ゲキが一段落、K子さんが仰向けになりハンケチから瞳だけ出して天井をみつめている。一度もおかあさまの手許を離れたことのない十六歳の彼女は、何を想い出しているのであろう。瞳がうるんでいる。

私も黙って天井の彫刻をみつめる。すばらしいエンゼルの彫刻。いつ誰が彫ったのか。このような状態で、まじまじとみつめられる時が来るとは、夢にも思わなかったであろう。

「いい記念になるなあ、こんなことメッタにないことだもの、こんなことした時代もあったって思い出せるだけでもすばらしいや」私は少し言葉を荒く男の子のように言いきった。

「そうね。でも、おかあさん、どうしているかしら」K子さんの顔を見るにしのびず私はそっと洗面所へ行くふりをして玄関へ出た。

この事実を意識して心に記憶しようと思う私の頭の上に「清酒、白雪」のネオンが赤く青く無心に点滅していた。深夜のこととて労働歌もひかえ目にしている。たばこの煙やフラッシュの煙が鎧戸のすき間から静かに外へ流れ出て冷え込みが少しきつい。

眠っている友や、小声でおしゃべりする友を私は静かな思いで凝視していた。明日の明るい職場を、友を考えながら——。

墨跡も新しい「スト突入」のはり紙、夜が明けた。爆発するような歌声が国鉄の応援カーと共に兜町をゆさぶる。ガッチリ張られたピケ。うち振る赤旗。薄ら陽の街に、つめかける人々の好奇なものを見る顔。ジャムパン、バターパン、バケツのお茶がつぎつぎに配られる。紅を落したままの友の顔のあどけなさに驚きあいながら少し蕊のある〝おにぎり〟を食べる一群。建築途中のお隣りのビルに足場をつくって腰を据えたカメラマン。くぐりぬけて歩く例のテープレコさん。三脚氏。ゆとりを持って私はピケを張っていた。手早く薄化粧もしておいたから、寝不足とはいえ、そう醜くはないようにしておいたつもりだけれども……。国鉄ガッチリ陣を先列に私たち女子がピケを張る。ラジオに新聞に報道陣の活躍の激しいこと、今更ながら職場の特殊性を意識する。「協和会の連中を動員して、ピケ破りが行われるぞ」との情報。共闘の人に縋って腕をくむ。
何もない。歌をうたい続けだ。弾んで〝村から、町から〟を、よびかけるように〝インター〟を、日本の悲しみを堪えて〝原爆許すまじ〟を……。
証券会社のNさんが、応援に駈けつけて来た。「組合もない会社なのに、クビになったらどうするのかしら」私はNさんを追い返えしたいような気がしていた。
警官の兜の波とまむかいておのずとスクラムの堅さ覚ゆる
舗道にて乱闘の光景に憤激覚ゆこん棒の青かぶと鬼と思いて
午後、激しいマイク合戦。「私たちの正当な要求が、どうして受け入れられないのでしょう。」——私たち組合側の拡声機。
「ピケを解いてください。午後一時半より立会を強行します。ピケを解いてください」これは会社側のマイク。「阪本公園に大勢の予備隊が待機している」との情報。そして、ピケの持場交替をして間もなく、鉄かぶと姿も、ものものしい予備隊の一隊を見た。私たちの心は凍った。「ポリ公帰れ！」「税金泥棒」「ワッショイ、ワッショイ」共闘の人たちの激しい叫び。証券会社の人々の表情も硬くなった。「ポリ公帰れ！　税金ドロボー」私たちはためらった。「あのう、そういう言葉は使わないことにしましょうよ」私ははっきりいった。事実、いやだったのだ。

「ワッショイ、ワッショイ」これでいい！　これでいい！

「西口、日興証券側に警官隊の出動！」さあ、さっき交替したばかりのところだ。K子さんやT子さんの持場だ。警官との激しい揉み合いが時々わかる。

こん棒を振りあげ、靴でけり、スクラムで坐り込んでいるだけの私たちに、能面のような警官たちだった。私たちの建物にのぼり窓を破る彼らを、無抵抗の私たちを暴力でひき離した彼らをみんなが見ていたのだ。

「ピケが破られた！」「ほんと？」「まあ」泣きじゃくりながら男子の方たちが私たちの部署へ来る。頰に土をつけ、腕にすり傷をつくり、警官のこん棒に屈した無念さに、唇を嚙みしめる友の瞳に、私は闘うことを誓うのだった。

「きみたちは、同じ証券界に働く仲間じゃないか！　黙って眺めているだけなのか！」

悲憤の涙をぐっとこらえていう私たちに、道に群がっている兜町の若者たちは、そっと立ち去るか、無表情でいるかだった。

「ね、どんなにあの人たちを苦しめ、縛っている力が大きいかがわかるでしょう」と慰めてくれる共闘の方々の言葉に、改めてスクラムをしっかり組み直す私たちだった。

業者のビルの窓ガラス越しにそっとハンケチで涙を拭う女子の方々。露地に、こぶしを握って泣き笑いみたいな合図をした場立さん。窓に顔を出している人々に叫びつづける。

「青カブトは帰って下さい」

「同じ仲間でしょう。一しょに闘いましょう。立ち上って！　立ち上って！」叫び続け、歌い続ける私たちは、窓ガラス越の顔が一つ一つ消えていくのを歯ぎしりする思いで見つめていた。
経営者から要請を受けたという官権の弾圧のため、私たちは自主的にピケを解いた。七人の検束者が出た。
「これ以上犠牲者を出したくないっ！」委員長の悲痛な言葉に私たちは従った。
ネオンが昨夜と同じにまたたく夕暮、ニュース映画のきびしい明るさのライトを浴びつつ堂々と闘ったのだという自信で胸を張り、労働歌を高唱しながら、私たちは講堂に入った。街路に送ってくれる人人の中に拍手する人がいた。「よくやり通しましたね！」と手をさし出す婦人もあった。頷きながら迎えてくれる若い副委員長の眼にも涙があった。ぐいぐいとみあげる口惜し涙に、「闘いはこれからだよ」という共闘の人の励ましに、強くうなずく私たちだった。

赤旗を床に投げて憤る友の涙を涙で受けつ

ネオンの紅にじむ空にピケ張り通せし一日を彼方の如き思いにて仰ぐ

その夜、埃にまみれたズボン姿を緑色の洋服に着換えて私は、あの玄関を出た。フラッシュがひらめいた。また〝家路につく女子組合員〟とでもつくのであろう。

激しい悲哀に痛み続ける心を、そっと抱いて一時間を省線にゆられる。

「ただいまっ、うわぁうん、ううう」なにもかも忘れて泣き出してしまった私に父も母も何も言わない。あたたかい御飯を盛ってくれる母の手がふるえている。何もいわない。「これからだ、やれっ、しっかりやれ」父の一言。私はとめどなく頬をすべる涙をすすりあげながら、ぱりぱり音をたててりんごを噛り始めた。

毛布をかかえて　――あるお母さんの手記――

敷かれた布団はそのまま、昨夜、康子は遂に帰って来なかった。ラジオは朝早くからかけっぱなし、朝の台所で雑用に追われてはいるが、耳だけは緊張してラジオの報道を逃さず聞いている。その時である。「東証労組、二十四時間ストに突入」との報道があった。

はっと立ちすくみ聞き入る。いよいよ最後の手段となってしまったのかとなにも手につかない。しばし茫然としてその場に坐ってしまった。やがて心も落ちつき、ああ、こうしてはおられない。むろん、今夜も帰って来ないであろう、康子は出掛けに「声がカスレテ、喉が痛い」と言っていた。労働歌を歌うからだとは思っていても、心のすみに、もしや風邪でもひいているのかと心配になり毛布を持って行こうと思いついた。それに、用意しておいたタマゴもあり、これは何かとお骨折くださっておられる幹部の方たちにだけでもと用意してあったのだが、毛布と一しょに持っては見たが、このタマゴを持ち歩くことは駄目かも知れないと考え、毛布だけシッカリと胸にかかえてとび出した。電車を降り、小雨降る中をコートまで着て、大きな包みをかかえて。舗道は証券会社の男の社員でいっぱいうずまり、どの道へ廻っても人でいっぱいで、私ごとき者の入るすきなどあろうはずはなく困ってしまった。しかし、何とかして入口のところまで行けば東証の誰かに手渡しすることができるだろうと思い、人の背後から大きな声で「恐れ入りますが用事のある者です。前に出してください」と言いながら、無理に人波をおしわけ、へし分けして入って行った。やっとの思いで、東証の入口近くまでたどり着き、ほっとして前を見た瞬間、私は腰を抜かさんばかりに驚いてしまった。それまでは人の背後で何一つ見ることができなかっただけに、息の止る思いであった。警官の鉄兜の波、白鉢巻の労組の人の緊張した真剣な顔、

顔、私は胸がいっぱいになり涙をこらえることができなかった。やっとのことでここまでたどり着いただけに、簡単に引き返せるわけがない。

涙はとめどなく流れ、何時しか私は人前はばからず、ススリ泣いてしまった。康子から労組のようすはよく聞いてはいたが、赤旗をかざしてピケを張る、労働歌を歌う。スト突入のこうした事実を今、目の前に見て、団結の力、決意を持って立ち上った一糸乱れぬこの姿!! 巨大な取引所の建物を背景にもう何物をも怖れはしないと腕を組む。その腕が私には固い、強い鉄のクサリのように見えてならなかった。私は毛布の大きな包を持ったままこの光景を前にして泣きながら胸いっぱいの感に打たれ、しばし佇んでいた。

このさわぎに毛布を手渡すことなどはどうしてできようか? タマゴも置いてきてよかったなどと考えながら、諦めてこんどは人波の前の方から小さくなって「すみません通してください、すみません」と何十回となく頭をさげ、叱られながら、細い体に大きな包をかかえなおし、やっとの思いで舗道に出ることができた。

ほっとしてふりむいて見たが、大きな建物が見えるだけ、今までの光景など見る由もない。建物を見つめて私は心の中で「労組の皆さん、がんばってください、負けてはならない、康子もがんばるんだよ」とつぶやきながら、幾度となくふり返り東証をあとにした。

その夜、一時近く康子は帰って来た。

家の者は一齊に飛び起きて玄関に出た。真赤に泣きはらした目、声は全く出ない。「疲 42
れているだろう、すぐお休み」と言われても、いまだにあの場のこうふんは消えていない。
「警官は私たちの敵です」と口惜し涙にぬれていて寝ようともしない。おとうさんも私も
「闘いはこれからだ、早くお休みなさい」と一生けん命に励ましてやった。しばらく沈黙
が続いた。長いこと私は布団の中で、スス泣く康子の声を耳にしていたが、その声もそ
のうちに聞えなくなった。やっとねむったらしい。ほっとする。あたりはしーんとして何
の音もない。

ストの翌朝（五首）

唇噛み涙抑えし夜は明けてキイたたきみる心躍りて
「白鉢巻で泣き崩る」と新聞は報じたりポーズを常に考えねばならぬ
検束されし友に靴下編まむとリボン結びし幼面残る友はいう
パンチのキイの変りなく軽き感触改めて喜びの心湧き来ぬ
原稿紙に生き生きと文字を書き吾は一端の労働者のつもりなるらし

検束された友へ

ピケを解いて講堂に入った私たちは、〇〇班班長のあなたがおられないことを確認し、改めて激しい怒りを覚えたのです。あなたの他に共闘の方六名、どんなに御家族の方々は心配なさったことでしょう。官権の介入、初めての大きな争議の私たちには、あまりにも大きな傷手でしたけれど、もう一度、がんばりましょう。私たち、できるだけのことをしますから、どうぞ平静なお気持でおられますように。一緒にスクラムを組み、歌をうたう日が近いことを誓います。

明日の闘いのために

都労委の斡旋案が提示されるまでは、鉢巻就労、サボで揉め、デモなどの戦術がくり返えされていた。十一月五日、提示された。

一、いわゆる尻ぬけユニオンといわれるもの
一、家族手当最高三、〇〇〇円
一、二七％のアップ（部課長を含む）
一、賞与は年四回（労使間で協議をする）

円満解決するよう双方とも心がける。etc。

十一月の総会で慎重討議ののち、受託を決定した。官権の介入という新しい情勢のもとでの 43
より強固な団結を築くために。

十一月十日の正午、静まり返った講堂に調印式の行程報告が終った。旗も見えず、歌声もなかった。闘争三役に何回かの任意出頭命令が来ているとのこと、「かれらは告訴状を撤回していない！」委員長の怒りの言葉に、組合員六〇〇余名の瞳がもえた。

――警官も笑った歌だよ――仲間にはいい娘がたくさん働いてる――パリッとした若者も胸をときめかぁす――いつの間にかスクラムをくんでいたわりあう私たちだった。

何のために？

残業も終って帰り仕度を整えている私たちの部屋の前を、どやどや三十数名の刑事、新聞記 44
者の一行が通りすぎる、少しあおざめた顔で副委員長のTさんが先だっている。「何かしら！」私は、不安を感じて地下の青行隊本部へかけ降りた。「家宅捜査だよ」落ちついた声でKさんがいう。また、フラッシュ、友好団体の旗布を拡げてはメモする数人。机のひきだしをあけてかきまわす数人。

連日の闘争委員会で疲労しきっている委員たちが緊張した表情で佇んでいる。変に冷酷な刑事たちの瞳が大証や名証の労組からの寄書きを見渡し、友と縋りあって瞳をみひらいている私を無視して戸口を出る。充血した瞳で闘争委員のSさんが黙ってついて行く。青行隊本部とは

別に闘争本部は市場館の二階の一室に設けられていた。「何のために?」深い息で私とお友だちは慌しい本部室をみつめていた。「大丈夫さ、心配することはないよ」委員長が、にやっと例の不敵な笑いを私たちに投げカメラマンと新聞記者を後に歩いて来る。市場の時計が赤く七時をさしている。がらんとした場の中をゴクロウサマに、旗布と竿を別々に束ねて、刑事のひきずり歩く音が響き渡っていた。〝家宅捜査〟だなんて、たった一回のストだったのに、歩き始めたばかりの私たちを——友と語りながら帰途につく私の胸の中に、ぐつぐつと怒りが煮えていた。気が弛んでいたな! 組合も、だけど、闘争委員の疲労を考えると、何の役に立つこともできない自身に、たまらない歯がゆさを覚えるのだった。

新しき国内《くぬち》にひき次ぐ生活《たつき》闘争に団結もちて我らは進まむ

不当逮捕

ストの日に検束された友が、私たちの手で私たちの中にもどって来てほっとしていた、ある朝、副委員長のMさんと法対部長のSさんが逮捕されたとの報に、私たちはびっくりしてしまった。

刑事たちはどのように、幼い子らの前から父を、やさしい母の前から息子さんを連行していったのかしら。もう、胸がいっぱい。涙で瞳がくもってしまい、可愛らしいお嬢さんのびっくりしている姿が浮ぶし、年とったおかあさまが、息子さんのことで気をもまれる姿が目にちらついてたまらなかった。

しかし、釈放されてからお話を伺うと、お二人とも大きな声で歌をうたって刑事さんたちを仰天させるほどに元気いっぱいだったらしい。Mさんのお嬢さんも奥様も、Sさんのおかあさまも、父を、夫を、息子を信じきって安らかな気持でおられたとのこと、ただ喜びで私は何もいえなかった。

協約と賃上げ吾子らは知らず颱風来らん一日を遊ぶ

夜遅く帰るしきたりつきて一年吾子らは朝のわが床に入りて来る

水を浴み遅き夜食をはみおれば蚊張をあげ眼をこすり吾子は出て来る

明日を誓って

闘争態勢を解いた十二月二十八日、闘争委員長のHさんと、青行隊長のUさんが遂に起訴された。新年を迎えるのに、御気分が重いことでしょうと思うと、私たち組合員が、しっかり後押ししてあげなければならない。明日を誓いましょう、私たちがおります。どうぞ、お元気になって最後までしっかりがんばりましょう。

新しき年迎えたりこの朝におおらかに照る陽をむさぼらむ

〝この労組のびゆく〟と断ずる新聞にほほえみ交す吾ら女子組合員

兜町を去った友へ

よい先生となって、黒潮流るる町の若者たちに慕われていることでしょうね。矛盾だらけのこの街に苦しんで遂に去って行かれた、あなたに代って私は、何としたら明るく楽しく過せるかということに一生懸命です。この空の下で、お互いにのびてゆこうと心がけている人々が、どんなにたくさんおられるかということも知りました。背骨《バックボーン》ある生徒さんを続々と輩出なさってくださること!

きみよ

兜町のお友だちへ

私は、この争議を機に兜町に幾人かのお友だちを得ました。組合もない会社から応援に来られた勇気のあるNさん、お互同志を親しい兜町仲間としてのびてゆこうというOさん、中小証券の先端をきって組合をつくり、三十数名の組合員を上手にリードなさっているダンスの上手なCさん、そしてまた、私たちの組合結成を祝福して激励文をくださったばかりで解雇され、それに対して結束して撤回させた三人の友、みんなそれぞれにのびてゆこうという人たち、でも横の連絡があまりにも薄いために大きな動きができないのです。

大証券会社にも、私たちと同じパンチオペレーターがおります。なんとか横のつながりを持ち、私たちの職場の兜町に私たち若人の意気を溢れさせようではありませんか、夏期賞与、期末要求と私たちの相次ぐ闘争に続いて中・小証券会社の労組もだんだん成長してゆきます。それと同時に共に働く証券界に仲間を強く求めています。歌う会でも、書きたい会でもつくってみんなでやりましょうよ。

*　*　*

資本主義の牙城と呼ばれている私たちの職場の取引所は、ほんとうにすばらしい建物です。白いドームを囲んでいる、たくましい八体の裸像は商業、工業、農業そして交通の産業の基礎を男女四体で表徴しているのです。

東洋一を誇るこの証券市場が私の入る数年前まで他の名を〝黒いビル〟と呼ばれていたことを知ったときの私のおどろき。国民の血と汗の結晶をしぼる中継所であったとは、——。

学窓を出て三年、ようやく周囲を見廻わす余裕を持てるようになったとき、私は何を見たでしょう。封建の鉄壁に取り囲まれた〝シマ〟と呼ばれる、この街に暗く意気なく毎日を過す人人、明日の保障もなく、その時どきの景気の波に身をまかせて来た人、場の中に働く二十歳前後の向学心を失いゆく青年、それらを見て〝これではいけない〟と気がついたが諦めの気持の方が大きかった私。絶望にひきずられていく私に〝東証労組の結成〟は地獄の仏だったのです。

蘇った思いで跛足を続ける私に、街の友の悲痛な訴えが聞かされ、期待と希望で見つめている多くの瞳が意識されたのです。そして、新しい息吹の通いはじめたこの街にひき起る数々の悲喜劇と、日鋼室蘭の主婦の団結と、近江絹糸の女工さんの闘い、弾圧、世論、警察、新聞、政治、あらゆる面から見つめ、考え、どうしてそれがなされなければならないのかという疑問。徐々に目覚め、成長してゆくことを発見したとき、この〝私の心の成長〟そのものが私の愛する職場の歴史となることを知ったのです。

書きあげて仰ぐ星空しみじみと清らに生きむ生きむと思う

ある深夜頬をはられし心地して慟哭しつつ生きる生きると呟やきぬ

（職場の歴史をつくる会
東証グループ）

N　労組の歴史

1　まえがき

*

ぼくが、最初職場の歴史をつくる会に入ったとき、労農同盟とかいさましいことをいっている学生がいることに驚いてしまった。とてもじゃない、ついていけないと半ばあきらめていたが、職場の歴史をつくるにあたって、じっさいの生活についての考え方では、ぼくの方が、学生にはできないのが、僕たちにできるということを自分で発見した。はじめは、今から考えると学生にたいして劣等感をいだいていたが、この私の小さな発見ののちは、学生より以上に歴史をつかむし、歴史をつくっていけるのではないだろうかと考えるようになった。僕には、今までにない自信ができた。

（S）

*

以前は、学生という者は労働者と別の存在のように思った。しかし、こういう会をつくってゆく中で学生の人たちも労働者の闘いを発展させるのに役立つことをしているのではないかとわかってきた。

学生だけではなく、いろいろな人たちと私たち労働者との関係が決して、無関係なものではなくて、いろいろなからみあい、助け合っているのだということを知るようになった。そういう人たちも、本当に協力することにより、私たちのくるしみを解決することができるのだということがますますはっきりしてきた。私たちの組合の活動をよくみてくれて、いろいろ見通しをつけてほしいということを強調したい。

（K）

2　神田工場の歴史

先ず始めにN製作所の神田工場を説明しよう。国電の〇〇駅か××駅で下車して歩いて約七分である。都電ではＡＢＣ三駅のちょうど中間である。

電車通りから一寸入った広い通り（〇〇通り）に面して、油のしみこんだ木材で出来ている黒黒とした建物がN製作所である。事務所はハイカラな色をした木造二階である。もしB町附近に来て会社がわからないときは、この附近に住んでいる人にN製作所はどこですかと聞けば、大多数の人が道を教えてくれるだろう。なぜならば、N製作所の従業員は酒を飲むとすぐ他の人とけんかするため、ここらでは悪名が高いのである。

では、なぜすぐ他人とけんかなどするのであろう。会社のある人が僕に次のようなことを教えてくれた。「会社が非常に悪労働条件のため、皆苦しんでいる。がしかし、これらの不満を会社に言えないため、このようなことをする」今年に入り、前言を否定するようなことが起った。それは今年の新年会の時に他人とけんかしなかったことである。このようなことは珍しいことである。

では、次にN製作所に入ってみよう。

事務所に入ると女子事務員三人と社長、専務、取締役が二人ずらりと机を並べている。社長は経済新聞を開いて、株が安くなったかをけんめいに調べている。専務は組合のことを考えたり、銀行のことを考えたり、株の事を考えたり非常に忙しい人間である。そのため一日の半分位は会社にいない。取締役二人は売掛帳を見たり、定価表をみていたり、得意先き廻わり等々、種々の仕事がある。がしかし一歩事務所を出て工場に入ると、人足になったり、トラックの運転手をやったり、種々の雑用に追い廻わされる。こうなると取締役とは名のみで、仕事は我々より雑用である。このようなことでは、N製作所の取締役になることも考えものである。また、ある取締役が、昨年組合が会社と団交中に私に向って「君たちは会社にもんくがいえていいな、私はいいたくてもいえない」といったこのことからもわかるように、この会社は専務一人の会社であり、名前だけの株式会社である。

女子従業員のうち、一人は他の大きな会社でいえば、会計課長のようなものであろう。他の

一人は会計補佐と種々の書類の提出及びタイピストであり、最後の一人は使いやら労働者関係のいろいろの仕事をやっている。

この事務所を通りぬけ、工場に入ったときには、工場の非常な高音と油のにおいになやまされる。ゴーゴーとモーターの音、ハンマーで鉄を打つカンカンという音、機械が廻る音、機械が鉄を切る音等である。この高音の中から我々が歌う声が聞えている。これらの歌はお富さんでもなくまた流行歌でもない。それは真の労働者の団結を語る立派な歌である。我々はこれらの歌を口ずさみながら、元気一杯に仕事をしている。

工場は木造で平屋一〇〇坪位の建物が二つたっており、これらを第一工場、第二工場といっている。第一工場は南側に高い建物があるために、昼間でも電気をつけ、仕事をしている。第二工場も第一工場

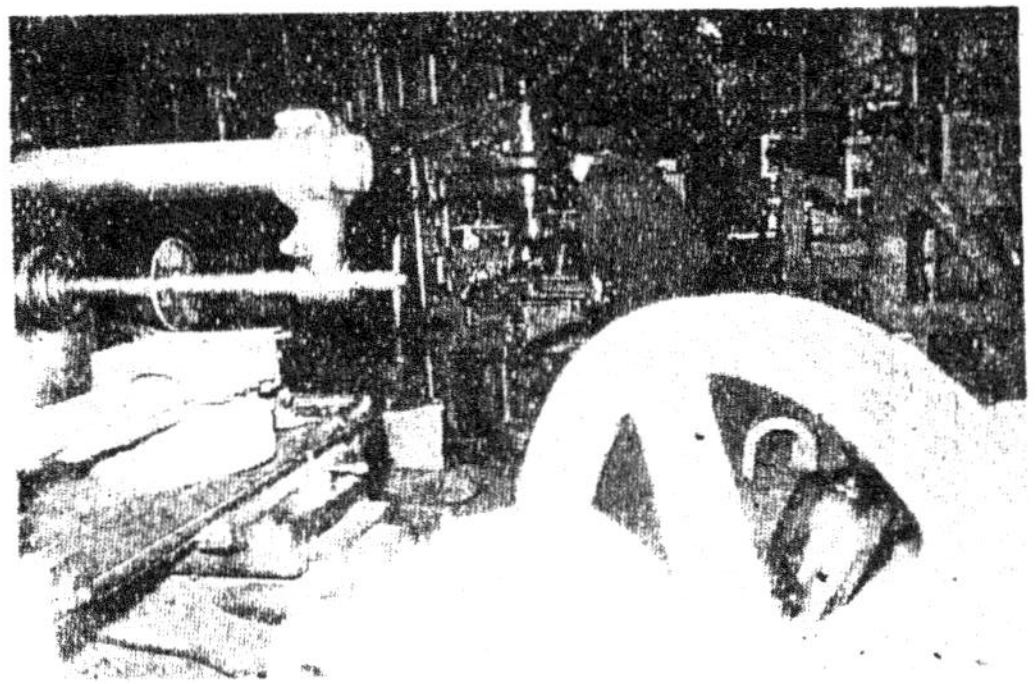

（昼間も暗い町工場）

と同様、昼間でも電気をつけなければ仕事は出来ない。一寸見ただけでわかることだが、どちらの工場も隙間が非常に多くあるため、冬になり風が吹くと寒い。次に工場の機械の数をあげてみよう。

一、プレナー（三台）
二、旋盤（七台）
三、ラジアール（二台）
四、ボール盤（三台）
五、パー（三台）
六、ホッピング（二台）
七、フェロス（一台）
八、ベーチカル（三台）
九、ミーリング（一台）
十、鋸盤（一台）

これらの機械は不良機械が多く、これらの機械で能率をあげることは困難である。

我々は高音になやまされ、不良機械になやまされ、また会社の悪労働条件になやまされながら、昨年十一月まで黙々と働いてきた。同じ職種の人はお互いに労働条件の改正、賃上げのことを話しながら。が、この話は話だけに終らず、ついに昨年末組合結成により実現したのである。その時の喜びは筆によってあらわすことは出来ない。何年間もの夢が夢でなくなったのである。このときのうれしさは一生涯忘れることはできないであろう。

ついに我々の努力が実を結び、会社の封建制、低賃金、悪労働条件にむかって断乎闘うときがきたのであった。昨年の末頃までは、皆もんくを言いながら、歌をうたいながら（その歌は流行歌）仕事をいやいややっていたが、いまは違う。皆の顔には喜びの色があふれ、うたう歌も我々のための歌、仕事は元気一杯やっている。これらのことからも組合が結成したことにより従業員全員が明るくなったことは確実である。

54

目を工場の外にすると、すぐ近くに宮城があり、ニコライ堂があるように有名な建造物が多くあるが、それより以上に多くあるのが学校である。一寸数えただけで十二、三はある。明治大学、日本大

「あぁいけねえおしゃかだ」

55

学、中央大学、専修大学などはその中の一部である。

このためか神保町附近には本屋（古本屋）、洋服屋、運動具屋など学生に身近かな店が非常に多い。丸の内ビル街、駿河台の学校街と近代的な建造物をもつ千代田区は近代的な区ともいえることであろうが、しかし近代的なのは表通りだけである。一度裏通りへ入ると多くの中小工場をみかける。その中の大半が製本関係の工場である。製本関係（製本屋、折屋、印刷屋、印刷機械製造業）の工場には、ほとんど寄宿舎がある。これらの工場が寄宿舎をもっている理由は、これらの工場で働いている従業員の過半数の者が地方から出てきた人たちであるからといっても過言ではあるまい。では、なぜこれらの従業員は地方出の人が多いのであろうか。

一、地方の人だと東京の人間より安くつかえる。
二、いやになった場合でもすぐ辞める事が出来ない故に、一つの会社に長くつとめることになる。
三、地方からきた人は、非常に真面目で会社側の言うことを素直に受け入れる。その為労働運動などなかなかやらない。

等三点があげられた。家の組合結成は、そのうち第三の項である。この地方から出て来た人の手によって準備がなされたという点で、ある程度特殊な状況にあった。

では、どうして家の場合は、地方の人が立ち上ったのであろうか。Nへ入って来た地方の人達は皆非常に社会労働運動に熱心だったことと、給料が安いため食費を引かれると残金が非常

56

に少くなるため、直接苦しい事が身にしみた。皆話し好きである為に自然自然の内に話が決まるようになった。これらの点から考えてみて、皆が話し合うことが如何に必要であるかが分る。

千代田区にある中小企業の従業員は昔からの封建制、低賃金、悪労働条件等多くの問題で苦しみながらただ黙々と働いている。そのために労働組合を結成したいが、結成することにより会社に知れ、首になりはしないかという恐怖心から、なかなか組合運動はできないものである。僕自身もはじめはそうであったが今では違う。今では人一倍熱心にやっているつもりで僕自身はいる。僕がこの会社に入って来たのは今から三年前の四月であった。入社当時の労働条件を少し書いてみると次の様になる。（通勤）

一、入社年月日　昭和二十七年四月（職安紹介）
一、日給　一五〇円　現在二三〇円
一、勤務時間　八時～四時四五分（昼四五分休）この時残業を一日四時間やっていた
一、休日　毎日曜日
一、年二回位昇給（感情昇給）
一、皆勤手当　二日分
一、現物給与　二〇〇円（全従業員同額）
一、交通費　五百円迄支給

入社当時は右の条件で満足して働いていたが、驚いたことは、従業員の入退社の激しいことだった。多いときには、一ヵ月五人位が入ったと思うとやめて行くような状態だった。又会社内の空気は非常に封建的な臭がしているような気がした。種々の不満がつのり、二十八年秋一度組合結成の話が出たが会社側の策にのり、遂に失敗に終った。これは川口工場の方で起った。なかなか組合結成の話は実現しなかった。

理由

一、先頭に立って組合結成の運動をすることにより首にならないか。
二、前に組合結成時、上部組織が全然働いてくれなかったため今度も前と同じではなかろうかという、上部組織があてにならない。
三、前に組合を作った時、会社側の工場閉鎖の手によって負けた経験があるため。
四、今迄に組合運動をやったことのある人が一人もいなかった。
五、他の人を信用できなかった。工場のどこへ行っても会社の手が廻っているような気がした。

右の点で組合結成が非常におくれた。

では次にどんな点で不満だったであろうか。

一、給与ベースが他より二割方低い。

一、ボーナスが出ない。
一、封建的であるため、個人の意見が無にされる。
一、感情昇給である。
一、退職金制度がない。
一、有給休暇が自分の好きなときとれない。

等種々な不満があった。このころは不満があった。不満があると工場長を通じて会社に話すのだが、金銭的な問題はとり上げなかった。

また基準局に出す書類に押す印も会社が勝手に押してしまうか、工場長の印で勝手に基準局へ提出してしまう。その後で工場の方へきて話すのである。

また会社の方針は給料をできるだけ安くして、残業をやらすことにある。そのため、残業をやらない者は昇給率が非常に悪くなってくる。昨年の残業時間の例を次に書いてみると、

一月、二時間、二～七月中旬、四時間
七月下旬～九月下旬、二時間
九月下旬～十二月、三時間

このように残業を非常に奨励している。また従業員もこれを当然のことのように考えている人が多い。例えば七月～九月間残業が二時間しかなかったため生活が苦しくなってきた。この

とき、従業員が会社側にいったことは「残業をもっと増してくれ」という言葉である。

このようなことでは組合結成など思いもよらないと私は思ったが、このとき、すでに他団体との連絡がついていたと後で聞き大変おどろいた。私はこの頃まで組合結成など大変簡単に考えていたが、他会社の人に組合運動というものがいかに複雑であるか、また種々の問題があるかを話され、組合を作り、運営して行くことが非常に難しいことであると判った。このとき私はこの仕事は難かしいが、またやりがいのある仕事だと思った。次に給料のことをかいてみる。

昭和二十八年四月に入ったH君など食費を引かれて手元に残った金が二十円という時が二度位あったそうである。

学校へ行っているため残業ができない。寮生活。次頁の表があらわすように手取がわずかに六七〇円。これで一ヵ月生活ができるものでしょうか。

まだ二十歳にもならないのに遊ぶこともできず、理容屋にも満足に行けず、学校の月謝は払えず、家へ出す手紙は物を買ってもらう願いの手紙ばかりである。このためNへ入って一ばん始めにおぼえるのは質屋である。これは疑えぬ事実である。また残業と定時間との間の休みがないため残業を四時間やる時は、午後から休みなしに八時間仕事をするわけである。この種々の悪労働条件下で不満の募るのは当然であろう。また二十九年七月の賞与としてくれた金額がわずか平均五〇〇円という有様です。このため怒った職人が酒を飲んで専務の所へ怒鳴りこむという事件が起きた。だが、これでもまだ組合をつくるということが具体的にされなかったのです。

昭和二十九年十一月上旬、会社が一方的に作った諸手当支給規定（私たちはこれを懲罰規定といっている）には完全に皆怒り、急に組合結成の気運が動いてきた。これから二、三日後、種々の不満を要求書にし「組合をつくるのだから参加してくれないか」と呼びかけた。なかには「組合とはなんだ、そんなものが無くても専務だって話せばわかるだろう」と言う人もいたが、個々で話してもわかるような専務じゃない。その時の要求書を次に書いてみる。

一、賃金五割値上
二、年末手当三十日分よこせ
三、定期昇給をやれ
四、懲罰をやめよ
五、退職金制度をつくれ

次の表は昭和二十九年四月入社の者

給料明細書

日給	160円
稼動日数	25
支払金額	
160 × 25 =	4,000
皆勤手当	360
合計	4,360
差引金額	
食費	3,300
健康保険	120
加配米	130
その他	100
計	3,650
差引支払額	670

この他合計十九項目からなる要求書をもって私たちは組合を結成することに全力をあげた。

ついに十二月十一日全従業員参加の下に組合は結成されたのである。十二月上旬、

私たちは毎夜休むことなく要求書の作成ビラ作り等非常に忙しかった。多くの人が寮で泊り込みでやった。今まで書いたことでわかるようにN労組は組合結成運動が表面化してから非常に早く労組が結成されたため、次のようないろいろの失敗があった。

一、従業員全員が組合とは如何なるものかわかっていない人が多くいたため、初めのうちはなかなかまとまらなかった。
二、従業員全部が真の闘争の苦しさを知らない。
三、労組の結成が急だったため、どこか抜けていることがあるため一のようなことがある。
四、従業員全体が団結の力の強さを知らないため、会社の権力に恐れていた。
五、工場が神田と川口にあるため、連絡するのに不備な点があった。
六、組合結成にあたり、先導者になった者も組合に関する色々の法律を知らなかった。そのためあとになりいろいろあぶないところがあった。

もし会社が組合に関する法律をよく知っておれば、N労組は今頃ないかも知れない。たとえば闘争宣言もせずに職場を放棄した。

このように、色々な不備な点はあったにしろどうやら私たちの出した要求の半分位はとれた。しかし、この勝負のかげには組合役員の種々の努力がある。たとえば、役員会のため徹夜したり、また組合ということがまだよくわからない人たちには、ていねいに話して理解してもらう

等、大変苦しい目にあいながら、現在に導いてくれたのである。

私は、よく組合役員に文句を言いに行くのである。文句を言いに行くのは私ばかりでないかも知れないが、いつ行ってもいやな顔一つするわけでなく、かえって喜んで私の話をきいてくれるのである。組合役員の本当のあり方はこうでなくてはいけないのだろう。また団交の時の事を考えると今でも冷汗ものである。前にも書いたように、私達は労働運動にまるっきり素人である。そのため、団体交渉の二、三日前から他団体の人にきてもらい種々の話を聞いた。その中で、最も必要な事は団結である。団結さえあれば、私達はいかなる権力にも恐れないのである。団体交渉の当日、私たちの歌(労働歌)を歌いながら、団体交渉をした。その時私は何も知らないために、会社側から数字的なことを聞き出して、どの位賃金、賞与が出せるか計算しようとしたが、外部団体の人に、「そんなことしたって、しようがない」といわれたのでやめた。では、なぜ数字的なことをやってもむだなのであろうか。それは、会社というものは帳簿を巧みに誤魔化すからである。

交渉結果から私の考えたことをいうと、始め会社側が回答をのばしてくれといってきた時、私達が承諾したため、その後、回答をのばすことが数回行われた。

現在、右のことを毎週の如く交渉しているが、会社側では工場労務者と事務所職員を別々にしようとしている。これもはじめの組合の動き方が悪かった様な気がする。

このように、N労組は欠点ばかりでいいところはないかも知れないが、最も誇れることが一つある。それはN労組の中で若い者が一本の線のように、しっかり固っていることである。現在は若い者だけであるが近いうちに、私はこれが従業員全員につながるようにしたいと思っている。このようなことは今後私達の努力によって固めることができるのである。現在なお色々の不満がある。これらを一度にとる事は大変であり、不可能に近いことであろうか。しかし、また不可能に近いからとあきらめるのはいけないことである。これまでは、組合はどうやら順調にきたが、今後二重、三重の壁につき当ることだろう。その時にどのようにすれば道は切り開いていけることだろう。

その解決法として、私は組合員全員と話すことが必要であると思う。また組合員一人一人の意見をよく聞いてみることも必要であろう。この様なことが今後組合を発展させるために必要であろう。

日本人は何事にも責任者が出ると、その人に仕事を全部させるという傾向にある。組合にもそれが当てはまることであろう。組合役員のみに仕事をまかして、普通組合員は遊んでいるという状態である。このようなことではだめだ、全組合員が一緒になって仕事してこそ、その組合は固り、団結するのである。

3 川口工場の歴史

まず僕達の工場の地勢からはじめよう。

川口といえば、誰しもが鋳物を想像するように、鋳物だけが取柄の市である。この町もこの数年の間にひどくさびれた。

中央の曲折した一本道の両わきには、大小いくつもの、鋳物工場が目につく、煙をあげているのが全体の三割位、このような工場に囲まれている僕達の工場も、周囲におとらずオンボロだ。

従業員二十名、平均年齢二十八歳、平均扶養家族一・八、平均ベース八千円、大半が自転車通い。若い二十歳前後の人は七名が入寮している。寮の一室が事務所、川口工場は支工場の故か工場長、職長が各一名いて神田工場より一週二回〜三回専務が見廻る。

仕事はのんびりとしていて田舎らしい。この中で僕達は何も文句を言わず、あやつり人形の状態にあった。すべてを忍従忠義だ。黙々と、ときには愛想笑いの一つも浮かべて、夜遅くまでやれば十円位あがることもあるが、それも極くまれで、僕達の不平不満は只ぼやくだけにしかすぎない。

十一月の中旬頃新たに「就業規則」が一方的に押しつけられた。

懲罰制度（規定）とは

昨年十一月中旬会社が一方的に決めた諸手当支給規定という、内容は十一項目からなるもので、従業員をまるで奴隷の如く使用しようとしているもので、組合結成はこの規定の発表で急速に進んだ。次に規定の数項目を書いてみる。

一、いかなる理由があっても、欠勤する時には電話及び書面をもって郵便又は速達便で届け出ること。

二、無届欠勤をするとその月を加えて、いかなる事情があっても昇給しない。また賃金の前貸はだめである。

三、三日以上無届欠勤したものは希望退職者とする。

四、遅刻、早退の時間は一ヵ月を通じて合計し、その月の時間外労働時間から引く。

五、一ヵ月を通じて遅刻・早退八回以上のものは、その月を加えていかなることがあっても昇給しない。

六、遅刻・早退五回以上すると皆勤手当が一日分とぶ。また無届欠勤すると（一日でも）皆勤手当が出ない。

七、一日以上無届欠勤したもの、五日以上欠勤すると交通費は支給しない。

八、六の中の遅刻早退合計時間二時間以上、八十二回以上遅刻早退してその合計時間が四時間以内のものは皆勤手当は支給しない。

66

◉六と八の中の合計時間というのは一回でも四時間以上になれば皆勤手当は全然支給しない。二時間→四時間までなら一日分支給する。

等々、われわれを奴隷化する気だ。みな顔をあげない。専務が去ると口々にぼ͘と͘う͘し、真赤になって怒るがこれは絶対といっても良い位、外に爆発しない。「畜生、やりやがったな」「面白くねえ、一杯のむんだ」せめて酒の力でもかりて工場の部分を破壊し、うっぷんを晴らしている。気は日々に荒んで行く、もう十二月、仕事をしても金のことで一杯だ。何のあてもない正月はすぐ目の前にある。「子供に着物の一枚も着せてやりたい」「女房にゃ下駄の一足も」とぼやく声が入る。借金したくも貸す人もない。仕事なぞ手につかない。いつか組合の話になった。「あったらいいなあ」これが僕たちの第一声。「つくろうか」「駄目駄目、クビがチョンさ」あちこち皆同じだ。

組合結成の動きは今度がはじめてではない。過去三、四回あった。いずれも失敗、近くで昨年（二十八年）の暮、川口工場単独で動き、交渉に持込む段取りにまで運んだが、工場閉鎖をほのめかすと準備もなく団結に欠け、一瞬にして崩れ去った。

「今度の場合も昨年の二の舞をするんじゃないか」これが現在共通した問題、失業はマッピラ、容易に組合結成の口を切らない。が今のままじゃどうにもならない、「神田もやりゃなあ」こんな声もある。「うん、川口だけじゃなあ」誰しもが多く言わなくとも胸の内は互に知りぬいているようだ。

67

「万全を期してやりたい」こうも想像できると思うがやはりその場限りだ。こんな空気の中でながらく欠勤していた旋盤のAさんが首になった。結核でやせ衰え、幽霊さながらの姿で視界から消えて行った。皆窓越しに見つめている。苦しそうな「セキ」も耳の底にこびりついている。気味の悪いものを見た、「俺じゃなくてよかった」、いつ病魔が来るか、貯えもない自分だったことを思うとぞっとする。

餓死、親子心中が日常茶飯事になっている昨今、みじめな生活にも現実を追うだけに生きがいを見つけている。俺たちはなぜ苦しいんだろう。映画、パチンコ、ストリップ、これらの話も終りには生活苦に落着く去年の暮だ。十中八九迄何とか神田へ連絡しよう。神田、川口間は遠く離れて不便で、双方に全然面識もなく、したがって川口工場へ機械の応援に出張していた。僕は日常の虚無感からも脱けでたく、代々木の日ソ学院にロシヤ語を学習していた。神田からも同年のA君が来ていた。ここで双方の職場の動きを話し合ったり、具体的に労働組合の実体を研究した。東京証券のように読書サークルから始める案もあったが、小人数の工場では逆に警戒されるし、又自信がなかった。双方の動きは絶対に信頼のおける人に少しずつ話していったが、遠くの出来事のように、具体化されなかった。

二十九年の終りも近づき、焦躁のときに神田工場の近くの五十嵐牛乳店に組合結成の動きが

68

あった。わずか七人で賃上げと待遇改善の要求をとんとん拍子に運んだときには、これならおれたちにもできると思った。皆でガッチリ組んだら如何なる専務であろうと手がでまいと。この事実を職場の人たちに話したら、年輩の人など「ふうむ」と感心していた。七人であれだけのことができたので、おれたちは両方で五十人からいるから、できるんじゃないかと歩み寄ってきたが、専務を五十嵐のおやじと一緒にすることは危険だということになってしまった。

牛乳店の組合結成一週間後に神田工場の人と訪れたが、不思議なことに「お得意さんのこともあるし、あまりうろつかないでくれ」と全く納得がいかなかった。「畜生ッ、労働組合なんてクソくらえ」だと思った。ほかに労働組合がどこにあるか、また、適当な人も知らず途方にくれた。牛乳店の前に共産党中部地区委員会があった。どうしようかと迷っていた。僕たちは共産党なら知っているかも知れないとおそるおそるドアを開けた。共産党はおそろしいものという先入観があったが思ったより親切に教えてくれた。教えられたというよりも、ようやく普段の自分になれた。今まで労働組合を難しく考えていたが、お互いにガッチリと肩を組めばよいと組合結成の気運も高めて行った。要求も当初互いに不平不満を出し不用な助平根性をいましめあった。

例えば年末手当最低三〇日分を四〇日、五〇日と(日給制)限りなく、現在必要な額三〇日分を最後迄闘う事に落ちついた。若い人ばかりで非常に不安だった。

さあ！　これから行動だ。

一人でも多くの仲間を集めることだ。僕たちは労働問題に関して全然知識がない。雑誌、新聞紙上に近江絹糸・東京証券・日鋼室蘭の各争議の状況しか知らない、僕達は互に出来る限りの力を結集し全身で当る事に決めた。

仲間は着々と徐々に集ってきた。僅かな時間を利用し、極く自然に話しかけ、会社側にもれる事を警戒しながら連絡をとった。

始めに大きなことをいっていた人も気運が感じられてくると尻込みし、なるべく人の陰になるような仕草もこの場合怒れない。再度両方より集り検討し、決行日を明十一日に決めた。この日は午後八時より十二時に至るも議論で果しなかった。「団結」「統一」を実際に自分たちにあてはめるのに、宙に浮いたような団結、団結と言ったり、とにかく身近かな例からとりあげていった。

いよいよ決行日、職場の人に神田の状況を伝えた。前もって打ち合せてあるので割に冷静だった。遂に来るべきものがきたとの感が多分にあった。だが一部の人には寝耳に水だった。決心がすぐにはつかずうろうろしていた。これらの人は専務の肉身関係だったり、義理人情に縛られ潰れるおそれがあったので後まわしにした。九時を廻るのに未だ決行を渋っている一人一人であった。

「やろう」「よし来た」元気な声に「ううむ」「大丈夫かな」の消極派、チャンスは二度と来ない。十時より職場大会予定を伝えて歩く一つの声は火の塊だ。五、六人で工場長に時間をくれるよう交渉、三分ほどもたっている間にモーターのスイッチを切る。不安なまなざしをむけていた数人もこれで決心がついた。「神田では正午を合図に団交に入る。そして川口の支援を待つ」と、川口でも具体的に要求をまとめた。ここは先に二人三人と当った要求を土台にした。

年末手当、三〇日分。

賃金五割引上げ。

定期昇給を行え。

退職金制度の確立。

が経済要求で、この外に懲罰制度の廃止、設備の改良等数多くでてきた。恐がっていた人も気持を引立てると話し出す。要求書には全員が署名した。（これは組合員になることを意味しなかった。義理人情や縁故はともかく自分の意志により署名した。）

次にどのようにして交渉するかが問題だ。名案浮かばず「とにかく神田へ行かず」一人が言う後は異句同音「神田へ行きゃ、何とかなる」「多勢ならクビになるめえ」各自叫び声をあげ、手洗場に走って行く。工場長に全員早退を断ると、驚くまいことか夢中で電話にとりついた。本社へ緊急処置を問い合せているようだ。「電車賃がねえや」「かめえねえ、自転車で行かず」

と寒い道を走って行く。自転車でも一時間位はかかるだろう。

後に残ったものも電車で一路本社へ！　時間は十二時を少し廻った。神田工場は現場には一人もいず、食堂で大会を開いている真最中、何か物足りないようだった。川口は行動で怒りを爆発したのに対し生ぬるいようだ。

全N従業員が集った。専務が来るとテーブルの前の若い連中が二、三人一度に口を切った。「五割賃上げ絶対駄目だ」「何故だ」「現状では一銭も上げることはできない」数回応答が交わされたが、らちが明かず。先に進み年末手当、定期昇給、退職金制度等の経済要求は万事「否」だ。この外懲罰制度の廃止もけられた。「俺たちゃ伊達や酔狂にやってるんじゃねえ、もうこれ以上我慢できねえんだ」「おやじさん、あんたは人を使うのが下手くそだ、餌を与えずに人を釣ろうったってそう簡単にゃいきませんぜ」と威勢のいいことをいう若い人ばかり、それも極く一部、後は下を向いてだまっている。やはり無理だったろうかと一瞬頭をかすめた。専務は立ち上った。「じゃこれで」と、途端に「つるしあげろ」「逃げるか」「逃すなあ」とけんけんごうごう。人垣で出口をふさいだ。驚いた専務、青くなったり赤くなったりまるで七面鳥だ。興奮して手がぶるぶるふるえている。「そんなNじゃないぞ――、逃げるなんて見そこなうな」と拳をふり上げ、やり場に困って自分の頭をごつんと殴った。全く奇妙な場面だ。写真にとっておけばよかった。

72

結局、今日一日事務所を出ない。交渉には何回でも応ずる事を約束させた。すぐに皆の意見を聞き結論が出ないまま二回目の団交。

相変らずゆずらず、収穫は組合を認めたことだ。予想外に簡単にいれた。すぐに組合役員の選出を行った。神田四名、川口三名、投票の結果、神田は以外に若手が多く、川口は逆に年輩の人ばかり、熱と水とうまく調和されると偉大な力が発揮されるだろう。

この七名を中心に第三回目。

時間は午後七時頃、全然譲歩しなかった専務もこの頃からやや軟化、各要求も駄目の一点ばりから、漸く「考えさせてくれ」に変った。

地域の労働組合が続々と応援にきてくれた。勇気づけられるかと思ったが、結果は反対に皆黙りこくってしまった。もともと他の工場と交際は全然なく、進歩的な人には意味のない劣等感をいだいたり、過激な言葉からは「あれはアカだ」と大部分の人は思っていたようだ。僕たち若い連中もここまできて、どう切り開くか判断がつかず迷っていた。外部の人は盛んに専務に対して質問を浴びせている。三回目を打ち切り、これは僕たちの要求だ、そうだ僕たちでやろう。外部の人には一応出ていただいた。

四回目。

さすがに双方に疲れが見える。一ふんばり。後一押し、遂に専務は年末手当は十六日、賃上

73

げは一月十日にそれぞれ回答延期を申込んできた。突っぱねて即答を迫ったが、容れられずまた協議し、十三日で押したが手応えなし、万策つき延期をのんだ。

記念すべき日にこれだけの成果、成功といえるだろうか。専務が十六日をねらったのは何か策略ありとにらみ、種々検討した。

現在川口工場に製作中の製袋機がクローズアップされた。納期が同じく十六日、一台四百万円といわれる。これを出して工場閉鎖をねらうことが予想される。

当面の問題は十六日迄には大分日がある。明日よりサボタージュ、製袋機は八分仕上りだ。後は故意に遅らせる。朝より同じ部分を何べんとなく動かし、くりかえしていた。動作はのろのろとまるで牛のように、一部の者はビラ作りやのりを加工しに工場をぬけ寮に入った。古新聞に墨汁で力強く各々「要求完徹」「賃金五割引上げ」「年末手当三〇日分よこせ」「専務は投資、社員は凍死」など紙一杯に書いている。

工場では漸くたつと工場長はあわてだした「やるんならもっと合法にやれ」とどなっている。皆にやにやしながら帰ってきた。

業をにやした工場長、職長が機械に着手した。尤も二人じゃ出来やしない。半日が長く感じられた。昼休み帰りにと、ビラ作り、ビラ貼りに熱心だ。工場のあらゆる所、塀や窓、屋根にまであますところなく貼った。我々の要求はこうして勤労者や市民の皆さんの目に止った。特

74

に人通りの多い所など遠く迄足をのばし、夜遅く迄手が冷たく凍りそうだ。

　最初のうちこそ平気だったが三日、四日と経っと心が疲れる、手を動かしながら能率の低下、割にむずかしい。旋盤の方でも順序を変え、途中ではずしたりして万事順調に運んでいたが、あくびはかくせない。仕上(組立)の方は工場内の掃除や窓、屋根の修理屋に早変り、こっちの方が面白そうだ。どうやらこうやらで回答日迄持ちこした。みんな「ほっと」した表情だが安心はまだ早い。

　午後四時より委員の人たちで交渉、組合員は機械を止め結果いかんと待っている。(この時に団交にしたらと思った人が大分いた) 状況の連絡が来るが思わしくない。何回だったか、多分七時頃だと思う。ようやく「二十日分の案がきた」大会を開いたが断然けった。絶対に三十日で押した。会社側もなかなか折れない。待っている方も不安になってきた。専務は「これが最後の線だ」と目に涙を浮かべている。口惜し涙か不覚だったのか、このあたりまれにみる演技者だ、ブルーリボン賞候補だろう。

　この涙に？　組合側も折れ全員に図る。年輩の人は二十日分でよいとでたが、若い連中は納得できなかった。賛否をとると二十日案が多い。二十日分をのむ前に更にもう一度二十五日分をたたいたが駄目だった。第一回目の経済闘争は二十日分、今迄正月や盆には給料の二日分しかくれなかったことを思うとさすがに嬉しそうだ。

「俺りゃ、おやじのことだ十日も出したら良い方だと思っていた」

「おめえはいくらだ」がこれを物語っている。みんなでやれば何でもない。これが僕たちの実際に体験した偽らぬ気持だった。

　ここより神田本社の方に話が変る。(出張が終った。)

　年末闘争に続く問題に、早急に規約の作成だ。一日もはやく正式に労働組合を認めてもらわなければ、神田・川口の連絡は離れている故になかなか不便だ。電話だけで話ができない。若い人は積極的に動き、欠勤までして努力した。ここで一番困るのは、金以外に関心を示してくれず、規約の草稿を読みあげるにも居眠りしたり、馬耳東風とばかりおしゃべりが絶えず、如何にしたら皆に理解してもらえるかと……。

　正月は例年より楽しく迎えた事でしょう。息つく暇もなく、一月十日賃金五割値上げ要求に対する回答がある。新年早々で意気あがらず、専務もつまらない時期をえらんだものだ。先般の回答では、「考慮する」だけで余り期待は抱けないが、結果がゼロと逃げないことを確約してあるが、それだけが望みの綱だ。大会の要求通り五割の賃上げを迫った。これも昼より委員だけで折衝、やはり予想に変らず「現状の生産では一割も出せない」と正月で気が弛んでいる折柄、強く出ることが不可能だ。しからばと三割を押したが、「全然、上げる事が出来ない。その代り、報償金制度なら出そう」ときた。これには驚いた。多分、二割は出るだろうと想像

していたからだ。組合の方としては、会社経理の面をタッチすることができない。どこ迄が真実か見当がつかない。一切が極秘になっているので、また組合結成当時より整理したようで、やはり先に情報はとるべきだと思った。こうなったら、体当り戦法「報償金制度と同時に、何割か上げよ」との苦肉の策、何ら効めがなく、結果とらざるを得なくなった。これは何でも資本家の常習の手だという。全く薄気味が悪い。労働強化によって生産を上げ、それで気をそらすつもりだ。考えただけで腹が立つ。「実力行使で対抗しよう」と誰かがいう、一笑されるだけだ。「クビになるぞ」まだこの言葉が根強く残っている。それだけにまだまだ団結にかけている。

　大会における一人の発言が大きい役割を果すが、口にチャックをかけたように黙っているのも大分いる。三十数名の小工場なので、一人一人の態度がこの目この耳で全ての動きがわかる。このようなところがやり難く、またやり易くなったりする。

　専務より報償金制度に入る前に、何故三割位も出せないかの説明が数字をもって示された。細かい計算も聞いていない。数字がわからないし、専務の言葉に信用がおけないからだ。報償金も具体的にいうと、一年を上下の二半期に分け、昨年より生産があがったら生産高に比例して一割前後しかならない。

　専務も大した腕だ。二、三日話し合ったが、依然として譲らず、向うもこっちの方の手を読

んでぐいぐい押してくる。押し返すことができない、口惜しいことだが一歩後退した。賃上げも報償金に変えられ、なす所なし、結成当時の勢いは全然見当らず、根本からやり直す必要性がある。どこにもありがちな、結成後、または要求獲得後必然的におそう虚脱感ばかりとはいえない。組合活動も執行委員に一切をまかせ後は知らぬ顔とは大いに反省された。こんな空気の中では、委員の人も焦り、感情にもつれる。心ある組合員は前途に憂いを抱くが、具体的に策がでてこない。これじゃ駄目だ、何のための組合か。一人一人の夢が実現されたのに、もっと皆でガッチリと腕を組み肩を抱き合ってこそ、更に一つの夢が実現されるのだ。若い仲間たちは大半が一つに結ばれている。

これに年輩の人が加わると、一段と力が強くなるのは単に組合も大事だが、家の方はまだ大事だとばかり片付けられない。組合の中にあらゆるものをたたき込んでこれを実践したらと思う。僕たちは今、歌をうたっている。明るく、そして建設的な労働歌を。組合の事で頭をなやますこともない。互に一つ一つの心が結び合い、何事も忘れ去ってくれる。頽廃的な流行歌より我々の歌、自分たちが作った愛すべき歌へと——仕事をしながら騒音を破って歌うことが出来る。知らない歌でも歌っていると隣りの人たちが覚えてしまう。

結成直後、近所にある社に教えて頂いた。三〇人のうち約半数が参加した。真黒によごれた作業服で昼休みの一ときも、空までひびけとばかり合唱した。参加する顔ぶれはいつも同じ、

これじゃ駄目だと広く呼びかけたが、年輩の人達は「おかしくって」といった態度ともとれる。年輩向きの歌は余りない、替え歌でも節だけしか覚えない。何とか年輩の人にも面白くたのしく歌える工夫はないものか、若い人の不参加は「R社は赤だ。あんな人とつき合うものか」と。僕たちの欲しいのは歌と仲間の友情だ。思想は自由だ、交際迄思想に縛られるとは哀しいことだと思う。

(人生押しの一手)

僕達は労働組合員として、また働く者の一員として一層の「きずな」を築きたい。自分の心のうちにも平和が欲しいと、それなのに、同じ労働者でありながら労働歌を拒否する気持は理解できない」「いいよ、歌は無理に押しつけられるものではない。歌声が高まると、参加はしなくも心のうちにはとけ込んでくるものだ」と。「そうだ、確かにその通りだ！」僕は途端に腹の底から力があふれるような気がした。いまでも、否いつまでも肝にめいじておこう。

教育会館の労働者の集い。体育館の世界民青歓送会にも多くの人を送り出し成果をあげた。集会には最初

不安だった人も、会場で多くの仲間に接するうちにみんな俺たちと同じだと勇気づけられた。この次はメーデーに、七月の民青大会に万全を期している。組合活動は低調だ。だが歌によってこれを支えよう。この間も「世界の青春」を覚えた。今度は僕達の工場の歌を企画している。

(今日も残業はつづく)

結成以来、委員や活動の活溌な人に対して手をかえ品をかえて圧迫してくる。給料の前借が拒否され、抱き込み策を図ったり、家族を通じて組合からしりぞかさせたり私生活までつけ廻す。嫌がらせとはいい、あまりにも露骨だ。組合と家庭との両立がならず、また仕事の上からの迫害、各自の組合に対する自覚が阻まれたり、組合結成以後親子夫婦の間で口論が絶えないなど、一つの壁を破ると、また次にまたと神経がまいってしまう。一口に組合のあり方を認識しなくも、根気よく勝利の日が確信出来るように

進んで行きたいと思う。

4　あとがき
——職人の歴史をさぐるために——

不十分ですが、私たちの労組の歴史ができました。十二月に組合をつくってから、今までまちまちですが、私たちの力も強くなり始めています。たとえば、おやじはもはや勝手なことができなくなってきているし、映画サークルもできました。歌ごえの運動も近くの労働者の人々と一緒に、やれるようにまでなってきました。去年までは、メーデーも一〜二名ぐらいの人がこっそり行っていたのですが、今年は組合でメーデーに参加しようと計画しています。

けれども、組合をもっと強くして行くのに、どうしても工合のわるいことが一つあります。それは労働者の中に根強くひそんでいる職人気質という奴です。職人気質の人は、大ていの自分の主張や考え方を変えようとしません。だから、組合の行き方についても若い人たちの考えを無視してしまう場合がよくあるのです。

組合運動をすすめる場合に大切なことは、話し合いなのですが、職人気質の人はときどきけんかごしになって、手がつけられないようになりがちです。

私たちはよくばっているかもしれませんが、どうしてこのようなガンコな視野の狭い職人気

質が生れてきたのか、そいつをこれからさぐってみたいと考えています。職人気質の人を労働者の気持をもった人にかえてゆくためには、職人気質がどうしてその人々の中に、生れてきたかを知らねばならないのです。

けれども、私たちはどうしたらよいのか、どのようにさぐってゆけばよいのかさっぱりわかりません。

今後、労働者や学者や学生の皆さん方によい経験や方法があれば教えて下さいませんか、お願いします。

(職業の歴史をつくる会・N工場グループ)

恩給局の歴史

職場の前史　(一)

民主主義の殿堂、国会議事堂のとなり、旧兵舎改造の二階建木造に、この歴史のうまれた私たちの職場「総理府恩給局」がある。昭和二十八年十月、恩給法の復活、改正にともない、旧軍人、その遺族の恩給業務に就くため、あらたに大量千二百人近くの臨時職員がやとわれた。その数はいままでいた正職員約三百名にくらべて、四倍という変則的な構成を示していた。

この臨時職員の約五〇%は学徒援護会斡旋、三〇%が縁故、残りの二〇%が職安紹介であり、全体の六五%が夜学生であった。「紹介者に、はいったらすぐ正職員になれると言われてきたのに」という縁故採用の人、「職員だとばかり信じて来たのだが」と淋しそうな職安紹介できた人、「他に働らくところがないから仕方なしに」と低い声で語る青白い顔の夜学生。だが、身分はいつ首切られるかわからない臨時職員であり、いつまでたっても二百四十五円の日給があがるわけでもない。有給休暇も生理休暇も失業保険もなく、病気になっても健康保険もつかえない。ただ山と積まれたほこりだらけの書類に、明日の失業におびえながら、黙々と馬車う

まのようにハンコを押したり、数字を書き入れたりしている。仕事中煙草を吸うと係長からおこられる。隣りの席の人と私語をしてもいけない。休み時間に歌うことも将棋をさすことも禁じられる。

毎日のように局長が部屋を廻ってきて、「仕事の能率があがらない」「机のうえに本や新聞を置いては駄目だ」「インキ壺の置きかたがわるい」と、いちいち文句をならべて行った。また課長の部屋に呼びだされて行ってみると、一人一人の仕事量の状況がグラフにしてはってある。そのために休み時間にも休まずに皆んな仕事をしているのだ。それぱかりか、一週間おきぐらいに席の移動をやって、隣りの人と仲よくなることも妨害した。真夏の日射しがぎらぎらとさしこむ、うだるように暑い部屋に、汗びっしょりになりながら、じっと死んだように坐っている職場の人。仕事の能率にさしつかえるからといっては、美しく水の満ちたプールの使用さえ禁じられ、大臣が視察にくるといっては昼食ものばされる。ことあるごとに「君たちは二百四十五円を承知で入ったんではないか」という課長や係長の言葉。苦しみにたえられなくて職場を去った仲間たち、あるいはまた病気に倒れて、しょんぼりと郷里へ帰って行った仲間たち。でもやめてしまうと明日からでも食えなくなる私たちは、ただ、口惜涙をのみながら誰れにも苦しみや不満もいえず、じっと耐えしのんできた。しかし、「なんとかしなければだめじゃないか」「どうして大臣がくると昼食をのばされるのか」「ぼくらはなぜ休み時間に将棋をしていけないのか」「どうしていつまでも働らいても日給があがらないのかしら」「課長は自分の箱庭みたいに席の移動をやる」と、こうした疑問と、当局に対する不満が、次第にみんなの胸の奥から炎のように燃えはじめてきていた。

㈡

このような苦しみの中から、味気ない毎日の生活をいくらかでもよりよいものにしようとする動きが出て来た。二十八年十一月中旬、四課に会員二十名で息吹会が結成された。「みんなで青春をたのしもう」「意義ある生活にしよう」、こうして生れたので、会の性格はもちろん純粋な親睦会だった。箱根にハイキングに行ったり、歌ったり、「学生生活とアルバイト」などの問題で討論会もした。しかし職制N氏の非行を課内で公然と追求した事件の頃から課長の圧迫が強くなり、とうとう翌二十九年一月「息吹会は組合を作ろうとする者に利用されるおそれがある」という理由で、Y四課長より解散を命ぜられた。「畜生、やっとみつけた楽しみも奪うのか」「一体俺たちにロボットでいろというのか」しかし息吹会の中心となっていたK君N君などを始め、会員の不満は一層強くなっていった。丁度同じ頃、早大生の親睦会、稲門会も息吹会と同じ理由で解散を命ぜられ、あらゆる会、あらゆるサークルは、公然とは活動出来ない状態にあった。

歴史の意味するもの

こうした中で、一課のH君O君等が、農林省の人達が中心となって勉強していたスターリンの「社会主義の経済的諸問題」の学習会に参加していた。丁度この頃一課で読書会を作ろうという声があり、小さな紙切れに自分のもっている本と名前を書いて出し合い、一冊のノートを作った。ノートには、宮本武蔵からトルストイの復活など、いろいろな書名が記入されていたが、その中に、「日本資本主義講座」「蟹工船」を記入して出したN君とK君がいた。学習会に参加していたH君とO君はこれらの人と読書後の感想を話したり、一緒に映画を観に行ったり、下宿にさそい合ったりするようになってからは、お互いの恋人の事についても、平気で話せるような友達となった。やがてこの二人も一緒に学習会に参加するようになり、今まで農林省の人達が討論するのを、隅っこで聞いてばかりいたのだが、四人になってからはなんだか勇気が出て来て、少しずつ発言出来るようになり、今まで寒い日や風の吹く日は出なかった学習会へも積極的に参加するようになった。寒い冬が過ぎて議事堂前の銀杏並木が一勢に芽を吹き出す頃、この「社会主義の経済的諸問題」のテキストもようやく終りに近づき、新しいテキストが時々みんなの話題になるようになると、四人のうち誰れからともなく、「これを機会に恩給局だけで学習会がやれないかなあ!」という声が起り、四月中旬、農林省の人たちと話した末、

「一番やさしい本をテキストとして、少しずつやってゆけばやれない事もなかろう」ということになり、当時職場に普及していた「社会科学基礎講座」をテキストとして、恩給局だけの学習会としてやってみることにした。然し最初のうちは、とても四人だけで全五巻のテキストを最後までやり通す自信はなかった。つまずきながらもどうにかこうにか続けているうちに、O君が学校の友人T君を連れて来たり、またコーラスで知り合ったTさんが時どき顔をみせるようになって、討論もようやく活潑となり、学習もだんだん面白くなって来だした。

抵　抗

五月下旬、早大の夜学生のM君は丁度その日、自分の仕事を終え、新しい書類が入って来るまでの間、英語の本を開いていたところ、たまたま職場を見まわりにきた局長が、背後から「なぜ、仕事をしないんだ」とどなりつけるやいなや、M君の本を取り上げ、机の上に叩きつけるという事件が起った。この大きな声に、職場は水を打ったように静かになった。局長はそれから課長を呼びつけ「M君は明日から来させなくともよい」と命令した。M君は課長に頭を下げ何回も頼んだ。しかし次の日から、一年間も勤務して来たM君の姿は、再び職場に見ることが出来なかった。この事件は、学習会の人々に異常なショックを与えた。チャペルセンターの雨にぬれた芝生のうえに集まった学習会の人々の口から、憎しみと怒りに燃えた言葉がセキ

を切った水のように溢れ出た。「一番おとなしいK君でさえ「チキショウ、局長の野郎ひどいことをやるなあー」とうめくようにつぶやいた。この事があってから、学習会は学習が終った後、日計表やプールの使用禁止など、めまぐるしく起ってくる職場での問題を、学習と結びつけて討論するようになり、今までの学習会より異った性格をもつようになった。七月、四課のTさんが息吹会と稲門会が課長の干渉により解散させられたことを話した。学習会もこの事を討論した結果、㈠　今までのテキストに各自必ず表紙をつけ机の上などには絶対置かないこと、㈡会には一人ずつ集合すること、㈢　一週間毎に集会場所を変える事などを申し合せ、出来るだけ気をつけることにした。学習会がこうした方向をたどり出す頃、総務課のU君、Sさん等を中心とする「弁証法的唯物論と史的唯物論」の学習サークル、また四課のTさん、K君を中心とする歌う会の活動もようやく活潑になりつつあった。

生活と唄　㈠

四課の歌う会は、五月頃Tさん、K君が中心になって生まれた。「こんな生活だけど歌をうたえば楽しくなる」「下手でも楽譜がよめなくても大きな声でうたおう」、こうして二人三人と集まって「トロイカ」「カチューシャ」「ぐみの木」などを覚えていった。役所の中では歌えなかったので、チャペルセンター前の銅像跡を利用したり、時としては濠端などでも歌った。歌

声をきいてだんだん参加者が多くなり、みんなの力でガリを切り、楽譜を刷るようになって、「歌う会」にまで発展した。「ロシヤの歌だけでなく、色々な国の歌もうたおう」「二部くらいの合唱ならできるんじゃないかしら」いろんな歌をうたうようになった。たのしくなっていった。「唇に微笑みをもって」そんな合言葉が誰れからともなくいわれるようになった。職場の苦しみは一時的にしろ、この中では忘れる事が出来た。しかし、「歌う会」の活動も公然とは出来なかった。係長などが散歩といって濠端をウロウロしては、「歌う会」の方をじっとみていた。「イヤだわ、怖いわ」「不愉快ネ」、そういって青い顔をする女の人たち、「組合があればなあ、歌なんか大声でうたえるんだが」と口惜しがる男の会員、「組合さえあれば……」ということは皆んなの一致した気持だった。八月頃四課だけでなく学習会の人たち、その他の人たちも参加するようになった。しかし四課の女の人たちの間には「知らない人たちが入って来てイヤだわ」「こわいみたい」とそんなふうに思う人が出て来、当局のいやがらせや監視の事と重なり合って、参加者はだんだん少くなって来た。そして「心ゆくまで声をはりあげ、誰れにもはばかる事なく歌えるようにするにはどうすればよいか」などと話し合いがすすめられ、「何とかしなければ」という事がみんなの気持に深くしみこんで行った。

(二)

「歌う会」と同じ頃、総務課を中心に五、六名の学生で作られた「恩給局学生平和を守る会」という小さなグループがあり、第五回メーデー（二十九年）には「三度のメシを食わせろ」「原水爆はゴメンだ」などのプラカードを掲げ参加したが、その後発表しないで自然に消滅した。しかしそれらの人たちは、自分たちの職場を明るい、働きよいものにしようとする望みを捨てなかった。そこでも、S、K君などが中心となり、多少ともまとまりのある「読書の会」を十名位でつくり、スターリンの「唯物弁証法」を学びはじめ、本で学びとったものを、日常生活の中にいかして行こうと努めた。週に二回の研究会は長く続けられ、参加する人もふえてきた。しかし語句の解釈や理解にとどまり、「具体的に話し合おう」という最初からの方針はなかなかうまく行かなかった。だが出来るだけ多くの仲間を作ろうというところから、このグループは「恩給局歌う会」を作り、三号庁舎の倉庫でコーラスを始めた。

歴史をつくるもの (一)

——サークルの統一への動き——

このようなサークルは学習会の人たちを驚かせるとともに、非常に力づけた。当時の職場の状態では、「歌う会」のか細い発声も、U君やS君等のちっちゃなサークルも、学習会の人々にとっては限りない力となった。「ようロシヤ民謡を歌っている奴がいるぞ!!」目を輝やかせながら話すO君、「今日便所のなかで日給三百円値上げの落書をみつけたんだ」と顔をほころばせるN君。「歌う会」と「サークル」があるのを知った学習会は、これだけ仲間が集まれば組合は作れるんじゃあないか、という自信を日毎に強め、各サークルに、「とにかく一度集まって話してみよう」と積極的に働きかけた。然しこの学習会の働らきかけに対しても、最初は「自分達で果して組合を作れるだろうか？」「臨職の組合てあるかしら？」という不安と疑問のため、サークルの統一はなかなか出来なかった。だが都庁や統計局の臨時職員には有給休暇も、定期昇給も、健保も失保もあるという O君の話は、「うらやましいなあ」「どうして私達とそんなに差があるのかしら」と首をかしげさせると同時に、大きな羨望となって我々を刺激した。折からの近江絹糸の闘い、東京証券労組などの人権闘争は、みんなの心をゆさぶった。そして再三にわたる学習会の呼びかけにこたえて、サークルからもU君K君が参加し歌う会からK君が加わった。取り残されたニコヨン、泳げないプール、休み時間に碁や将棋も満足に出来ない職場。M君が馘になったのも、息吹会や稲門会が解散させられたのも、歌さえ大声で歌うことが出来ないのも、全ての苦しみのみなもとはサークルの性質を問わず、この暗い地獄のような職場にあった。この苦しみをどうにかしなければ、せめて昼休みぐらいプールで泳げるように

しなければ、三時の休みには新聞を読めるようにしなければ、という希望がサークルの指導者をしてガッチリとスクラムを組ませた。やっと統一されたサークルは九月の末、夕暮せまる日比谷公園の芝生の上で第一回の会合をもった。一課のO、H、A、K、N、四課のK、T、I、総務課のA、T君等不安と希望のおりまざった真剣な顔々々……。その中から、絶対秘密を守る事、明日からすぐ行動する事、もっと自分達の仲間を集めようなどお互いの固い握手を通してどんな事があっても、最後までやり通そうと誓い合った。帰る途中Aの口ずさんだインターが希望に満ちた力強い合唱となって、高くすみ切った美しい秋の夜空に流れた。

手

この弱い手を、孤立していて
誰にも触れなかった
白い手を僕は眺める。
そして、そっと、あたりをうかがう。
君の暖い手を、今、もうすぐ
しかも
力強く
がっしりと握るのだ。

（二）

十月九日、学習会の人たち、歌う会の人たち、その他のサークルの人たち、学校の社研などで活動している人たち、個人的に不満をもっていた人たちが、二十四名集まって、農業技術研究所の会議室で、とうとう組合結成準備委員会が結成され、その第一回の委員会が開かれた。「我々は当局の弾圧を未然に防ぐため、この会を非合法のうちに運営しなければならない。会の内容や決定事項などは委員だけの秘密であり絶対ロ外してはならない」最初に会の性格と委員の決意をはっきりさせた。「いよいよ、これから組合結成のために活動を始めるのだ」委員の大部分は学生の臨職であり、組合を作る事は始めて経験する人たちばかりなので、非常な緊張が会場を支配した。「少しこわいみたいだなあ」M君のそんな気持も、みんなの真剣な表情に勇気づけられた。「組合には正職員を入れたらいいか、臨職だけにしようか」という題では大激論となった。「正職員と臨職は利害が相反してるから駄目だ」「いや同じ役所に働いてる者は一緒にならなくちゃいけない」「正職員が入ると組合が強くなる」、そして職員も組合に入れるという基本線を決定した。具体的な活動について討論が移った時、機関紙の必要性が強く出された。「機関紙でもって組合の必要性をみんなに訴えよう」「結成までには組合そのものについて宣伝啓蒙しなければいけない。それを機関紙でやろう」「みんなのバラバラの不満を機関

紙でまとめよう」「組合が作れるのか心配している人たちに自信を与えよう」、こうして機関紙によせる委員一人一人の期待があふれてこの問題は決定され、次いで結成大会の日取の討論に移った。「当局の弾圧が来る前に早急に結成しよう」「そんなに簡単に出来るものじゃない、十一月下旬だ」「結成の日を先に決めるのはおかしい。情勢を見なきゃ分んない」、いろんな意見がぶつかり合ったが、結局「今月一杯努力してみて、その結果に基いて判断する」という事になった。そして最後に各委員の活動分担を、編集、渉外、法規、連絡、会計、の五部門に分けた。どういう事をどういうふうにやったらいいのかまるで分らない。ただ目的だけは決まった。それも大きな目的が、ぶるぶるとふるえるものがあった。しかし「俺一人じゃない。二十四人が一緒なんだ」そういった気持が、大きな希望の方へとひっぱって行った。

その後、十二、十四、十六と一日おきに委員会を持ち、各部の活動状況などが絶えず報告され討論された。渉外部は毎日、外部の組合をまわって、いろいろな指示や方法をうけ、法規部は六法全書と首っぴきで法律上の臨職の身分関係だとか、組合結成の資格や権利などを調べ、一方情宣部員は機関紙の原稿を集めるため信頼のおける友達に記事を書いてもらったり、みんなの中でのなにげない話し合のなかから、みんなの苦しみや不満を聞いて来た。そして各部はそれぞれ、退庁後、日比谷公園、チャペルセンター、濠端など転々と場所を変えて相談したり討論したりした。

（三）

十月二十三日の委員会では、主として機関紙の問題について相談したが、「このような動きがずっと前からあったという印象を与えるのはまずい」「不満をもっているもののグループとして出した方がいい」「第一号の反響をみてから準備委員会の名を出すべきだ」という意見が出て、第一号には準備委員会の名を出さず、「恩給局有志」の名で出すこととし、「組合を創ろう」と意識的に働きかけるのでなく、「僕ら臨職でも組合を創る事が出来る」という消極的な呼びかけにしようと、機関紙の基本的な線が決定され、紙名は編集部員に一任された。

二十四、二十五日、情宣部員はG会館に集まり、夜おそくまで編集した。一つ一つの原稿を分担で書き、それをまとめたり、何回も書きなおしたりした。わけてもトップ記事の「編集のことば」には、委員会決定の基本線が盛られるだけに、何時間もかかった。それから紙名もみんなで考えた。「のろし」「あけぼの」……、しかし「俺たちは一人一人じゃ弱いんだ。だけどみんなが集まれば強くなれる。俺たちは葦と同じじゃないか」といって提案したA君の「葦」を全員一致で紙名と決定した。「そうだ、葦の詩を作ろう」そういって即興の詩をみんなで書いたが、その中のK君の詩に修正を加え、機関紙にのせることにした。

葦

黒い雲が嵐を告げても
豪雨が脚を叩きつけても
波が逆まいても
葦たちはびくともしない
葦たちは知っている
青い水面が
　子供たちを誘うような
葦の葉蔭を通って春風が
　恋人に囁くような
そんな日のあることを
葦たちは知っている。

二面にはみんなの不満や苦しみをのせて編集を終った。印刷の時になるとみんなの口から自然と歌が出てきた。「樫の木」「トロイカ」「カチューシャ」……といろいろな歌が部屋一ぱいに流れた。希望があった。力があった。「きれいに刷れたぞ」「すばらしいなァ」「これだったらみんな一生懸命読んでくれるぞ」、こうして情宣部員の感激のうちに、『あし』第一号は出来た。

㈣

十月二十六日、準備委員は全員朝早く登庁して、それとなく『あし』第一号を机の上においたり、どこからともなく回覧形式でまわしたり、信頼のおける人たちの手に渡したりした。反響は非常に大きかった。いろいろな人の胸にいろいろな形でもって、ひびいて行った。その日、朝当番で他の人より早く来たAさんは、机の上にポツポツと置かれた『あし』を発見した時、非常にとまどった、その時のことを述懐して「わたし、最初ほんとうに怖かったわ。だって今まで局長か課長の名前で出した回覧しか読んだことがなかったんですもの。苦しい生活の事や局長の悪口をあんなにはっきり書くなんて、とても想像できなかったわ」といっている。これと同じような事は、他の多くの人の場合にもいえることだった。中には何気なく手に取った『あし』の、その内容が何であるかを知った時、怖しさの余り、読みもしないで、放り出し、知らぬ顔をしたものもあった。しかしほとんどの人が『あし』を読んだ。「やったな!!」F君は太く書かれた幾つかの見出しを読んで、腹の底にたまっていた汚物が一齊に吐き出されたような気持でそういった。「俺もやりたい」「有志っていうのはどんな連中だろう」『あし』は大事にポケットにしまわれ、次から次へとまわされた。「本当だわ」「だけど作れるかしら」そんな囁きがいたる所で、ここそこ話された。男の人達は「三尺四方の発言自由の場所」そんなふう

にだれからともなく思われていた便所の中の壁を想い出した。「局長M一党打倒」「日給三百円よこせ」「首切反対」「組合を作ろう」「異議なし」などの沢山の声が書かれていた落書をその便所の中の声が、今はっきり紙に盛られて発行された事に、力強い感動を受けた。「だれがやったんだろう」「だれだっていいじゃねえか、書いてある事はみんな本当の事ばかりだ」「だけど同じ気持の奴が沢山いるんだなあ」「胸がすっとした」「なんだか怖いや」「課長のあのあわくった顔が面白かったよ」そんな声は、庭すみで、手洗で、学校への道で、いたる所で囁かれた。M君は友人から渡されて、プールのそばで『あし』を読んだ時、「クビにならないだろうか」と思った。然し一つ一つ生活のことや職場の事を考えているうちに「どうしても組合は必要なんだ」と思った。然しごく一部だが「組合を作るなんて赤のやる事だ」「俺は課長の紹介で入ったんだから、組合には参加出来ねえよ」という人達もあった。一方係長はぐるぐる廻っては『あし』を回収しようとした。だが全体として『あし』第一号によって職場には期待と希望が湧き起こり、職員達は力を与えられた。この事は、まさに画期的な変化を職場全体の空気に与えたのだ。

㈤

委員のだれかが槍玉にあがったとしても、黙秘権を使うことを誓いあった。

そのうち二十九日、審査一課で、H君、I君が課長に呼び出され、『あし』の紙が似ているが、役所のを使っているのではないか、執務時間を利用して印刷しているのではないか」と嫌味をいわれた事件がおこった。H君たちは「知りません」の一点ばりでとおしたが、しかしこの事は少からず準備委員にショックを与えた。「H君やI君に目星をつけたという事は、当局はもう準備委員会の概容について感づいたことではないか」「結成前に委員の首切で対抗するかも知れない」、その日の委員会では、準備委員は一層の警戒体制をかまえる事を申し合わすとともに、このような当局の出方に対して、二、三の首切に対しては経済的援助をすること、準備委員がみんな首になった時は、報告会の名において結成大会をすること、などを決定した。

それと同時に『あし』第二号について討論がなされ、「組合を作ろうとする動きのある事を大多数が支持している」「部数が少なかった」「もっと具体的な不満や苦しみを盛ろう」などの意見が出されて、配布は外部団体の人に門の前でまいてもらうこと、部数は五百部にすることを決定し、更に各部が十分な活動が出来るように、みんなで五〇円ずつ出す事を申し合わせた。

このような非公然の活動の中で、しかも、課長、係長、班長と職制を通じて、網の目のようにはった当局の情報網の中で、委員たちは警戒心が非常に強くなっていった。デスクの隣の人が当局のスパイに思われたり、特別自分たちだけが監視されているみたいに思ったり、委員の

中から、二、三人が会に来なくなると、裏切りはしないかと考えたりした。親友からは「元気がないぞ、身体でも悪いのか」とか、「お前この頃、冷たくなったぞ」とかいわれた。そして毎日門を出る時には「今日も首がつながっている」と思わず首をなでて、ほっとため息さえもらした。いつも退庁してはじめていきいきしたあの生気がよみがえって来た。

十月三十日の委員会には、全林野労組の組織部長が来て「組合を作るためには誰れかが先頭をきらなければならない。非常に勇気がいることだ。君たちはそれを今、やっている。組合を作ることは君たちにも、私たちにも大切なことだ。労働者はみんな団結しなければならないし、それだけが私たちの出来ることだ。私達は全力をあげて応援します」と激励してくれた。

(六)

十一月二日に『あし』第二号は発行された。前夜ほとんど徹夜してがんばった編集部員のうちA君は、朝早く四谷駅で全林野の組合員と待ちあわせ、『あし』を渡して、門の前で登庁する職員に配ってもらった。喰い入るように読みながら職場へ歩いて行く人、恥ずかしそうにあわててポケットにつっこむ女の人、その『あし』の紙面には、投稿の不満や苦しみがあふれていた。「もう千円欲しい」と都電にのらないで十円を稼いだ学生は訴え、「僕はいいたい」と一日二食しか食えない職員は、三度のメシが食えるように、そのための生計費を要求する権利があると主張している。「お前に思うような仕送りも出来ないけれど、ここに少しばかり貯えが出来たので、二千円同封します」、そう書いて来た田舎のお袋からの手紙に、涙を流して自分で生活出来ないことをなげいた職員。『あし』第一号をよんで、苦しみを打ち破る事ができるという確信をもった」という読者の声。

まず実践 (一)

——声明文を発表——

この日の委員会では『あし』二号の反省と、各課での情勢報告がだされ、それにもとづいて闘争スケジュールが検討された。「外部団体の煽動とみられている」「職員は組合結成への一かんとして見ている」「不満や苦しみだけで紙面を一杯にしてはいけない」「もう、はっきりと組合結成という目標を出していい段階だ」などの意見が出たあと、「今後は『あし』にはっきりと準備委員会の名前を出すこと」「目的をはっきり訴えること」「随時ビラや、号外をまくこと」が決められ、ついで結成の日を十一月三十日と内定した。

六日の委員会では規約審議のあったあと、渉外より「十一月三十日は官公労の第三波実力行使が終ってからになるので時期的にまずい」と報告され、新たに十八日結成大会の案が提出された。それに対して「最初から大きな組合を作って弾圧に対処すべきだ」「小さくても、まず

組合を作り、それからみんなを引きつけて行く」などと意見が対立したが、「全員加入を目標」として、結成は十八日に決定した。「あとわずかだ、全力をつくそう」誰れの顔にも真剣な決意がみられた。八日、情宣部員の連日の徹夜の成果として、『あし』号外が発行された。それは朝登庁する職員の一人一人に、全林野労働組合の人たちの手で配られていった。「恩給局職員組合結成準備委員会誕生す」トップに大きく準備委員の名をうちだし、さらに「声明文」で全職員に訴えた。「我々は長い間、『二〇世紀の不思議』と他官庁労組からいわれる位、低賃金と封建的制約に束縛されながら、職員組合もないままにすごしてきた。人間性の一片すら認められないような悪条件にも、われわれは生きんがため、食わんがために我慢してきた。しかし、今やそのような前近代的状態打破のために立ち上ったのである。われわれの自由と、人間らしい生活のための条件は、求めずして得られないことを悟ったのである……。そして今や、組合結成の叫ぶ声は局内にホウハイとして起り、全官公労を始め各労組、ならびに世論の力強い支持を得つつある……」。この声明文はものすごい反響をよび起した。「本来ならば、僕ら正職員が立ち上って、立場の弱い臨時職員を守るようにすべきだったのに、先に臨時職員が立ち上ってしまった。こうなった以上、僕らも黙っている事はできない」という正職員。「準備委員会と『あし』は暗やみの中で一つの光明を与えてくれた」という臨職の人。「勇気が湧いて来る。俺も一緒にやりたいと思うが、誰れがやっているのか分らない」と頬を赤くしていう学生。「組

102

合が出来たら、厚生省のお友達にも恥ずかしくなくなるわ」といってほほえむ女子職員。そして一方では新たに準備委員に参加する人が、三人、四人と増えて来た。

(二)

十日には、ひきつづいて『あし』第三号が発行された。主張に「声明文を支持しよう」と打ちだして、「私たちは憲法で規定されている労働者の権利の要求が、私たちの幸福な生活をめざす利益とピッタリ結びついていることを知っている。声明文は、私たちの進む道を一層明らかにしてくれた……」とはっきりその方向を指し示した。確かに準備委員会はみんなの中心として、大きな索引力でひっぱり始めたのだ。

一方、このような準備委員会の活動と、全局の盛り上りの中で、当局は懸命になって委員の名前をつかもうと弾圧を激しくするとともにスパイ、尾行、監視などあらゆる卑劣な手段を使ってきた。八日には「馬鈴薯はそれどうしで放っておくと腐る」とうそぶいて、突如、総務部の大人事移動をして来た。C班には女だけを一ヵ所に分離し、やっと知り合ったデスクのまわりの人たちはみんなバラバラにされた。課長や係長は、部屋をぶらぶらしながら、「どうだね、組合が出来たら入るかね」とさぐるような眼で一人一人じろじろ見たり「どんな人たちがやってるんだ。俺も一緒にやりたいんだが」といって寄ってくる同じ臨職のスパイもあった。義理

103

というどうにもならないヒモでがんじがらめに縛りつけ、それを巧みに利用したのだ。『あし』が出される度に課長会議が召集され、係長、班長は休み時間になると庁舎の内外を歩いては三、四人かたまって話している人たちにも神経質に訊問した。

この当局の狼狽ぶりは、『あし』三号の「会議は踊る」が雄弁に物語っている。

104

また出たか
それ集れ　課長殿
使いは走る　西、東
おお、忠実なる愛犬よ
　早くかぎ出せ
　おのが敵
それ食堂だ
いざ　進め
局長の顔は　七面鳥
化けるタヌキは　七変化

（お役人から労働者に）

㈢

あけて十一日の正午、空っ風の吹きまくる中を官公労の宣伝カーがきた。準備委員会の要請できたのだ。始めて聞くような「赤旗」「インターナショナル」のレコードをかけながら庁内を一巡、それから官公労組織部長は全職員に向って、「組合結成のためにみなさんが立ち上ったことを喜びます。苦しい生活から脱却し、組合を作って、いろいろな生活向上への要求をすることは、みなさんに与えられた権利です。……われわれ官公労は如何なる努力も惜しまず応援するから、みなさんも最後まで頑張って下さい」と激励した。宣伝カーのまわりに直接には集まらなかったが、窓から、壁のかげから、廊下から、たくさんの顔がうなずきながら聞いていた。「そうね、わたしたちは実質的には、正職員の人たちと同

105

じ仕事をしているんですものね」「一年にもなって給料も上らないし、健康保険もないけど、組合を作らないと駄目なのね」そんなささやきが、あちらからも、こちらからも聞かれた。その後、官公労代表は局長と会見したが、それに対し局長は「組合を弾圧する意思は少しもなくむしろ健全な発展を望んでいる」と言明。同じ日、準備委員の一人T君は二課長と会見して、完全にみんなの前に準備委員として現われた。これらのことも編集部員は直ちに「局長組合結成に賛意を表明す」という号外に刷り、十三日朝、例の如くして配った。この号外は全職員に多大の影響を与えた。力強く思った人、意外に思った人、安心感をもった人、オトリじゃないかと警戒した人。しかし全体として「組合を作ることにはだれも反対出来ないんだ」と明るい見通しの方へと導いていった。同日の委員会では、T君が浮き上ったことと関連して、準備委員の態度として、もっともっと積極的に職場に働きかけその結果、当局に解ったら全部の人の氏名を発表することを決め、渉外からは、外部団体のビラをまいてもらう事などが報告された。

歴史への共感 ㈠

これと前後して、十二日、編集部は委員会の決定に基いて、職員の本当の声をきくため七項目にわたるアンケートを朝、登庁時に配り、退庁の際、正門脇の投書箱に入れてもらった。集計の結果、職員の不満がどんなに大きいか、組合をどんなに欲しているかがはっきりと分った。

106

一、現在の賃金のほかにあなた自身の収入がありますか——ある……六　ない……二四九
「ある」と答えたものは「日曜に家庭教師をしないと食えないのだ」と書いており、日給は三百円から二七〇円にしてくれというのが最も多かった。
二、共済組合に加入する希望——ある……二五一　ない……四
これには病気にかかった時の不安を強く訴えていた。
三、葦に対する感想——よい……一三五　悪い……七　わからない……一一三
悪いという方からは、印刷が不鮮明、一方的にかたよりすぎているというのがあったが、大部分は今後も続けてもらいたいとあった。
四、リクリエーション活動に対して当局は積極性があるか。——ある……二　ない……二四一　わからない……一二
五、上司との間に親しみがもてるか。——持てる……七　持てない……二二七　わからない……二七
六、組合が結成された時。——加入する……二四七　加入しない……〇　わからない……一
これには反対の人が一人もいなかった。「私は加入します」とはっきり書いた女の人、そのあとには「決して御用組合にならないで下さい」と美しい字で書かれていた。
七、組合結成について御意見を書いて下さい。——
この項にはたくさんの激励や建設的な意見があった。「一刻も早く組合を作れ」「準備委員だけ犠牲にさせない」「準備委員のみなさん、本当に御苦労様です」「外部団体に躍らされるな」等々。

107

㈡ 108

Ｈ準備委員はその時の様子を次のようにいっている。「俺は午後からアンケートの事が心配で仕事が手につかなかった。はたして何人ぐらいアンケートを箱に入れてくれるだろうか？胸のざわめきと、ともに退庁のベルが鳴った。俺は四号庁舎の二階から、喰いつくように門柱のそばにある、真白いアンケート箱をみつめていた。一人、二人、寒さにオーバーのエリをたてながら、うす暗くなった、庁舎から出て来た。一人が箱の前で立ち止った。女の人は一人で入れるのがこわいのか、四五人で、どーと入れると、にげるように、その前から立ち去った。よおし、見ろよ!! 見ろよ!! あんなに沢山の人が!!

このアンケートの結果は、疲れ切った準備委員に力強い勇気と励ましを与えた。そして十五日『あし』の号外で、この結果を詳細に報告した。その事は、職員の一人一人に横のつながりを与えるとともに、準備委員と職員のつながりも強く結ばれた。「みんな同じ事を考えながら、それでいてみんなバラバラでいたのね」Ｍさんは感慨深かげにつぶやいた。

十六日の委員会には全林野、農研両委員長が参加して激励してくれた。「いよいよ、あさってだ」輝かしい希望と、ちらっと心をかすめる不安をもったまま、準備委員会は最後の奮闘に没頭した。

十七日『あし』四号を発行し、主張で「結成大会に結集しよう」と呼びかけた。「皆さん！現在、職員間の空気は圧倒的に組合結成を支持しております。皆さんの団結の力で障害をのりこえ、皆さんの要求を勝ちとろう!! 委員会は万全の態勢をととのえています。我々の動きを全国の労働者が見守っています!!」この呼びかけは大きな力を与えた。「いよいよ、明日だなあ」職場の話題は組合のことで一杯だった。「俺たちの組合が出来るんだ」「もうペコペコ頭なんか下げねえぞ」「どんな人たちがやってるのかしら」みんなの気持は、押えきれない喜びと、希望と、それに当惑めいたおそれと、不安と、いろいろなものが交錯して入っていた。

㈢

——血迷った契約書——

この日、退庁まぎわの四時半頃、当局は突如として契約書なるものを係長を通じて配り、捺印してすぐ提出させようとした事件が起った。このことは、押さえに押さえていた職員の怒りを一度に爆発させた。契約書とは、

一、身分は日々雇い上げの臨時事務員として、使用期間は昭和二十九年十一月十七日より昭和二十九年十二月十七日までの一ヵ月とする。

六、日給以外の諸給与などは一切支給しない。 109

七、左の各号の一に該当する時は退職を命ず。

2、疾病及び私事の故障により引続き十五日以上執務しない時 110

4、その他、局の事務員として不適当と認められた時

右、承認する

氏名 ○ ○ ○ ○ ㊞

という内容の非道この上もないものだった。ある課では、課長が全員を集め猫なで声で、「君たちが安心して働くことが出来るように今すぐこれに署名捺印して下さい」といい、ある課では係長が神経質にぐるぐるデスクをまわっては、みんなが書いているかどうか覗いた。またある係長は女の人に「早く書け、早く出せ」と強迫めいていった。しかし職員はじっと契約書を見ては隣りの人の顔を見た。涙が出て来そうになった。「何とひどいことを」煮えくりかえるような怒りがこみ上げて来た。「いつ首を切ってもいいって、認める事じゃないか」「もう一年以上働いているのに、一ヵ月たって、そのあとはどうなんの」と泣きそうな女の人。「病気になっても十五日以上休むと首とは何だ。まるで鬼じゃないか」「事務員として不適当とはどういうことだ。くそ！ 局長の見解で簡単に首を切られてたまるもんか」「畜生！」「ひどいことを」「あんまりだわ」足がぶるぶるふるえた。胸が一杯になった。「どこまで苦しめるつもりなんだ」涙が出て来た。口惜し涙だ。「出しちゃ駄目だ。出したら負けだ」みんなぎりぎりの所

まで追いこまれたのを感じた。しかし面と向って係長や課長にいえなかった。今まで一度もさからったことがない。話したこともない。何か怖ろしい気持が支配した。おどおどしてまわりを見ている女の人、じっと唇を噛んでいる男たち。そんな中で、二課のS君は押さえきれない憤懣を叩きつけるように、「課長、どうしてこれを出せば安心して仕事が出来るんですか」と叫んだ。それからデスクに帰るなり、「よし、俺が集めてやる」といって、白紙のまま契約書をみんなから集め、いきなり破いて屑かごの中に叩きこんだ。「おい、みんな出すのはよそう」小さい声からだんだん大きな声でみんないった。「ほかの課ではどうなんだろう」そういった不安も、その時席に帰って来たM君の「ほかの課でも出した人は一人もいません」の説明をきいてほっとした。M君は準備委員だった。

(四)

この契約書が配布された時、いち早く全準備委員は緊急委員会を開いていた。激しい興奮を押さえ切れなかったが、「契約書は明日の結成大会の明らかな妨害だ」「どうしても出してはいけない」「破くか撤回させよう」「準備委員は表面に出て、指導しなければいけない」などの意見がわずか十分位で決められ、それぞれの課で撤回させる人、各課を訴えてまわる人などが、迅速に行動を始めた。しかし、最初は怖かった。足がふるえた。思うようにいえなかった。「皆さん、それを破いて下さい。出さないで下さい」真青な顔をして叫ぶ準備委員の言葉に、どよめきが起った。次の瞬間には、圧縮されたボンベが爆発するように、みんなの怒りは爆発した。胸から胸に、口から口に、そして手から手に、契約書はひきちぎられていった。「あの人が準備委員だったの」おどろく顔。頼もしそうにまじまじと見る顔、準備委員は隣りの人だったし、親友だったし、みんなの知ってる人だった。頬をぴくぴくけいれんさせて怒る係長。しかし、準備委員はもうおどおどしていなかった。「明日、組合結成だというのに、どうしてこんなひどいことをやるんだ」職場の人々も、「そうだ、そうだ」といきり立ってつめよった。課長は、「あなた方が出したくなければ、それでもいいです」とそそくさといって課長会議にとび出した。「勝った」「遂に撤回させた」。

退庁のベルがなっても、しばらくの間、感動のどよめきの中にみんな酔っていた。全局的に全部の課で契約書を撤回させたのだ。ある課では出してしまった人たちも、夜おそくまで課長をおいまわし、十時頃やっと課長をつかまえて契約書をとり返した。

(五)

うす暗くなった正面広場には、だれからともなく去りがたい人々がたくさん集まった。その時、準備委員のF君は、激しい言葉で訴えた。「みなさん！　この屈辱を、この怒りを、明日の結成大会に持って行こう。明日は全員参加しよう」みんなの顔の中には、強い決意が見られた。口に出していわなくても「俺たちの力で始めて契約書を撤回させたのだ」ということがお互いの気持をしっかりと結びつけた。「明日こそ」いろいろな感懐をそれぞれ胸に、二人、三人とささやきながら、心地よく冷えた夜気の中に、吸いこまれるように消えて行った。

同夜の最後の戦術委員会には、準備委員のほか、たくさんの人が集まった。どの顔もはち切れんばかりの元気と喜びをたたえていた。絶対の確信があった。大会次第が決められた。規約も出来た。スローガンも決った。執行委員長を始め、役員の案が決った。「さあ、準備は完全に出来たぞ」。

こうして運命の十八日は、静かに明けた。全準備委員は朝早くから、庁内の壁や電柱にビラを貼った。「ノルマ制反対」「日給三百円値上げ」「不当首切反対」赤、青、白のビラはみるみる庁内を彩どった。登庁時間になると全員で「結成大会に全員参加しよう」のラビを配った。「御苦労さん」という人、「お前やっていたのか」と肩を叩く学生。全部の準備委員が、今、みんなの前で、一人一人に「お願いします」と呼びかけているのだ。こそこそ門をくぐる係長、じろりと一べつして行く課長。それと同時に官公労、農研の代表も「私たち官公労は皆さんの組合結成を全面的に応援します。皆さんのバックには官公労百万の同志が控えています」との激励のビラを配った。「私たちの組合を作ろう」という気運はものすごい力となって、もり上って来た。「君は組合に入るのか」「組合なんて赤のやることだ」そういって一人一人にいやがらせをいう悪質な係長の弾圧にも負けず、朝配られた組合加入用紙には、次々に「加入します」と記入されて、十時に集められた。

（たたかいの一日）

新しい歴史！

こうして十二時半。千二百人の職員が集まって結成大会は開かれた。左右社会党、労農党代表、総評代表、たくさんの労組の祝詞やメッセージに寄せられた友情と支援の中で、「ここに我々、恩給局職員組合は結成されたことを宣言する」と力強く結成宣言がなされた。

遂に出来たのだ。その瞬間、千二百の魂は完全に一つになった。強い、高い拍手がいつまでもいつまでもつづいた。そうだ。暗い、官庁の谷間、恩給局にも今、太陽がのぼったのだ。今まで口に出してさえいえなかった不満や要求が、今はシュプレヒコールとなって、心の底からのども裂けよとばかり叫ばれた。

一、年末手当二ヵ月分を支給せよ
一、健康保険、失業保険に加入させよ
一、日給三百円に値上げせよ
一、有給休暇、生理休暇を認めよ
一、日計表を廃止せよ
一、ノルマ制を廃止せよ
一、自由なサークル活動を認めよ
一、超勤手当を支給せよ
一、厚生施設を拡充せよ
一、共済組合に加入せよ

そのどよめきとインターナショナルの歌声は、そそり立つ白堊の議事堂にこだました。その時、あのどぶねずみ共の顔が、二階の窓からのぞいては、すぐにかくれた。遂に出来たのだ。僕らの組合が。あの顔も、この顔も、みんな希望にみちた晴々とした顔だ。「とうとうやった」うなずき合う準備委員K君、T君、Sさんの瞳にも、きらりと光るものが見えた。（恩給局職場の歴史をつくる会）

Ⅱ　生活の歴史

炭礦の生活史

——飯場のうつりかわり——

118

一、大正初期の飯場の実態

独身従業員や世帯持でも単身で流れあるく坑夫を収容する寄宿舎、つまり飯場は、炭礦が始まると同時に開設されている。むしろ長屋より先に建てられている。三菱美唄にあった飯場を大きく分けると、一般坑夫を収容する指定飯場、職員を収容する職員合宿（役員合宿）、職工などの技術者を収容する職工合宿などに分けられる。この他に個人が長屋に数名の単身者を置くといった私設飯場が非常に数多くあった。この中でもっとも大きな役割を果したものは、指定飯場で最盛期であった大正七年頃には、大小合せて三十有余軒を数えることが出来たのである。

指定飯場は多少の例外はあるが、会社の建物を借用して飯場を開くのであるから、必ず会社指定を受けなければならない関係にあるから、指定飯場と呼んだ。私設飯場は、飯場としての様式、規模からいって飯場と名付けるには疑問であるが、こうした寄宿所は、無数にあ

119

って一つの特色ある存在であった。これは指定飯場が長屋より先に建てられたことで分かるように、坑夫の土着は非常に少なく、労働力は出稼坑夫、季節労働者、渡り坑夫たちに多く占められていた関係で、二、三カ月というような僅かな期間、知り合いの家へわらじを脱ぐといった具合に利用されたのが私設飯場であった。

指定飯場、私設飯場共に飯場長は従業員で鑑札番号を持っているが、指定飯場の長は坑内に入ることはなかった。専ら飯場の管理に当ったのである。これに比べて私設飯場の長は純然たる坑夫として働いた。

昔は、飯場の建物はどんなだったか、そしてそこでの生活様式はどんなだったろうか。指定飯場の一つを例にとって調べてみよう。この長屋は八軒長屋をぶち抜いた飯場で、飯場長の家と炊事場を除いては約七十畳の細長い大広間が五、六十名の宿員の部屋となっている。部屋は窓ガラス寄りに手廻品を載せる棚が作られているだけのがらんどうで、布団を整理する押入れはない。布団は頭を両側寄りにして敷き、足を向き合せて寝る。真中は通路としてある。朝起きると布団は足の方から二つに折って重ねて置くだけで万年床である。食事は布団をたたんだあとに、大テーブルを置いて摂るといった具合であった。

飯場に入る人の多くは「おやじ明日から稼がしてもらうよ」といった調子でわらじをぬぐ。そして二、三日働いて気に合わなければ、ぽんと飛出す人もあった位である。

120

当時は手廻品として柳行李のひとつも持っていれば良い方で、風呂敷ひとつで渡りあるく人が多かった。布団は飯場で借りることが出来るのであるが、この布団を夜こっそり質に入れて飛出すものもいた。だからお祭りになっても新しい半纒を着れるものはごく稀で、大抵は現場着のまま酔って歩いたものである。

飯場賃は大正七年頃で一日五十銭、布団を借りると六十銭徴収される。（当時熟練した坑夫で賃金は一日一円五十銭位）それで待遇は余り良くなかった。飯は食べ放題であったが、副食物は栄養のあるものは出なかった。結局、飯場から高い油揚であるとか、かまぼこの類を買って食べるようになる。その他、酒を飲んだり、賭博をやったりするから、そのほとんどは会計日以外は金を持っているものはいない。余程辛抱して月に五円残すのがやっとで、十円まで残せるものはいなかった。

飯場関係者（飯場長、帳場、飯炊）の賃金は会社では出さないので、合宿員の稼働賃金の総額の幾割かを飯場長に支給した。しかしこれでは関係者の給料を十分にまかなえないので、宿員の払う飯場賃で自給しなければならないのである。その結果宿泊料の割に食事の程度を引下げたり、飯場で売る品物に幾割かをかけて法外な値段で売付けるという搾取は常法となっていた。例えば刻煙草四十匁入りを半分に切ってその量を減らし、逆に値段は二、三割かけて売ったり、地下足袋一足に五割もかけて売るようにした。宿泊者はそれでも高いと知り

ながら現金がなければ商店から買うことも出来ないので、結局飯場から借りるようになるのである。着のみ着のままでわらじを脱げば、働かないと現金を手にすることは出来ないし、現金を持っても花柳界、賭博の誘惑に負けて、その方に使うと、日用品は飯場で借りるより仕方がなくなってくる。一ヵ月でもこのような生活を送ると、次の月も同様で、なかなか抜けだせなくなってしまう。また飯場で売る品物を、世帯を持って長屋に住んでいる人でも、金に窮すると借りに来たものである。

それから、飯場には「現金証明」という制度があった。これは会社が飯場のみに与えた制度で、長屋に住む人達には適用されない。現金証明は賃金支払の一部で、三日目、三日目に稼高の六割を支払ってもらえるのである。この証明書の用紙は配給所から買って来て、金の欲しい人は鑑札番号と氏名を書いて飯場長に出す。飯場長はこれをもって詰所の箱に入れる。労務では本人の稼高の六割だけを現金で払ってくれるのである。始終この現金証明を利用すると月末の本会計では飯場賃を引かれると一銭も残らないという勘定になるのである。

飯場での坑夫の管理は、会社では飯場長に大きな権限を与えていたようである。大正初期の頃では入社、退社は飯場長の権限によって自由に行われた。Hさんは次のように語っている。

〃大正七年の秋、わしがこの炭山へ来たときの話だが……わしの国は岩手県の在で、大正六年の年、北海道へ出稼に渡ったもんだ。何んぼかでも現金を土産に帰ろうと思ってな……と

ころが農場や礦山を渡りあるいたが、現金は溜らんもんだよ。わしは酒が好きだから随分呑んだもんで、折角働いても何時もちょんちょんだった。大正七年の秋だ、土産どころか懐も淋しゅうなって函館まで来た。海を渡ろうか渡るまいかと思案していたときだったよ。肩を叩くものがあった。「炭礦で稼いでみないか、景気がいいぞ」と飯場の親方の募集に出あったんだ。そのままふらふらと連れてこられた。

一緒に来たのは四、五人も居たようだった。翌日親方に連れられて部落の詰所で手続し、労務へ顔見せに行った。そしてその翌日から働いたもんだった。……病院なんか行かないようだったな……そうそう、その頃は余程の不具者でない限り親方が稼せてやるといえば、絶対に稼ぐことが出来たんだよ。あの頃は人が余るからいらないなんてことはなかったもんだ〃

日常生活におけるけんかとか盗みを働いたとか、職場の不平不満もすべて飯場長が解決したのである。従って飯場長は警察にも顔がきいた。Iさんの話は次のようである。

〃大正時代のことです。H飯場は全山の飯場の総元締ともいわれ、賭博でもその本場でした。賭博は半公然だといいながらも、御はっとになっていた当時でした。或る番町見張の新米の係員がこの情報を知り、駐在所の巡査に通報し一挙にあげようとして、H飯場にかけつけたんです。

壁に耳をつけて、じーっと耳をすますと、ぱちっ！　ぱちっ！　と札を叩く音が聞えた。

間違いなしとばかりに踏込んだんです。ところが驚いたことにはH飯場長以下全山の御歴々が顔を揃えているではありませんか。警察も係員も唖然となったんですね。いう言葉がなかったそうです。H氏は「今日は全山の飯場長の寄合があったもんだから、その座興にちょっと札をいじっただけだよ」と胸を張って答えたそうです。警察は「これはこれは御苦労さんでした」といって帰ったという話です。若い者なら見せしめに挙げることも出来たでしょうが、飯場ばかりはそうもいかないのですね。この事実を裏から見ると、飯場長の顔が全く大きなものであるし、常々袖の下なんか使って慰撫していたんですね〃

飯場の実体について詳しく述べたが、一方合宿については飯場とはすべての面で異っていた。部屋は八畳か六畳というように仕切られ、勿論押入れもついている。その他食堂、風呂場なども設備され、飯場とは雲泥の差があった。この他、賄費は決った金額が給料から引かれるが、その金額の範囲で食事が賄われるのである。合宿の関係者はすべて会社から給料をもらう従業員であるから、飯場のような搾取は、全く行われなかったのである。

昭和四年の或る合宿の実例をあげると、まず合宿に入るには制限があって誰でも入れるのではない。傭手補か、一般礦員でも職工とか電工とか技術を持ったもののみに限られた。その頃は技術屋の引抜が各炭礦で盛んで、優秀な技術を持つ仕上工、旋盤工は随分良い条件であっちこっちから迎えられたのである。美唄鉄道の列車監視は引抜きに来るものを警戒したという話

もあるほどで、技術者は同じ礦員でありながら、特に優遇されたものと思われる。

当時の賄費は一人一日五十銭で、布団を借りると五銭とられた。その頃飯場は八十銭であった。部屋は六畳に六人も入れられた。六人といえば一人一畳の割で無理な話であるが、十二時間労働のその頃では一番方三人、二番方三人に組合せたから不自由はなかった。しかし公休日は大変であった。

二、飯場制度の崩壊

大正八年普通選挙法通過後、飯場制度の封建的な搾取から労働者の生活を守るために、大正十一年に政府は条令を発布して飯場制度を禁止した。すなわち十年の猶予期間を置き、全面的廃止の時期を昭和六年としたのである。

昭和六年、三菱美唄炭礦でも飯場は一齊に姿を消した。代って生れたのは直轄寄宿所である。この寄宿所は前に述べた合宿と条件を同じくして会社直営となった訳で、寄宿所の従業員も在籍者が配置されるようになった。

切替えに当っては今までのすべての飯場を直轄にしたのではなくて、極く一部であった。廃止になった飯場関係者には山内に指定商の許可を与えるとか、従業員として採用したのである。賄費は一日一人五十銭であったが、太平洋戦争中には八円に引上げられた。

三、近代的な独身寮の建築

古い飯場を改造したり、長屋を改造して直轄寄宿所は運営されてきたが、中日戦争の始った昭和十二年を境にして、近代的な建物へと新陳代謝してゆくのである。主な変遷を挙げると次のようなものである。

昭和十二年九月一日、一の沢直轄寄宿所が落成し開所された。

これは総工費三万円、総坪数四一八坪、建坪数二八三坪で、間数は一〇畳間二六室、八畳間一室でその他食堂、娯楽設備がある。収容人員は一五〇名……(協和会報一一二号)

一の沢直轄寄宿所は後の青雲寮である。

昭和十三年　直轄寄宿所の呼名を廃し寮と改める。

昭和十三年十二月十四日、清明寮(桂台)及び朝鮮人労務者用の寮として第一旭日寮、第二旭日寮が落成し開所式を行う。

清明寮は総坪数三五〇坪で、間数は一二畳間一六室で百名を収容した。採暖は蒸気である。(協和会報一二八号)

昭和十三年　誠心寮が常盤台に新設された。

このようにして新しく建築された寮は、旧寄宿所には見ることの出来ない近代的なものであ

った。またその当時古い建物を使った寮としては自啓寮(桜ケ丘)があった。その後戦争の強行とともに、どんどんふくれあがる独身従業員、勤報隊、朝鮮人労働者の収容に、寮は益々数を増してゆく。

昭和十六年一月一日　同日附協和会報(一五一号)には共栄寮(旭台)総和寮(旭台)親和寮(滝の沢)が新設されたことを報じている。

戦争の末期、昭和十九年には更にその数を次のように増していったが、どの寮も定員以上に達し、一、二番方が交替で布団を敷き、畳の空くことがなかった。

日本人寮

清明寮(桂台)　青雲寮(一の沢)　明道寮(清水台)　誠心寮(常盤台)　青葉寮(旭台)

総和寮(旭台、第二旭日寮の改名、その後旭日寮となる)

朝鮮人寮

第一旭日寮(旭台)　第三旭日寮(旭台)　自啓寮(桜ケ丘)　一心寮(一の沢)

中国人捕虜収容所

大和寮(旭台、現在の旭台グランド敷地)

四、戦後の寮の変遷

昭和二十二年炭住融資によって五つの大きな寮が落成し、戦時中から受継がれた古い寮と共に厖大なる独身従業員を収容したのである。その後の自然減耗でその数も少なくなって、昭和二十八年にはほとんどアパートに改造した。現在寮として残っているのは三つのみとなった。

戦争末期から戦後にかけて寮生の賄費は一人一日八円であったが、昭和二十三年物価暴騰にともなって寮生の自費負担となった。

昭和二十三年会社は「食費を自費負担」にしたいと労働組合に申入れた。寮生側からは、食糧難が生んだ「食糧管理の合理化」を要求し、団体交渉が開かれた。その結果同年八月二十一日食費は自費負担に決り、食糧審議会というような機関を設けて、食糧管理がなされるようになった。

現在では毎年組合が行う福利厚生施設改善の交渉では寮の要求も出され、改善がなされている。食費は月額三千五百円前後かかっている。

（三菱美唄炭礦文学会
炭礦史編集委員会）

王子製紙の歴史

——職場の歴史の一つの方向——

(一)

王子の組合史は、一九五三年十月の定期大会で、苫小牧工場支部から「組合歴史の編纂」が出され、二ヵ年計画で完成ということがきめられました。これが採択されたころは、サンフランシスコ講和・安保両条約が結ばれ、MSA再軍備の問題が日本国民の上に大きくのしかかり、労働者の中からあらためて、民族の独立と平和の問題ととりくみはじめ、労働組合の活動自体も新しい出発を必要とする情勢におかれていました。そしてそこから、歴史の再認識が出されてきておりました。

この客観情勢の中で、王子の組合史は「先輩の歩んできた苦難の途を知り、組合がつよくなるために、組合の闘争の記録をすえ長く保存」することになり、組合が作られてからずっと指導者として活躍してきた人や、組合の闘争に豊富な経験をもっている人を、組合員の中から委嘱して、組合史編纂委員会を組織しました。

組合史委員会は、組合結成以来の資料を集めて、組合十年史の編纂に着手することになりました。王子労組は一九四六年二月に出来たのですが、会社の解体三分割によって、組織が三回も変ったため、資料がちらばり、特に旧王子労連関係の資料は殆んどちりぢりになってしまって、編纂委員の努力にもかかわらず、資料集めの仕事は思いの外時間がかかりました。組合の役員が早くから、闘争の記録をまとめて、資料を整理していたなら、このような無駄な労力は費やさなくともよかったと思われます。それでも一九五四年二月頃には、一応集った資料をもとにして、組合史の書き方に一歩近づけるため、「年表」作製の方針をたてて、常駐の事務局員をおいて、資料の分類のかたわら、年表の作製をいそぎました。この年表も八月頃には、どうやらまとまりましたが、この頃から組合史の書き方や、方法論について、委員会で話し合われてきました。

委員会での論議の中では、「組合員の中には、いろいろな考え方をもっている人がいるから、一つのイデオロギーで組合史を書いてはいけない。むしろ出来上った年表の説明程度にしよう。」とか、「組合史は組合のこれからのめやすになるものだから、組合員を援助できるように書かれなければならない」とか、多くの話し合いが行われました。しかし北海道の片田舎の苫小牧では、歴史に対してはっきりした考え方をもって援助してくれる学者も少なく、結局、組合が十年間闘ってきた生活権を守るための記録をどうまとめるかで苦心しました。

そこで、この頃から編纂委員の中に、他の組合の経験を入れたり、歴史学者の意見もきいたりしなければいけない、という声もあって、北海道大学や北海道教育史編集委員会等を訪れたり、道電産、北海道教員組合や、道炭労等や三菱美唄炭礦労組に連絡をとって、組合史を紹介してもらったり、教育史編纂の経験をきいたりして、歴史のつくり方について、いろいろ学びはじめてきました。

中でも市内の書店から買った「歴史評論」一九五五年五月号（六十六号）職場の歴史特集号からは、大きな感銘をうけました。この本の中にある組合をつくるまでの経験とか、一連の闘争の記録は、直接私たちの組合史編纂にすぐ役立つものではありませんでしたが、真新しい労働者の歴史のスタイルに、何か一つの歴史の方向があるようで、早速「職場の歴史をつくる会」に連絡して、援助をお願いしました。ところが同会から「総会で全員一致援助する」という返事がきて、編纂委員大いに気をよくし、今後は緊密な連絡をとって組合史を作り上げようということになりました。その頃、組合員の中から、組合史編纂の方法が、苫小牧工場にかたよっているのではないか、というような批判もでてきましたので、委員会ではこの意見をとり入れ、王子労組傘下の東京本社、春日井工場の支部にも、それぞれ編纂委員会を作ることになり、三支部書記長会議に出すため、私が上京ときまりました。勿論、三支部に編纂委員会を作る案は、異議なく認められ、苫小牧工場中心であった組合史が、このきまりで大きく全王子のものに発展していきました。

この上京で、私は「職場の歴史をつくる会」に属している各組合員の職場や、「製糸労働者の歴史」をつくった蚕糸労連等を訪れ、いろいろ職場の歴史、労働者の歴史について学びました。この経験と道内三菱美唄の生活史が、私たちの組合史の方向を決めるのに大いに役立ちました。

私が帰っての上京報告の後、組合史の方針を決める委員会で、「職場の歴史の会」や蚕糸労連の方向が話題となり、「組合史」という組合の表面的な闘争や交渉の記録の羅列から、大きく幅をひろげ、書く対象を組合員——労働者にもっていった「労働者の歴史」にすべきではないかというふうに変っていきました。そして私たちのつくる労働者の歴史の内容は忘れさられようとしている戦前の労働者の生活にも注意し、さらに戦後組合をつくって今日まで日本の歴史を作り出してきた労働者の姿を位置づけようというのです。この方向が正しいのかどうかはよくわかりません。しかしただ戦後の組合の交渉の記録を並べただけでは、物足らないということを、職場の歴史をつくる運動やその他の労働者の仕事を参考にしてゆく中で、編纂委員が気付いてきたものと思います。

しかし、この方針で歴史をつくっていく場合、多くの問題や困難さがあります。特に苫小牧市のように、王子製紙工場の外に、何もないというところでは、数多くの資料を集めてつくりあげていくことは、むずかしいことのように思われます。

㈡

私が「職場の歴史をつくる会」を訪れたのは九月でした。同会がそれまで都内の組合や、学生等に限られていましたのが、「歴史評論」職場の歴史特集号や、同会の機関誌「職場の歴史」などから、この運動が総評や国民文化会議を通じて大きく全国的に拡がろうとしていました。

九月九日には私たちのために国鉄品川、中電、東証、東芝、地下鉄等の組合員の方々や、都内各大学の学生などが多数集って、「職場の歴史」座談会を開いてくれました。この座談会では、当時私たちの組合史編纂で問題になっていたものの一つ、資料の分類体型のあり方から話し合いをはじめ、組合の闘争にプラスになる歴史のつくり方、時代区分の仕方、事件の評価等が話題となりました。この座談会の中から、私は記録やルポルタージュといったものと歴史の相違、組合史から組合運動史へ、そして労働者の歴史や職場の歴史に幅をひろげるための考え方、組合幹部史やストライキ史にしない歴史の書き方、闘争の評価等いろいろ疑問が湧いてきました。けれど、その時はまだ私たちの組合史が、みんなが討論している水準まで達していないのと、私の勉強不足で、これらの疑問を座談会にはっきり提示出来ず、後半はただみんなの意見をきくだけになってしまいました。そして東京でなら、つきあたっている問題を、すぐ出して、みんなで検討してもらうことが出来るが、苫小牧のように地方ではそれも出来ず、経験を交換したり、不明なところを直ちに解決してやれるように、職場の歴史の会が、もっともっと伸びて欲しいことと、職場の歴史の書き方といったような手引書の必要を痛感しました。

座談会に前後して、都内で歴史を書いている組合を訪れました。時間の都合で、国鉄労組本部、全電通中央電報局支部、東京証券取引所労組等でしたが、その中で国鉄本部と中電が全く違った方法で歴史を書いていました。労働者の歴史の書き方としては本質的には変りないのかも知れませんが、国鉄では資料を集めることが先で、集った資料の中から書き方の方向が生れてくるという方法でした。私たちの組合史の、今までとっていた方法と大体似て居りました。けれど中電では、交渉や幹部の変遷に重点を置かずに職場の人々の人間としての成長や、さまざまな文化活動などを重要視した「電信労働者の歴史」にする、といった大綱を決め、その方針に基づいて資料を集めるといった風でした。この中電のやり方は国鉄や私たちの組合史とは異なった逆の方法をとっているように思われました。

この二つの違った歴史編纂の方法は、それぞれに長短所があって、すぐ良し悪しはきめられませんが、組合史をつくっていく場合、組合の交渉やストライキを中心にした闘争の記録を中心にすれば、どの組合もそれらに関する資料はたくさんあるのですから、その資料をもとにして正確に伝える努力をします。従って編纂の方法も、資料蒐集が先になるようです。しかし、組合にも資料として残されていない労働者の姿を書くということになれば、聴きとりをしたり、

実態調査をしたりして、方針を裏づけるための資料をつくっていかなければなりません。「組合史として大会で決ったことだから、やはり戦後に限定すべきだ」「戦前の労働者の歴史といっても、われわれの力では出来るものではない」といった意見も強くあり、中でも戦後組合の指導者として活躍してきた人は、戦後の組合に強い愛着をもっていますので、この方針を理解してもらうことはなかなか難しいようにも思われます。それでも、「編纂ニュース」を発行したり、組合の機関紙に原稿を送ったりして、機会ある毎に、編纂委員会の方向をひろめ、私たちの進み方に、賛同してもらえるように努力しています。協力を求めようとしています。

㈢

北海道内での「職場の歴史」をかく運動は、東京のそれよりずっとおくれております。それでも、私が知りえた範囲では、三菱美唄炭礦労組が、一九五一年十一月には、早くも創立六周年を記念して、「組合史」第一巻を発行しています。

三菱美唄労組といえば、戦後いち早く組合を結成して炭礦労組結成の先鞭をつけ、経営管理争議(所謂人民裁判事件)などで全国的に有名になった組合ですが、組合の歴史については、早くからその必要を感じていたのでしょうか、私たちが組合の歴史を問題にしていた頃には、すでにつくりあげていました。この「組合史」第一巻の内容を目次から拾いますと、

三菱美唄炭礦労働組合沿革
現在の三菱美唄炭礦労働組合
三菱美唄炭礦労働組合闘争記録
昔の地下労働者
戦後の炭礦労働組合結成状況
連合体並びに協議会組織状況
各地区に於ける連合体組織状況とその変遷
終戦後における労働運動の足あと
一九五一・十一月現在役員名簿

この組合史は、組合に残っているいろいろの記録を中心にしてとめられたようで、闘争ニュース、組合日誌等を並べ、それに簡単な註訳をつけた程度のものになっていますが、当時としてはやはり画期的な組合の歴史だったものと思われます。

その後、三菱美唄炭礦労組の文化部内に、三菱美唄炭礦文学会が生れ、この文学会が炭礦史編集委員会をつくって「炭礦の生活史」の編集をやっているのです。この経験を学ぶために「炭礦の生活史」を送って下さるようにたのんだところ早速「炭礦の生活史」と一緒に、同会の事務局長中西茂氏から手紙が届きました。この手紙から「炭礦の生活史」の方向が具体的に

伺えるように思われるので紹介します。

「御要望に沿いまして『炭礦の生活史』第二輯を御送りします。（第一輯『炭礦機械の変遷』『反子制度のうつりかわり』をとりあげましたが、印刷部数が少なくて、予備が御座いませんので、御送り出来ません。御諒承下さい。）

当文学会がとり上げた生活史は、私共の炭礦が開かれてから、今日までの歴史を明らかにし、記録しようという意図から始められた仕事で、従来の特定の人々や、単なる歴史的な事件だけ掲げた歴史ではなく、実際に汗を流した労働者の生活感情が吹き込まれた歴史にしようという処から、特に『生活史』と呼びました。勿論、組合運動の歴史もその一部として入ってくるのですが、先般組合で発行した『組合史』とは、特に関係はありませんが、当然組合史も参考にしていきます。

又編集の方法と致しましては、最初から立派な歴史書は、とうていのぞめませんので、資料を集め、その資料を各項毎に整理して、資料集として、組合員を始め、関係方面の御批判を頂き、だんだんに正確で豊かな資料をまとめていき、この分冊が積み重って、最後に総括的な生活史を発刊する計画です。

このような考え方で進めておりますので、はなはだ形の整わないものですが、何かの御参考になりましたら幸いと存じます。

尚今後共御批判をいただきたいと思います。

貴組合でも、組合史を編纂なされるとの由、大いに頑張って下さい。出来ましたら一部御送り下さるよう御願い申し上げます。……」

組合の闘争の記録をまとめて終った組合史が、その後同じ組合の人々によって、地についた労働者の生活の歴史にうけつがれていった経過をみて、この中にも今後の労働者の歴史の書き方の一つの方向があるように思われました。また全北海道庁職員組合から、機関紙「全道庁」一九五五・一二・五、第一八九号を送ってきましたが、その中に明年の全道庁十周年記念をひかえて、全道庁十年史編纂の模様が報ぜられてありました。そして「全道庁史の目次構成予定」として、戦後の全道庁職組の変遷がのせられてありました。

一、組合結成の気運
二、二・一ストへ
三、第一回知事選挙
四、二・一スト後の闘争
五、官業労働者の金縛り
六、全道庁に嵐来る
七、組合のイデオロギー論争
八、組織の整備と闘争の伸長
九、全道庁最近の躍進ぶり

十、苦難の闘争続く
十一、各種闘争を回顧して（座談会）
十二、結　び
十三、資　料

その外、北海道教員組合、道炭労あたりが、「組合史」の編纂を始めているときいていますが、まだよく確めていません。しかし、組合結成十周年を契機として、道内でも相当数の組合が、組合の歴史、職場の歴史、労働者の歴史、生活の歴史を書き始めるものと思われます。

㈣

最初「組合史」として組合十年史の編纂から出発した私たちの組合史も、編纂して行くうちに、「製糸労働者の歴史」「炭礦の生活史」「電信労働者の歴史」などを参考にして大きく旋回し、永い王子労働者の生活に根を下して「王子製紙労働者の歴史」として再出発することになりました。

日本資本主義の発達の中で、王子製紙会社が果した役割は非常に大きいように思われます。洋紙業界を独占したこの王子製紙が、数多い製紙労働者を苛酷な労働条件で駆使し、どのようにして伸びてきたか、私たち製紙労働者だけでなく、全国の労働者が知りたいことではないかと思われます。そこまで考えてきますと、私たち編纂委員のこの仕事は、非常に重要な意義をもってきます。

王子製紙会社でも、いま「社史」の編纂に大わらわです。この社史に対抗して、私たちの労働者の足どりが、どの程度までえがき出せるか、これから私たちの大きな問題となっています。そしてこの仕事をすすめていく過程には、幾多の困難が横たわっているようです。

まず、編纂委員会が「日本資本主義の発達の中で、王子製紙の変遷を位置づけ、その客観状勢の上にたって王子製紙労働者の歴史」を書くという大綱をうちだしましたが、組合幹部や組合員の多くは、組合十年史というとどちらかといえば、単なる組合十年史が出来るものと考える人も多いでしょうが、私たちのこのような方針をどのように組合員に理解してもらえるかという問題があります。

次に編纂の順序として、この方針によって設計図を書く段階に入りましたが、この設計図は、編纂委員の外に協力してくれる人を数名委嘱して、編纂スタッフを強化し、いま入念に検討しています。しかし、殆んどが職場で働きながら、その余暇にやる仕事なので、気ばかりあせって、仕事はすすまず、時代区分や事件の評価等で討論が混乱してきても、直ぐ相談する人がいないので、私たちがやっていっているものが、かたよっているのではないかという、ジレンマに落ちている委員もあることです。

そして、苫小牧で集められる資料には、限界がありますので、東京等へ行かなければなりませんが、予算の面で大きく制約されていますから、最も能率的で確実な資料を早くいかにして集めるか、ということも頭を悩ますものの一つです。しかし、仕事は設計図の検討と相まって、明治、大正にわけて古い労働者や労働運動の犠牲になった人のききとり、アンケートなどから、一つ一つすすめられています。

以上、拙劣な説明でしたが、私たちの労働者の歴史の現況と、職場の歴史をつくる会等からみたり、きいたりしてきたことを簡単に書いてみました。この中から、これからの職場の、労働者の、生活の、組合の歴史をつくる、何かの参考になれば幸いです。

（一九五五・一二・二〇）

於苫小牧・梅津信行

Ⅲ

働くものの現代史

――戦後十年史――

はだか日本現代史

鏡をおそれる娘たち　―一九四五年―

悪夢のような戦争がおわって、ながい間の穴ぐら(防空壕)住いから、ふたたび地上に姿を現わしたとき、人びとは、爆音がしなくなった青空を不思議そうに見わたし、夜は夜で、カバーをはずした電灯の意外な明るさに驚いたものです。

ときどき「こんなに明るくしたら、空からバクダンが降ってくるのではないか」という幻想におそわれる人びともいたぐらいだったのです。

「神風」も吹かずに、戦争は終ったのです。年とった人びとのなかには、古くは元コウの役、日清、日露の役と、有史いらい今まで一度も日本は負けないし、負けそうになっても神々が必ず守って下さるという信念をもっていた人も多いことでしたから、それらの人びとには敗戦の現実はどうもしっくりと感じられませんでした。

若人の多くは、兵隊にいっていましたが、満員すしづめの復員列車で村に帰ってきました。若ものたちは帰るときにかっぱらってきたタバコ、毛布、かんづめ、菓子、洋服等々を村人にみせて得意気になりました。

けれど、ときどき横っ面をバンドや靴のうらでいやっという程ぶんなぐられたときのことや、親しい友人がまっさおな顔をこわばらせ、特攻機にのせられて永久にいってしまった折のことを想い起してぞっとするのでした。

いつまでも人びとはぼんやりはしていられません。焼けあとの仕末がカンカン照りつける日の下ですすみました。娘たちも、昨日まで、からだ中にぶらさげていた防毒面、しんげん袋、

何年ぶりの対面？

救急袋をほうりだし、防空頭巾もモンペもとって身がるになり、そよ風に「リンゴの歌」を口ずさみはじめました。男たちは、曲線美を再びとりもどして来た娘たちをみて、生きるはり合いと平和のよろこびを感じとったことでしょう。ところが、広島、長崎の娘たちのうち、幸にも生き残った多くは鏡をおそれる娘たちになっていたのです。黒髪はくしけ

「アチャー」

ずるたびにずるずるぬけ、ケロイドがからだ中にこうらをつけたように、みににくくなっている自分の姿など、どうして鏡にうつせるでしょうか！

ともかく年よりも若ものも、一時は混乱してなにがなんだか考える力もわきませんでしたが、こんな大きな犠牲が戦争には、つきものであることだけははっきりと知ったのです。そしてまた人びとは、アメリカ軍がやってきたとき、戦争中、あれほど「鬼畜米英」「撃ちてし止まん」と国民をかりたてて叫んでいた指導者連中が、うって変ってもみ手をはじめている姿を見つけたのでした。「欲しがりません、勝つまでは」を強制させられ、栄養失調でフラフラになった日本の国民は、はじめて「ダマサレタ」と叫びました。

「詔書―国体はゴジされたぞ！　朕はタラフク食っているナンジ人民飢えて死ね！　ギョメイ

ギョジ」（一九四六年、東京食糧メーデーの時のプラカード）。
人びとはうえた狼のように、米よこせ大会に集っていったのでした。

「お父ちゃんヤミってなんのこと」

ヤミ屋日本 ——一九四五年——

こんな目にあわされては、もう頭でっかちな政府官僚の「ヤミをするな、今に食わせてやるから配給米でがまんしろ」などというよびかけを信用する国民などはいません。

おまわりさんなどつきとばして、民衆は通称「敗戦ぶくろ」（大型のリックサック）をかついで村々にヤミ米買いに出かけたのです。「ヤミ米はたべない」といって栄養失調で死んでしまったたった一人の判事さんを唯一の例外として……。

労働組合に組織された労働者は、職場でも「手ぶくろを出せ、石けんをくれ」と机をたたいて経営者に迫り、さらに「戦時中、俺たちをくるしめた奴は

この会社から追っ払え、会社をおれたちで民主化しよう」という強い要求が爆発してゆき、読売新聞などでは警視総監上りの経営者、正力松太郎たちが危くほうり出されそうな目にあわされました。

加えて、戦時中「働く人びとのもっと住みよい世の中をつくろう！」と戦争に反対したため、〝石の上にも三年〟どころか、十数年もろうごくにたたきこまれていた共産党の指導者が、続々と出獄して、徳田球一氏のごときは「特急」のような勢いであばれだしたのですから、労働者対資本家の対立は、もはや何一つ力をもたぬ当時の吉田政府の力では押さえきれなくなってきました。

マック天皇 ——一九四六年〜一九四七年——

皆さんは、マッカーサーとヒロヒト天皇とが並んでいる所を写した珍妙な写真をきっとごらんになっていると思います。

マ元帥は、ふんぞりかえり、天皇はねこぜで洋服の着かたもだらしなく立っていたのです。その写真ではっきりわかったように、日本は「マック天皇」の治める国に変っていたのでした。彼のことを日本国民は「おへそ」とかげ口でよびました。おへそはチンの上にあるからです。

マック天皇は、臣茂（吉田）が手をやいている労働者——「ふていのやから」のはんらんをた

たきつぶすことを決意しました。

こうして、戦後はじめての大ゼネストになろうとした二・一ストを禁止し、国家公務員法などの手かせ足かせを労働者の上にはめてきたのです。

「奴れい」の反乱は後退してゆきました。アメリカ軍は得意の絶頂でした。国鉄の品川客車区では、アメリカ軍が国鉄労働者を使って専用車を掃除させていましたが、このころから馬鹿におうへいになり、労働者がちょっとでも休むとどなりつけるので、新入の労働者はびくびくしてアメリカ人から逃げ歩かねばならなかったのです。

それに、このころ国鉄のような大組合でも分会の中の多くの労働者は給料は上から頂くものであり、駅長さんは家長であるという考え方がふかくくいこんでいたのです。

だから職場大会に出席する人のう

八頭身以上です

ち、幹部への義理で出席するというおよそ労働者らしくない考え方をもつ人も多くいました。
この組合内にあった幹部と組合員のスキ間は、なんといっても労働者側の弱味でした。ぐんぐん加わってくるマック天皇の圧力の下でこのスキ間をどううめるかが、それからの労働組合の真剣な課題となったのです。

デス・バイ・ハンギング ——一九四八年——

この年ついに極東軍事裁判所によって戦犯東条たちはデス・バイ・ハンギング（絞首刑）にきまりました。

「東条ざまぁみろ」という声とともに「なぜ、天皇族や大金持たちは刑にならぬのだろう」と民衆はいぶかりました。

なにか奥歯に物のつまったようなわりきれぬ気分がただよっていました。

だから、当時人びとは「勝てば官軍さ」と口々に裁判の悪口をいってました。

戦争犯罪人たちの元兇は誰れなのか！　それは、戦中戦後にわたってこの連中に一番いじめぬかれた日本の民衆自身が一番よく知っていたのでしょう。動物が自分に危害を加えるものを本能的にみぬく力があるように……。

勝負あった

蔣介石は専売局か ——一九四九年——

「マック天皇」により、手かせ、足かせを次次にとはめられていっても、まだ多くの職場の労働者は、どちらかと言えば食う方に一生けんめいで、はっきりと世の移りかわりをつかむことはできませんでした。しかしこの年ごろから、いろいろな名目で職場の活動家の首切りがあり、しかも奇怪な下山、三鷹、松川事件が相ついで起りました。人びとは、奴れいにされているものの特有の鋭い感じ方で、中日戦争に入る前にも、これと同じような陰謀事件があったことを思い出し、なにか前途にバクゼンとした不安をもちはじめたのです。

山奥の農村にも、どしどし政府の手先きが侵入し、せっかく戦後せっせと農民たちがつくった葉タバコなどを強制的に持って帰っていったのもこのころからでした。

農民たちは隊をくんで、これらの専売局の役人を追いだしにかかりました。このような村々の一つ山形のある農村の人びとは、専売局の役人は蔣介石みたいだと話し合っていました。

そのころおとなりの中国では、蔣介石が毛沢東たちの農民兵に追っぱらわれて逃げ廻っていたのです。鼻高族の「マック天皇」をいただき、異様なふんいきの中で生活するこの国の人びとにとって、おとなりの中国の新しい動きは、にわかに興味の的《まと》になってまいりました。

また戦争が始まった ——一九五〇年——

民衆の不安な予感は、不幸にしてあたってしまいました。朝鮮で戦争がはじまったのです。
毎日の新聞紙上には、さかんに「二つの世界の争い」という文字がみられるようになりました。このとき国民のほとんどの人が朝鮮戦争の現実から、はじめてこの地球上に「二つの世界」があることを知ったのです。

それに、毎日鉄路を東に西に移動するアメリカの兵隊や戦車、装甲車を見て、はじめて、自分たちの戦争放棄の「平和国家」がどうやら「二つの世界」のうちの一つのアメリカの軍事基地にさせられてしまったことを発見して、今さらのように驚いたのです。

日本の大部分の国民にとっては、どちらが勝つか負けるかというようなことは、どうでもよかったのです。

ただ戦争が長びいて、世界中がピカドンでやりあうようになったらどうなるのでしょうか？　ピカドンの恐ろしさを骨のずいまでしっている人びとのなかから、「平和を守れ！」の声がわき起ってきたのも当然です。

しかし基地周辺の町々のなかには、戦争景気の米兵の落す金で繁昌するところも出たり、アメリカの兵器をつくる下うけ工場も景気よくなってきたので、これらの町や村の裕福になっていった有力者たちの多くは、「平和を守れ」とはアカの宣伝だと言い、警察と協力してこの運動の拡がりをおしつぶそうとしました。

「街は案外ひっそり」

――一九五一～五二年――

この年の秋、アメリカ側だけとの単独講和が結ばれ

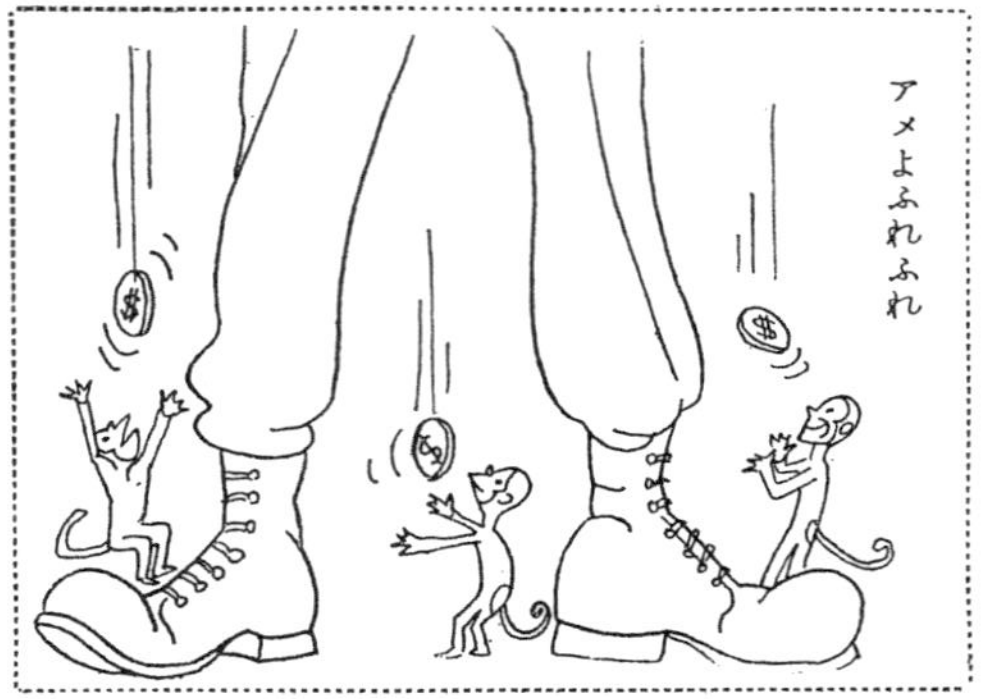

ました。これを平和条約と名づけて、吉田首相は「もうこれからは平和な独立国になれる」と大みえをきりました。

しかし、二つの世界の対立をすでに知りはじめた国民は、平和条約と一しょにくっついた「アメリカに軍事基地の使用を大幅にゆるします」という内容をもつ日米安全保障条約なるものの正体が、気になって仕方

がありません。講和問題をあつかった雑誌「世界」はそのむずかしい文章にもかかわらず、空前の売れ行きでした。

さりとはいえ、大金持のアメリカについていないと世界の孤児になってしまうという考えをもった人びともいました。朝日新聞は講和が結ばれた日の街の様子を「街は案外ひっそり」と報じましたが、この日の国民の心のふくざつな表情をよく伝えていると思われます。

ところが、このモヤモヤした空気も長くは続きませんでした。翌る年の五月一日のメーデーに、人びとをあっと驚かすような「血のメーデー」といわれる事件が起ったのです。

人民広場の労働者、学生と警官隊との乱戦と、アメリカの自動車がもえ上る写真は、ただちに全世界に伝わり、世界中の人びとがアメリカにしたがっている日本国民の中にも「ゴーホーム・ヤンキー」の底流があることを発見したのです。

基地日本

――一九五三年――

日米安全保障条約は、鼻高族にとってはまことに好都合な約束でした。大砲うちの練習や戦争ごっこに気にいった土地をみつけると、いとも簡単に農民の畠や田にまで、「危険……日本人立入り禁止」の杭をぶちこんでいくのでした。

政治のことは何もしらない台所の主婦でさえ、「アメリカは好きかってなことをするわねエ、わがまます

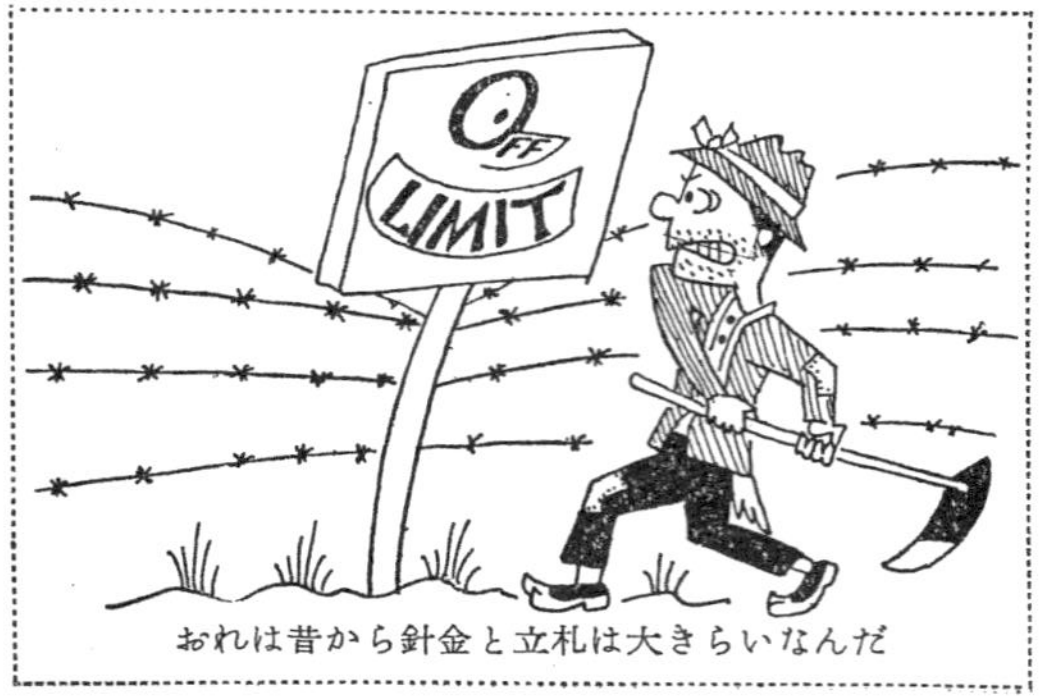

ぎるわ」と感じていたのです。

もし農民たちが怒って反対運動をおこせば、そのけっぷきは、日本の役人の仕事で、「わいろ日本」の定石どおり、知事はまず村長をだきこみ村民には道路や水道をつくってやるとか、田は高価で買いとってやるとか、金にものをいわせての無理頼みでした。

役人どもの無貞操ぶりは、まさにパンパンそこのけだったのです。

少々のはした補償金をもらったとしても、先祖伝来の土地をほうり出されたらどこに行ったら良いのでしょう。それに、小川のそばの石地蔵にも、村々の盆踊りの文句一つにも祖先の長い忍苦の歴史がひめられているし、一枚一枚の田畠も自分たちの父親、祖母の耕し残したものであれば、ただ高い額なら金でたちのけるというものではありません。この杉の苗木がキャタピラーのわだちにあらされ、この松の木に砲弾の破片がつきささるということを想像すれば農民たちは、どうしてじっとしていられましょう。

地元民たちは大地に根が生えたように、接収される土地に座りこみました。それは、土のなかから、同じ日本人の先祖たちがそのおしりをしっかりとつかんでいるようでもありました。こうして基地反対の闘いは、内灘に妙義山に九十九里浜に、そしてまた、私たちの山富士へ砂川へと拡がっていったのです。

マグロがたべられる　―一九五四年―

この国の貧しい人びとは、この年の四月から五月ごろ一ぱいひっかけた勇気で、日頃めったにたべられなかったマグロずしをぱくついていました。なぜマグロが安くなっていったのでしょうか。皆さんご存知のように、水爆マグロの上陸以来、マグロは不気味な放射能を背負った魚ということになっていたからです。

春の一品料理　―アメリカ亭―

三月一日のビキニ水爆実験は日本各地にさまざまな騒ぎをまき起しました。第五福龍丸の被爆「放射能マグロ」をはじめ、放射能は雨にも野菜にも検出され、若いものはもはや放射能の影響で子供が生めなくなるかも知れないとまでいわれました。

しかし死の灰をかぶって帰った福龍丸の久保山さんたちの病がだんだん悪化してゆくとき、街々に立つ大

銀行・大会社のビルはぐんぐん高くなるけれど、人びとの生活はますます地にめりこみそうになってきましたので、国民は、これ以上鼻高族のいうなりになっていたら、みな殺しにされてしまうということに気づき始めました。

今まで生きてきたのも、みんなほかでもない私たち労働者の力だったのです。これは大きな発見でした。それぞれの職場で、それぞれ集って一人一人が長いこと思っていたことを話し合ううちに、みんな同じ考えだということがわかってきました。人びとは自信をもちました。「私たちは仏様や夏川社長のおかげで生きてきたのではないのです。私たちの力で人間らしい生活をもとめましょう」と近江絹糸の女子工員がまず立ち上り、ついで日鋼室蘭、東京証券、そしていたる所の中小企業の働く人びとまでが続きました。その列のなかには街かどの牛乳屋に働く人びとまで参加していたのです。

秋には、働くものが自分たちの力で国をつくっているという中国から李徳全さんがやって来ましたが、人びとは大観迎し新しい中国の真相を知りたいと願ったのでした。

プロレス、マンボ、うたごえ　―一九五五年―

人びとの知りたいと思ったのは中国ばかりではありません。中国のよさがわかってゆくにつれ、その兄貴分のソ同盟についての興味もわいてきたのです。ロシヤ語学校、ロシヤ料理店が

我々は知る権利がある

満員御礼となり、「カチューシャの歌」は風呂屋のなかでもうたわれるようになりました。

それに、ソ同盟では、どうやら労働者の住むアパートがぞくぞく建てられているようすなのに、私たちの国では吉田が大ウソを言って国民をだましてきたと同じく、鳩山の住宅建設の公約も一向に果せそうもありません。とうとう国民はなぜソ同盟では家がどんどん建ってゆくのか、その力の源を知りたいので、日ソ、日中国交回復を政府に強く迫ったのです。このとき、鼻高族の祖国から海を渡って、プロレス、マンボ、そして新発明のアクア・ラングまでが登場してきました。

このなかのチャンピオン、プロレスの時間には、町中のテレビの前は黒山の人で、組合の会議や学生の研究会すらつぶれてしまうという繁昌ぶりです。

しかし、この流行児プロレスといえども、うたごえ運動には油断することはできないでしょう。うたごえのなかから生れた青年歌集は、「知られざるベストセラー」としていつのまにか、かつての流行児雑誌「平凡」を、最近では圧倒しつつあるのです。

プロレス・マンボ・日本のうたごえの三色は、今の日本の現実をはっきり浮び上らせているようです。 （一九五五年八月）

〔これは、東武鉄道労組機関誌〝進路〟にのせて好評だったものです。職場の歴史をつくる会の国鉄労組、N工場（鉄工場）、東証、地下鉄などの労働者が集まって、自分たちがたどってきた戦後十年の生活の体験を語り合って、まとめたものです。お読みになったあと、皆さんの仲間や家庭でもこんな風に経験をまとめてみれば面白い〝我が家の十年史〟や〝職場の十年史〟ができるでしょう。〕

手

小野一男
（私鉄労組員）

ゴシゴシとボロで油手をこする
しみついた油と汗と泥はとれない
五万分の一地形図のような
掌のひだ
その真中を真直ぐにつきぬける河

絶えることのないエネルギーの連続
片時も干上ったためしのない生活の
流れ
時には悲しみに澱み
憤怒に奔騰し
悦びにせせらぎ
ゆたかに揚々として

生活そのものであるこの手

今でもふっくらとした
おや指のつけ根
このきず痕は
のびやかな幼い日の
腕白の思い出

ずんぐりした人差指のつけ根
このタコは
つるはしとコンクリ道との闘いの跡

中指と薬指と小指と
人間性の消去　機械の奴隷
自動新陳代謝式肉体部品
冷い鉄と鉄の間に挿入された

肉体製緩衝装置
背をかがめ　首をねじまげ
歯をくいしばって耐える三人兄弟

過去に耐え
未来に向ってひらかれた五本の指を
一つずつ折って握りしめる
そのこぶしは
杭のように黒い柵のように
この大地に生えている

静脈がふくれ上った手首は
なだらかに続く内灘の浜
あの山は浅間
一番高いのが富士

手

すそ野は踏み荒れ
つきささる劫火の臭い
まだらな原始林の廃墟
ぼやぼやのうぶ毛

あの浜も頂も
この山ひだも
父母がいつくしみ育てたもの
その何処をつきさしても
赤い血は噴き上げる
その何処に
生命の営みのない場所があろう
はりさけそうな
この生命を
大事に　大事に握りしめて
今日の労働を終えた手を洗う

160 161 162

Ⅳ　働くものの歴史について

歴史の職場
——科学運動の発展のために——

井尻正二

一、ある思いで話

年をとると、むかしの話がしたくなるものだそうである。またチェホフか誰かの言葉だったと思うが、インテリは、自分のことを話すのが一ばん好きだそうだ。私もそうした年ごろで、そのような人種なのかもしれないが、すこしばかり思いでを話させてもらいたいと思う。こうしたほうが、話のすじがうまくはこぶので……。

四月ともなれば、さすがの北海道でも、雪の降る日がすくなくなって、どこからともなく、春のけはいがしのびよってくる。北海道の春休みは、こうした、甘ったるい雪景色のなかですごされる。

私は、そのころ、よく空気銃をもって、鳥を打ちにいったものだ。落葉松《らくようしょう》の林には、クラストした（皮ができた）雪が、まだ厚くつもってはいるが、もう雪があまりふらないので、足もとには、風で折れた落葉松の枯れ枝が、ごまをまいたようにちらばっている。

小鳥のすがたを追って、静かにすすめるスキーが、思わずこの枯れ枝にふれるとパチ、パチ

とかわいた音をたて、枝が折れ、小さな狩人《かりうど》を心配させる。

こんな思いでが、今日このころでも、つい数日まえのできごとのように、はっきり、私の血管をつたわってくる。

こうして私は、赤げら、青げら（ともに、木つつき）、かけすなどの獲物をもって、急に冷たくなった夕風におくられながら家へ帰ってきた。夏は夏で、こおろぎや、かじか（川魚）を追いまわし、ファーブルの昆虫記に胸をとどろかせた。

東京や大阪の子供たちには夢のような生活、家のまえがすぐに狩場で実験場である田舎の生活、こうした小中学校の経験は、いまでも私の頭のなかに、体ぜんたいにしみこんでいる。べつにこれという天与の才もない私は、こうして、ついフラフラとF高校の理科にはいってしまった。F高校には、いまは故人になられたが、アメリカ帰りの、チャキチャキのモルガニスト（遺伝学者）の先生がいて「生物の進化の本体はもうわかった。突然変異による遺伝因子の変化と自然淘汰ですべて説明がついてしまう」とわりきり、田舎からでてきた小さな狩人のきもをぬいた。

高校へはいってもまなく、私は動物学の参考書を教えてもらうために、生物学の研究室へいったとき、この先生は、私を目のまえにして、同僚につぎのような紹介（?）をしてくれた。「こいつは、ガラはデカイが、てんでだめだ（学問をやる能力がない）」といった調子と意味のご

挨拶だった。

　つづいて、

「動物が好きだって？　なにをやっていたんだ」

「昆虫の採集をしていました」

「昆虫の好きな奴は素人で、ろくなことはできない」といったセリフも拝聴させられた。

　感受性の強い高校の一年生が、これらの暴言（？）に、どのような打撃をうけたかは、御想像にまかせる。

「自分はもうなにをやってもだめだ。自分の一ばん好きなものをけなされたのだから、もうおしまいだ」という気持におそわれてしまった。と同時に「コノヤロー」という若い闘志が胸の一ばんドン底にうずをまき、当時は、言葉をかえす勇気もなくて、そのままにしてしまったが、いまだに消えることがない。

　こうして、やがて古生物学（化石）を勉強することになって、大学へ進んだが、古生物は生物学の教室には講座がなくて、地質学科に同居しているので、山師の養成科にはいることになった。この方法がよいか悪いかは、まだ十分に反省したこともないが、地質学では実習を大へん重んじる。一年にはいって、二ヵ月も講義をきくと、すぐ夏休みの実習で、ハンマーかついで山歩きである。そして、その実習は、相当以上に労働者的である。


　まだ、水成岩と火成岩の区別もわからず、ハンマーで石一つたたかないうちに、T鉱山の竪《たて》坑《こう》を、はしごで三〇〇尺も上り下りさせられた記憶は、いまだにはっきり残っている。まっくらで、水のしたたる竪坑にかけられたはしごは、ヌルヌルすべって、いまにもふみはずしそうである。カンテラの火は消える、手足はふるえるで、その日一日は、どうして地質学などをやったのだろうか、とほぞをかんで歩いたものである。それでも実習はたのしかった。学校の実習だけではまだ満足できないで、日曜日ごとに、同級生らが相かたらって、関東一円の山野へでかけていった。つまり、これが地団研の名物の一つ「日曜巡検」の元祖だったと思う。

　まず実践！　これが大学と地質学で学んだ唯一のことかもしれない。

　大学をでて就職したのがT博物館で、毎日のように、いわゆる素人の応対をやらされた。しかし、当時はアカデミズムにあこがれていたので、この素人の相手が、いやでいやでたまらなかったが、パンのためにがまんしているうちに、いわゆる大衆に接する態度や、科学の啓蒙や普及のコツをすこしずつではあるがおぼえてきた。「門前の小僧、習わぬ経を読む」というのは、こういうことをいうのであろう。そして、そのコツというのは、相手の水準をいち早くよみとり自分の小中高校や大学当時の経験をたよりにして、説明したり、指導するという「経験主義」的なやり方である。「人をみて法をとけ」というセリフが、このばあいには、ピッタリするように思う。


　ここらで思いで話をひとまずうちきって、話題をかえるとしよう。

　生物学と古生物学には「個体発生は、系統発生をくりかえす」という有名な法則がある。たとえば、それは経済学の平均利潤率の法則ていどに有名なものである。この法則は、ドイツのヘッケル（一八三四—一九一九年）という生物学者が発見したもので、一名「反覆説《はんぷくせつ》」ともいわれ、その内容はつぎのようなものである。例をあげていえば、われわれ（人間）が母の胎内に宿ってから大人になるまでの道すじは、生物が地球の上に芽ばえてから、人類が誕生してくるまでの進化のあらすじを、はしょったり、あやをつけたりするが、大いそぎで、順をふんで通ってくる、というのである。言葉をかえていえば、いまから三億年もまえの魚から、両せい類、はちゅう類、哺乳動物、猿をへて人間になった進化の道すじは、母の胎内で、えら穴のある状態（妊娠一ヵ月）、おたまじゃくしの姿（二ヵ月）、四つ足のけもの（三ヵ月）、黒い毛のはえた猿（誕生前後）といった姿で、順を追って各人の一生でくりかえされる、というのである。

　このような学説の当否は、あちこちで論争をまきおこしたが、これは、単に生物学のワクの中だけの思考方法では解決される問題ではなく、偶然性と必然性、量から質、発展の法則といった科学思想の根本にからんでいる問題である。そのためか、生物学の近代主義者によっては否定され、ソヴエトでは正しく理解されている、という結果だけを申しそえておく。

　なお、この法則を、社会体制の発展の過程など、社会科学（歴史学や経済学）の問題にむすんで考えることも興味あるところで、これは、共同研究のテーマに提出だけしておいて、さきを急ぐことにする。

ところで、大学で古生物学や地質学を専攻していらい、今日までの自分の研究生活をふりかえってみると、自分の研究の歴史でも、個体発生は系統発生をくりかえす、といった行動をしてきたことがわかる。つまり大学で専門の勉強をはじめた時をもって私の胚胎《はいたい》とすれば、それ以来、今日までの研究生活が私の研究者としての個体発生であり、小中学校で生物にしたしんで以来、今日までの私の生活は、その系統発生ということになる。

そして、ここでも、系統発生——小学校以来、今日までの生活——は、個体発生——大学で専門家の仲間入りをして以来、今日までの研究史——に、くりかえされているように思う。つまり、大学で、まずはじめにやる実習や実験は、化石の採集や、とってきた化石のスケッチをする記載、また、その名まえをしらべる分類といった行為で、これは、子供のころの鳥うち、こおろぎやかじかの観察といった、肉体的な・感性的な・入門的な——といって、実に新鮮な、いきいきとした——仕事である。

つぎに、大学も学年がすすみ、すこしは学問の世界の明暗がわかってくると、しだいに論理的なもの、法則的なもの、抽象的なものに心をひかれ、大むかしの生物の生態や、化石の進化の道すじなどが研究のテーマになってくる。これは高校時代に、モルガン遺伝学の形式論理

学——正確には、形而上学——にひきこまれる心境によくにたものをもっている。法則の段階は静的なものであり、一面的であることも、人の発見した法則の運営(活用)や焼き直しは、科学としては、見さげた領域であることも知らないで……。

そして、いまごろになって、やっと、科学とは、研究とは、どういう世界であるのか、それは、ねむられぬ夜のために生きている人種の仕事であり、無から有を生ずる一種の作曲のようなものであり、混とんとした自然のなかから、その法則性をつかみだす喜びと苦しみであることなどが、ぼんやりわかってきたような気がする。

数えてみたら、ここまでくるのに、小学生の時から三〇年、大学へはいってから二〇年、どうやら研究者の末席をけがしてからでも一〇年あまりの年月がたっている。

こうした牛歩のあゆみも、凡俗のいたせるわざかもしれないが、これは、一つもうそ、いつわりのない、私の思いで話なのである。

二、職場の歴史

私たちのやっている研究は、広い意味での歴史学である。すなわち、生物の進化の道すじや、地球の発展の歴史をしらべるのだから、これは歴史科学であることに間違いはないと思う。

では、私たちは、歴史学に興味をもっているか、といえば、たいていの人は否と答えるか、

サァーといって頭をかしげるにちがいない。それほど、私たちの研究は、歴史学との交流はすくない。

すくなくとも私の歴史学は、やはり田舎の歯科医の待合室にあった「塙団衛門」や「猿飛佐助」にはじまる。このような歴史学は、専門家にいわせると「学問」ではないかもしれないが、私の歴史に対する目を開いてくれたし、夢や冒険やスリルが一ぱいにつまっていて、実にたのしいものであった。

しかし、よく考えてみると、これは過去の事件の「動き」や事件の「発展」にひかれたのではなかろうかと、と思う。

小中学校で、いざ歴史を学んでみると、歴史の時間は、天皇の名まえ、英雄豪傑と戦争の暗記で、つまらない授業の代表のようなものであった。したがって、中学の歴史の試験は、一にも、二にも暗記で、こんな笑い話しかおぼえていない。

「左について記せ」という問題で、英雄豪傑の名まえがズラリとならんでいる。それは東洋史の試験で、いずれもにたような名まえばかりである。暗記ものの試験には、やまとカンニングが一ばんの早道で、その例にもれず、小さな紙きれがつぎつぎにまわってくる。

ところが、途中で、たれかが問題の順番をまちがえたために、世にも珍しい答案ができてしまった。もちろん！　その英雄豪傑の名まえは、試験終了のベルとともに忘れてしまったが、

ヒットラーとスターリンをまちがえたようなもので、というよりは、もともと、とんとご縁のない英雄豪傑たちの名まえばかりなので、カンニングペーパーの順に、その業績を答案に書いていったのである。いわく、

「ヒットラー。ソヴェトの首相、共産党の書記長で……うんぬん」

「スターリン。ドイツ人。ナチスの主りょう。第二次世界戦争のちょうほん人……」

といった答案の続出事件である。

このように、いくら中学生でも、一般性や法則性をかいた英雄豪傑と事実のよせ集めや、断片的なルポルタージュのような物語では、馬鹿ばかしくってついていけるわけがない。これは逆にした、青少年(大衆)のぶじょくにほかならない。

私は理科系統にすすんだので、それ以後、歴史学のお世話にはならなかったが、戦後の民主主義運動のなかで、いくつかの歴史学の文献にふれ、いく人かの歴史家にもおめにかかった。なかでも、進歩的な歴史家といわれる人たちの書かれた普及啓蒙書のいくつかをひもといて、内外の歴史をあらためて勉強しようとしたが、どういうわけか、どれも、これもつまらなくて、途中でほうりだしてしまった。

というのは、それらは、ある公式のカスミ網に、鳥屋で買ってきた、手ごろではあるが、死んだ小鳥をとりつけたようなもので足や体でかせいだ、生きたデータがすくなかったからだと

思う。どうせ小鳥なら、空気銃でしとめた、新鮮なものがよいし、網は網で、カスミ網より、鰊《にしん》のタテ網のほうが、丈夫で、しっかりしている、といった反ぱつすら感じたのを否定できない。しかし、偶然に手にはいった、I氏の「古代末期の政治過程および政治形態」といった学問的な論文は——たまたま手にはいった一例で、その内容の正しい評価はとてもできないが——かえって、歯ごたえがあって、わからないなりにも、なにか残るものがあった。

これは、学問(科学)の法則性・抽象性・思想性といったものの、強い歯ごたえではなかろうか。

同じことが——例はかならずしも適当ではないが——資本論といった、全く専門外の、しかもいたってむずかしい経済学の本にも感じられる。というのは、カウツキーの解説とは逆で、自然科学者は、その第一巻の論理性・抽象性にえらく感激するとともに親しみを感じるからである。そうして、このようなものに接すると、歴史学(社会科学)も私たちのやっている自然科学と本質的なちがいはなく、やはり「科学」だなあー、といった、親しみと心強さを感じるのである。ところが、こんどは「職場の歴史」という歴史学のニュールックがあらわれて、なみいる歴史学者をアットいわせる、というさわぎがおこったのである。

ただし、最初にお断りしておきたいことは、おどろいたり、おこったり、ふるえたりしたのは歴史家で、自然科学者ではない、ということである。

では「職場の歴史」とはなにか、といえば歴史家や民科の会員などは、すでにご承知のことと思うが、新しい読者のために、そのあらましをのべておいたほうがよいと思う。

くわしいことは歴史評論の一九五五年五月・66号「職場の歴史特集号」をみていただければ幸であるが、同誌にのった、

N労組の歴史……職場の歴史をつくる会・N工場グループ

特急さくらが走るまで……職場の歴史をつくる会・国鉄グループ

——客車区に働らく人たち

日鋼室蘭青行隊の歴史

——H町機動隊を中心にして

私もついて行く……職場の歴史をつくる会・東証グループ

——きみよの手記

といった、組合をつくるまでの回想、闘争の記録といった一連の報告集である。人によっては、その意味や内容のとりかたはちがうと思うが、若い歴史家や歴史の学生の人たちと手をとって、職場の労働者、勤労者が、みずから書きあげた、生きた歴史、闘争の歴史、人間改造の歴史といったものを「職場の歴史」ということができると思う。

このような歴史学が、なぜ歴史学者たちをびっくりさせたり、ふるえあがらせたり、おこら

せたりしているか、といえば、それにはつぎのような、こととしだいがある、と推察される。

一、まず、これまでも村の歴史、郷土の歴史、工場の歴史などをつくろう、ということがいわれてきて、一部では実行もされてきたが、その多くは、専門家の調査と筆でできたものであった。

しかし「職場の歴史」は、主体が労働者で、いままで、題目にとなえられていたことを、まず実践してしまった、という点にあると思う。

二、つぎに、「職場の歴史」に集る若い歴史家や学生の人たちは、このような、労働者の闘争に役にたち、労働者がみずから書いた歴史学が、これこそ、ほんとうの歴史だ、と強く主張していることだと思う。

三、その反面では、これまでの歴史家や歴史学を、歴史学にあらず、とまでいっていなくても、「なんだあったらもの」といったセンスでみていること。

四、一方、これまでの歴史家は、「職場の歴史」を「あれは、つづり方のようなもので、学問ではない」といった態度でこなしていること。

五、あるいは「職場の歴史」の政治的、といっては誤解をうむが、科学運動としての意味だけはみとめるが、学問(科学)としての価値をほとんどみとめないということ。

これらの点に、問題の震源地がありそうである。これでは、まるでトサとブルとがにらみあ

ったようなもので、たがいに引くにひかれず、にらみあい、うなりあうのも無理はない。では、このような見方は正しいであろうか。

また、これをどう理解すべきであろうか。「職場の歴史」がかもしだしたこの新しい空気は、自然科学や、そのほかの学問には無関係なのであろうか。

これらの点をつぎに考えてみたいと思う。

三、歴史の職場

私たちも日本の民主的といわれる科学者たちの末席をけがして、また、同じく歴史科学者の後塵を拝して、ヨタヨタしながら科学運動をつづけているものである。

「科学運動」といえば、すぐ「労働運動」とか、「政治運動」といった言葉と内容を思いうかべるむきもあるかもしれないが、これはべつにたいしたことではなく、アメリカのれい属国という立場に、むりやりおしこまれている日本で、科学をすすめるために、やっとでてきた勉強のしかたにほかならない。

くわしいことは、「理論」(理論社)の一九五四年六月号か、「科学をわれらの手で」(蒼樹社・二〇〇円)をみていただくとするが、せんじつめていえば、日本で科学を進めていくためにはどうしても、つぎの三つの側面を平行してやっていかなくてはならない、というのがその趣旨である。

すなわち、科学者である以上、いい仕事をすること、つまり、創造的な研究をすること、と同時に、内外の愚民政策でガンジガラメになっている日本国民に、科学の正しい知識や考え方を普及していくこと、とくに、労働者や農民には、科学という生産用具と武器をあたえ、そこから新しい科学のテーマをくみとってくること、さいごに、日本では、もはや研究の自由は失われる一方で戦時研究や御用学問がはびこってきているから、研究の自由を守り、よりよい研究条件をつくるために、研究条件の民主化の仕事をしていくこと、この三つである。これらは、いざなった縄のように、どれ一つがかけても、日本の現状では、科学の進歩の害となるもので、この三つをガッチリ平行してやっていこう、というのが「科学運動」という言葉でいいあらわされている科学活動の内容なのである。

ところが、日本の実情では、学生はアルバイトをやらなくては生きていかれない、学者は内職に追われている、といったひとことをとってみてもわかるように、金はなし、時間はなしで、この三本を平行してやっていくことは、なかなかもって困難である。わけても、私たちのような凡俗のばあいには、研究の側面で、ほんのちょいとばかりすぐれているものは、すぐ研究室の鍵をおろして、普及活動をしようとしないし、ましてや、普及活動を通じて大衆から学ぶなどという気持の余裕をもたない。また、組合だ、会議だ、闘争だ、といって民主化活動に熱をあげるむきは、とかく研究がおろそかになる、といったぐあいで、私たちの科学運動も、なか

なか理想どおりに（三位一体で）進まない。

とくに自然科学のばあいには、自然科学の対象の性格や、それが生産力に直接つながっている、といった事情から、このような不景気な時代、日本のような寄生的な資本主義の国では、普及活動が科学知識の切り売り、「サービス的大奉仕」に終って、社会科学のばあいのように大衆から学ぶ部分がすくない、というような悩みもある。

それにもかかわらず、戦後十年間の私たちの経験や、内外の事情（「科学者憲章」蒼樹社・一二〇円）は、日本の科学の進む道は、この方向しかないことも教えている。

では、このガタピシした科学運動をどうして育てていくか、といえば一足とびに一人のひとで、この三つの側面を一〇〇パーセントに実現しようとしないで、それぞれ、研究や普及や民主化に、多少の長所をもつ個人がおたがいに話しあい、助けあって、まずその人の長所を発揮してもらい、短所をかばいあい、そのグループやサークルや組織という場（単位）で、三位一体の科学運動の実をあげていくことではないかと思われる。こうした考えで、さきの「職場の歴史」を反省してみると、そこは、まさに、科学運動のルッボであり縮図である。

まず日本の国民、わけても、一ばん苦しい労働者や農民が、生活を守る闘いのなかで、「歌ごえ」といわず、「詩」といわず、科学に対しても、闘いの武器をもとめていることにはまちがいはない。

こうした世の中の空気を、いちはやく感じとることができる若い歴史家（社会科学者）や学生の人たちが、このような人たちのなかにはいっていき、自分たちの知識（学問）をすこしでも役だてようとするのは当然である。ましてや、学校でならったり、本で読む歴史が面白くなく、不満であるならば、こうした新しい領域に目がむき、そこで新しいテーマをつかみ、新しい歴史学をうちたてようとするのはあたりまえの話である。

そして、労働者や農民も、自分たちがおかれた苦しい立場や、ここまできた歴史を学んで、闘いの自信をもち、自分の力で自分たちの歴史をつづり、これを仲間にひろめて、力を大きくしようとすることも自然のなりゆきである。

私たちは、このような科学の創造と普及の側面をひらき、民主化運動をも進めている労働者と若い歴史家とその実践に、なにをおいても、まず敬意を表したいし、表すべきだと思う。

しかし、万一、職場の歴史の人たちが、これで（「歴史評論」に書かれたようなことだけで）新しい歴史学が生れた、いや近くできあがる、といった安易な考えをもったり、古い歴史家よさらば、老兵は消えさるのみ、といった言動をしたり、ましてや、自分たちは、これらの老兵と対当な歴史家だ、とうぬぼれでもしたならば、芥川龍之介つくるところの「くもの糸」ではないが、その人たちは、いっぺんに奈落の底についらくするものと思われる。

このことは「歌ごえ」や「働くものの詩」や「勤労者の創作活動」や「ミチューリン運動」

についても同じであるが、「職場の歴史」がきり開いたものは、科学の正しい方向と、その第一歩である。これは、正しくもあり、美しくもあり、科学という大樹そのものでもあるが、あくまで科学の芽である。マルクスもいっているように「科学にとっては平安の大道はない。そしてその嶮岨な小路をよじ登るに疲れをいとわない人々のみが、ひとり、その輝ける絶頂に到達するしあわせをもつのである」（「資本論」序文）のであって、これからは、若い芽を枯らす嵐にも、寒さにもあうであろうし、よほどよい条件でもないかぎり、多くの若い芽は花も実もつけずにしぼんでしまい、そのいくつかが、やっと生きのこるという冷い現実を忘れてはならないであろう。

いま生れてきた職場の歴史は、その社会条件や組織性もまったく異っているが、新しい芽、というかぎりで、さきにのべた小学生の鳥打ち、魚とりの段階のいとなみであり、学生の化石採集、化石の名まえつけの段階の仕事であることを、すなおにみとめるべきであろう。

とはいえ、マルクスでも、ダンネマンでも、歴史の老大家でも、こうした、科学の芽の段階をかならず通ってきたのだし、当時は当時で、それなりの嵐や寒さをうけて、それにたえてきた人たちだと思われる。したがって、新しい芽のだし方、で方、のび方は、これより（古いものと新しいものとのなんらかの形の闘い）以外に方法はなく、職場の歴史の人たちが、ここで失望したり、センチメンタルにならないように切望するものである。

そして、歴史学が科学であることをみとめ、科学としての歴史学に（闘いにすぐ役にたつ歴史学ではなく、新しい歴史学の体系に）職場の歴史を育てあげるためには、職場の歴史にあつめられいわば感性的な段階でえられた資料を、先輩の歴史家がもっている歴史科学の蓄積や伝統や法則性にむすびつけ、これにとりこみ、これに学ばなくてはならないと思う。また、そうすることができるすなおさが一ばん必要だと思う。たとえ、嫁いびりをする姑のような歴史家がいようとも、それをたえしのび、姑がもっている経験や知識は、学べるだけ、とれるだけとってやる、といった、ねばりと、がんばりと、ズブトサが必要ではないだろうか。

つぎに、職場の歴史をつづりかただという歴史家については、私の先生、さきのモルガニストを思いだしていただければ十分だと思う。そのような歴史家は、どんな天才かは知らないが、鳥打ちの少年時代・人生に失望やよろこびを味った青春時代・古い学説と闘った若い学徒の時代はなかったのだろうか。

どんな世の中になっても、古いものと新しいもの、老と若さの矛盾は根本的な矛盾としてのこり、その解決の方法はいろいろあろうが、必ず若さの勝利に終る。この若さを信じられず（自分のいまある学力だけをきりはなして信じ）、若い芽をそだてようとはしないで、これをおしつぶすような言動は、反省すべきだと思う。

もちろん、この点については、「若さ」の「無礼」・「不勉強」・「ガサツなセンス」等々を指

摘して、それさえ直せば……、というセリフも予期できる。しかし、実にしかしだ、もし先輩が若さの欠点をさきに指摘し、これと対等に論争したのでは、先輩が若さの水準にさがる以外に、なにものもプラスするところがない。大学生と小学生が喧嘩した、という話も聞かないし、ものの本によれば（これはとても、すぐにまねのできることではないが）中国共産党では、下級のいかなる失敗も、まず、その上級機関が責任をおい、自己批判をさきにするということである。

（「劉少奇著作集」）

さきにのべたように、若い歴史家たちが、ねばりとがんばりとずぶとさをもって、先輩の歴史家に学ばなくてはならない、のと同じように、いや、それをさきに注文したり、期待すべきではなくて、進歩をとなえ、民主をもって認ずるならば、まず先輩の歴史家が、自分を殺しても、馬鹿になっても、なんでもよいから、裸の、凡俗な一人の人間として、職場の歴史の現場に「若いもの」といっしょになってはいっていくことが先決問題であり、これが問題をとく鍵であると思われる。

そうしてこそ、「若いもの」の欠点は、「若いものの自発性」でなおり、先輩は先輩として、老人は老人としての「礼」をうけるにちがいない。

それが、まず、自分は年をとっているからとか、急がしいから、といったいいわけがさきにたち（頭と口がさきにたち）、職場の歴史の顧問に就任したり、教師になったり、指揮者をつとめ

たりしようとしたのでは、しょせん、もともこもなくなるであろう。

これらの先輩が、一国民として、一学徒として、職場の歴史の現場にいって「ともに学ぶよろこび」（東大出版会・二四〇円）をほんとうに喜びと感じるようになり、職場の歴史の仲間から、新しい歴史家をなん十人に一人でもよいから育てあげることをしてこそ、新しい歴史学が生れてくるというものだと信じられる。

歴史家の職場は、けっして、書斎や教壇にだけあるのではない。「職場の歴史」は、ただ一つではないにしろ、やはり、基本的な「歴史の職場」ではないだろうか。

やがて梅雨があけると、私たち地質学の愛好者たちは、重いリュックを背負い、片手にハンマー、片手に幻灯器をぶらさげて山へはいっていく。

私たちは、いつになっても、自然の職場では、小学校の一年生であり、大学の一年生にしかすぎない。そして、この自然に対する「すなおさ」を失った瞬間、私たちは、地質学の美しいがするどい峯《ピーク》から、官僚・学界ボス・ジャーナリストのうごめく暗い観念論や公式主義の谷間に転落していく。

職場の歴史のできごとは、決して、他人の畠のいざこざではない。私たちにも、大へんよい勉強をさせてくれたとかげながら感謝しているしだいである。

（一九五五・六・三〇）

『職場の歴史』をめぐって

石母田　正

184

一

この本を読んでくれる人々の参考のために、職場の歴史をつくる仕事について、二三書いておく必要があるということになった。文字になった作品も大切だが、それまでの過程や背景を知ってもらうことも必要だからである。この運動の全般については、ほかの人が書いているから、ここでは一つの側面についてだけのべることになるとおもう。九月六日に「職場の歴史をつくる会」の懇談会が中央沿線の場末の喫茶店でひらかれ、三時間ほどみんなで話し合った。この会で問題になったことの二三を整理しておけば、この運動の一つの側面だけは理解していただけるとおもう。

工場や会社で働いている人たちが、自分たちの職場の「歴史」を調べたり、書いたりする動機は、いろいろである。「歴史」についてのありきたりの、せまい考えとはずいぶんかけはなれてさえいる。その晩も地下鉄の労働者はこんな話をした。職場のニュースに、自分がイタリア映画の『パンと夢と恋』について紹介文を書いたら、それを読んだ仲間の労働者は、それならそんな映画をみるのはやめた、考えさせるような映画はごめんだ、むしろ『青い大陸』のように人間の出てこない映画の方がよいといったそうである。現実の職場の状態がひどく、労働が苦役で、考えさせる矛盾だらけだから、みんなは自分から「考える」ことをやめたいと思うようにさえなっている。職場のなかが非人間的だから、むしろ人間の出てこない映画のなかで自分を忘れようとつとめる。このような生活の仕方にひきずりこまれるのに負けないで、職場のことを考え、人間として、労働者としての自分を正しくつかもうという努力が、「職場の歴史をつくる会」に参加してきたこの労働者の背景にある。宮本百合子の書いたもので、戦前に地下鉄労働者のストライキがあったという事実をはじめて知っておどろいたこと、それから職場の歴史に少し関心をもつようになったことなどを話したが、このような偶然のことが生きてくるのも、労働者として、人間として自分を確立すること、職場をそのために変えるためにどうしたらよいかを学びたいということ、このような労働者的な自覚が根柢にあってのことだとおもう。

このような労働者は、戦後の工場や経営のなかで広く成長してきた。立派な労働組合が戦後つくられ、何回かの大きな闘争を経験したような工場においても、その経験がかならずしも個々の労働者の思想や自覚にまで高められなかったので、学びたい、知りたいという要求が強くなった。組合がなかったり、あるいは弱くて御用組合だったりする中小企業の労働者は、あま

185

186

りに非人間的な収奪がおこなわれる職場の空気に我慢できないところから、労働者としての自覚をもちたいという希望が強くなった。ことに朝鮮戦争と講和条約以後の反動時代が、職場をしめつけてきて、戦後に獲得した労働者の自由が一歩一歩うばわれてくるのを身にしみて体験させられるようになってからは、労働者の自主的な勉強の動きは以前よりもかえってさかんになり、根をはるようになった。しかし右にのべた地下鉄の労働者のばあいにみられるように、そのようなまじめな要求をもった労働者は、はじめは職場で孤立したばらばらな力としてあらわれる。ただインテリゲンチャと労働者とのちがいは、勉強しようという場合に、労働者はかならずといってよいほど仲間をあつめ、集団的にやろうとする傾向をもつことである。これは労働者階級の本質に根ざした傾向であって、ここから、勉強のみならず多様な形での文化サークルが労働者のなかにつくりだされる。労働者が自主的に勉強しようとする場合、すなわち労働者としての自覚を思想や科学によって系統的なものにしようとする場合の仕方は、現在サークルという形がもっとも適したものになっている。そこで知識や文化や生活を自分のものとするばかりでなく、サークル自身職場における労働者の一つの力となり拠点となる。しかしそうなるのは、サークルが労働者の要求をみたす自主的な自由な組織であるばあいだけである。

このような労働者の要求や組織と、「職場の歴史をつくる会」とは、どのような形で結びつくことができるだろうか。このことを考えるばあいに、われわれは労働者の自主的な要求を基

礎にし、労働者が労働者としての自覚と能力を発展させることを基本にして考えねばならないとおもう。個々の労働者なり、サークルなりが、この会に参加してくるばあいに、すぐ職場の歴史をつくろうというふうには考えないし、その必要を理解するとはかぎらないからである。この会に出ると、すぐ何かを書かねばならないような空気を感じるが、私はそこまでとてもいっていないし、職場の空気はなおさらですとその地下鉄の人もいっていたし、他の労働者も同じことをのべたことがある。このようなギャップには本質的な問題がふくまれているとおもう。というのは、職場の歴史をつくる会の中心になっている人たちは、すでに「歴史」についてのある見識なり、考え方をもっており、そこから「職場の歴史」をつくることの意義について考えている人たちなのであるが、そこに参加してくる労働者はなぜそのようなものが、自分たちにとっていま必要なのかを感じていないし、第一自分で書くこと自身が必要だということもあきらかになっていないからである。この事実を基本にして、そこから出発しないと、職場の歴史をつくる仕事は、はたからのおしつけになる危険がある。このことを考えるために私自身の経験と自己批判をのべておきたい。

私が「歴史評論」に「村の歴史・工場の歴史」という文章を書いたのは一九四七年、したがって敗戦のすぐ後の経験を基礎にしている。その文章の一つの問題は、歴史の研究者の一人である私と、池貝鉄工所の細胞の一人との合作であるところにある。その文章にもみられるように、当時組合や細胞内部に歴史を欲しいという要求や希望はあったが、私の文章は、もちろん工場の労働者が自主的に書いたものではない。その当時私は「この歴史の本も今に実現するだろう」と書いたように、労働者が自分の工場の歴史を自分で書くことに楽観的な見通しをもっていた。その後、若干の労働者と池貝鉄工所の戦時中から戦後の歴史について勉強したり、明治以来の古い時期のことは私が文献や聞きとりで調べたりした。その結果、もし私が書いたならば、かんたんな表面的な工場の歴史はできていたかもしれない。しかし私の目的は、あくまで労働者自身に書いてもらうことにあった。その結果、そのことはまことに困難であることを知った。それはこの工場の労働者たちが、レッド・パージをふくむはげしいたたかいの生活のなかで、そのような余裕をもたなかったことが大きな原因であるが、たんにそればかりではない。組合や細胞の議事録を中心にして戦時中から戦後のその工場でのみんなのたたかいの歴史を勉強したり、討議したりしているうちに、みんなの知りたいことは、経済のことや哲学のことだったりして、いわゆる「歴史」というのはそのなかのほんの一部にすぎないこと、書くことよりも、まず学びたいというのがみんなの希望であることなどがはっきりした。そして、『矛盾論』などをテキストにして勉強したりするようになって、「歴史」のことはいつかどこかへいってしまったが、私はそれがみんなの要求であるかぎり、それでよいのだと思うようになったのである。「歴史」というものになんでも引きつけて考えたがる私のおしつけがましい態度も反省された。しかしその工場の歴史についてみんなで話し合うことは、なにより楽しかった。戦時下の工場のなかで若い労働者のサボタージュや反抗がずいぶん沢山あったこと、工場の寮における労働者の反抗をしめす変え歌が流行したことなどを知り、産報のもとに軍国主義一色にぬりつぶされた工場においても、いかにはげしい矛盾であったかを教えられ、みんなも認識をあらたにした。戦後デモに若いものが出はじめたころ、この工場の年寄りの労働者は、デモに行くときは白いワイシャツをきて、手拭を一本もってゆくもんだと教えたそうである。若いものははじめはそのわけを知らなかったが、きいてみるとつぎのようなことであった。昔はデモに行くと、刑事が白墨で印をつけておいて、あとから逮捕する習慣があった。白いワイシャツはそれをふせぐために必要である。また手拭は、いざというときその中に石ころを包んで、ふりまわす有力な武器とするためであった。大正時代、徒手空拳で支配者とたたかってきた日本の労働者の伝統と知慧が、このような形で年寄りから若い労働者に伝えられてゆくことについて、みんなでそのとき感心し合ったものである。このような話が沢山出たが、しかしそのようなことをふくめて、全体的な歴史としてまとめることや、まして労働者がそれを書くということはなまやさしいことではなかった。なぜなら、それは少なくとも戦前戦後の日本の労働運動の全体的な歴史を正しく理解しなければ、その一つの部分としてのみたたかわれたこの工場の歴史は何一つ理解し得ないことをみんなすぐ知ったからである。

現在でもこの工場の歴史を書きたいという労働者やそれを基礎にして小説を書きたいという労働者もいるが、工場の歴史はまだできない。しかし私はいまではそのことを余り気にしていない。その勉強のなかで、みんなが少しでも理論的に学び、自分の労働者としての能力を高めることができたわけであるし、本来このことこそがわれわれの目的でなければならなかったはずだからである。むしろ私が、歴史研究者であるところから、労働者の勉強を歴史の方にひきつけようとする自分勝手な傾向があったこと、労働者の身近な職場のことなら比較的容易に書けるだろうという考えがあったことが、いけなかったとさえ反省するようになって、みんながさまざまなことを勉強するなかで、歴史を勉強することの大切さが自覚されてき、現代における労働者階級の任務についてめざめてくるにつれて、それでは自分たちの工場の歴史のことも調べたり、書いたりしてみようというときがくるかもしれない。その要求がまとまったとき、われわれはそれを手伝って書けばよいと思っている。

「職場の歴史をつくる会」は、そこに参加してくる労働者に、けっして歴史だけを学ぶこと、あるいは職場の歴史について書くことをおしつけることがあってはならないし、現実におしつけてもいない。それはみんなで学ぶことがまず前提になるとおもう。職場で孤立している労働者がくれば、職場のなかで集団的に学ぶような組織と能力を身につけることを援助することがまず必要だとおもう。そこからだけ、いろいろのものが生みだされてくるとおもう。

現在の職場の歴史をつくる運動では、まえに私などがおかしたおしつけがましい誤りはもうなくなっているとおもう。それは職場の労働者自身のための労働者の自主的な運動になっているからである。そこでつくられるものは、いかに素朴なものであっても、他の職場の労働者に反響をよぶにちがいない。自分の職場や個人の経験と歴史を集団的にまとめたり書いたりすることが、労働者の学習と自覚のための有力な仕事として反響を呼び、科学を身につける基盤をつくるにちがいないとおもう。

二

その晩の集りで、石川島造船所の二見さんという四十四歳になる労働者が、職場の歴史をつくっていることが報告された。二見さんは五年の間、同造船所の労働者の歴史を、職場の古い労働者からきいたり、休日に図書館にいって文献をしらべたりして、コツコツ勉強し、行き帰りの電車のなかで石川島の労働運動史をまとめておられるとのことである。その一部はさいきん「職場の歴史」第一号に転載されているが、この貴重な苦労がひとりでなされてきたのである。発表された部分は明治以来の同造船所の労働者の運動を編年体に概説したものである。二見さんのこのような苦労が実を結ぶためには、職場の労働者とのひろい協力、とくに組合自身が組織的に援助する必要があるというのが、みんなの一致した意見であった。そうすれば、その成果は日本の労働運動史の系統的な叙述に寄与するばかりでなく、同造船所の労働者の自覚と学習のために大きく役立つものになるにちがいない。

しかしこの場合でも、根本的な問題としてのこるのは、科学および科学者と右のような個々の工場の歴史とのつながりの問題である。二見さんが石川島の労働者の編年体の歴史をつくるさいにも、そこにあげてある参考文献を見ればわかるように、たとえ不十分なものではあっても、従来の一般的な労働運動史や社会運動史を基礎にしなければもちろんできなかった。そのような一般的な歴史は、個々の工場の歴史をつみかさねただけでできるものではなく、日本の近代史や資本主義についての独立の科学的研究――それは理論と学問的な操作を必要とするけれども、それほど深遠なものではない、旋盤工が工作機械をつくるのと同じように合理的な仕事である。――に基かねばならないことはいうまでもない。歴史の研究者としてのわれわれが、二見さんのような仕事を援助するとすれば、右のような科学的研究を深めることによって、それと個々の工場の歴史との結びつきをあきらかにすることであろう。それが研究者らしい援助の道である。ここに科学の研究者としての私どもの責任があることはあきらかである。このような責任を果すことを科学者として真面目にやるならば、たとえば労働運動史一つをとってみても、それは従来とはずいぶん質のちがったものができ上るのではなかろうか。組合の中央組織の議事録や宣言・決議、あるいは幹部の名前をならべたような運動史でもなく、また有名な闘争の経過だけを綴り合せたような運動史でもなく、一つ一つの工場の労働者の運動と全体の運動が生きた統一のなかにあるような歴史がつくり出されるにちがいない。個々の工場の労働者の歴史――労働者自身の参加のもとにつくられたところの――は、全体の歴史のたんなる素材というような低い地位を与えられるのでなく、運動史の全体がいつでも職場の労働者大衆のなかに生きているような歴史、しかも科学的な歴史ができあがるにちがいない。

職場の歴史はどうしてもそこの労働組合の歴史になりやすい。しかし職場の歴史は組合の歴史とはちがうのではないか、――組合の歴史そのままであってはならないのではないか、――これはその晩の集りで職場の人から出た意見であった。この意見のなかには大事なものがふくまれているように思う。組合は職場の生活と歴史のなかで非常に大切な組織にちがいないが、しかしその一側面にすぎない。組合運動にあらわれるようなストライキその他のたたかいは、労働者の生活とたたかいのもっとも大切な面をあらわしてはいるが、しかし不断におこなわれているたたかいの表面だった一部にすぎない。組合という組織やたたかいをささえ、その基盤になっている労働者大衆の不断の生活とたたかい、苦しみとよろこびを十分に表現した歴史が欲しいというのがみんなの感じであったとおもう。それはどのようにして研究し、書くことが出来るか、どうしたら形式的な組合史から脱却して、労働者の集団的な生活とその精神を織りこむことができるか、これはこれからの研究課題である。しかしそのような目標に多少でも近

づくことができるならば、それは職場の歴史のみならず、日本の労働者階級の歴史――それは産業別その他の形で一日も早く研究され、まとめられるべきだと思う――を全体的に書く場合にも大きな問題になる点だとおもう。職場の歴史をつくる会が、そのような大きな展望のなかで、地道に一歩一歩仕事をつづけることを希望するのは自分一人ではあるまい。

三

その晩の集りには、北海道苫小牧市の王子製紙労働組合の椎津信行さんが参加された。椎津さんは、王子製紙工場の組合史編纂委員である。組合史編纂の苦労について色々報告があった。ここでは組合が費用を出して組合史編纂のために常任をおき、特別の委員会をえらび、明年二月の組合結成十周年までに完了することとして、資料の整理分類に当っているという。このように組合という組織が主体になって、組合史をつくる事業はこれからだんだんあらわれるとおもうが、これは、数人のサークルがつくる職場の歴史とはタイプがちがうことはいうまでもない。共通している点は、労働者とその組織が自主的に歴史と科学を自分のものにしようとする動きが基礎になることである。そのさい、椎津さんが、資料の分類や叙述の仕方その他について、専門家に協力をのぞんだ謙虚な態度を見ながら、私は労働者階級がいかに科学を大切にし、それに信頼しているかについて考えさせられた。長い間、非科学的な、非合理的なものを上か

らおしつけられてきた日本人のなかにあって、労働者階級は科学を大切にし、尊敬する階級であるという点だけでも、指導的階級となり得る性質をもっている。何よりも、この点が科学者と労働者階級との協力の基盤となるものである。科学や科学者を少しも尊敬せず、ただ利用しようとし、そのために金しばりにするブルジョアジーに奉仕するよりは、科学者は労働者階級と協力するのを本能的によろこぶのは当然である。まじめな研究者は、世間からは多少「変人」だとみられるほど学問が好きだからこそ、この不自由と困難なかで日本の学問をささえる力となっている。その苦労を理解してくれる人に会うと、うれしいのは当然である。ソヴェト同盟や中国のように労働者階級の指導する国々において、科学が急速度に栄えるのも当然だとおもう。そのような両者の協力は、組合史のような面でも地道にきづかれてゆくとおもう。

最近岩波新書として刊行された楫西氏や古島氏たちの『製糸労働者の歴史』は、そのような協力の一つのタイプをしめした立派な仕事であったとおもう。この本は、一九五三年の全国蚕糸労働組合連合会の第十一回大会の決議によって編纂されたものである。その決議は「労働組合は大衆運動である。そのために、運動の歩みは歴史的性格をもっている」とのべている。大衆の歩みのなかにこそ歴史の創造があるという認識にもとづいて、またその認識を労働者のものとするためにつくられたこの本は、組合のイニシャティヴのもとに、科学者と製糸労働者の協力によって完成された。この協力の仕方は、組合の力や熱意、協力する科学者の状況によって、

色々ちがってくるだろうし、ちがわねばならないとおもう。しかし科学者が、その研究や蓄積の内容をもって、よろこんで労働者の事業に参加し、相互に学び合い、尊敬を深めてゆく道の一つをしめしていることはあきらかである。科学者や研究者がその学問を抛棄したり、軽んじたりすることによってでなく、科学者としての責任を忠実に果すことによってのみ、労働者の正当な尊敬をかちとることができるのだとおもう。『製糸労働者の歴史』のような仕事が、各産業別の労働者についてつづけられるならば、それは職場の歴史をつくる仕事に一つの具体的な目標をあたえるばかりでなく、職場のサークルの勉強の適当なテキストにもなるだろうし、また日本の労働者階級の歴史を労働者階級と科学者——それは歴史家ばかりでなく経済学者、技術者その他の広汎な部門の研究者の協力を必要とする——との協力でつくりあげることによって、歴史学の発展にも寄与するにちがいない。

『製糸労働者の歴史』の本や大工場の労組の歴史はこれからだんだんつくられてゆくだろう。しかし、そのような本が、大組合の幹部や研究者の机の上だけでなく、どうしたならば職場の労働者のものになってゆくだろうか。そこにはまだすきまがあって、このすきまは意外に大きい。そのために、そのような労働者の歴史の本が、労働者にどのように読まれ、どのような批評や希望が出たかということさえ、たしかめることはむずかしいのではなかろうか。歴史を学びたいという労働者の要求を組織し、労働者とともに学ぶことのなかから、はじめてわれわれの歴史のつかみ方や書き方についての真実の批評も出てくるとおもう。そうしてたがいに学び高めあう努力のなかで、労働者階級の歴史が、組織や幹部等々だけの歴史でなく、現場で機械にとり組んでいる生きた労働者の血肉の通った歴史になることも出来る。職場の歴史をつくる会の使命の一つもそこにあるとおもう。それは規模は小さいかもしれないが、労働者にとっても歴史研究者にとっても貴重な場所となるとおもう。

（歴史学者）

附記　さいきん講座『歴史』の第一巻に、中塚明氏の「村の歴史・工場の歴史」と奥田修三氏の「歴史のサークル運動について」という二つの大切な論文がのった。藤間生大氏の『歴史と実践』（大月書店刊）に収められた文章とあわせ読んでいただければ幸である。

196

労働運動史研究についての雑感

林　基

昨年の秋のことであった。地方から上京してきたある大組合の常任梅津君に会った。彼はさいきん組合が創立十周年を記念して組合史を編纂することになり、むかえられてその編纂常任となった人である。組合は大会の決議によって、年内三十万円の費用を出して、本格的な組合運動史の編集にとりかかっており、資料は倉庫に一杯あるとのことであった。彼のいうには、

197

歴史家の先生方におねがいしたいことは、第一には、この山のような資料、（議事録、団体交渉記録、組合ニュース、ビラ等々）をどのように分類し、整理したらよいかを教えていただきたいこと、組合のある役員は十進分類法でやったらよいといっているが、どうもそれでは出来そうもないので、労働運動史資料の特別の分類項目は、日本では出来ていないのでしょうか、ということと、第二には、そのような資料をどう分析し、どう歴史にまとめていくかの方法を教えていただきたい、ベルンハイムの歴史研究法というのがあるということをきいて読んでみましたが、ちっとも役に立ちません、歴史の専門家が以上の二点について教えてさえ下されば、あとはわたしたち労働者の力で組合史を書くことが出来ますというのであった。この何れの要求にも、わたくしはほとんど答えることが出来なかった。たんたんとして話すこの人の言葉が、わたくしには歴史家にたいする一大痛棒のように思われた。

たしかに歴史学のなかに古文書学という一部門があり、書かれた史料の分類ということは、この古文書学という学問の主要な仕事とされているのである。わたくしも歴史家の一人として大学で古文書学の講義をきいたし、古文書学についての書籍も、今までに何冊かは読んでいる。しけれどもその古文書学というのはせいぜい中世までの古文書を対象としたものにすぎない。しかもその分類は、公文書、準公文書、私文書に大別し、さらに公文書を皇室文書、公家文書、武家文書に、準公文書を社寺文書、政所文書、荘園文書、私文書を対神仏文書、対公文書に分

198

けるといったようなものであって、そのままでは到底現代労働運動史の史料分類には、何の参考にもなしえないものである。一九五〇年に林屋辰三郎氏が、今までの古文書学なるものが、単に古文書の形式的分類にとどまり、文書相互間の歴史的関係が考慮せられなかったことを批判し、古文書が歴史的社会の産物であることを確認し、真実なる古文書によって各時代の歴史的事実を証明すると共に、各時代の社会的変革が如何に古文書を変化せしめるかという逆の場合をも考慮して、古文書として歴史学の真の意味の「史料」たらしめるように研究することの必要を強調したことがある。(『古代国家の解体』東大出版会刊三五一頁以下におさめられている。)

日本の科学的な歴史学は、それが生れてからの二十余年の間、反動的非科学的な歴史叙述とよくたたかっては来たが、古文書学の領域まで立入って批判をすすめ、それを科学的につくり直すというところまではいかないで来た。その意味で林屋氏の論文は、戦後の日本歴史学の成長を示す画期的な仕事であり、それ以来、古文書学の世界においてもあたらしい動きが、徐々ではあるが進みはじめているようである。しかし、それは未だ弱く、労働運動史についてはもちろんのこと、近代・現代史についての史料学・古文書学は全く発展していないのである。

(ソ同盟やドイツ民主共和国その他ではさいきん、たとえば一、五〇〇種の史料をあつめたパンクラトワ編「十九世紀ロシア労働運動」史料集全五巻その他たくさんの労働運動史料集成が公刊されている。また東独では、マイスナーの「近代史の古文書学」のように、伝統的な古文書学を近代史にまでひろげた労作の新

版が出版されている。それらを勉強すれば、きっと分類項目の作成に大いに参考となるだろうと思う。だれかこういう仕事をやって近代・現代史の史料学・古文書学を建設してくれる人はないものだろうか。)

ましていわんや労働運動史の研究法などという論文や著書は、未だかつて書かれたことがない。

「歴史研究法」という本は何冊かあるが、現代史の研究法について全くふれていない。進歩的歴史家の書いた「日本史研究入門」にはさすがに現代史の部門はあるが、労働運動史については殆んど言及していない状態である。

労働者の右のような要求に、歴史家が答えなかったことはたしかに歴史家の責任でもあるが、同時にそれは、むしろここ一、二年の日本の労働者階級の飛躍的な成長をこそ示すものではないだろうか。日本の労働者階級は、日鋼室蘭のたたかいなどにみられるように、経済的政治的なたたかいにおいて大きく成長しただけでなく、文化の面においても日本民族の柱としての力を示しはじめたということができるのではなかろうか。こうして労働者階級は、歴史家の啓蒙をまつだけの受身の状態から脱して、未だそのことを意識してではないが、歴史学の根本的なあり方についての反省をうながすとをもに、歴史学のあたらしい発展の方向を指し示すような具体的な要求を歴史家にたいしてさし出しはじめたのである。

いま世界の半分では、労働者階級がすでに自分の国の主人となっている。それらの国々では

労働者の歴史、労働運動の歴史がその国の歴史の中心問題とならざるをえない。そうしてそれは歴史家の協力のもとに労働者自身の手で大規模に研究されてきているのである。ソ同盟では一九三一年にマキシム・ゴルキーによって、「工場の歴史」を書く運動がはじめられ、各地で多くの成果があげられた、それらを土台とした歴史専門家の大著も、たとえばプイストリャンスキー編「プチロフ工場史」・パジトフ編「バクー石油工業史」や「一八七二年のクレンホルムのストライキ」のように刊行されている。ポーランドでもコタンスキー教授からのたよりによると「労働者の思い出の記」「農民の思い出の記」の編纂がすすんでいるという（「職場の歴史」2、四一頁)。ドイツ民主共和国では、一九五二年ごろから国家的な規模で研究運動が展開されている。五三年の「社会統一党第四回大会の歴史学にとっての意義」という論文は、偏見のない歴史家であれば誰でもここ何百年間にドイツ国民に対して、平和と民主主義の道をさし示したのは外ならぬドイツ労働運動であったことをみとめるであろう。そうだとすれば、このような労働運動史の研究が歴史学の主要な課題とされるのは、当然至極のことであるとして、歴史家の労働運動史研究への関心を訴えている。こうして全国の公立図書館がすべて地域の労働組合や社会統一党の地方機関地域文化人の援助のもとに労働者と労働運動史の史料の蒐集、展覧会、歴史編纂にのり出しており、労働運動史の史料学的研究のための全国会議というのが、一九五三年以来少くとも二回は開かれている。昨年の六月には地域労働運動史の研究と普及のた

めの全国会議も開かれている。そこでは、シュトラウスとフィンステルブッシュ共編「十九世紀前半のケムニッツ労働者の状態についての史料」や「社会主義鎮圧法時代のケムニッツ労働運動」といった専門家の大著からライプチヒのドナート氏「ライプチヒとレーニン」のような郷土愛好家の手になる小論文にいたるまで、多数の書物が出版されており、マンスフェルト鉱業大企業は、三五、〇〇〇通の文書をもった中央文書館を自分のところにもっており、そこの司書係のオエルテルという人を中心として、労働組合その他の協力で数回の展覧会が開かれ、二種類の郷土労働運動史のパンフが刊行されたという。（くわしくは「歴史評論」七五号所収グムコフとオェルテルの論文参照）

中国でも「中国現代史資料叢刊」のうちに労働運動史の大部な史料が公刊されはじめている一方、「中国共産党と上海労働者」（上海労働者運動史研究資料の二）にみられるような大衆的な労働者運動史編集の運動もすすんでいる。（この本の序文はいう、上海はわが国労働者階級のもっとも集中した都市であり、労働者運動はすでに長い歴史をもっている、労働者階級の生活と闘争は複雑で豊富である。上海労働者階級のこのように複雑豊富な歴史的情況を研究し理解しないならば、労働者運動をよく指導することは出来ない。それ故に労働組合の活動家は上海の労働者運動に関する歴史の材料を参考としなければならない。しかし上海の労働者運動の歴史は長く、内容は複雑豊富で、一冊の完備した上海労働運動史を書くことは、少数の人が短い期間でやれることではない。それ故本社は、無から有へ、小から

大へという原則にもとづいて、上海の労働者運動をよく知っている同志たちに依頼して、まずはじめに上海労働者運動史の研究資料とかいてもらって続々出版する。一面では労働組合の活動家の初歩の参考にするとともに、他面では、大衆の注意をひいて上海労働運動史を憶出し研究するよすがとしたいと思う。上海の労働運動をよく知っている同志たちが、われわれの史料蒐集をたすけ、われわれの出版する研究資料を補ったり修正してくれることを希望する。上海の労働者運動のある時期、ある部分、ある問題についてとくに論じたものをわれわれに出版させてくれることは一そう歓迎する。こうして材料をつみあげて、将来比較的完備した一冊の上海労働者運動史を編みたいものである」と労働者たちに訴えている。なお、この本におさめられている七編の文章の一つはかつて雑誌「新時代」に訳載されたことがある。）

このようなことは、労働者階級が国家権力をにぎった国々だけのことでは決してない。未だ労働者が権力をとっていない国々でも、労働者の力の増大につれて、このような研究が発展してきている。フランスでは、労働総同盟が中心となってフランス労働運動史の大編纂事業が有名な歴史家ジャン・ブリュアを主任として始められ、一昨年書記長ガストン・モンムッソーの序文をもった第一巻が公刊された。（これは高橋幸八郎教授の手で日本訳の仕事がすすめられている。一日も早く公刊されることが期待される。）

イタリアでは、どうか。かつてイタリアの偉大な革命家グラムシはほんとうに民族的なイタリア史、とくに労働運動史を再建することが必要であると指摘したが、その指摘が一九五〇年

ごろから実現されはじめ、労働運動史の専門雑誌「モヴィメント・オペライヨ」が刊行され、フェリトリネッリ文庫という労働運動史専門の研究所さえ設けられている。この文庫主催で五三年十月のすえにローマで開かれた農民運動史研究大会には、歴史専門家、政治家、労組活動家が参加し、イタリアの近い過去のあまり知られていない時期についての研究成果をひろい読者むけのパンフにするということが決議された。その席で一人の青年が歴史家たちに一九一七年にモンフェラトの農民の行った反戦運動とそれがトリノのプロレタリアートの運動と関係があったことを教えたというようなこともあった。（イタリアにおける労働者農民運動史の研究について「歴史の諸問題」一九五四年七月号一八六頁、この記事の日本訳は「国際資料」国民文庫社発行八号にある。）

インドでも、一九二三年の王立海軍水兵の大ストライキの歴史をはじめ、労働者運動、農民運動史研究の本が出はじめている。南アメリカのメキシコその他でもさいきん幾冊かの南米労働者運動史の単行本が出ているようである。

このような戦後の世界の労働運動史研究の動きをみてみると、日本の労働者階級が自分たちの歴史を自分の手で編もうとし、歴史家に協力をもとめてくるということが、大きな歴史の必然であることがわかるような気がする。そしてこのような動きは決して、梅津君の属する組合

だけのことではない。蚕糸労連の労働者たちは、専門学者と協力して、「製糸労働者の歴史」（岩波新書）を出しているし、外にもいくつもの例があげられよう。組合大会で決定し百数十万円、数十万円の予算で組合史をつくっている組合は、日本鋼管鶴見製鉄所労組、川崎製鉄所労組、全電通中央電報局労組、いすゞ自動車労働組合、横河電機労働組合等々に及んでいる、全電通中央委員会でも職場の歴史をつくる運動が提案され、討議されているのである。またそれは決して一部の大組合だけのことではないように思う。

「職場の歴史」のある会員は、彼の職場で——それは組合をつくることさえ容易でなかった典型的な中小企業であるが、そこの年配の職人たちが、昨年の暮ごろからしきりと会社の経営を研究しだしたということをいっている。前に書いたドイツのある司書は、「今までは労働運動史が研究の重点であったが、これからはわが企業の年代記をつくらなければならない」と書いている。それはかつては大独占資本家のものであったこの企業が、今はドイツ国民のものとなっているということから来ていることであり、わが国では、未だ企業は資本家の所有ではあるが、しかし労働者がいなければ生産もなければ、企業もないのだということは、万国に共通なのであって、労働者こそ主人なのだ、主人となるべきなのだということが、中小企業の年配の職人の胸のなかにも芽ばえはじめているということを示しているのではなかろうか。

日本の労働運動史研究は、戦前はきびしい弾圧のもとにおかれ、谷口善太郎「日本労働組合

評議会史」などのすぐれた研究も、発売禁止や削除処分にあって広く読まれることが出来なかった。戦後はそれらの著書が再版され、あたらしい研究もかなりあらわれては来た。しかし、それでも労働運動史研究は依然としてごく少数の学者の孤立した研究という状態をほとんどぬけ出していないのである。梅津君の話は、わたくしたちに労働運動史研究の全体としての立ちおくれをあらためて痛感させてくれるとともに、労働運動史研究の将来の飛躍的な発展のための土台が、労働者階級の成長によって保障されようとしていることについての大きな確信を与えてくれたものであった。

Ⅴ　『職場の歴史をつくる会』について

この手 千両

——あとがきとして——

（一）

中小企業——といっても小の部である——につとめているＫが日曜日にぶらっとあそびにきて話していった話が、妙に頭にしみついてはなれないので、それをかくことにする。

Ｋの工場では一日の仕事が終ると、手あらい場にみんなあつまってごしごしと手を洗うそうだ。そのとき、しぜんに仲間のあぶらにまみれた手が目につくものだが、Ｋはここで一つの発見をしたのである。

工場にふるくからいる職人の手は、みるからにがっしりしており、一つ一つきざみこまれたしわは、ながい年月をかたり、くろくしんだつめは、むかしの労働のはげしさをかたっているのである。

「そのつめは、いつごろつぶれたのかい」Ｋがとうと、職人はにやりとわらって、自分のくるしかった若いころのことを、とくとくかたりはじめるのである。

それはちょうど、登山家が山の地図をまえに、自分の青春をかけた想いでをかたるのにもにているのである。

208

一本の手、それは、他人がみれば一本の手ではあろう。しかし、その職人にとってみれば自分の歴史が、一つ一つきざまれた大切な手なのである。

Ｋのいる工場は、去年くれ近江絹糸の会社側が空からまいたビラにしげきされて、若いものが先頭にたって組合をつくったという歴史をもっている。

そのご、組合をつくる推進力となった若い者と、工場にふるくからいる職人の間にみぞができ、ともするとゴタゴタすることがつねであった。

だから、職場の歴史をつくる会の機関紙（一九五五年四月発行）にＫが職人の歴史をさぐるために「どうして、このようなガンコな視野のせまい職人気質がうまれてきたのか、そいつをこれからさぐりたいとかんがえています。職人気質の人を労働者の気持をもった人にかえてゆくためには、職人気質がどうしてその人々のなかにうまれてきたかをしらねばならないのです。」とかいたのはとうぜんであった。

それいらい、Ｋは、ことあるごとにおなじ工場の職人にむかしのことをたずねたり、一しょにはなしたりしたのだが、いつも、Ｋの努力をうす気味わるく思うのか、職人は二言か三言はなしてさってゆくのであった。

だから、この手洗い場でのＫの発見は、Ｋにとっては大きなよろこびであった。

209

「職人の手は大きくがっちりしています。たのもしい。」「このごろ、僕は電車のつり革にぶらさがりながら、だいぶんがっちりしてきた自分の手をみて、自信をもっています。」と顔をあからめながら、Ｋはかたるのだった。

（二）

こうしてＫたち若いものと、職人とがしたしさをふかめていったが、ある日のこと、十八歳で軍に志願し、復員して身の周りにきがついたら二十九歳になっていたという職人のＨが、Ｋにこんなことをいった。

「俺よ、おふくろと親父が中学へ行けっていったんだけどよお、いくら行かなくても、こんな下級サラリーマンになるとは思わなかったなあ。」

「下級サラリーマンって何のことだい。」とＫがたずねると、

「おまえ　しらねえのか、官庁やでけえビルにつとめているのが上級サラリーマンさ、俺たちみてえなのが下級サラリーマンさ、わかったか。」とわらう。

「うん、わかったようなきがするけどね、サラリーは英語で月給、マンは人というみだよ」

このＫの問いにＨはすっかりあわてて、

「すると俺たちはなんだい。給料は月給でくんないから？　日給とりか。」

210

「日給のようなきがするし、時間給のようにも思われるし、日やといと変らないね。」とK

「何だ!! そりゃあ、あっそうか、俺たちは労働者かあ!」

職人はうまれてはじめて、「労働者」という言葉を発見したようにおどろいている。

こんなことがあって、しばらくして私のところにあそびにきたKは、

「職人の人は、自分たちは労働者って思っていなかったんですね。僕は組合をつくってゆくなかで『自分は労働者である。』ということをいやというほどわからされたので、ほかの人もそう思っているとばかり思っていました。だから、Hが『俺ぁ、労働者か!』といったときは、一瞬ポカンとして、なんのいみかすぐにはわかりませんでしたし、からかわれているのかと思って、一寸しゃくにさわったぐらいでしたよ。」とそのときのことをはなしてくれた。

（三）

N工場でも、くれはもち代がいくらでるかということが、休み時間のはなしのたねであった。三十八歳の職人で一ヵ月一万二千円ぐらいなのだから、N工場の人々は、残業につぐ残業、月平均二百五十時間～三百二十五時間もはたらいている。

「ここにいるかぎり子供の顔がおがめない。」と分工場のAさんはやめていった。

けがをして、びっこをひこうが、ゆびがぶらぶらしようが、傷害保険が六割ではとてもやすめない。結婚しても、その日から働かなければならないまずしい人々のむれ。

分工場の旋盤工Kさんが四十すぎなのに、六十ちかくにもふけてみえるように、職人は、三十すぎると急にふけこんでゆく。

ここでは悲壮感は通用せず、みんなこれがあたりまえだと思っている生活。

「せめてもち代ははずんでもらおう。」これがみんなの正直な気持だった。

だからこの夏、不況を理由に若い者数名の首切りがあって以来、ずっと不活潑にみえた職場大会もふたたび息をふきかえし、組合側の要求――もち代は二十五日分――とおやじさんのいう線――十八日分――との差をどうするかで熱心にもみあいがはじまった。

職場大会には大てい 若い者が「われわれ労働者は……」式の演説をやっても、どこふく風とききながし、窓の外の雀をかぞえていた職人たちも、ことしはうってかわって発言した。

組合の委員をしているKにいわせると、

「うちもつよくなったもんだ。いまごろは職人の方がどんどん発言し、若いおれたちがつきあげられるみたい。」なありさまであった。

だから大会はしばしば休み時間だけではおさまらず、就業時間にまでくいこんでしまった。おやじさんは、一こうに終りそうもない大会をきにして、事務所をでたり入ったりし、若い職人から、「おやじはね、もう三十五年も工場をやっているんだ。もう六十になるんだぜ、おや

じはね、死ぬまでになんとかでけえ工場にしようと思ってるんだ。それをみんなでしごともしないでいじめるたぁかわいそうじゃねえか。」のこえもでた。

N工場のおやじさんは、故郷M県の小学校をおえると上京して職工になり、からだ一つで今日をきずいた人だ。

この道がどんなに困難だったかは、永年、N工場ではたらいてきた職人たちにはよくわかる。それに、戦後さし潮のように労働運動がおこったときNにも組合ができ、おやじさんとはげしくぶつかったが、組合の一部があまり無茶をしたので、おやじさんはおこって三十年もてしおにかけた工場をとうとうへいさしたことがある。

それからというものは、おやじさんにしても、ふるくからの職人にしても「組合とは会社をつぶすものなり」という気持がぬけない。

「せめてもち代ぐらいいう通りにほしい。」

「しかし俺たちのいう通りにだせば、おやじは会社がもってゆかないといっている。」

じっさいこの暮には町工場がバタバタとつぶれているのだ。

「ストをやろうか。」「おやじさんをおがみたおそうか。」などさまざまな意見で二週間もみつくしたなかで、みんながとにかく一致してわかったことは、「俺たちは会社の経営のうつりぐあいをさっぱりしらなかった。世間のこともさっぱりしらなかった。」ということだった。

交渉でおやじさんは、むつかしい計算やながい数字で経営の不況をはなし十八日分説の根拠にするのだが、みんなが毎日働いている経験からわりだすと、どうもおかしい点もある。

みんなはそれぞれ泥なわ式で、N工場の経営の真実をさぐろうとした。若い者は労政事務所にいって資料をしらべたり、年よりは、かつて町工場を経営したこともある旋盤工のOさんを中心にかんがえてもみた。

しかしこんな急場しのぎのやり方では、この夏、経団連にも入り、新しい経営法を学んでいるというおやじさんにはかてず、結局は、おやじさんのいう線の近くで交渉は妥結してしまった。

N工場の職場大会は、その後もさかんである。まえにはほかの工場のことや、労働運動などにぜんぜん興味をもたなかった職人たちも、「来年は近所の工場の人たちのこともさぐってみよう。」「会社の経営についてもおやじ以上にただしくつかみたいもんだ。」と話しあっている。

（四）

新しい年、一九五六年をむかえて、わたくしたちの会では、いままでの運動をふりかえり、新しい一歩をふみだすために、つぎのように会のもちあじと、これからの見通しを考えている。

私たちの運動は、N工場のような長い間社会の下づみになってきた中小企業に働らく人々の生活にまではっきり現れているように、職場にはたらく人々がはたらく喜びと、ものをつくってきたという共感にむすばれて自分たちこそ工場のにない手であるという自覚をふかめ、未来への明るい見通しをもとめているという日本の労働者の現実にたっている。

そして今後、はたらく人々の歴史をつくる運動を中心にしながら農村のお百姓さんたちの手による村の歴史をつくる運動、市民の母の歴史をつづる運動ともむすびあって発展し国民的なひろい基盤のうえに、国民の歴史をつくる運動をすすめたいと思う。

そのためにも各方面の読者のかたがたの御協力を心から期待するものである。


なお、さいごに、この紙上をおかりして、この運動の意義をみとめ、玉稿を頂いた歴史学の石母田正教授、歴史評論編集長林基、古生物学の井尻正二博士、本書にまんがをよせられた国鉄労組の田中進氏、写真その他いろいろと御協力下さった日本鋼管鶴見製鉄所労働組合の方々、たえず会の発展のために御協力をいただいた国民文化会議、歴史学研究会、民主主義科学者協会の各位、編集に何かと御迷惑をかけた小森田一記、佐藤弘一、佐藤誠子両氏にあつく御礼申しあげる。

職場の歴史をつくる会　竹村民郎

会のしおり

「職場の歴史をつくる会」についてお話しましょう。

この会は丁度一年前、昨年の十一月ごろに生れました。そのころはまだ参加している労働者も少なかったのですが、今ではいくつかの大きな工場での組合史編さんの仕事とも連絡がとれ、中小企業の労働者も、官庁の労働者も、大きな鉄鋼産業の労働者も……というようにどんどん参加してきて、私たち労働者自身でこの会を運営しています。

会の趣旨は、一言でいってみれば「職場の人たちと自然や社会についての科学を学ぶ人たちとが一しょになって、働くものがつくりだしてきた歴史の遺産をまもりそだてて、日本国民の歴史をつくりだし、その成果をひろめてゆくことを目的とします。そして、職場から生れてくる〝働くものこそ歴史の主人公である〟という確信と、未来への明るい見透しをもって励ましあってゆこう」ということです。

各地や各職場の労働者が、労働者どうしで、また文化人や学生と、文通したり、運動のさかんな東京では、春や秋にはピクニックや、歌とフォークダンスの会などもして楽しく自由に交際をする。そういうなかで、勉強会をもったり「自分の歴史」——生活のことや考えていること——や「職場の歴史」を書いています。

近ごろは、職場の映画をつくろう、というところや、スライドをつくろうという職場がでてきました。お互いどうしの連絡と、成果を発表しあうために、機関誌「職場の歴史」（当分一月おき）と「ニュース」

(ときどき)をだしています。それから月に一度位、連絡会をもち、それぞれの職場でじっさいに歴史をつくる運動をすすめている様子を語りあう集りをやっています。また総会は一月おきに開き、ここでは全員が集って、「成果」の発表とこれからどういうことをやるか、などをきめることになっています。

全国の読者のみなさん!!

連絡先は、東京都港区芝高輪一ノ一国鉄労働組合品川客車区分会内「職場の歴史をつくる会」ですから、ぜひお便りをくださるようお願いします。必ずお便りをさしあげます。

全のしおり

河出新書

職場の歴史

¥ 120

昭和31年5月10日 第5刷発行

著者 職場の歴史をつくる会
東京都千代田区神田小川町3—8

発行者 河出孝雄
東京都文京区柳町26

印刷者 山元正宜

発行所 東京都千代田区神田小川町3—8 株式会社 河出書房

三晃印刷株式会社

落丁本・乱丁本はお取替えいたします

37 学生と読書 瀬沼茂樹編 100
38 青年と倫理 塩尻公明著 90
39 逆立ちの世の中 花森安治著 100
40 愛による思索 串田孫一著 90
41 日本精神 モラエス著 90
42 日本人の娯楽 南博著 100
43 十代の読書 熊谷孝編 100
44 随想百篇 風神帖 亀井勝一郎著 100
45 現代詩の鑑賞 金子光晴著 100
46 新しい性 平井潔著 90
47 愛と死の思索 亀井勝一郎編 90
48 太宰治の手紙 小山清編 100
49 現代哲学読本 思想の科学研究会編 100
50 女優への道 遠藤慎吾編 100
51 人生の智慧 武者小路実篤著 90
52 青春の歌曲集 吉田秀和 入野義郎編 100
53 伊藤整氏の生活と意見 伊藤整著 120
54 文章読本 伊藤整編 100
55 国民文学と言語 竹内好編 90
56 若き日の生き方 宮本百合子著 90
57 藤村名詩鑑賞 吉田精一著 100
58 演劇の魅力 戸板康二著 100
59 映画の見方 飯島正編 100
60 働く女性のために 古谷綱武著 90
61 文学的人生論 三島由紀夫著 120
62 母の歴史 木下順二 鶴見和子編 100
63 現代経済学入門(上) 中山伊知郎他 120
64 聖書入門 北森嘉蔵著 80
65 外国拝見 門田勲著 100
66 軍備なき誇り 関口泰著 90
67 歴史家の散歩 高橋慎一著 80
68 ことばの技術 大久保忠利著 100
69 若き日の山 串田孫一著 90
70 新しい感覚 宮城音彌著 100
71 実存主義の文学 矢内原伊作著 100
72 現代の心理 南博著 100
73 若き療養者への手紙 島村喜久治著 90
74 ことばの四季 金田一春彦著 100
75 生活の科学 沼畑金四郎著 120
76 女性は翼をえた 菊池綾子著 100
77 これが社会主義か G・D・H コール著 100
78 私の履歴書 大内兵衛著 110
79 毛沢東 岩村三千夫著 100
80 日本資本主義の研究(上) 大内・向坂 土屋・高橋著 120
81 日本資本主義の研究(下) 大内・向坂 土屋・高橋著 120
82 世界の合唱曲集 吉田秀和 入野義郎編 100
33 女の歴史 松島栄一編 120
84 現代哲学の流れ 宮島肇著 100

85 感傷組曲 串田孫一著 100
86 生活の中にある教養 福原麟太郎著 120
87 風流奇談 渡辺紳一郎著 100
88 ロマン・ロラン読本 ロマン・ロラン協会編 100
89 旅の四季 戸塚文子著 100
90 永遠の女性 中野好夫編 120
91 現代経済学入門(下) 有沢広巳他 120
92 民衆の座 思想の科学研究会編 100
93 フランスの小説 生島遼一著 120
94 読書と人生 金森徳次郎著 100
95 山・雪・探検 加納一郎著 100
96 学生と思索 桑木務著 100
97 西欧のこころをたずねて 手塚富雄著 100
98 光は暗黒を越えて カルティニ著 120
99 女の考え方 古谷綱武著 100
100 人間尊重のために 渚木正道著 100
101 食物の歴史 後藤守一著 100
102 暮しから社会から 宮城音彌著 100
103 青春論ノート 市原豊太著 90
104 女は太陽のごとく 石垣綾子著 100
105 歴史をつくるもの 向坂逸郎著 110
106 人生と真実 野田又夫著 100
107 人生の四季 武者小路実篤著 100
108 自由について H・リード著 万沢・大内訳 100
109 正しい日本史 奈良本辰也編 120
110 日本経済の内と外 都留重人著 100
111 実存主義 松浪信三郎著 100
112 社会主義への道 山川均著 100
113 自由と責任 森有正著 100
114 日本民謡名曲集 服部龍太郎編 90
115 京都の庭 奈良本辰也著 90
116 絵画の見方 嘉門安雄編 120
117 レコード読本 大木正興編 120
118 現代日本の名作 瀬沼茂樹編 100
119 モスクワ・北京・文学の旅 岩上順一著 120
120 幻想から現実へ 柳田謙十郎著 100
121 心理学的人生論 戸川行男著 100
122 女性のための人生論(上) 清水幾太郎著 100
123 女性のための人生論(下) 清水幾太郎著 100
124 憲法をつくる力とこわす力 鵜飼信成著 100
125 名作をいかに読むか 山本健吉編 100
126 読書のよろこび 久米井束著 100
127 思春期 牛島義友編 110
128 青春の生理 宮本忍著 90
129 若き日の芸術家たち 瀬沼茂樹編 100
130 青春の足跡 大室貞一郎著 90
131 詩人の手帖 春山行夫著 120
132 日本言論史 牛島俊作著 100

133 新しい女性の教養 羽仁説子著 100
134 生活の知恵 堀秀彦著 100
135 歴史を学ぶもののために 上原専禄他 90
136 青春の条件 篠原正瑛著 100
137 学生の生き方 真下信一著 100
138 歴史の人気者 奈良本辰也編 80
139 日本人 高木正孝著 100
140 女性の風俗 吉田謙吉著 100
141 劇場の青春 戸板康二著 100
142 哲学の誕生 藤井茂夫著 120
143 文学の源をたずねて 土方辰三著 110
144 衣服の歴史 後藤守一著 100
145 青年心理学入門 牛島義友著 110
146 ドストエーフスキイ読本 神西清編 100
147 資本論小辞典 資本論研究会編 100
148 愛の技術 ルメルル著 川崎竹一訳 110
149 女の悲しみ 天野格之助著 100
150 世界の歌曲集 中田一次 渡辺曉雄編 90
151 眠られぬ夜のために 高見順編 120
152 不安の享楽 石田春夫著 100
153 女性の秘密 ローズ著 万沢遼訳 110
154 新聖書物語 河上徹太郎著 100
155 結婚教科書 ピカール著 川崎竹一訳 120
156 社会散歩 荒垣秀雄著 100
157 人間 玉岡忍著 130
158 ライバル物語 青地晨著 100
159 芥川龍之介読本 久保田正文編 120
160 数学ポ・プーリ 矢野健太郎著 120
161 若き日の音楽 吉田秀和編 100
162 ウィーン物語 津田正夫著 110
163 性について 羽仁説子著 90
164 十代の心理 南博著 110
165 河上肇随想録 天野敬太郎編 120
166 愛と抵抗の遺書 V・M＝ブルーン編 田中融二訳 90
167 現代用語辞典 荒垣秀雄編 100
168 言葉の今昔 新村出著 100
169 映画の中の女性像 真下信一 福田淳 100
170 現代経済用語辞典 土屋清編 100
171 季節とからだ 杉靖三郎著 100
172 フロイド心理学入門 西川好夫著 100
173 現代アメリカの思想 都留重人編
174 現代ソヴェト事典 ソヴェト研究者協会編訳
175 現代のデザイン 勝見勝編 120
176 職場の歴史 職場の歴史をつくる会編
177 志願囚 正木亮著
178 恋愛教科書 ピカール著 川崎竹一訳 110
179 街の言語学 大久保忠利著
180 禅と人生 山田霊林著

民主主義科学者協会編集

歴史評論

民族の歴史特集号

1955·5·

66

河出新書

働く女性のために
古谷綱武著　働く女性はいかにあるべきか、現代女性の新しい社会生活に光を掲げる細やかな教示。　特装版九〇円

若き日の生き方
宮本百合子著　暗い谷間の時代を誠実なモラルを貫いて生きた著者が戦後の若い人々に残した人生論。　価九〇円

母の歴史
木下順二・鶴見和子編　封建的な暗黒に生きた日本の母親たちの一生を書いた働く少女の作文集。　特装版一〇〇円

文章読本
伊藤整編　当代一流の作家・評論家の共同執筆による。すぐれた文章入門。現代文の理論と鑑賞。　特装版一〇〇円

藤村名詩鑑賞
吉田精一著　近代詩の黎明期に輝く藤村の詩の絶唱を鑑賞し、詩人藤村の生涯をも語る愛詩家への贈物。　価九〇円

国民文学と言語
竹内好編　文学の立場から言語の問題を究察し日本語の特質や将来を鋭く追求した画期的な論集。　価九〇円

演劇の魅力
戸板康二著　古典劇に深い愛情をもつ著者が劇壇・楽屋の面白い風景の中に芸術と人生の機微を語る。　価一〇〇円

映画の見方
飯島正編　代表的な批評家・監督の協力により画期的な内容と使命を斯界に誇る新しい映画の鑑賞法。　特装版一〇〇円

若き日の山
串田孫一著　悔いなき青春のために！著者が自らの青春を回顧し美を求めて彷徨した山々の思出。　特装版予価一〇〇円

青春の歌曲集
吉田秀和・入野義郎編　心の歌を!!生活の歌を!!楽譜と原語と訳詩が一目で分り誰でも歌える愛唱歌集。　価一〇〇円

乱菊物語
谷崎潤一郎著　一〇〇円
妖しく美しい絢爛物に比す異色の歴史小説

かげろふの日記
堀辰雄著　五〇円
純粋清澄・堀文学の本質を識む古典的名作

虚子自選句集
高浜虚子（四冊）　各七〇円
春・夏・秋・冬にわたる名匠の自選名句集

草田男自選句集
中村草田男著　四〇円
長子・火の鳥・万緑・来し方行方六百精選集

河出文庫

現代心理学
相良守次著　七〇円
人間性把握のためのわかり易い心理学入門書

自然科学入門
鎮目恭夫・田中晋著　七〇円
自然科学の歩みをわかりやすく説いた科学史

私の教育観
清水幾太郎著　七〇円
現代教育の在り方についての示唆溢るる書

芸術入門
矢内原伊作著　四〇円
芸術とは何かに答えた現代の教養と鑑賞の書

お菊さん
ロチ・関根秀雄訳　七〇円
ロマネスクの放浪者が讃える日本女性の姿

女性と文学
ウルフ・大沢実訳　七〇円
現代女性は文学をいかに読むべきか、の必読書

河出書房　東京神田駿河台下　振替 東京 10802

歴史評論目録（其ノ一）
（三〇号—三四号）

第三〇号　一九五一年八月号
鎌倉彫刻における古代と中世（二）……林　文雄
南北戦争直前の労働者階級の状態……神野璋一郎
ロシアにおける科学的精神の黎明……除村ヤエ
朝鮮古代史研究ノート……林　堅植
地方史　中津の農民一揆……柳田東耕
民歌民謡は大衆闘争の伝統的武器である……野沢　豊
炭焼小屋だより……高橋礦一
講座　縄文式文化（八）……江坂輝弥
第三一号　一九五一年　九月号
幕末における半植民地化の危機との闘争……井上　清
ソヴイエト映画における愛国主義……土方敬太
愛国詩人・杜甫……野原四郎
八一五和平運動の展開……服部幸雄
地方史
新潟湊騒動覚書……渋木隆介
郷土研究の新しい展開のために……桑原正雄
炭焼小屋だより……高橋礦一
民族問題の理解について……民科京都支部歴史部会
講座　縄文式文化（九）……江坂輝弥
第三二号　一九五一年　一〇月号
民衆の作家近松……広末　保
日本における一九一八年の米騒動……片山　潜
南邦イタリアの社会と農民闘争……米川哲夫
民衆の科学は築かれていく……渡部義通
地方史　摂津型地域における一揆について……岡本良一
蚕蛹の搾油技術について……加藤宗一
講座　縄文式文化（十）……江坂輝弥
第三三号　一九五一年　一一・一二月号
幕末における半植民地化の危機と闘争……井上　清
陸放翁の愛国心について……古島琴子
パリ・コミューヌと歴史学……S・I・B・カーン
スペインの内乱（一）……斎藤　孝
座談会　世界史教育を語る
地方史　明治維新における阿波藍業制度改革の意義……井内弘文
イタリアの博物館と文化財に対する国民の意識……小林　剛
講座　縄文式文化（十一）……江坂輝弥
第三四号　一九五一年　一・二月合併号
慶応二年の政治情勢……石井　孝
スペインの内乱（二）……斎藤　孝
平和と愛国の歴史教育のために……太田哲夫
京大事件……民科京都支部
座談会　受験と世界史教育
地方史　村落生活の基礎を防ねて（一）……矢木明夫外
秩父騒動後日譚……落合九二緒
講座　縄文式文化（十二）……江坂輝弥
附録　わたくしたちの郷土研究—府中と国分寺を中心にして……武蔵野児童文化会

×　×　×

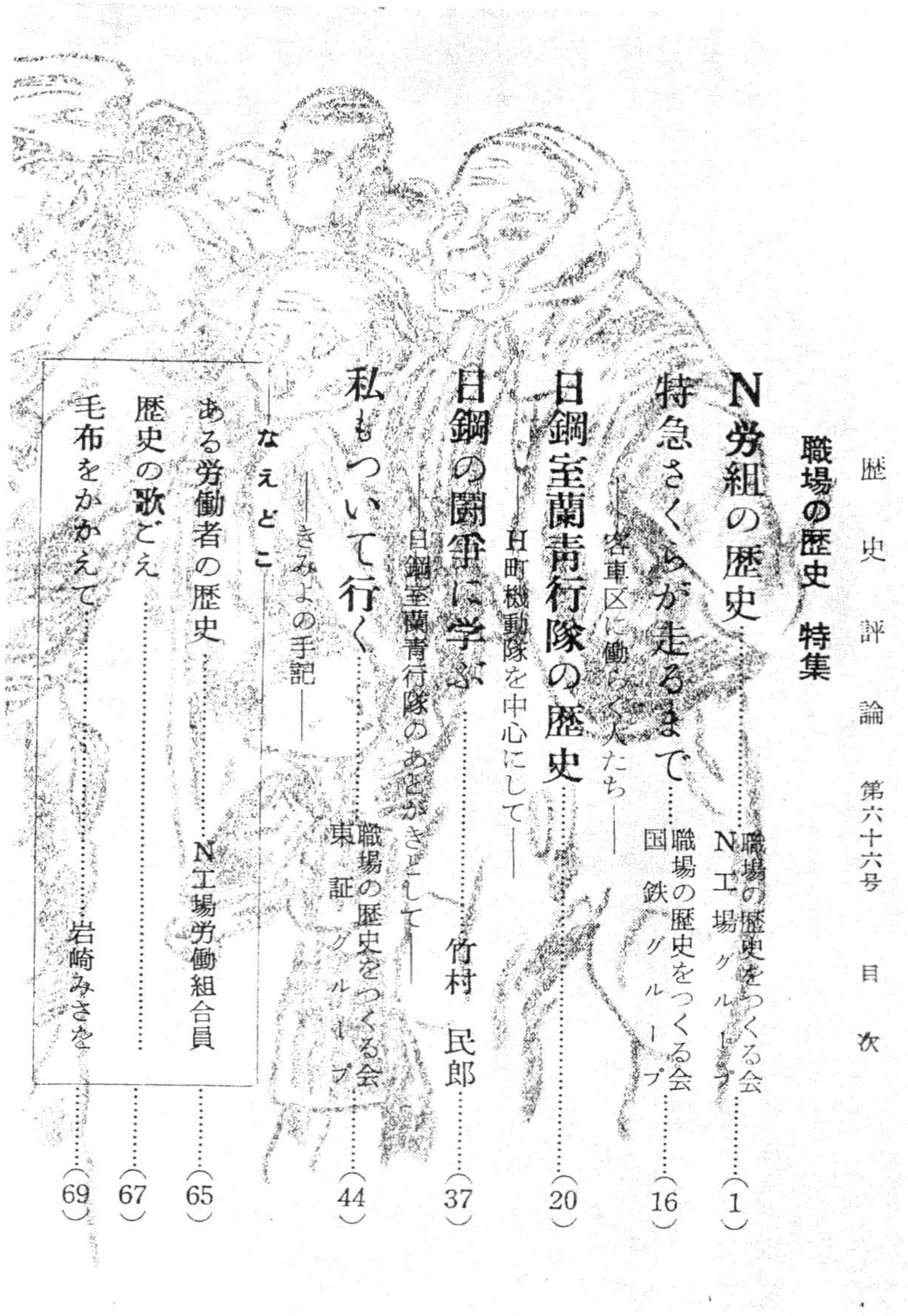

歴史評論　第六十六号　目次

職場の歴史　特集

N労組の歴史……N工場　職場の歴史をつくる会グループ……（1）
特急さくらが走るまで——客車区に働く人たち——……国鉄　職場の歴史をつくる会グループ……（16）
日鋼室蘭青行隊の歴史——日町機動隊を中心にして——……（20）
日鋼の闘争に学ぶ——日鋼室蘭青行隊のあとがきとして——……竹村民郎……（37）
私もついて行く——きみよの手記——……東証　職場の歴史をつくる会グループ……（44）
なえどこ
ある労働者の歴史……N工場労働組合員……（65）
歴史の歌ごえ……（67）
毛布をかかえて……岩崎みさを……（69）

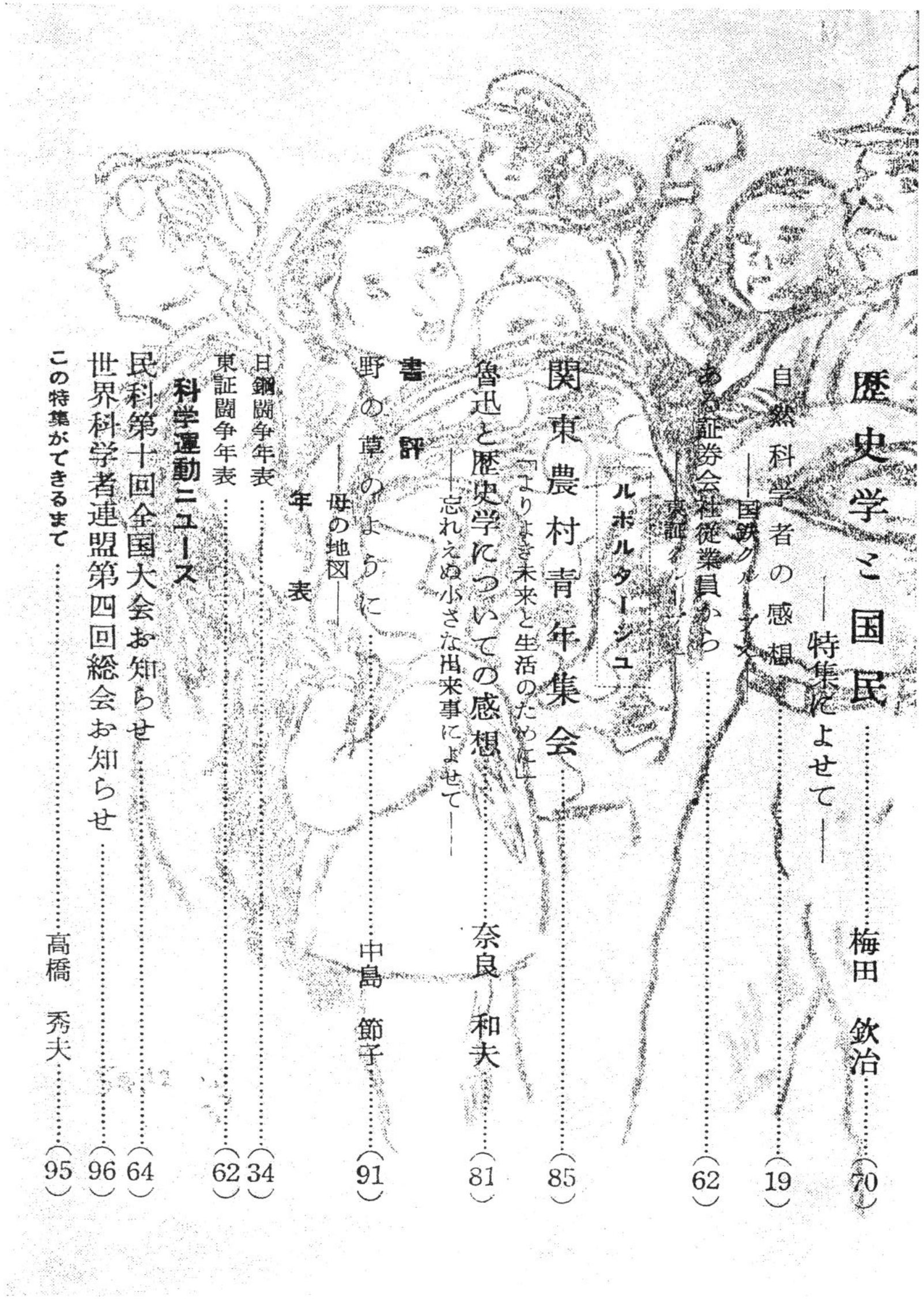

歴史学と国民 ——特集によせて——……梅田　欽治（70）
自然科学者の感想 ——国鉄ク[illegible]——……（19）
ある証券会社従業員から ——東証[illegible]——……（62）
ルポルタージュ
関東農村青年集会……（85）
魯迅と歴史学についての感想「よりよき未来と生活のために」——忘れえぬ小さな出来事によせて——……奈良　和夫（81）
書評
野の草のように ——母の地図——……中島　節子（91）
年表
日鋼闘争年表……（34）
東証闘争年表……（62）
科学運動ニュース
民科第十回全国大会お知らせ……（64）
世界科学者連盟第四回総会お知らせ……（96）
この特集ができるまで……高橋　秀夫（95）

歴史評論目録（其二）（三五号—四〇号）

第三五号　一九五二年　四月号
幕末における半植民地化の危機と
条約改正の二つの道……平野義太郎
スペインの内乱（二）……斎藤　孝
特集　歴史教育
新しい歴史教育の樹立……川崎新三郎
私の歩んだ歴史教育の道……相川日出雄
世界史教育の現状……山川　茂夫
一つの経験……阪本　弘
地方史に重点をおいた
日本史指導の一例……菊地　南谷
中国の人民教育に学ぶ……野沢　豊
地方史
村落生活の基礎
を訪ねて（二）……矢木　明夫
宇和島藩における百姓一揆…谷本　保山
講座　縄文式文化（十三）……江坂　輝弥
ペブズネル「日本の独占資本」
（財閥）の誤謬……イ・カリーニン
第三六号　一九五二年　五月号
太平天国の諸様相……大島　晋
——揚子江上流地方を中心に——
鎌倉彫刻における
古代と中世（三）……林　文雄
——慶派の作品を中心にして——
スペインの内乱（完）……斎藤　孝
王陽明をのぞいて……松村　一人
サークルの経験から
その後の歴史研究会……藤間　生大
座談会
山城物語を製作して……新東大歴研
第三七号　一九五二年　六・七月合併号
義民特集
義民の歴史……入交　好脩
佐倉宗五郎物語は
どうして作られたか……清水　淑子
箱根用水の恩人
友野与右衛門……ねず・まさし
鉱毒とたたかった義人
田中正造……さいとう・ふみえ
高崎五万石騒動の
佐藤三喜蔵……田村栄太郎
五・一事件の史的意義……祝田　行雄
愛国詩人・顧炎武……古島　琴子
地方史　大小切騒動覚書……山田　道夫
明治初年における
桐生近郊村の農業生産……古島　敏雄
第三八号　一九五二年　八・九月合併号
ユゴー誕生百五十年祭をむかえて
ヴィクトル・ユゴーの
人の作品……松下　和則
ユゴーとナポレオン三世……
マルセル・カシャン
ねず・まさし　訳
ユゴーとパリ・コンミュン…
ピエール・オールブイ
内　山　敏　訳
アラゴンのユゴー論……小場瀬卓三訳
なぜわれわれはユゴーの
作品を愛するか……茅　盾
世直し・農民反乱……庄司吉之助
日本橋の水（その一）
浪曲問題に関する討論……民科芸術部会
まつしま・えいいち
ある農業協同組合の歴史…民科奈良支部
第三九号　一九五二年　十月号
日比谷の焼打……塩田庄兵衛
犬丸　義一
シベリア干渉戦争
とアメリカ……おかべ・ひろし
たたかいのあと（1）……山内みな子

N労組の歴史

職場の歴史をつくる会
N工場グループ

一、まえがき

（一）

ぼくが、最初職場の歴史をつくる会に入ったとき、労農同盟とかいさましいことをいっている学生がいることに驚いてしまった。とてもじゃない、ついていけないと半ばあきらめていたが、職場の歴史をつくるにあたって、じっさいの生活についての考え方では、ぼくの方が、学生にはできないのが、僕たちにできるということを自分で発見した。はじめは、今から考えると学生にたいして劣等感をいだいていたが、この私の小さな発見ののちは、学生より以上に歴史をつかむし、歴史をつくっていけるのではないだろうかと考えるようになった。僕には、今までにない自信ができた。

（二）

以前は、学生という者は、労働者と、別の存在のように思った。しかし、こういう会をつくってゆく中で学生の人たちも労働者の闘いを発展させるのに役立つことをしているのではないかとわかってきた。

学生だけではなく、いろいろな人たちと私たち、労働者との関係が決して、無関係なものではなくて、いろいろからみあい。助け合っているのだということを知るようになった。

そういう人たちも、本当に協力することにより、私たちのくるしみを解決することができるのだということが益々はっきりしてきた。私たちの組合の活動をよくみてくれて、いろいろ見通しをつけてほしいということを強調したい。

（K）

二　神田工場の歴史

先ず始めにN製作所の神田工場を説明しよう。国電の〇〇駅か××駅で下車して歩いて約七分である。都電ではABC三駅のちょうど中間である。

1

電車通りから一寸入った広い通（〇〇通り）に面して油のしみこんだ木材で出来ている黒々とした建物がN製作所である。事務所はハイカラな色をした木造二階である。もしB町附近に来て会社が判らない時はこの附近に住んでいる人にN製作所は何処ですかと聞けば大多数の人が道を教えてくれることだろう。なぜならばN製作所の従業員は酒を飲むとすぐ他の人と喧嘩する為非常にここらでは悪名が高いのである。

ではなぜすぐ他人と喧嘩などするのであろう。会社のある人が僕に次のような事を教えてくれた。「会社が非常に悪労働条件の為、皆苦しんでいる。がしかしこれらの不満を会社に言えない為このようなことをする」今年に入り前言を否定するような事が起った。それは今年の新年会の時に他人と喧嘩しなかったことである。この様な事は珍らしい事である。

では次にN製作所に入ってみよう。

事務所に入ると女子事務員三人と社長、専務、取締役が二人ずらりと机を並べている。社長は経済新聞を開いて株が安くなったかを懸命に調べている。

専務は組合の事を考えたり銀行の事を考えたり株の事を考えたり非常に忙しい人間である。その為一日の半分位は会社にいない。

取締役二人は売掛帳を見たり定価表を見ていたり得意先廻り等々種々の仕事がある。

がしかし一歩事務所を出て工場に入ると人足になったりトラックの運転士をやったり種々の雑用に追い廻される。こうなると取締役とは名のみで仕事は我々より雑用である。この様な事ではN製作所の取締役になる事も考えるものである。又ある取締役が昨年組合が会社と団交中に私に向って「君達は会社にもんくがいえていいな、私はいいたくてもいえない」と言ったこの事から判るようにこの会社は専務一人の会社であり、名前だけの株式会社である。

女子従業員のうち一人は他の大きな会社で云えば、会計課長の様なものであろう。他の一人は会計補佐と種々の書類の提出及びタイピストであり、最後の一人は使や労働者関係の色々の仕事をやっている。

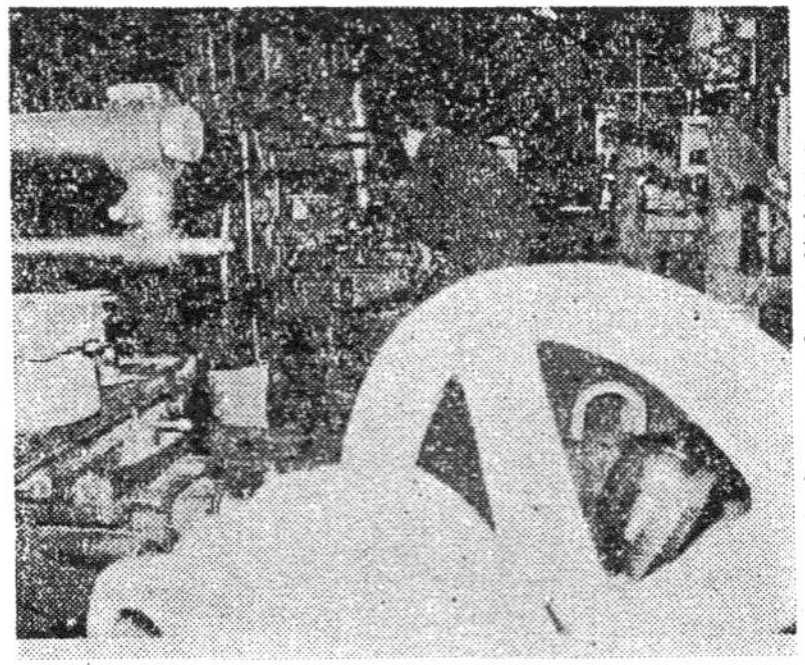

N工場で働らく人々

この事務所を通りぬけ工場に入った時には工場の非常な高音と油の臭いになやまされる。ゴーゴーとモーターの音、ハンマで鉄を打つカンカンという音、機械が廻る音、機械が鉄を切る音等である。この高音の中から我々が歌う声が聞えている。これらの歌はお富さんでもなく又流行歌でもない。それは真の労働者の団結を語る立派な歌である。我々はこれらの歌を口ずさみながら元気一杯に仕事をしている。

2

工場は木造で平屋一〇〇坪位の建物が二つ建っておりこれらを第一工場第二工場と言っている。第一工場は南側に高い建物があるために昼間でも電気をつけ仕事をしている。

第二工場も第一工場と同様昼間でも電気をつけなければ仕事は出来ない。

一寸見ただけで判る事だがどちらの工場も隙間が非常に多くあるため、冬になり風が吹くと寒い。

次に工場の機械の数をあげてみよう。

N工場の一部

一、プレナー　（三台）
二、旋盤　（七台）
三、ラジアール　（二台）
四、ボール盤　（三台）
五、パー　（三台）
六、ホッピング　（二台）
七、フエロス　（一台）
八、ベーチカル
十、鋸盤（一台）
九、ミーリング（一台）
（三台）

これらの機械は不良機械が多くこれらの機械で能率を上げる事は困難である。


我々は高音になやまされ、油の臭いになやまされ、不良機械になやまされ、又会社の悪労働条件になやまされながら、昨年十一月迄黙々と働いて来た。同じ職種の人はお互いに労働条件の改正、賃上げの事等話しながら。がこの話は話だけに終らずついに昨年末組合結成により実現したのである。その時の喜びは筆によって表わすことは出来ない。何年間もの夢が夢でなくなったのである。この時の嬉しさの気持は一生涯忘れることは出来ないであろう。ついに我々の努力が実を結び会社の封建性低賃金悪労働条件に向って断呼闘う時が来たのであった。

昨年の末頃迄は皆もんくを言いながら歌をうたいながら（その歌は流行歌）仕事をいやいややっていたが今は違う。皆の顔には喜びの色があふれ、歌う歌も我々の為の歌、仕事は元気一杯やっている。これらの事からも組合が結成した事により従業員全員が明るくなった事は確実である。

目を工場の外にすると、すぐ近くに宮城がありニコライ堂があるように有名な建造物が多くあるが、それより以上に多くあるのが学校である。一寸数えただけで十二、三はある。

明治大学、日本大学、中央大学、専修大学等はその中の一校である。

このため神保町附近には本屋（古本屋）、洋服屋、運動具屋等学生に身近かな店が非常に多くある。丸の内ビル街、駿河台の学校街と近代的な建造物を持つ千代田区は近代的な区ともいえる事であろうが、しかし近代的なのは表通りだけである。一度裏通りへ入ると多くの中小工場を見かける。その中の大半が製本関係の工場であ

3

る。製本関係（製本屋、折屋、印刷屋、印刷機械製造業）の工場にはほとんど寄宿舎がある。

これらの工場が寄宿舎を持っている。理由はこれらの工場で働いている従業員の過半数の者が地方から出て来た人達であるといっても過言ではあるまい。ではなぜこれらの従業員は地方出の人が多いのであろうか。
一、地方の人だと東京の人間より安くつかえる。
二、いやになった場合でも直ぐ辞める事が出来ないゆえに一つの会社に長くつとめる事になる。
三、地方から来た人は非常に真面目で会社側の言う事を素直に受け入れる。その為労働運動などなかなかやらない。
等三点があげられた。家の組合結成はその内第三の項であるこの地方から出て来た人の手によって準備がなされたという点で、ある程度特殊な状況にあった。

ではどうして家の場合は地方の人が立上ったのであろうか。Nへ入って来た地方の人達は皆非常に社会労働運動に熱心だったことと給料が安いため食費を引かれると残り金が非常に少くなる為直接苦しい事が身にしみた。

皆話し好きであるために自然々々の内に話が決まる様になった。これらの点から考えて見て皆がはなし合う事がいかに必要であるかが判る。

千代田区にある中小企業の従業員は昔からの封建制、低賃金、悪労働条件等多くの問題で苦しみながらただ黙々と働いている。これらの人々も労働条件の改正、賃金値上等をしてもらいたいのだろう。その為に労働組合を結成したいが、結成する事により会社に知れ首になりはしないかという恐怖心から、なかなか組合運動は出来ないものである。

僕自身もはじめはそうであったが今では違う。今では人一倍熱心にやっているつもりで僕自身はいる。僕がこの会社に入って来たのは今から三年前の四月であった。入社当時の労働条件を少し書いてみると次の様になる。　（通勤）
一、入社年月日　昭和二十七年四月（職安紹介）
一、日　　給　一五〇円　　現在　二三〇円
一、勤務時間　八時～四時四五分（昼四五分休）
（この時残業を一日四時間やっていた）
一、休　　日　毎日曜日
一、年二回位昇給（感情昇給）
一、皆勤手当　二日分
一、現物給与　二〇〇円（全従業員同額）
一、交通費　五百円迄支給
入社当時は右の条件で満足して働いていたが驚いた事には従業員の入退社の激しいことだった。多い時には一ヵ月五人位が入ったと思うと退めて行くような状態だった。又会社内の空気は非常に封建的な臭がしている様な気がした。

種々の不満がつのり二十八年秋一度組合結成の話が出たが会社側の策に乗り、ついに失敗に終った。これは川口工場の方で起った。なかなか組合結成の話しは実現しなかった。

理　由

4

一、先頭に立って組合結成の運動をする事により首にならないか。
二、前に組合結成時上部組織が全然動いてくれなかったため今度も前と同じではなかろうかという、上部組織があてにならない。
三、前に組合を作った時会社側の工場閉鎖の手により負けた経験がある為。
四、今迄に組合運動をやった事のある人が一人もいなかった。
五、他の人を信用できなかった。工場のどこえ行っても会社の手が廻っているような気がした。

右の点で組合結成が非常におくれた。

では次にどんな点で不満だったであろうか。
一、給与ベースが他より二割方低い。
一、ボーナスが出ない。
一、封建的である為個人の意見が無にされる。
一、感情昇給である。
一、退職金制度がない。
一、有給休暇が自分の好きな時にとれない。

等種々な不満があった。この頃は不満があると工場長を通じて会社に話すのだが金銭的な問題はとり上げなかった。

又基準局に出す書類に押す印も会社が勝手に押してしまうか、工場長の印で勝手に基準局へ提出してしまう。その後で工場の方へ来て話すのである。

又会社の方針は給料を出来るだけ安くして残業をやらす事にある。その為残業をやらない者は昇給率が非常に悪くなってくる。昨年の、残業時間の例を次に書いて見ると

一月、二時間　二～七月中旬、四時間　七月下旬～九月下旬、二時間　九月下旬～十二月、三時間

この様に残業を非常に奨励している。

又従業員もこれを当然の事のように考えている人が多い。例えば七月～九月間残業が二時間しかなかった為生活が苦しくなってきた。この時従業員が会社側に云った事は「残業をもっと増してくれ」という言葉である。

この様な事では組合結成など思いもよらないと私は思ったが、この時すでに他団体との連絡がついていたと後で聞き大変おどろいた。

私はこの頃まで組合結成など大変簡単に考えていたが他会社の人に組合運動というものがいかに複雑であるか又種々の問題があるかを話され非常に、組合を作り運営して行く事が難かしいかが判った。この時私はこの仕事は難かしいが又やりがいのある仕事だと思った。次に給料のことを書いてみる。

昭和二十八年四月に入ったH君など食費を引かれて手元に残った金が二十円という時が二度位あったそうである。

次の表は昭和二十九年四月入社の者

給料明細書	
日給	160円
稼動日数	25
支払金額	
160×25=4000.－	
皆勤手当	360.－
合計	4,360.－
差引金額	
食費	3,300.－
健康保険	120.6
加配米	130.－
その他	100.－
計	3,650.－
差引支払額	670.－

5

学校へ行っている為残業が出来ない。寮生活。

右の表があらわす様に手取がわずかに六七〇円、これで一ヵ月生活が出来るものでしょうか。

まだ二十歳にもならないのに遊ぶ事も出来ず、理容屋にも満足に行けず、学校の月謝は払えず家へ出す手紙は物を買ってもらう願いの手紙ばかりである。この為Nに入って一等始めにおぼえるのは質屋である。これは疑えぬ事実である。

又、残業と定時間との間の休みがない為残業を四時間やる時は午後から休みなしに八時間仕事をするわけである。

この種々の悪労働下で不満の募るのは当然であろう。又二十九年七月の賞与としてくれた金額がわずか平均五〇〇円という有様です。この為怒った職人が酒を飲んで事務の所へ喚鳴りこむという事件が起きた。だがこれでもまだ組合を作るという事が具体的にされなかったのです。

昭和二十九年十一月上旬会社が一方的に作った諸手当支給規定（私達はこれを懲罰規定といっている。）には完全に皆怒り、急に組合結成の気運が動いて来た。これから二三日後種々の不満を要求書にし、「組合を作るのだから参加してくれないか」と呼びかけた。なかには「組合とはなんだそんなものが無くても事務だって話せばわかるだろう」と云う人もいたが、個々で話してもわかるような事務じゃない。その時の要求書を次に書いて見る。
一、賃金五割値上
二、年末手当三十日分よこせ
三、定期昇給をやれ
四、懲罰をやめよ
五、退職金制度をつくれ

この他合計十九項目からなる要求書をもって私達は組合を結成することに全力をあげた。

ついに十二月十一日全従業員参加の下に組合は結成されたのである。十二月上旬、私達は毎夜休むことなく要求書の作成ビラ作り等非常に忙しかった。多くの人が寮で泊り込みでやった。今まで書いた事でわかるようにN労組は組合結成運動が表面化してから非常に早く労組が結成されたため次のような色々の失敗があった。
一、従業員全員が組合とは如何なるものか判っていない人が多くいたため初めのうちはなかなかまとまらなかった。
二、従業員全部が真の闘争の苦しさを知らない。
三、労組の結成が急だった為どこか抜けている事がある為一の様な事がある。
四、従業員全体が団結の力の強さを知らない為、会社の権力に恐れていた。
五、工場が神田と川口にある為、連絡するのに不備な点があった。
六、組合結成にあたり先導者になった者も組合に関する色々の法律を知らなかった。その為あとになり色々あぶない所があった。

もし会社が組合に関する法律をよく知っておればN労組は今頃ないかも知れない。たとえば闘争宣言もせずに職場を放棄した。

このように、色々な不備な点はあったにしろどうやら私達の出した要求の半分位はとれた。しかしこの勝利のかげには組合役員の種々の努力がある。たとえば、役員会の為徹夜したり又組合という事

6

がまだよく判らない人達には、ていねいに話して理解してもらう等大変苦しい目にあいながら現在に導いてくれたのである。

　私はよく組合役員に文句を言いに行くのである。もんくを言いに行くのは私ばかりでないかも知れないが、いつ行ってもいやな顔一つするわけでなく、かえって喜んで私の話をきいてくれるのである。組合役員の本当の在り方はこうでなくてはいけないのだろう。又団交の時の事を考えると今でも冷汗ものである。前にも書いたように私達は労働運動にまるっきり素人である。その為、団体交渉の二、三日前から他団体の人に来てもらい種々の話を聞いた。その中で最も必要な事は団結である。団結さえあれば私達はいかなる権力にも恐れないのである。団体交渉の当日私達は歌（労働歌）を歌いながら団体交渉をした。その時私は何も知らない為に、会社側から数学的な事を聞き出して、どの位賃金、賞与が出せるか計算しようとしましたが、外部団体の人に、「そんなことしたってしょうがない」といわれたのでやめた。ではなぜ数学的なことをやってもむだなのであろうか。それは、会社というものは帳簿を巧みに誤魔化すからである。

　交渉結果から私の考えたことをいうと始め会社側が回答をのばしてくれといって来た時私達が承諾した為、その後回答を延すことが数回行われた。

　現在右のことを毎週の如く交渉を行っておりますが会社側が工場労務者と事務所職員を別々にしようとしているが、これもはじめ組合の動き方が悪かった様な気がする。

　この様にN労組は欠点ばかりでいいところはないかも知れないが、最も誇れる事が一つある。それはN労組の中で若い者が一本の線のようにしっかり固っている事である。現在は若いものだけであるが近いうちに、私はこれが従業員全員につながる様にしたいと思っている。この様な事は今後私達の努力によって固める事が出来るのである。現在なお色々の不満がある。これらを一度に取る事は大変であり不可能に近いことであろうか。しかし。又不可能に近いからとあきらめるのはいけない事である。一度にとれなければ何回、何十回、何百回でも交渉する事が必要である。これ迄は組合はどうやら順調に来たが今後二重、三重の壁につき当る事だろう。その時にどの様にすれば道は切り開いて行ける事だろう。

　その解決法として私は組合員全員と話す事が必要であると思う。又組合員一人一人の意見をよく聞いてみる事も必要であろう。この様な事が今後組合を発展させる為に必要であろう。

　日本人は何事にも責任者が出るとその人に仕事を全部させるという傾向にある。

　組合にもそれが当てはまることであろう。組合役員のみに仕事をまかして普通組合員は遊んでいるという状態である。この様な事ではだめだ全組合員が一緒になって仕事してこそ、その組合は固り団結するのである。

三　川口工場の歴史

　まず僕達の工場の地勢からはじめよう。

　川口といえば誰しもが鋳物を想像するように、鋳物だけが取柄の市である。


　この町もこの数年の間にひどくさびれた。

　中央の曲折した一本道の両わきには大小数いくつもの鋳物工場が目につく、煙をあげているのが全体の三割位、この様な工場に囲まれている僕達の工場も周囲におとらずオンボロだ。

　従業員二十名、平均年令二十八歳、平均扶養家族一・八・平均ベース八千円、大半が自転車通い。若い二十歳前後の人は七名が入寮している。寮の一室が事務所、川口工場は支工場の故か工場長、職長が各一名いて神田本社より一週二回〜三回専務が見廻る。

　仕事はのんびりとして田舎らしい。この中で僕たちは何も文句を言わずあやつり人形の状態にあった。全てを忍従忠義だ。黙々とときには愛想笑いの一つもいって夜遅くまでやれば十円位あがる事もあるがそれも稀くまれで、僕達の不平不満は只ぼやくだけにしかすぎない。

　十一月の中旬頃新たに「就業規則」が一方的に押し付けられた。内容は

懲罰制度（規定）とは

　昨年十一月中旬会社が一方的に決めた諸手当支給規定という内容は十一項目からなるもので、従業員をまるで奴隷の如く使用しようとしているもので、組合結成はこの規定の発表で急速に進んだ。次に規定の数項目を書いてみる。
一、いかなる理由があっても欠勤する時には電話及び書面をもって郵便又は速達便で届出ること。
二、無届欠勤をするとその月を加えていかなる事情があっても昇給しない。又賃金の前貸はだめである。
三、三日以上無届欠勤したものは希望退職者とす。
四、遅刻、早退の時間は一ヵ月を通じて合計し、その月の時間外勤勤時間から引く。
五、一ヵ月を通じて遅刻・早退八回以上の者は、其の月を加えて如何なる事があっても昇給しない。
六、遅刻早退五回以上すると皆勤手当が一日分とぶ。又無届欠勤すると（一日でも）皆勤手当が出ない。
七、一日以上無届欠勤したもの五日以上欠勤すると交通費は支給しない
◎六の中の遅刻早退合計時間二時間以上
　八十二回以上遅刻早退してその合計時間が四時間以内のものは皆勤手当は支給しない。

◉六と八の中の合計時間というのは一回でも四時間以上になれば皆勤手当は全然支給しない。二時間→四時間までなら一日分支給する。

等々我々を奴隷化する気だ。皆顔を上げない。専務が去ると口々にぼとうし、真赤になって怒るがこれは絶対と云っても良い位外に爆発しない「畜生、やりやがったな」「面白くねえ一杯のむんだ」せめて酒の力でも借りて工場の部分を破壊し、うっぷんを晴らしている。気は日々に荒んで行く、もう十二月、仕事をしても金のことで一杯だ。何のあてもない正月はすぐ目の前にある。「子供に着物の一枚も着せてやりたい」「女房にゃ下駄の一足も」と、ぼやく声が入る。借金したくも貸す人もない。仕事など手につかない。いつか

組合の話になった。「あったらいいなあ」これが僕達の第一声。「つくろうか？」「駄目駄目、クビがチョンさ」あちこち皆同じだ。

　組合結成の動きは今度がはじめてじゃない。過去三、四回あった。いずれも失敗、近くで昨年の暮（二十八年）川口工場単独で動き、交渉に持込む段取にまで進んだが、工場閉鎖をほのめかすと準備もなく団結に欠け一瞬にして崩れ去った。

　「今度の場合も昨年の二の舞をするんじゃないか」これが現在共通した問題、失業はマッピラ、容易に組合結成の口を切らない。が今のままぢゃどうにもならん、「神田もやりゃなあ」こんな声もある。

　「うん川口だけぢゃなあ」誰しもが多く言わなくとも胸の内は互に知りぬいているようだ。

　「万全を期してやりたい」こうも想像出来ると思うがやはりその場限りだ。こんな空気の中で永らく欠勤していた旋盤のAさんが首になった。

　結核でやせ劣えるまで幽霊さながらの姿で視界から消えて行った。皆窓越しに見つめている。苦しそうな「セキ」も耳の底にこびりついている。

　気味の悪いものを見た「俺ぢゃなくてよかった」いつ病魔が来るか、貯えもない自分だったことを思うとぞっとする。

　餓死、親子心中が日常茶飯事になっている昨今、みじめな生活にも現実を追うだけに生きがいを見つけている。俺達はなぜ苦しいんだろう。映画、パチンコ、ストリップ、これらの話も終りには生活苦に落着く去年の暮のようだ。十中八九迄何とか神田へ連絡しよう。

　神田・川口間は遠く離れて不便で、双方に全然面識もなく、したがって川口工場へ機械の応援に出張していた。僕は日常の虚無感からも脱けでたく、代々木の日ソ学院にロシャ語を学習していた。神田からも同年のA君が来ていた。ここで双方の職場の動きを話し合ったり、具体的に労働組合の実体を研究した。

　東京証券のように読書サークルから始める案もあったが、小人数の工場では逆に警戒されるし、又自信がなかった。双方の動きは絶対に信頼のおける人に少しづつ話していったが、遠くの出来事のように具体化されなかった。二九年の終りも近づき、焦燥のときに神田工場の近くの五十嵐牛乳店に組合結成の動きがあった。わずか七人で賃上げと待遇改善の要求をとんとん拍子に運んだときには、これならおれたちにもできると思った。皆でガッチリ組んだら如何なる専務であろうと手がでまいと。この事実を職場の人たちに話したら、年輩の人など「ふうむ」と感心していた。

　七人であれだけのことができたので、おれたちは両方で五十人からいるから、できるんじゃないかと歩み寄ってきたが、専務を五十嵐のおやぢと一緒にすることは危険だということになってしまった。牛乳店の組合結成一週間後に神田工場の人と訪れたが、不思議なことに「お得意さんのこともあるしあまりうろつかないでくれ」と全く納得がいかなかった。「畜生ッ、労働組合なんてクソくらえ」だと思った。ほかに労働組合が何処にあるか、また、適当な人も知らず途方にくれた。牛乳店の前に共産党中部地区委員会があった。どうしようかと迷っていた。僕たちは共産党なら知っているかも知れないと、おそるおそるドアを開いた。共産党はおそろしいも

9

のという先入感があったが思ったより親切に教えてくれた。教えられたというよりも、ようやく普段の自分になれた。今まで労働組合を難しく考えていたが、お互いにガッチリと肩を組めばよい、と組合結成の気運も高めて行った。要求も当初互に不平不満を出し不用な助平根性をいましめあった。

　例えば年末手当最低三〇日分を四〇日、五〇日と（日給制）限りなく、現在必要な額三〇日分を最後迄闘う事に落ついた。若い人ばかりで非常に不安だった。

　さあ！　これから行動だ。

　一人でも多くの仲間を集める事だ。僕達は労働問題に関して全然知識がない。雑誌・新聞紙上に近江絹糸・東京証券・日鋼室蘭の各争議の状況しか知らない。僕達は互に出来る限りの力を結集し全身で当る事に決めた。

　仲間は着々と序々に集って来た。僅かな時間を利用し、極く自然に話しかけ、会社側にもれる事を警戒しながら連絡をとった。

　始めに大きな事を云っていた人も気運が感じられてくると尻込みなるべく人の陰になるような仕草もこの場合怒れない。再度両方より集り検討し、決行日を明十一日に決めたこの日は午後八時より十二時に至るも議論で果しなかった。「団結」「統一」を実際に自分達にあてはめるのに、宙に浮いたような団結・団結と云ったり、とにかく身近かな例からとりあげていった。

　いよいよ決行日、職場の人に神田の状況を伝えた。前もって打ち合わせてあるので割に冷静だった。遂に来るべきものが来たとの感が多分にあった。だが一部の人には寝耳に水だった。決心がすぐにはつかずうろうろしていた。これ等の人は専務の肉身関係だったり義理人情に縛られ洩れるおそれがあったので後まわしにした。

　九時を廻るのに未だ決行を渋っている一人一人であった。

　「やろう」「よしきた」元気な声に「ううむ」「大丈夫かな」の消極派、チャンスは二度と来ない。十時より職場大会予定を伝えて歩く一つの声は火の塊だ。五、六人で工場長に時間をくれるよう交渉、三分ほどもたっている間にモータのスイッチを切る。不安なまなざしをむけていた数人もこれに決心がついた「神田では、正午を合図に団交に入る。そして川口の支援を待つ」と、川口でも具体的に要求をまとめた。ここは先に二人三人と当った要求を土台にした。

　年末手当、三〇日分。

　賃金五割引上げ。

　定期昇給を行え。

　退職金制度の確立。

が経済要求で、この外に徴罰制度の廃止、設備の改良等数多くが出て来た。恐がっていた人も気持を引立てると話し出す。要求書には全員が署名した。（これは組合員になる事を意味しなかった。義理人情や縁故はともかく自分の意志により署名した）

　次にどのようにして交渉するかが問題だ。名案浮かばず「とにかく神田へ行かず」一人が云う後は異句同音「神田へ行けゃ。何とかなる」「多勢ならクビにゃなるめえ」各自叫けび声をあげ手洗場に走って行く。工場長に全員早退を断ると、驚くまい事か夢中で電話にとりついた。本社へ緊急処置を問い合せているようだ。「電車賃

10

おねえや」「かめえねえ自転車で行かず」と寒い道を走って行く。自転車でも一時間位はかかるだろう。

後に残ったものも電車で一路本社へ！

時間は十二時を少し廻った。神田工場は現場には一人もいず食堂で大会を開いている真最中、何か物足りないようだった。川口は行動で怒りを爆発したのに対し生まぬるいようだ。

全N従業員が集った。専務が来るとテーブルの前の若い連中が二三人一度に口を切った。

「五割賃上絶対駄目だ」「何故だ」「現状では一銭も上げる事は出来ない。」数回応答が交わされたが、らちが明かず、先に進み年末手当、定期昇給、退職金制等の経済要求は万事「否」だ。この外徴罰制度の廃止もけられた。「俺達や伊達や酔狂にやってるんぢゃねえもうこれ以上我慢出来ねえんだ」「おやじさん、あんたは人を使うのが下手くそだ、餌を与えずに人を釣ろうったってそう簡単にゃ行きませんぜ」と威勢のいいことをいう若い人ばかり、それも極く一部、後は下を向いてだまっている。やはり無理だったろうかと一瞬頭をかすめた。専務は立上った「じゃこれで」と途端に「つるしあげろ」「逃げるか」「逃すなあ」とけんけんごうごう。

人垣で出口をふさいだ。驚いた専務青くなったり赤くなったりまるで七面鳥だ、興奮して手がぶるぶるふるえている「そんなNぢゃないぞー！、逃げるなんって見そこなうな」と拳をふり上げ、やりばに困って自分の額をごつんと殴った。

全く奇妙な場面だ。写真にでもとっておけばよかった。

結局今日一日事務所を出ない、交渉には何回でも応ずる事を約束させた。すぐに皆の意見を聞き結論が出ないまま二回目の団交。

相変らずゆずらず収獲は組合を認めた事だ。予想外に簡単にいれた。すぐに組合役員の選出を行った。神田四名、川口三名投票の結果神田は以外に若手が多く、川口は逆に年輩の人ばかり、熱と氷うまく調和されると偉大な力が発揮されるだろう。

この七名を中心に第三回目、

時間は午後七時頃、全然譲歩しなかった専務もこの頃からやや軟化、各要求も駄目の一点ばりから、漸く「考えさせてくれ」に変った。

地域の労働組合が続々と応援に来てくれた。勇気づけられるかと思ったが、結果は反対皆黙りこくってしまった。元々他の工場等交際は全然無く進歩的な人には意味のない劣等感をいだいたり過激な言葉からは「あれはアカだと」大部分の人は思っていたようだ。僕達若い連中もここまで来てどう切り開くか判断がつかず迷っていた。外部の人は盛んに専務に対して質問を浴せている。三回目を打ち切り、これは僕達の要求だ、そうだ僕たちでやろう。外部の人には一応出て頂いた。四回目、

さすがに双方に疲れが見える。一ふんばり。後一押し、遂に専務は年末手当は十六日、賃上げは一月十日にそれぞれ回答延期を申込んで来た。突ぱねて即答を迫ったが容れられず又協議し十三日で押したが手応えなし、万策つき延期をのんだ。

記念すべき日にこれだけの成果、成功といえるだろうか。専務が十六日をねらったのは何か策略ありとにらみ、種々検討した。

現在川口工場に製作中の製袋機がクローズアップされた。納期が

同じく十六日、一台四百万円といわれる。これを出して工場閉鎖をねらう事が予想される。

当面の問題は十六日迄には大分日がある。明日よりサボタージュ製袋機は八分仕上りだ。後は故意に遅らせる。朝より同じ部品を何辺となく動かし、くりかえしていた動作はのろのろとまるで牛のように一部の者はビラ作りやのりを加工に工場をぬけ寮に入った。古新聞に墨汁で力強く各々「要求完徹」「賃金五割引上げ」「年末手当三〇日分よこせ」「専務は投資社員は減死」等紙一杯に書いている。

工場では漸く立つと工場長はあわて出した「やるんならもっと合法にやれ」と呶鳴っている。皆にやにやしながら帰って来た。

業をにやした工場長、職長が機械に着手した。尤も二人じゃ出来やしない。半日が長く感じられた昼休み帰りにと、ビラ作り、ビラ貼りに熱心だ。工場のあらゆる所、塀や窓、屋根にまで余す所なく貼った我々の要求はこうして勤労者や市民の皆さんの目に止った。

特に人通りの多い所など遠く迄足をのばし夜遅く迄手が冷たく凍りそうだ。

最初のうちこそ未だ平気だったが三日、四日と経つと心が疲れる。手を動かしながら能率の低下、割にむずかしい。旋盤の方でも順序を変え、途中ではずしたりして万事順調に運んでいたが、あくびはかくせない。仕上（組立）の方は工場内の掃除や窓、屋根の修理屋に早変り、こっちの方が面白そうだ。どうやらこうやらご回答日迄持ちこした。みんな「ほっと」した表情だが安心はまだ早い。

午後四時より委員の人達で交渉、組合員は機械を止め結果いかんと待っている（この時の団交にしたらと思った人が大分いた）状況の連絡が来るが思わしくない。何回だったか多分七時頃だと思う。ようやく「二十日分の案が来た」大会を開いたが断然けった。絶対に三十日で押した。会社側もなかなか折れない。待っている方も不安になって来た。専務は「これが最後の線だ」と目に涙を浮べている。口惜し涙か不覚だったのか、この辺りまれに見る演技者だ、ブルーリボン賞候補だろう。

この涙に？　組合側も折れ全員に図る。年輩の人は二十日分で良いと出たが若い連中は納得出来なかった。賛否をとると二十日案が多い。二十日分をのむ前に更にもう一度二十五日分をたたいたが駄目だった。第一回目の経済闘争は二十日分、今迄正月や盆には給料の二日分しかくれなかった事を思うとさすがに嬉しそうだ。

「俺りゃ、おやじの事だ十日も出したら良い方だと思っていた」「おめえはいくらだ」がこれを物語っている。

みんなで何でもない。これが僕達が実際に体験した偽らぬ気持だった。

ここより神田本社の方に話が変る（出張が終った。）

年末闘争に続く問題に早急に規約の作成だ。一日もはやく正式に労働組合を認めてもらわなければ、神田・川口の連絡は離れている故になかなか不便だ。電話だけで話が出来ない。若い人は積極的に動き、欠勤までして努力した。ここで一番困るのは、金以外に関心を示してくれず規約の草稿を読みあげるにも居眠りしたり、馬耳東風とばかりおしゃべりが絶えず、如何にしたら皆に理解してもらえるかと……………………………

正月は例年より楽しく迎えた事でしょう。

息つく暇もなく一月十日賃金五割値上げ要求に対する回答がある。新年早々で意気あがらず、専務もつまらない時期をえらんだものだ。先般の回答では「考慮する」だけで余り期待は抱けないが結果がゼロと逃げない事を確約してあるが、それだけが望みの綱だ。大会の要求通り五割の賃上を迫った。これも昼より委員だけで折渉、やはり予想に変わらず「現状の生産では一割も出せない」と正月で気が緩んでいる折柄、強く出ることが不可能だ。しからばと三割を押したが「全然上げる事が出来ない。その代り報償金制度なら出そう」ときた。これには驚いた。多分二割は出るだろうと想像していたからだ。組合の方としては、会社経理の面をタッチする事が出来ない。どこ迄が真実か見当がつかない。一切が極秘になっているので、又組合結成当時より整理したようでやはり先に情報はとるべきだと思った。こうなったら体当り戦法「報償金制度と同時に何割か上げよ」との苦肉の策、何ら効めがなく結果とらざるを得なくなった。これは何んでも資本家の常習の手だという。全く薄気味が悪い。労働強化によって生産をあげ、それで気をそらすつもりだ。考えただけで腹が立つ。「実力行使で対抗しよう」と誰かが云う、一笑されるだけだ「クビになるぞ」未だこの言葉が根強く残っている。それだけにまだまだ団結にかけている。

大会における一人の発言が大きい役割を果すが口にチャックをかけたように黙っているのも大分いる。三十数名の小工場なので一人一人の態度はこの目この耳で全ての動きがわかる。このようなところがやり難く又やり易くなったりする。

専務より報償金制度に入る前に、何故三割位も出せないかの説明が数字をもって示された。

細かい計算にも聞いていない数字がわからないし、専務の言葉にも信用がおけないからだ。報償金も具体的にいうと一年を上下の二半期に分け昨年より生産があがったら生産高に比例して一割前後しかならない。

専務も大した腕だ、二、三日話し合ったが依然として、譲らず向うもこっちの方の平を読んでぐいぐい押して来る。押し返すことが出来ない。口惜しい事だが一歩後退した。賃上げも報償金に変えられ、なす所なし、結成当時の勢いは全然見当らず根本からやり直す必要性がある。どこにもありがちな結成後又は要求獲得後必然的におそう虚脱感ばかりとは云えない。組合活動も執行委員に一切をまかせ後は知らぬ顔とは大いに反省された。こんな空気の中では委員の人も焦り、感情にもつれる。心ある組合員は前途に憂いを抱くが具体的に策が出て来ない。これじゃ駄目だ、何の為の組合か。一人一人の夢が実現されたのに、もっと皆でガッチリと腕を組み肩を抱き合ってこそ、更に一つの夢が実現されるのだ。若い仲間達は大半が一つに結ばれている。

これに年配の人が加わると一段と力が強くなるのは単に組合も大事だが、家の方はまだ大事だとばかり片付けられない。組合の中にあらゆるものをたたき込んでこれを実践したらと思う。僕達は今、歌をうたっている。明るく、そして建設的な労働歌を。組合の事で頭をなやます事もない。互に一つ一つ心が結び合い何事も忘れ去ってくれる。頽廃的な流行歌より我々の歌、自分達が作った愛すべき歌へと——仕事をしながら騒音を破って歌うことが出来る。知らな

13

い歌でも歌っていると隣りの人達が覚えてしまう。

結成直後近所にある社に教えて頂いた。三〇人のうち約半数が参加した。

真黒によごれた作業服で昼休みの一ときも、空までひびけとばかり合唱した。参加する顔ぶれはいつも同じ、これじゃ駄目だと広く呼びかけたが年配の人達は「おかしくって」といった態度ともとれる。年配向きの歌は余りない、替え歌でも節だけしか覚えない。何とか年配の人にも面白くたのしく歌える工夫はないものか、若い人の不参加は「R社は赤だ。あんな人とつき合うものか」と。僕達の欲しいのは歌と仲間達の友情だ。思想は自由だ、交際迄思想に縛られるとは哀しい事だと思う。

僕達は労働組合員として、又働く者の一員として一層の「きずな」を築きたい。自分の心のうちにも平和が欲しいと、それなのに同じ労働者でありながら労働歌を拒否する気持は理解出来ない。」「いいよ、歌は無理に押し付けられるものじゃない。歌声が高まると、参加はしなくも心のうちにはとけ込んでくるものだ」と。そうだ「確かにその通りだ！」

僕は途端に腹の底から力があふれるような気がした。いまでも、否いつまでも肝にめいじておこう。

教育会館の労働者の集い。体育館の世界民青観送会にも多くの人を送り出し成果をあげた。

集会には最初不安だった人も、会場で多くの仲間に接するうちにみんな俺達と同じだと勇気づけられた。この次はメーデーに、七月の民青大会に万全を期している。組合活動は低調だ。だが歌によってこれを支えよう。この間も「世界の青春」を覚えた。今度は僕達の工場の歌を企画している。

結成以来、委員や活動の活発な人に対して手をかえ品をかえて圧迫してくる。給料の前借が拒否され、抱き込み策を図ったり、家族を通じて組合からしりぞかさせたり私生活までつけ廻す。嫌がらせとはいいあまりにも露骨だ。組合と家庭との両立がならず又仕事の上からの迫害、各自の組合に対する自覚が阻まれたり、組合結成以後親子夫婦の間で口論が絶えないなど、一つの壁を破ると又次に又と神経がまいってしまう。一に組合のあり方を認識しなくも、根気よく勝利の日が確信出来るように進んで行きたいと思う。

〝N労組の歴史〟を読み合う会員（国鉄労組新橋支部にて）

14

う。

四　あとがき

——職人の歴史をさぐるために——

不十分ですが、私たちの労組の歴史ができました。十二月に組合をつくってから、今までまる二ヶ月ですが、私たちの力も強くなり始めています。たとえば、親父は、もはや、勝手なことができなくなってきているし、映画サークルなどもできました。歌ごえの運動も近くの労働者の人々と一緒に、やれるようにまでなってきました。

去年までは、メーデーも、一〜二名ぐらいの人がこっそり行っていたのですが、今年は、組合でメーデーにさんかしようと計画しています。

けれども、組合をもっと強くしてゆくのに、どうしても工合のわるいことが一つあります。それは、労働者の中に根強くひそんでいる職人気質という奴です。職人気質の人は、大ていく自分の主張や考え方を変えようとしません。

だから、組合の行き方についても、若い人たちの考えを無視してしまう場合がよくあるのです。

組合運動をすすめる場合に大切なことは、話し合いなのですが、職人気質の人は、ときどきけんかごしになって、手がつけられないようになりがちです。

私たちは、よくはっているかもしれませんがどうしてこのようなガンコな、視野のせまい職人気質が生れてきたのか、そいつを、これからさぐってみたいと考えています。職人気質の人を労働者の気持をもった人にかえてゆくためには、職人気質がどうしてその人々の中に、生れてきたかを知らねばならないのです。

けれども、私たちは、どうしたらよいのかどのように、さぐってゆけばよいのかさっぱりわかりません。

今回の労働者や学者や学生の皆さん方によい経験や方法があれば教えて下さいませんかお願いします。（N労組従業員）

この「歴史」は、N製作所従業員数名のほか新井博、竹村民郎、永井修、永井哲郎、長谷川加代（アイウエオ順）が協力してでき上ったものである。

15

特急さくらが走るまで
—客車区に働く人たち—

国鉄職場の歴史をつくる会グループ

「関東・関東といってもいささか広ろう御座んす。」というヤクザのセリフがあるが、一概に国鉄といっても鉄路は全国に拡がり、それこそ様々の職場がある。

急行銀河の車外清掃

鉄道といえば一般の人がすぐ想い浮べるのは白い手袋をはめ、あごひもをかけた機関士か、金筋のはいった帽子をかぶっている駅長か、駅員のことだろう。だが直接お客に接している人達よりも陰で縁の下の力持をしている人達の方がはるかに多い。

品川客車区に働らく九百人の労働者もその縁の下の力持の役目をしている。

東海道線や九州方面からくる列車が東京に到着すると、引込線を通ってこの職場に来て、検査・修繕・掃除をするのだが、車の内や外を掃除しているのが私達である。

公共企業体というわくの中に吾々を押しこめて、その名によって奉仕のみを押しつけて、サービスだけを強要し、列車の本数が増えても人員を増すどころか、人員や資材の減少によって労働強化を押しつけ、満足に働けない様な状態にしている。その為車輌の事故がますます多くなって来ている。

この職場だけで国鉄全体をみることは出来ないが、このようなことは国鉄全体、いや強いていえば全産業の労働者の共通の問題と思う。

16

今年も春の旅行シーズンが来て、三月十九日から、特急「さくら」と何本もの団体臨時列車が増えた。

はじめ当局は「さくら」が増えたのに対し増員は一人もしないと云って来た。吾々に仕事だけを押しつけて、現在の人員でやれというのだ。

「さくら」が増えるということが解ると皆の間に人員要求が問題になりはじめた。

A君など「人もよこさないで仕事が出来るか人員要求しよう。今まで人員要求すれば臨時雇が来た。そういう人はすぐ首を切られてしまう。一時的に頭数をそろえてもだめだ。職員をとろう。」といっていた。ある組では五、六人車の中にあつまって話をしたら、「人員要求だけでは皆が一緒に闘えないから、増務給も要求しよう。」と今までこういう問題に対して口をきかなかった人まで話し出した。「そうだ各組で代表を出して区長に要求しよう。」ということになり、代表の人達がすぐ分会に行って相談した。

分会でもこの問題をとり上げていた。分会ではすぐ区長に要求を出した。区長も現在の労働強化を認めないわけには行かず、「局に行って人員要求する。」といって局に行き、六人よこすと云ってきた。

これに対して各組で別々に常会を開いて皆で話し合った。

「六人位もらって『さくら』が出来るもんか」

「公休を入れれば毎日五人位じゃないか。」

「臨時雇が突然きたってすぐ仕事が出来るわけじゃあないし、その分俺達に重荷がかかってくるのだ。」

という声が次々に出た。この話の中で「今までの闘いはABC共通の問題でも別々に行動して、其の間を連絡員だけでつないでいた。だからA・C組で同じ行動をとっても弱いB組などは一緒に闘えなくって、どうしても強い力とならなかった。」という意見や、「各組ばらばらの闘いではだめだ。皆が一緒になって闘える要求を出そう、今度の『さくら』の問題でも人員要求や増務給の問題なら皆が一緒に闘える。」このような話合いのなかでそれらは五つの要求にまとまった。

一、人員をもっと増やせ!!

二、臨時雇ではなく職員にしろ!!

三、全員に一時間以上の増務給をつけろ!!

四、機械洗条をやれ

五、臨時雇の者が休んだ時は補充しろ!!

急行銀河の車中清掃

何故このように皆が早急に結集したかといえば生活が苦しいからだ。実際Yさんは徹夜をおえて家にかえってか

ら、内職に靴みがきをやっている。昨年まではYさんの給料と妻君の内職でなんとか生活してきたが、今年二人の子供が中学校と小学校にあがるため今迄の生活費ではやっていけず、疲れた体を無理して靴みがきをやっているのだ。

農家から来ている人も多く、そういう人たちは家にかえって畑仕事をしている。ある人は野菜を作り、それを市場に出して生活費のたしにしている。暑い日など畑仕事をやっていて、目の回る時があると云っていた。

又遠距離からかよっている人も多い。群馬から来ているHさんは「私だってすき好んで遠くからかよっているのではない。東京に住みたいが、私の給料では生活が出来ないので女房と共かせぎをしている。」といっている。この人など妻君が群馬の会社につとめているので、東京に出ることによって妻君は会社をやめなければならない。又共かせぎをやっているため子供を近所にあずけているが、その費用も相当かかっている。これ等のことから遠い群馬から何時間も列車に揺られ乍らかよっているのである。

多数の人達がこのような苦しい生活をしているのだから「増務給をよこせ!」という要求はたちまち皆のものになったのだ。

それから数日後現場に担当助役を呼んで交渉する事になった。その朝非番のA組では机に腰掛けたり、立ったままでコッペパンをかじり乍ら助役が出て来るのを待構えていて、要求をつきつけた。

「六人では無理なことは認めますが、私の考えだけでは何んとも云えないから区長にはなします。私も努力します。」回答は只これだけだった。しかし、彼らが不誠意だというよりも、助役のような末端職制ではこの位しかいえないというのが実状なのだ。

この日確認したことは、

一、六人位来ても無理であることは認める。

二、人員や増務給のとれるように努力する。

三、人員が少ないのであるから、此のために掃除が行きとどかなくなっても仕方がない。月曜日に局との折衝の内容などを知っている庶務助役が来てはっきり回答する。

この集りの中である人など「もすこしやれば取れるな。」とかげで話していた。

其の後数回交渉したが、結果は前と少しも変らなかった。それどころか庶務助役などは、「六人でさくらを持つと考えるから無理と思えるので皆で、やるのだから……」「仕事をおとされては……「予算がないと局でいうので……」と吾々を全く馬鹿にしたようなことを云っていた。何時も元気なS君は突然「此の間の回答はどうしたんだ。あの時より進んでいないではないか」A君も顔を真赤にして「予算がなかったら、列車を動かすな。」とどなった。「そうだ、そうだ。」と皆もそれに応じた。

庶務助役はまごまごしながら「局へ交渉に行っても私達の声が人事課位まではいくのですが、其の上に行くといつのまにか消えてしまって、上までとどかないんです。私だって労働者だから皆の気持はわかります。私も出来るだけやります。」とこんなことを云った。

此の様な闘いを二度三度やって行った結果、全員に三十分の増務給をつけさせることに成功した。これは吾々の要求とは大分かけはなれているが、皆は困難な闘いに打勝つ勇気を持った。

この様に労働者を苦しめている合理化に反対する闘いが、区長や助役達までも上に目を向けるようにさせた。とかく分裂策動してるとうわさのあった人も一緒に闘うようになった。だがこれらの人達は私達の力が弱ければ彼等の手先となってしまう。そうしないためには吾々の力を今以上に強くしなければならない。

若し吾々が黙々として彼等の合理化政策の前に屈するなら、彼等はもっとひどい仕事量を押しつけてくる。最後に吾々は彼等の合理化をぼくろうし、一層の団結を固めて闘う以外にないということを身にしみて知ったことをつけくわえておく。

以上、職場の歴史国鉄グループで討議し岡島宮沢（品客）が書いた。討議に参加した人々は、杉田・堀越（品客）吉岡・佐藤・池袖（東大）関岡（都立大）である。

〝客車区に働らく人たち〟を読んで

「昔なつかし〝さくら〟が春の東海道を走る。」という新聞記事をみて、ああそうかと読みとばすか、まあけっこうなことだぐらいにしか考えないのが実状です。

しかし、汽車が一本ふえるために、どれだけ労働者が労働を強化されるかということが、この国鉄労働者のしっかりした文章のなかにでていますし、みんなの要求を中心にして立ちあがっていく労働者のすがたに教えられるところがおおくあります。

ただもうすこし教えていただきたいのは、身近なけいけんだけでなく、もっと広いはんいで、〝さくら〟が走るについてどんな問題があるのか、その社会的意義や、国鉄労働者はそれをどう評価するのかといったことなどです。

わたくしたち自然科学者も「勉強したい、研究したい。」という身近な要求をだし、みんなの力で、悪い条件をかえようと努力しています。悪い条件をかえ、要求を実現する際につきあたるカベのうちもっとも大きなカベは、一見近代的にみえる教室や研究室の封建的しくみです。

これは、労働者がぶつかっている職階制ともつながっているもので、もっとも本質的なものだといえるのではないでしょうか。

いわゆる〝国鉄家族主義〟といわれていますが、このなかにかくされている封建的しくみが、どう労働者を支配しているのか、またこれにたいしてどうたたかっているのか、もっと具体的に教えていただきたいと思います。

また、この文章が、大へんすなおであることにおどろかされました。これをかいた労働者にきいたところ、三回もかきなおしたとのことで、日頃文章をかきつけていない労働者のこの努力にたいして、わかりやすい文章をかこうというわれわれの態度がまだまだなまぬるいものであることが痛感されました。

さいごに、職場の歴史をつくる運動が成功することをいのります。

（地団研一会員）

日鋼室蘭青行隊の歴史

―― H町機動隊を中心にして ――

一

H町の青年行動隊の結成大会は、主婦をみんな招待して、ひらかれた。

スローガン

大衆に愛される青行隊たれ。

青年行動隊はたたかいの前衛たれ。

恋人よ、我につづけ。

このとき、青年行動隊の任務と組織がきめられた。

社宅の切崩し防衛に、六〇名がえらばれ、もっとも体の弱い者と年少者は、文化工作隊となった。他に青年行動隊の中核としてアトンにおられない覚悟をきめた、つぶよりの三〇名が、機動隊及び連絡員となった。機動隊員の条件は、もっとくわしく説明すると、

1、合宿生活をすること。

2、食事は塩をなめる位であること。

3、体力的に自信のあるもの。

このようにして、あの百九十数日を、英雄的にたたかいぬいたH町の青年行動隊が、主婦たちの要望をになって、生れてきたのである。

隊長はいった。「行動にうつってから、三日間は何もないだろう。なぜなら、三日間、われわれが社宅の人びとのために一生懸命に奉仕すれば、社宅の主婦たちは、青行隊をころすなといって、かならずカンパを持ってくるにちがいない。苦しい生活をしている主婦たちが、食糧をわれわれにカンパするようになるまでに、信頼をかち得ることこそわれわれのまずなさなければならないことである。何度もいうが、このことはおれたち三〇名の行動にかかっている。それでもいいか？」

「当り前だ。」とみんなは

「機動隊こそ共産党だと、いわれるかもわからない。それでもいいか？」

このようなはげしい討論の後、隊長は頬をあかくした若い隊員たちを、草原につれて行った。機動隊の人たちは、これを草原の会合とよんでいる。この草原の会合で、機動隊員の考えを統一したのだ。

「お前らは好きな女がいるか？」と隊長はきいた。

「いない。」

「ふられた。」などの声があがった
「お前たちが女にもてないということは、かならずお前たちに欠陥があるからだ。女のいやがる欠陥があるはずだ。それを君たちは自覚したことがあるか？」

と隊長はみんなにきいた。

一同は「わからない。」とちょっとの間だまりこんだ。

「ふられた。生意気だ。あの野郎、お高くとまっている。このように女を攻げきして、自分の非をさとらないだろう。そういう考えが残っている間は、隊員としての資格がないんだ。かがやく機動隊の隊員としての資格を得るためには、今からその欠陥をさとれ。それが出来た時こそ、勝利をかち得ることが出来、そうして前進出来るだろう。」

機動隊員の考えの統一は、このような俗っぽい、しかし、ぴったりと生活にむすびついた真理を通して、進められて行った。

「われわれには金がなかった。低賃金では、我々がキレイな服装をすることは出来ない。どうしたら、映画でも見ることができる文化的で明るい生活が営まれるか？ どうすればいいのか？ 今のままでいいのか？ 闘争だ。どうしてたたかったらよいか？ どうしたら勝てるか？」

なお二時間あまりの討論の末、俺たちは合宿しなければならないということが、みんなの気持となってきた。

「もし、俺たちのおやじが、めざましくたたかってくれたら、こんなたたかいをしなくてすんだろう。しかし、俺たちはやらねばならない。なぜなら、俺たちのあとにつづく子供たちに、二度とこんなことをさせたくないからだ。」

この隊長の気持は、みんなの気持ともなって行った。

さしあたってやらなければならないこととして、まず、会社側のフラク会議の様子、そのメンバーをつかむこと。そのためには、これから毎日のように命がけの仕事を、やらなければならないとみんな腹にきめた。

隊長はいった。

「もしわれわれの行動が、おもてだったとしても、おそらく、苦しい、つらい行動のわりには、だれだれさんという高名や、大衆からの讃美はないだろう。ほんとうの英雄であって、名のない隊員で通さなくてはならないのだ。これからさき、つらいだろう。俺自身不安な位だ。それでもやらなかったなら、だれがやってくれる。青年だけがやれるのだ。だから、たたかいがどんなかたちで終ったとしてもこうすればまだまだ勝利に終ったろうにと、俺たちにくゆる心があっては無意味だろう。だから、くいのない闘争をしよう。全国の労働者や、ジャーナリストや、学者たちは、この俺たちの活動を注目し、期待するだろう。俺たちこそが、虐げられ、さく取されたる人々の生活を守る前衛なのだ。われわれは、そういう人たちのため

21

に、ベストをつくした時には、喜びがわくだろう。」

隊長は声を強めて、

「今からでもおそくない。つとまらぬ人は手を上げよ。上げたからといって、弱い卑怯な人でもないのだ。自信のない行動は、不安があるから、失敗することが多い。手を上げたからといって、軽蔑をしてはいけない。」

そうして、更に二日間、隊員の考えの統一はつづけられ、強力なメンバー二十九名がそろった。

三

八月四日夜半十一時。

「夕方、指定した場所に、毛布及び洗面具をもってあつまれ。家

赤旗をたてて気勢をあげる日鋼労働者

族には勝利のために、俺たちはたたかうのだから、といって行動内容はもらさないで来い。」

この日は雨ふりだった。

カッパをきた、物々しいかっこうで、続々と隊員たちは集って来た。みんなやって来た。その時隊長は、はじめて、人を信頼することが出来た。

この気持は、みんなの気持でもあった。しかし、支持する人の少い状態で、行動を起そうとするわれわれには、ゆきさきどうなるかというスリル的な恐ろしさや、なやみがあり、それはとても筆やペンではあらわせないものであった。しかも、機動隊全員の所持金が六百二十円、明日の朝たべる米の見通しは、まるでなかった。一同は守衛がぼんやりしているスキをみて、組合本部に入って行った。その時、組合の委員、某氏に発見された。

「お前らは何だ。これから何をしでかすんだ。そういう事を組合に内緒でしようとするヤツは、責任をとらなければならない。」

一しゅん息づまるような雰囲気だった。隊員は、いくら組合役員の某氏といえども、彼が自分たちに、不利な命令を下すなら、断乎として攻撃すると覚悟して、青年行動隊のことを話している隊長のそばからはなれなかった。この団結が強いので、これならこれからやろうとする活動は成功するという確信がわいてきた。

某氏はこたえた。

「内容はわかった。この行動をわたしに話してくれた今は、これからおこる一切の責任は、このわたしがおう。」

一同は、涙が出る程うれしかった。

22

この夜、隊長は一同を休ませようとしたが、隊員は承知しなかった。それで、隊員は五つの分隊に分れ、合言葉や、懐中電燈によっての信号などが、みんなによって作られた。さらに雨の中を、全員が埠頭にいそいだ。

全員、丸はだかになって、岸壁にならんだ。

隊長は「この中で、泳げない人はいるか？」ときいた。

みんな泳げるという答えであった。

隊長は自ら先にとび込み、全員がつづいた。身を切るようなつめたさであった。

二百五十米位の埠頭まで泳ぎ、そして、引きかえした。隊長は常に隊員を数えながら、一同に気をくばって泳いで行った。一番疲れている人を守りながらおよぐ数名の隊員のいるのをみて、こういう人物がいるなら勝てると、隊長は確信した。

俺はこんなに体力があるとばかりに、すばやくおよぎ、あとをもみずに、一番先におよぎついた者は、単なる隊員にすぎない。疲れた隊員は「俺は情ない。もっとおよぎが出来たら立派な隊員の資格があるのに。」と一人ごとのようにいっていたが、これらのひとびとも、また機動隊の組織になくてはならない人々であった。どんな苦しい時も、つらい時にも、体力的にはどちらかといえば弱い人たちが我慢できるのなら、もっと強い隊員は、もっともっとつらいことにも耐えぬくだろう。そんな時期が必ず来るにちがいないと思われた。弱くても精一杯やる人、この人たちもまた、捨てられない人材である。このような弱い人にかけ声をかけながらしんがりに泳ぎついた青年が分隊長に選ばれた。

そのあくる朝、午前三時、隊員たちは、ひそかに組合本部へかえり、ストーブを探して、寒さをしのぎ、ムシロにくるまって、一夜をあかした。だが一人もグチはいわなかった。

朝、隊長は誰よりも早く起きる。そして、食糧をたのみにあるいた。そのあいだ、だれも、腹が空いたといわなかった。隊長は、非常にあせって、いろいろな人を尋ねた。やっと、この人こそは真の指導者であると、日頃から思っている総評のIさんのところに行った。はたしてIさんは、米と五千円をくれた。その日、みんなは、組合に出てくる人たちと、いつもとかわらぬ態度で話した。隊長は古寺に機動隊の宿舎をたのんだ。人目につかぬように、組合の〇〇部長からオート三輪を借りて、荷物の上にムシロをかけ、宿舎である寺に移った。

そして、御前水地区隊であるIさんと副隊長であるOさんとは、三〇名の若者たちの食事の世話をしてくれる主婦の会の同志を紹介してくれた。そろそろ人を信じられるような気がして来た。

この日の午後二時になって、はじめて朝食がとられた。すかさず討議がなされ、室蘭市内のめぼしい料亭に対するピケ要員として、十名が選出された。この十名はとくに感のするどい者たちだった。彼らには、百円の電話料と、交通費が出された。かれらの任務といえば、きまった場所にかならずいることである。この頃、会社側が工場から半製品の積み出しを計画していた。しかも、第二組合の結成によって、工場の再開される空気がただよい、広島工場から人夫が雇われる情報が入っていた。組合側としては、溶鉱炉の設備など

第二組合書記長O氏の車につめより抗議する主婦たち

の情況がしりたかったが、工場のまわりにバリケードがきずかれており、守衛がみまわっているので、それをさぐることは、簡単なものではなかった。だが、犠牲をはらっても、これをさぐって、会社側のデマにまよわされている大衆に、正しく、敵の状態を知らさなければならない。機動隊の任務は特にここに集中された。この任務のため、隊員の中の六名がそれぞれ拓溪埠頭、室蘭埠頭にピケをはった。

このような苦労はまだ、組合の役員たちによって、十分認められなかったので、われわれの行動は、やりずらかった。

三

われわれのつかんだ正しい情報が伝えられ、デマが事実をもってやぶられて行くにつれて、主婦たちは乏しい生活の中から、自発的にオカズ・漬物・味噌などを補給してくれるようになった。予想していたように、私たちの行動に悪口をあびせてきたが、われわれは何も答えないで仕事をつみかさねて、組合の人たちの支持をふやして行った。われわれは敵のありさまをしらせることによって、組合から、一日分の食糧をもらった。

しかし、情報のあまり取れない時には、報酬は少く主食がたらなかった。

機動隊がかりの宿としていた古寺も、敵のたくらみによって、寺の壇家の人々の反対にあい、古寺を追放されるようになった。

三十人の大世帯をかかえて、少々不安であったが、正しいものには、やはり、支持者がいるものである。再び我々は別の古寺に移る

ことになった。板の間に薄べり一枚、ガラス戸は破れ、毛布一枚の有様であった。（北海道の九月は東京の十一月より寒い）屋根は雨がもる。食糧は口に言えない程のまずさ。麦の匂のムッとする握り飯が二つ。食器は弁当箱と湯呑茶碗であった。

　が、隊員の表情は一つも暗さがなかった。

　この頃、青野法規対策部長（のちに第二組合の書記長となる。）は隊長に対して、「行き過ぎはよしたまえ。共産党にせんどうされているのではないか。何も知らない白紙の青行隊がせんどうされてしまうのは、間違いではないのか？」

「機動隊は共産党である。」

　このようなデマが、青行隊自身の中にも流されて来た。

　この頃、機動隊三〇名は、毎日、疲れ果てて帰ってくると、飯を食ったあとは、必ずその日のうちに、自己批判と相互批判とを忘れなかった。時には、明日への行動と希望のために、ギターで「若者よ」を弾き、皆で歌い、眠りについた。皆、死んだように眠った。

　隊長はこの人々のために、明日の飯を探しに夜中に出掛けなければならなかった。全く、この食と金を求める労働を、戦うエネルギーに移したならば、どんなにすばらしい情報や、第二・第三の機動隊が生れたことであろう。しかしこのような努力は無駄ではなかった。そういう苦しさの中から、日本全国の人に日鋼室蘭の闘争を支えるものは、下から自発的に盛り上って出来た、青行隊と主婦の会の力だと言われたような真の組織が出来たのだから。米と金をフンダンにつかって、生み出した組織とはわけが違う。むしろ、そのような組織であったならば、台風が来たらすぐ折れてしまうであろうし、温室育ちの舞台の上だけの花にしかならなかったであろう。だが、踏みつけられても、非難どころか、悪口雑言され、言葉と行動で攻撃されながらも、一晩中、夜露にあたっても、昨日以上の元気さで若者は成長する。機動隊の組織は健全であった。

四

　ところが、このように健康で、あれだけ厳格にテストして選ばれた若者の中にも、スパイがいた。そして、このスパイを探す方法の一つとして考えあぐんだ末、一つの方法を隊長は考えついた。今までは、酒と女、これは絶対につつしんで来た。けれども、今度は逆にこれを利用したのであった。隊長は云った。

「市内で会社側の連中に会って、酒と女を提供すると云ったら、ふんだんに呑んでこい。会社側の連中の方が一枚上なんだ。ミイラ取りがミイラにならぬようにしろ。奴らをだまそうとしないで、だまされた振をして、こちらの組織や行動は一切語らず、聞いてくるんだ。」

　果せるかな一時間後に、一分隊の連中が顔を真赤にしていた。隊長は背広を着て、いつも機動隊がいる所定の連絡場所に行ってみた。一人もいなかった。敵に裏をかかれたのだ。予想をしていたが残念だった。こちらの計画は敵につつ抜けだったのだ。隊長は敵のいそうな料亭を探した。「カフェ犬町ニューブラザー」から同志が、酔眼もうろうとして出てくるではないか。隊長は全く怒ってしまった。しかも、参謀格である片腕と頼んでいた某に向って、日頃絶対自分で禁じている筈の感情を爆発させてしまった。あとから考えて

25

みると、このことは全く不利であった。やさしく順々と説いてやればよかったのだ。隊長は偉そうな事を云っても、指導者としての価値がないことを残念乍ら認めざるを得なかった。その時の様子はこうであった。

「貴様までが、そんな行動を取るとは全く心外だ。どうして俺の言葉の裏がよめないんだ。敵の今日の行動は必ず成功しただろう。」

「今晩は大いに飲もう。敵も味方もない。お互いの感覚の相違を話し合おうと云われたので俺は同志を一人でもふやすためにと思って話した。けれどもやはりしまったという感じがした。」と彼は答えた。

「それでもよい。だが、なぜ連絡員だけ一人を指定の場所におかなかったんだ。お前みずから会の鉄則を破ったではないか。敵は、日ましに巧妙に、かつ強化された組織をもって、細胞をふやしていくではないか。それを阻止するはずの吾々の行動の力が、敵にすっかりはかられてしまうではないか。」

　隊長と某は感情的になり、つかみかからんばかりにしていいあった。しかし、これは隊員のミスでもあり、隊長に全責任があるが、隊長は全員にすぐ引き揚げを命じて、宿舎にかえり、自己批判を三時間有余にわたって行った。我々の中に、スパイ活動者の分子二・三名がいるということをしった時、「酒をのめ。」という指令を出して、二時間位しかたたない間に、大方の隊員がよっぱらっていたということは必ず内通者がいるということだ。

　敵はピケ隊を酒によわして、だらくさせようとし、しかも、フラク会議を安心して開いたにちがいない。

　自己批判の中で先づ第一に、この内通者を発見せねばならない。

　翌朝、三時間にわたるはげしい大衆討議が行われた。

　話し合いの終りに、隊員の中で内職にバンドマンをしているものが、得意のギターをひいて、インターナショナルを歌った。悔心した二人の同志をスクラムに入れた。それで彼等もはっきりした。

　やり方によっては皆味方になれるのだ、ということを悟った。この日ほどたのしい事はなかった。しかしけいかいをゆるめてはならない。隊員の中からいつだらくするものが出るかわからない。

　隊長Ｉは自己批判をして、その時に云った。

「自分の弱さから、組合指導部の人達に、もっと、青行隊の内部の矛盾を理解してもらうようにするべきであったし、争議に応えんに来てくれる人達の中からも、私達に助言してくれる様な指導者をさがすべきであった。三十人がいれば、何でも出来るという思い上りがあったのではないか。同時に、そのことは視野のせまさを示すことにもなった。そして、隊員に多くの苦労をかけたのだった。」と云った。

　この頃から、冷静に闘いに死をかけることが出来る様になったと隊長はもらしていた。更に隊長はこうもいった。

「この時期にも矢張り充分な食糧と、煙草と、風呂に入るだけの金が欲しかったが、その金の出どころはどこにもなかった。それで、幹部たちは組合の役員をおとづれ、心にもないお世辞と同時に、青行隊の直面している状たいを訴え、三時間もねばって、米一斗五升をもらってきたりしたこともあった。」

　この時などは、どうして俺は自分の米でもないのに、こうしてい

26

やがらせを云われながらも、がまんして気げんをとらねばならぬのか、という気持もあった。が、やはり俺たちは組織人だ。いやがらせをいう人自身も恐らく十二分の食物をよこしたい気持で一ぱいだろう。

この人自身にも、人に知れない苦しみがあるのだろう。その苦しみをしっていながら、少しかくれないと、その量の少さをぼやいたり、誠意がないと責めたやり方を、きびしく自己批判したこともあった。」

こうして若ものたちの組織は、幽に耐えてそだっていったが、まだまだ、ひろくものを考える力が足りなかった。

否、しっていながらも、さし迫った問題が山積しているため、つい、人間の感情に負けて、相手の立場を理解出来かねる様な言行をとることが、一日や二日ではなかった。

しかし、ともにお互の苦しさを話し合って、その人の性格をしり合い、長所を認め合うふんいきがだんだんと生れてきた。

組合の指導者たちも、苦しい中から、吾々が、強引に食糧のカンパを迫っても、すなおにくれる様になってきた。

「苦しいだろうが、がんばってくれ。」といってくれる、総評のIさんなどには、ずい分力づけられた。

隊員は、麦のにぎりめしを、つかんでほうばるのが、本当に、たのしかった。

主婦の会の同志も、私逹の健康について、つねに心配してくれるのであった。

五

この頃のある晩、室蘭埠頭にピケをはっていた同志から、懐中電燈の合図があり、埠頭よりランチが日鋼埠頭にむかいつつあることがわかったので、ただちに、探知隊を出動させた。探知隊はいそ船で船を尾行した。機械で走る船と、原始的なロでこぐ船の差は争えない。みすみす逃さねばならぬ。隊員は口惜しがり、動力船の必要を痛感した。埠頭のピケ隊についていえば、何時くるかわからない敵の船を、見張っている辛さは、軍隊にいった人でなければわからないであろう。

機動隊員は御前水地区青行隊本部にいき、ランチがやってくることをつげ、警戒方を要請した。この頃から組合は、海上ピケの重要さに迫られていた。しかし、共闘委員のある者は、吾々が、動力船の必要を、力説するとき、「子供でもあるまいし、なぜそんなに気にするのか。」といっていた。

共闘委員に、ランチの借用を拒否されたときの苦しさは、おもわずその人を憎むほどであった。そのため、青行隊員と、共闘との間に、感情の対立もあった。共闘委員長が辞表を提出したこともあった。共闘委員長は「大衆に信頼されない共闘委員だったら、おれはやめなければならないだろう。」といったのである。

この時期は、第二組合結成の動きが、そうとう表面化してきた頃でもあった。この事は、我々にとって、文字通り、昼夜の別なしに、はげしい活動をせねばならぬことを意味した。

隊員のなかには、そろそろ苦しさのあまり、

27

「俺は足をあげて歩いているはずなのに、石につまずいてころんだ。そんなことが、三回も、四回もあるんだ。」ともらすものもいた。

隊員の、体力のおとろえを、自覚しないわけにはいかなかった。いくら闘争中といえども、たおれてしまったら、無意味である。隊員のなかから、交代制を、主張する声もでてきた。

議論は、五時間にわたって、つづけられたが、結論がつかない。「オレたちのやっていることは、共産党と変りないような気がするそしてオレは、共産党といわれるのはいやだ。もし共産党といわれてまでやらねばならぬのなら、みなの戦術についていけないような気がする。」そんな発言もあった。

三名ほど賛成者がでた。組織のためとはいえ、人間性をハク奪するような闘いを、みなに強要する隊長の苦しさは、口ではいえないほどだった。

指導者としての隊長は、このときほど、自分の無学さを痛感せずにはいられなかったのである。理論的に武装された隊長の相談役がほしかった。行動と理論の統一。隊にはこの時期それが必要であった。このような闘う理論を、即座に表現できぬよわさ、未熟さをまざまざと、思いしらされたのであった。

この会議の空気は、ふく雑で、とりあえず、四人ずつ（主張した人々からさきに希望者のみ。体力的に弱さが表面化した人もふくむ。）の交代制をとることにして、結論がでた。

欠員の補給。この問題がすぐあらわれた。五名の新機動隊員を選抜するために、H町地区青行隊本部にいき、実行委員会を招集した。機動隊員は、それぞれ、実状をうったえて、増員をよぎなくされた事実について、討議してもらった。

だが、そんなに体力的に消耗するぐらいの激しい行動に、たえうる人材が何人いるだろう。

書記長の、隊員名簿にもとづいて、人員の再点検を行い、十名の候補者を選抜し、欠員五名をあらたに増強することがきまった。

休養にかえる四人の交替者と、十名の新隊員との懇談会がもたれた。そこでは水入らずに苦しさと、真実さが話し合われた。

五時間後、結果として、希望者が四名になった。体の大きくない人、人がみてもどうかと思う人も混じっていた。信念的にも弱い人がいた。

この事実を見て、百七十名の青行隊のなかには、まだまだ、機動隊にえらばれるすぐれた人材がうづもれていることがわかり、一同はたのもしく感じた。

機動隊の隊員は地区隊の委員たちと話し合い、すべての情勢と、今後改正すべき点、活動方針、隊員のレベルの上昇等について、質問し、最後に、機動隊の批判をうけた。

機動隊ばかり、とらの子の様にとりあつかう傾向にたいする一般青行隊員の不満がだされた。

四名の交代者は、「敵のフラクションを探知し、それを妨害せねばならぬ重大な役割を演じている機動隊を、絶対に解散させてはならない。」と主張した。

この声を聞いた人々のなかから「地区警備の任務をもつ実行委員は交替し、一名づつ機動隊の一隊員として、活動せねばならない。

28

この様な下づみの苦労をして忍耐力をやしなってこそ、指導者としての実行委員の価値がある。」という意見がでる様になった。

実行委員達の顔は涙がでる程嬉しさで一杯であった。

又、四人の交替として、かえってきたこの隊員たちは、留守番の隊員たちから、信念の弱いやつと、暗もくのうちに或る程度けいべつされていた。

この隊員たちも、実行委員を動かすほどの真実さがあることがわかった。残留隊員が思っている程精神的に敗北した人ではない事実は、力強いものであった。

このところから、団結の尊さと、人を理解する美しさにともなって、すばらしい組織が、からをつき破って、たん生してきたのである。

せんばつされた新しい四名の隊員は、いならぶ実行委員のもとで、四名の疲労した隊員と固い握手をかわし、輝く機動隊員としての任務についた。一人の実行委員も加わった。

新しい隊員を迎えて、ふだんだったら勝利のために、意味のあるさかずきをかわすことであろうが、ただ言葉と握手とスクラムと労働歌によって、さかずき以上の効果があがった。

夕食後新しいこの隊員たちは、ものすごい張切り方で先輩に指導されて、任務についていった。

六

九月十七日、昨晩からの不眠の行動の疲れの色は見逃せなかったが、組合で組織した会場ピケ隊五百名のなかに、機動隊員も加わ

武装警官隊ともみあう組合員

29

り、会社側の半製品の積出しを阻止した。朝めしもくっていない同志たちは、迎えにいったが、市内にピケを張っている機動隊員より、官憲の出動という情報が入った。

警官は、正門から半製品積出し阻止にあたっている組合員の前に、装甲自動車で現われた。

機動隊は即座に断を下し、全員引上げた。なぜなら、挑発者によって、万一にも、せっかくこれまでに成長した三十名の精鋭を牢獄につなぐことがあれば大変だからである。

事情を知らない組合員たちのなかに、「この大切な時に青行隊が引上げるとは何事だ。」とつめ寄る者もいた。また、「青行隊の中にも、機動隊なんかあるのか、どんなことをするのか。」「特攻隊だよ。」と話し合っている者もあった。一同はこの一瞬暗い気持になった。

だが、きんぱくした情勢のなかでは、われわれの任務をごまかすことも必要である。しかし、隊員のなかには、「おれたちが寝ていないからといって、ポリスが来たのに引上げれば、大衆はきっとパクラレるのを恐れて帰るにちがいないと思うだろう。だから五百名全員が一丸となってぶつかろう。」という意見をいう者もいた。しかし、隊長は皆をなっとくさせて宿舎に帰った。

この日はめずらしいことに、めぬきのにつけと肉汁がまっていた。奇声をあげて隊員たちはとびついた。が、このごちそうを作ってくれた主婦の同志たちへの感謝は皆忘れなかった。知らず知らずの間に、苦しさのなかから人間的に豊かに、敵にたいして強く成長して来たのだ。

「おれたちがあんまり食物が悪いとこぼしたから、実質でおれたちに食わしてくれたんだ。（地区に休養に帰った四人の連中が、なにかの話のついでに、食物のことをもらしたのが、主婦に伝わったのだろう。）まったくすまない。こうしてくれる人のために、死んでもいいではないか。これだけ主婦の会のおばちゃんたちはおれたちを力にしているんだ。執行部もあのとおりふやけているんでねえか。闘争委員だって満足な人は少い。どいつもこいつも偉そうなことといってやがるが、皆この苦しい段階に入ったら、ふやけたんではないか。」

一方の隅で、「骨がないんだ。骨がないんだ。」

とどなる隊員もいた。

「このふやけた奴等に、俺達の行動によって、教えてやるんだ。目覚めさせてやるんだ。青年の力でこのボス共を大掃除するんだ。」

「そうだ。」

疲れも忘れて一せいに、「若者よ」の歌が爆発した。「肉汁を作って呉れた人のためにも、その気持を裏切らないように、ますます献身的に行動力とそれに伴う理論と、人柄を造り上げ、この栄養を土台にして、さらに前進することが、俺達のつとめなんだ。」

このようなことは或いはインテリ層には、またきらびやかな都会に住む人達には理解が出来ない。むしろ軽べつするような行為と思われるかもしれない。しかしわれわれ青行隊員にとっては精一杯の討論であった。

機動隊員は整然とした分列行進などやったことはない。いつも野戦だ。しかし、このなかで鍛えられることにより、きれいな分列行進なんか即座に出来るであろう。

30

機動隊のなかでは、いつの頃からか、力の弱い人は誰がいわなくとも、皆の食器を洗いにゆく習慣がついていた。それを、「お前等は疲れているんだ。休めよ。」と立ち上る元気な隊員達。

この機動隊の団結の力をもってしても、第二組合を阻止することはなかなか出来ない状態になってきた。

敵の圧力が加わるなかで、隊の内部にもいろいろとごたごたが起きたが、この頃では、感情的になるということはほとんどなかった。ここで隊内の今迄のいろいろな矛盾を記そう。

市内料亭ピケの際、敵の作戦にのり、皆一ヶ所に集中させられてしまったことがあった。このことを自己批判した際、分隊長は、「俺が悪かったんだ。分隊長をやめたい。」と言明した。

その時、隊長のIは、分隊長の責任をあまり追求せず、その分隊にいる事実上の力をもつYのみを責めたのであった。

この事件について、皆で討議したが、結論として「隊長であるIの態度は良くない。大体失敗があれば、何故、分隊長を究明しないのか。一隊員にすぎないYの責任を追求することは間違っていると思う。分隊の事実上の責任者はYではないか。Tは只ロボットに過ぎない。だからTだって辞めたいというのは当り前だ。」

ということになった。

この事件によって、始めて、大々的に隊長への批判がでたのであった。その時、隊長は次のように断呼として叫んだ。

「皆がどのように俺を攻撃しても、すぐなおそう。いくらお前達が俺の責任を追求しても、辞めない。皆をここまで引張って来たのは俺の責任だ。今更事半ばにして辞めようというのは、全く責任がない。だから、俺はどんなに批判を受けようとにくまない。この責任を果してから辞める。」

「役員の改選だ。」隊員の中からこの声があがった。機動隊の長い歴史からいえば、この時期は一つの重大な危機であった。

隊長のIは、「機動隊は選挙はやらない。自信があるものは、卒直におれがやる。と申出てもらいたい！ 皆いいか。「若き親衛隊」を見よ。あの少年ですら、あれだけの事をしているではないか。二十三、四にもなって、オレたちはあいつらよりまだおくれているのではないか！」

「そうだ！」全員がいった。隊長になる自信のあるものは一人もいなかった。沈黙がしばらく続いた。

今まで一言もいわなかったSは「貴様らは、土台腹がこまいよ。いい男の子が一回位失敗したからといって、何をくよくよするんだ。だからオレがいったではないか。くる時には、はっきり割り切って、やる時はやる。休む時には休む。生死を共にするとちかったではないか。そのざまで第二組合の組織化されていく機能をぶちこわせるか。そのざまだから、うらばかりかかれているではないか。てめえらが何といっても、オレは絶対に一歩も引かねえ。できねえものはやめちまえ。誰でもいいんだ。隊員になれ。」皆はおこられた子供のように黙った。その時、隊長は自己批判した。

「オレの考え方がせまかったために、平隊員のYだけをせめたのはあやまりである。分隊長のTがロボットであるというようなふんいきをつくったということは、隊長として申訳けない。今後とも一切Yは隊員にすぎない。」隊長はYにむかっていった。

「おまえもそのつもりで隊員として行動してくれ。」 Yは多少不快の表情であったが、「そうだ。おれ自身も批判しなければいけない。皆そのつもりでオレを使ってくれ。どこでもオレは動くから。」

このように一つ一つの危機を克服して、機動隊は前進したのだ。

七

会社側の強引な半製品の積み出しを阻止するため、御前水の地区の前で、組合員主婦をいれて五百名が、大懇談会をひらいた。副組合長をつるしあげて、「バリケードをたたきやぶり、船への積上げを阻止するんだ。」と口々にいきまいた。折も折、埠頭のピケ隊である機動隊員からの情報により、室蘭埠頭よりランチが出発、人夫らしきものがのり、日鋼埠頭にむかうとのニュースが入った。このニュースは人々をいきり立たせ、副組合長をさらにつるしあげた。

「皆、青年はがまんしているのに、何で感情的になるんだ。今バリケードを破って入っても、船に製品をつんでなかったらどうする。はっきりとした違反行為ではないか。一網打じんにパクられてしまうではないか。不利な情勢に無理に入っていく必要はないじゃないか。ここにいる人々は、情報をよく知っているのか。副組合長、あんたはその情報を知って組合長のところに行こうとするのか」

「いや知らない。ある程度より知らない。」

「室蘭埠頭よりの人夫らしきもの数十人をのせたランチを阻止しなければならない。（その頃は、広島内地方面より人夫をやとって、工場を再建するというデマが飛んでいて、神経質になっていた。）」

このようなはげしい議論が副組合長と機動隊との間にかわされた。

青行隊二十五名は日鋼埠頭に向った。

組合員たちはさらに、半製品積みだしに入港している神加丸の船内点検をもとめた。副組合長は御前水地区青行隊長ら三名・カメラマン一名をつれ、事務長と会見し、争議の実体を話し、船内点検の許可をもらった。この時、青行隊全員で点検したが、製品はまだ積んでいなかった。ただ、百トンクレインは製品をつり上げる準備を完了していた。

このような時にも、機動隊の活やくは目ざましかった。あちこちの草むらに機動隊員は潜伏して、警戒していたのである。機動隊員は、指令のでないときは、何時でもあたえられた任務を遂行するために、気をつかわなければならない。

そうゆう同志たちに、「腹がへったろう。」といえば、答は「異常はない。」であった。しかし、ねぐらにつくや、「あー ねむたい。」とばったりたおれるだけであった。こんなに苦しんでいるのに、同じ労働者でありながら、なぜ第二組合を作らねばならないのだろうか。

八

九月二十日、いよいよ第二組合の動きは表面化した。職制たちの暗躍により組合員の中にも、第二組合に移ろうとする者も若干あった。第二組合結成調印書なるものが人々の中に横行していった。機動隊は、これらとの戦が一苦労であった。調印書を見て、心を動かす組合員達に我々は同志的な説得をした。

「許してくれ。あんたたちが、こんな美しい気持で行動を起しているとは気付かなかった。班長・係員には悪いけれど全部申し上げます。只お願いはおふくろや妻に絶対にいわないでほしい。母親や妻に私が裏切行為をしたといったら、どんなに嘆くだろう。おふくろや妻にいわないと約束して下さい。」

我々の出身地区である東町の地区統制委員長は、我々の努力にたいして涙を流して訴えた。

「青行隊にすまない。私の地区からこういう脱落しつつある人を出しながら、それを知らなかったとは全く鈍かった。君達の努力で脱落者が一人でも喰い止められてゆくことは、心から頭が下る。」

青行隊は最初のスローガンどおり大衆に愛される青行隊になってきたのである。

脱落者が出てゆく現実のなかで、相手を責めるのではなく、それらの人々と、我々活動家があまりにも話し合うことが少かった事、そのために誤解が生じたことを知った。

ともすれば戦の中では、結果を早く見たいものである。一日も早く結果を見たい。では、なぜ早く結果を見たい気が起きるのか。それは自分の信念に自信がないからであろう。戦が苦しくなるにつれ、指導者は結果を早く見ず、心にゆとりをもって進まねばやってゆけないことも学んだ。

九

九月二十日、朝九時、疲れきった体を古寺のうすべりの上に横たえていた機動隊員は、下の路上を、赤だすきをかけた主婦の会と組合員が列をなして正門の方へ行くのを見た。伝令が出た。半製品を積出すためにきた神加丸が今日出航するのであった。神加丸上では、出航準備のため船員が忙しそうにたち廻っていた。船は半製品を積まずに出航していった。しかも秋空に汽笛を鳴らし信号によって、「日鋼室蘭労働組合員諸君の奮闘を祈る。」と合図しているのだ。岸壁に並んだ数百数千の組合員、主婦の目には嬉し涙がやどっていた。主婦の打ち振る赤旗が、空の青と、海の緑に映えて、際立っていた。

註　書記次長は編者に、「一日のうちでこれほど美しい景色をみたことはなかつた。ふだんみなれている景色だが、全くちがつてみえた。」といつている。

「俺たちは勝ったんだ。」「あの船にも仲間がいる。」人々の歌う民族独立行動隊の歌声は、いつまでも白波の上を滑っていった。

サンパンは、室蘭港まで神加丸を送った。

船長の云うように、再びこの神加丸が入港する時は争議が終り、明るく、親切にこの海上労働者達を迎えるのだと固く誓いあった。

附　記

この記録の文責は一切、これを青行隊の諸君から聞いてまとめた竹村にあります。

なお。この記録の一部は紙面の都合により削除いたしました。この記録の整理については、職場の歴史をつくる会の今井、平尾、円関岡君たちの協力をえました。

☆　☆　☆　☆　☆　☆

月日＼事項	日鋼室蘭のたたかい	国内情勢	国際情勢
一九五五年 三月	19・日鋼労連第一〇回臨時大会三千円賃上要求決定	13・太平洋実験場で米の新水爆を伝う 14・ビキニ近海から水爆被害の第五福龍丸帰る 31・尼が崎製鋼ストに入る	8・日米相互防衛援助条約東京で調印 28・世界労連執行会議
四月	9・闘争委員会、青行隊と社宅主婦の会組織化決定	21・法相初の指揮権発動 25・私鉄全国的にスト突入	26・ジュネーブ会議始まる 30・世界労連原水爆兵器禁止を各国政府に訴える声明
五月		1・第25回メーデー 15・ビキニ海域調査の俊鶻丸出発 28・国際赤十字理事会で原爆禁止勧告を決議	7・ヴエトナム人民軍ディエンビエンフーを占領 14・ソ同盟労組中央評議会より総評に平和の呼びかけ 24・世界平和評議会臨時会議ベルリンで開催
六月	11・日鋼労連第一一回臨時大会「一人の首切も出さない」「一人の首切にも全員で闘う」方針決定 29・会社は日鋼労連本部に対し希望退職者募集を申入れる。三鉱連（三井砂川・美唄・芦別）のオルグ「首切闘争に妥協はない」と呼びかける	2・近江絹糸人権要求をかかげストに入る 3・衆院本会議乱闘事件 27・尼崎製鋼労組四月来の長期スト打切る	14・中華人民共和国憲法草案中央人民政府委員会で採用 19・フランス国議会にてラニエル首相辞任マンデス・フランス首相兼外相の下にフランス新内閣発足 25・周恩来首相ネール首相と会談のためデリーに到着平和五原則共同声明 27・ソ同盟に世界最初の産業用原子力発電所完成
七月	2・日鋼労連「ストライキを除く大衆行動を起せ」と指令 5・中央団交決裂「自衛のため断乎闘う」事を即時回答。「首切反対共同闘争委員会」設置（参加労組、富士鉄、室蘭、室蘭地協、鉄連道地協、全道労協、鉄鋼労連道炭労） 8・早朝首切個人通達が出る 9・青行隊午前中に殆んど全部回収 ・単独闘争スト権確立（三一四三票対四〇一票）全地区に主婦の会結成完了 16・炭婦協十八名到着 御水商店街組合へ共闘申入れる	4・俊鶻丸帰国 12・第五総評大会 27・厚生省の入院基準に反対し結核患者各地で座り込み闘争 29・政府の黄変米配給決定問題化す	20・ヴエトナム、ラオス紛争終結協定ジュネーヴにて調印

	八月	九月	十月	十一月
21・会社ロックアウトを開始 30・社宅主婦の総決起大会	16・富士鉄労組より日鋼支援物資大量カンパ到着 18・富士鉄労組日鋼首切反対激励総決起大会国鉄ドック等一万人参加 富士鉄室蘭労組四〇〇〇万融資を決定 30・総評高野事務局長が激励に来る	3・炭労大会日鋼支援として一千万円の融資を決定。日農供米カンパ 6・第32回全員大会開催 12・会社、臨時作業員により製品搬出を企図、組合阻止する 17・海員組合の協力による海上陸上ピケ隊製品搬出を阻止 18・上京オルグ団日鋼本社に座り込み敢行 19・25米の突風の中に組合員二千名のピケ隊によつて会社の製品搬出完全に阻止 23・第二組合結成大会に七〇六名が参加	1・久保田組合員、分裂に死の抗議 5・第二組合の就労開始を正門ピケ隊説得により阻止 6・武装警官ピケ隊を遮断非常口より第二組合員入門 11・全国労働者同友会及び大和党等の右翼団体トラックで社宅地区へ侵入、暴行 13・富士鉄労使によつて日鋼争議斡旋にのり出す事を決定 28・正門ピケ解除	5・全道労協、日鋼支援の二時間ゼネスト決議 6・団交再開申入れ
	4・近江絹糸労使中労委あっせん案を受諾 6・天皇皇后北海道巡行へ出発 8・原爆禁止全国協議会結成 13・近江絹糸再びスト突入 23・大阪証券取引所労組スト突入	16・近江絹糸争議中労委あっせん案を労使相方が受諾、一齊操業開始 23・第五福龍丸無線長久保山愛吉氏放射能症により遂に死去 26・台風15号青函連絡船洞爺丸事件	5・原水爆の禁止署名千二百万余に達す 20・学生選挙権は修学地にと勝訴とする判決 26・東京証券取引所争議ピケ、二十四時間スト 30・李徳全女史一行入京	9・東証労組理事側とも都労委あっせん案受諾 17・吉田首相七ケ国訪問より帰国
	2・ネール首相イーデン英外相の東南アジア軍事機構会議への招待を辞退 5・ウーヌービルマ首相東南ア軍事機構会議不参加を回答 24・アイゼンハワー大統領アメリカ共産党非合法化法案に署名 27・フランス連合国民議会ヨーロッパ防衛共同体条約を批准せず 英国ハル造船労働者一〇日間スト 30・フランス国民議会、EDC討議打切り	8・東南アジア集団防衛条約マニラにて締結 20・中華人民共和国人民代表大会共和国憲法を承認 21・第九回国連総会始まる 27・中華人民共和国人民代表大会、全会一致で毛沢東首席、以下各政府委員を選出	5・世界労連、西ドイツ再軍備反対を声明 18・ハノイにて、ネール首相、ホーチミン大統領、共同声明ジュネーブ会議によるインドシナ休戦協定の完全履行を要求 30・ロンドン港リヴァプール、マンチェスター、ハル、サザンプトン等造船労働者約一ケ月にわたりスト。強制的超過労働禁止要求を勝ちとる	13・ソ同盟外務省、全ヨーロッパ諸国及び米国に対し、ヨーロッパに於ける集団安全保障体制を整えるための全ヨーロッパ

十一月	十二月	一九五五年 一月	二月
8・正門のピケ再開指令 9・第二組合8月24日最後回答を基調に争議終結に関する協定仮調印 10・ピケ解除 13・日鋼主婦協議会（一八六〇名）結成大会 14・団交中止、中労委への代表派遣 18・武装警官、私服五〇名が組合本部に乱入、広田教宣部長以下五名不当検束 21・中央に於ける団交物別れとなる 27・東京「日本のうたごえ」に日鋼文工隊参加 札幌全道労農商総決起大会、不当首切絶対反対統一闘争決議 29・中労委斡旋に入る	4・北教組日鋼の学童に対し慰問袋運動開始 8・広田教宣部長保釈 10・闘争委員会中労委に対する組合譲歩案 12・闘争委員、主婦、青年部、共闘各委員大挙上京 14・上京交渉団中労委と斡旋交渉に入る 23・総評高野事務局長再び来る 26・第33回臨時組合大会開催、万場一致で斡旋案受諾を決定 27・労使双方共中労委に斡旋案受諾を回答 総評国民文化会議主催「日鋼を守る合同文化祭」東京で開催 30・中労委斡旋案に労使とも仮調印	8・闘争委員会解雇者も非解雇者同様に組合員の資格を附与する事に決定 26・中央において細目協定についての斡旋案に労使双方が正式調印、一切の争議行為が終結、百二十二名の解雇取消決定	14・全員就労完了
24・日本民主党創立	7・吉田内閣ついに総辞職 10・新内閣なる 17・公労協の全遞妥結、全電通も妥結		
会議開催を提案 22・ヴィシンスキーソ同盟国連代表、ニューヨークにて死去 23・アイゼンハワー大統領ロンドンパリ協定批准前における四箇国外相会議を拒否	2・米政府、蒋介石政府との軍事協定、ワシントンで締結 8・周恩来外相、台湾の領土権を主張、台湾解放を呼びかける 20・フランス国民議会、パリ協定批准について討議に入る 21・西ドイツ各地でパリ協定反対青年デモ行わる。		

（作成——秋山ヨリ・坪井益吉）

日鋼の闘争にまなぶ

―日鋼青行隊の歴史のあとがきとして―

竹村民郎

この日鋼室蘭青行隊の記録を読者がお読みになる頃は、メーデーの唄声が、五月の風にはこばれて、日本のすみずみの村や町に響きわたっていることでしょう。

このような時期に、私たちが、生きる希望と、労働者の旗の色の意味を教えてくれた日鋼室蘭労働者の闘いについて話し合ってみることは、意識あることだと思います。

日鋼の青行隊が全国にまいていった闘いの教訓は、研究室や、牛乳屋の仕事場に、食堂の大きな流し場に、芽をふきあげています。

「我々の仕事場にもっと光を！」

この記録が、全国いたる所の職場や学校で、人間らしく生きたい、と願ってその道をもとめている人々に読まれ、話し合われるならば、このうえもない喜びです。

このあとがきの中で、私もそのような願いをもつ一人として、日鋼の闘争に学び、今日までどう生きてきたか、今後どのように生きようと考えているかを書いておきました。

（一）

昨年、五月半ばすぎ、私たちの一年あまりも苦心し続けてきた米騒動サークルが、事実上、解散しかけ、くさっていた。

この頃のある日、友人数人と、近くのA町に原水爆禁止署名をとりにいったのである。

はじめは、しりごみもしたが、原水爆禁止の要求は、私たちの生活を守るために、まずやらねばならぬ権利だ、と考え、農家を一軒ずつまわっていった。

多くの農家では、喜んで署名してくれたが、そのうちの貧しい一軒の家で、ほかの家と同じように、放射能の雨が、人間の身体や、農作物をどのように破かいするか、ビキニまぐろの影響はどうかさらに、久保山さんたちの被害等について話した。

ところが、その家の主人が急にふきげんになったので、始めは、私たちの話を、なにか誤解したにちがいない、と思った。

実際はそうではなくて、その親父さんは、自分の生活を強大な圧力でおしつぶそうとするものに、激しい反撥を示していたのである。

〃署名なんか、何の役にたつ〃と私たちに反問し、〃俺たちは生活を守るためには何でもやって来た〃と一九一八年に米騒動にさんかしたことを、どんどん話しだすのであった。

都立大の秩父調査団の学生も書いていたと思うが、私の経験からも、民衆は、いわゆる他国者にはなかなか一揆や米騒動のことなどは話さないものである。

では、なぜ、この親父さんは、語ってくれたのであろうか。親父さんは、原水爆によるはげしい生活破かいの現実を、私たちと話しあううちに、それは遠いビキニのできごとではないと、認識しなおし、かつて自己の生涯のなかで、同じように強大な力で生活を圧迫された苦しみの時期、一九一八年当時を想い起したに違いないと思われる。

そして、思わず、自分がどのように、生活を破かいしようとしてきたものと闘ってきたか、そして生活を守ってきたか、という確信について語り始めたのであろう。

一九一八年の社会の経済情勢、政治機構云々については、私が卒業論文の題目に米騒動を選んで勉強をサークルを続ける中で、いつも問題にしてきたので、空でいえるかも知れない。

けれども、恥しい話だが、当時の新聞などにでている民衆の苦しみの内容については、どうしても、ピンと実感しにくくて困っていた。

だから、卒論やサークルなどで、ぼう大な新聞や資料を読むのが、苦痛になることが多かった。

ところが、このA町の親父さんの話は、私の頭に、一九一八年当時を、写真のフラッシュが、暗黒をてらすように、極めて鮮やかに、やきつけてくれた。

このことがあって以来、私たちのサークルがうまくいかなかった真の原因について、うすぼんやりと考えていたことが、確信をもって理解できるようになってきた。

だから、私は以前にもまして、働く人々から学ぶという方向を意識的にとっていった。

太陽の無い町といわれているH町で「便所に行かせてくれ」という要求を、会社につきつけている中小企業労働者のO、S君等とも親しくなっていったのである。

夏、これらの人々や、町のセツルメントの学生たちと大勢で、鎌倉に泳ぎにいったことがある。

どちらかといえば、科学者の集りは、知り合い同志でも、つい「やあやあ我こそは」式の自我のむきだしで、気のはることが多いものだ。

それに比べると、この新しい仲間たちは、ザックバランで、はじめて知り合った人が多かったらしいが、誰れとでも、すぐ水のかけ合いをやる、といった工合であった。

（本号の表紙、カット、さしえ等を書いてくれたO君も、その時知りあった労働者である）

このような、仲間意識は、どのように生れてきたのだろうか。

東京の山手の中流家庭の人は、H町というと、〃ああ、あのびんぼう人の多い所か〃とよく言うものである。

この町では、K印刷を中心にして出来上った明治中期以降、ここにすみついた人々は、そんなことには、全くおかまいなしに、男たちは、〃風呂にいく時間をよこせ〃という要求一つだすにも、長い間かかって皆で話しあった。

女たちは〃かかあ天下〃という言葉についてガヤガヤ言いあい、〃それは、亭主が女をおさえつけるためにつくった言葉に違いない〃〝お前は、亭主に醬油の味にまで文句を言われるから、そんな言葉を使うんだ〃などと世間話を豊かにしながら、生きぬいてきた歴史をもっている。

そのような歴史の一こまに、この町を中心にして起った一九二六年のK印刷の争議があるが、このときも、トンネル長屋の人々は、赤い腰まきまるだしで、男の人と、へいをこえて逃げた珍談もあるような、家族ぐるみ闘争のお手本を残している。

だから、この争議をあつかった映画〃太陽のない町〃をみたH町のおかみさんたちは、〃わしらと同じおばちゃんがでている〃といって目を輝かすし、そのなかのせりふ〃鳩ポッポじゃあるまいし、一つぶ一つぶたべていられるけえ〃を長屋のあいだにはやらせ、黄変米が配給されると、皆して米屋におしかけていくのである。（歴史評論、六十号、青山崇〃太陽のない町の人々の座談会に学ぶ〃参照）

H町の人は、長い町の歴史の中から、理くつではなく、どんな小さなことも話し合って一緒に行動しながら、生活をおびやかすものと闘ってきたし、今も闘っているのである。

しかも、それらの中で若い主婦たちは、さらに進んで、いつも黄変米をくわしたりして、自分たちを半殺しにしようとしてくるものの正体をさぐろうとし、学生たちが日本歴史を話すときに、米騒動の話をしたりすると、〃へえ、そんなことがあったのですか、それをもっと知りたい〃と言って、熱心に学ぶのである。

このような、生活の炎に私の心がやかれる中で、現在のような情勢では、歴史学を創造するということも亦、国民が生活を守るための闘いの場との結合をぬきにしては、個人的に極めて能力の高い専門家や、個々の学生、個々のサークル、学生歴史学研究会だけの力では、困難であるという確信をふかめていった。

この時期に、日鋼室蘭労働組合員の上京を知ったのである。だからこそ、海綿が水をすうようにして、私も毎日のように友人をさそって夜半まで、その闘いの実状を学びにいった。

日鋼の人々の語る言葉の内容は、新鮮でピチピチして居り、言葉も、団結という一言でも行動に裏づけられた言葉はこれほど豊かなものをもっているのか、と何度も驚いたのである。

たとえば、書記次長は、朝、仲間とかならず握手するそうである。もし、相手の手がゆるいと、大ていの場合、その人の家族に動ようがあると直感し、そういうときは暇をみてその家族を長時間説得し、翌朝、期待をこめて手をぐっと差し出す。若し相手が強く握りかえして来た時は、〃仲間が元気になったと思ってとても嬉しい〃と、控えめに笑っているのである。

この闘いの中で生れた秀れた詩の中の一つ、〃赤旗はなびくよ〃という調子の高い詩は、全日本の労働者に愛唱されているが、その作者である主婦にも会った。

この人は闘争でもなければ、東京などには、一生来なかったと思われるような感じの人であるが、この主婦が、なぜ、あんなにも水々しい詩を生み出していったのであろうか。このことも、この数週間の話し合いの中で理解できた。

組合員の要請に答え、会社側の製品積出しを拒否した汽船神加丸が、積荷なしで室蘭を出港した時、この船の船長、船員は、岩壁で赤旗をふって、民族独立行動隊の唄で船を送る数千の組合員・主婦

・青行隊に「日鋼闘争の勝利を祈る」という信号を、送ったのである。

この時ばかりは、日頃見なれた室蘭港が、これほど美しく見えたことはなかった、と組合員たちは口々に語ってくれた。

このような数々の話の中から、私はアンドレ・スチールが、「いまだかってなかったようなインスピレーション、ガラス製のインスピレーションではなく、闘争そのもののように、鉄、鋼のインスピレーション」こそるつぼの如くたぎり立つ闘争の現実にさんかする中から、湧き起るのであり、それは詩の心をもつ人々に唄うことの本質を教えると言っていることの正しさを学んだのである。
（青木文庫アンドレスチール著〃社会主義レアリズムのために〃）

だから、私のまわりの芸術家や、科学者の中で多く見うけられる「なによりも、さきに作品を書くために必要な時間が要求される」といった考え方や、文献あさりとその博識羅列をひけらかすような考え方の影響から、私は縁をきるべきであると考えるようになった。

そして、歴史の本質をつかまえたいという強い要求から出発し、労働者階級の現実に学ぶことによってこのような考をもって来た。二、三の友人たちと相談し、労働者と一しょに〃工場の歴史をつくる会〃をはじめることにしたのである。このような主旨に賛成して、第一回の会合には、青行隊の多くの新しい友人が加ってくれた。

〃十数年かかってつくり上げた君たちの貴重な頭を、俺たち労働者に貸してほしい〃という青行隊員の激励に答えて、この会をもっと拡げ、多くの人々の援助をのぞむために、つぎのようなアピールをつくった。

労働者の皆さん！　都民の皆さん！　科学者　学生の皆さん！

日鋼室らんの労働者は、すでに百八十余日の闘いにも屈することなく正月返上どんとこいで、闘っています。

こんな長く闘える力―確信―は、一体どこからでてくるのでしょうか、ある、日鋼室らん青行隊員オルグの一人はこういっています。

〃俺は九州や東京にいても、現地のことが気にかかることがあった。ところが、現地からきた総評の石黒さんに会い、彼の話をきいてすっかり確信をもってきた〃　その石黒さんのはなしと言うのはつぎのようなことです。

〃デモを見送っていた四歳と五歳になる坊やが、『おれは大きくなったら青行隊になるんだ』『ぼくは、組合長になるんだ』と口々にいっていました。そばにいたその子の母親が『おまえらは、青行隊の兄ちゃんたちが、赤いはちまき　たすきをしているから、すきなんだろう』というと子供たちは口々に〃ちがうどこのお父ちゃんお母ちゃんも青行隊や組合長さんはいい人だあの人たちはすきだといっているからだよ〃と答えたのです。このように、現在各地にまきおこっている労働者の闘いのなかで、勝利えの確信がうまれています。然しあのストを闘い、カブト町をゆるがした東証の組合員のなかにも〃もうストはごめんだ〃という空気が一部に流れている事実もみのがせません。近江絹糸の女子労働者たちの中にも闘ってせっかく拡大した人権の自由を、個人的なきょう楽の自由にすりかえる人たちもでています。

一つの工場の生き生きした確信を、隣りの工場にひろげ伝え、さらに中国・ドイツ・イタリヤ・フランス等の世界の働く仲間の確信にまで高めてゆくことは、日本の労働者の統一行動の拡大にとって現在とくに大切なことです。しかし一つの工場に生れた勝利えの確信は、一朝一夕に生れるものではありません。それまでには、親子三代にもわたる労働者階級の幾多の敗北にもめげない地道な闘いのつみかさねの歴史があるのです。この闘いの伝統を明らかにしおじいさん、おばあさん、お母さん、お父さんが闘ってきた伝統を私たちが正しく学びとることが労働者の当面する統一戦線の強化にとって重要なことです。

今まで、私たちの会では、現在はげしく闘っている日鋼室らん
労働者、東証の女子組合員、国鉄の労働者をはじめ多くの組合
の方々をおまねきしていろいろお話をうかがいました。会に
は、労働者も都民も科学者、学生等あらゆる職業の人たちがさ
んかしはじめています。

労働者の皆さん。都民の皆さん。科学者・学生の皆さん。この会は
皆さんのものです。**労働者の皆さん。都民の皆さん。**からだか
らにじみでる闘いの確信と長い怒りの歴史を聞かせて上さい。

科学者　学生の皆さん。十数年かかってつくりあげた皆さんの頭と
専門の智恵をぜひかして下さい。

この運動をすすめる中で、労働者も科学者　学生も、共通の敵をはっきりさせ、はだかでぶつかりあう日本の労働者階級の闘いの方向をはっきりと打出すのに役立つ工場の歴史をつくりだしましょう！　過去、そして現在労働者の闘いがつねにヂグザクな道であったようにこの工場の歴史をつくる運動もじっくりと腰をすえ事実に正しく基礎をおいて、一歩一歩日本いな世界の全労働者階級が解放され平和なくらしができる日までつづけてゆきましょう！

会員たちは、それぞれ手わけして、一人一人国鉄や東京証券、N製作所、ヒビヤインなどのはじめての職場に勇気をふるってたずねたのである。

こうして、その時から、今日まで、半年あまりのあいだに、この会は、新会員をむかえ、工場の歴史をつくる会では、その範囲が、せまくなってしまう、という意見にしたがい、名前も職場の歴史をつくる会として、生きぬいてきた。

このような新会員の協力をえて、第二六回統一メーデーを記念する意味をこめて、職場の歴史特集号をおくりだすことができたことは、大きな喜びである。とくに、「子供から『母ちゃん、闘いは負けたのかい』ときかれました。負けたのではないといわれるものの、くやしくて、どうか、皆さん、決して負けない労働者主婦になって下さい」と涙をながして、闘争終結のための大会で訴えた日鋼の主婦たちや組合員、そして青行隊員たちにも、きっと喜んでもらえると思うのである。

（二）

この青行隊の歴史のもっている意味について、この歴史を労働者たちが一生けんめい話してくれたという面と、歴史学を学ぶ者として、そこから何を学んだか、という二つの面から考えてみたい。

この記録は、青行隊の話しを聞いているうちに、私たちだけで聞

41

きっぱなしにするのはもったいない、と思って、途中から筆記しておいたものを、まとめてつくりあげられたのである。

その当時　話を聞いていた私たちを驚かせたことは、青行隊の人が話に一くぎりつけると、きまって〝こんな話を本にのせても誰れもよまないだろう〟と言い出すのであった。

だから〝なんでもいいから、一番強く思ったことをそのまま話してくれ、役立つんだ〟〝でも笑われないだろうか〟などの問答がしばしば私と青行隊員の間にはくりかえされたのである。

けれども、一たん話し出すと、せきをきったように話が続いて、書いているのがとても間に合わない有様であった。〝この時はどうだったかな〟と隊長のI君が、そばにいてたずねると、〝へえ俺等のことがこの人たちはそんなに知りたいのかな〟と半ばあきれ、半ば嬉しそうに聞いている連中はひざをのり出して、その時の自分の姿を語るのである。

みんな頭にやきつけられていると思われるぐらい、一ヵ月も、二ヵ月も前のことを、おぼえているので、不思議なくらいであった。

こんな時、ちょいちょい電話で、青行隊員の手記を依頼したある進歩的な雑誌社もあったようだが、青行隊員たちは「書け書け、締切りは何日って言っても何を書いていいかわからないや。いい加減にしか書けないからな」と話し合っていた。

締切り日、雑誌社の人が原稿をもらいにきたが、たのまれた隊員は、申しわけないと思ったのか押入れにかくれた。

あまりあわてたので、戸がよくしまらず、ごそごそふとんが動くのがわかり、雑誌社の人が帰ったあと大笑いしたことがある。

このような生活のなかから、私は労働者と知識人の関係についていろいろ考えさせられた。

労働者の話は、生きた言葉の泉であるが、それが泉だ、とは知らない。長いあいだ支配階級にだまされて、文章を書く技術を奪いさられ、文章を書くなどという仕事が、大都会や大学の偉い人の所有物で、自分たちは仕事につかれているし、とてもじゃないがそういうことに近よれるものではないと思っているのである。

このことを考えないで、ここに泉があるといってみても、労働者はびっくりして逃げだすのである。

しかし、もし労働者の、この文章についての神秘感をつきやぶることができるならばちょうど、ボーリングの先が、石油層にぶつかったとき、あっという間に強烈な臭いの原油がふき上げるように、歴史を動かしてきた者だけが語れる生き生きとした言葉がほとばしるのである。

つまり、労働者の心の底ふかく鋼鉄のようにピンとはりつめているものを、たたけば、必ず新しい歴史学、文学の響が聞こえることを私は学んだのである。—（職場の歴史をつくる会の発展の中でもこのことは実証されている。本誌九十三頁参照）

私たちの話し合いは、方々の組合から、日鋼闘争を聞こうという申し込みがさっとうして、警察が、一大事と宿舎の廻りをうろうろしだすころまで続いた。

こうして途中まではあるが、この記録ができ上ったのである。私はヂグザクな青行隊の愛と怒りの道の真実を伝えるために、精一ぱい努めて、自らもそれに学び、自分もかえられていった。

42

しかし、この記録を職場の歴史をつくる会の人たちや民科言語部会のOさん、中国史研究者のTさん等に読んでもらった時、数々の批判がでた。

「日本一だらしがないと言われていた組合員の人々が、どうしてこんな英雄的な闘いをするようになったのだろう」

「隊長だけが強くでている」

「はじめから英雄がでているようで、なぜ一人一人が立派な人間性にあふれた言葉をはくのか、それまでにはずいぶん苦しんだに違いない。その過程を知りたい」

このような話し合いの進む中で、青行隊のやったことについては、皆にわかってもらえたとしても、一人一人のきわめて困難であった生活の底を流れる本質を理解してもらえなかったことを知り、歴史学を学ぶ者として、青行隊の歴史の真実を正しく伝えられなかった責任をふかく感じた。

広い視野から考えると、青行隊のもつ若々しい英雄主義は、明治以降、今日まで、世界諸民族の独立と平和をもとめる闘いに激励され、営々と続けられた国民の生活を守る闘いのもり上りの中から、必然的に生まれたものであろう。

日鋼闘争は、社宅をまきこんで進んでいったが、社宅の奥では、祖父が大正の末に、自分たちが闘った争議を語り、父は大山郁夫の演説を聞いて若い血を躍らした想出を、息子たちに語り伝えているのである。

このような英雄主義を生みだした日本国民、否世界各国民の長い歴史と、その歴史の流れに位置づけられて、日鋼の闘いが大衆的に拡がってゆくうごきこそ、この記録が書かれてゆく中であきらかにされねばならなかったが、――これこそ現代史を専攻する者の責任である――その点が不明確なので、すでに書いたように、青行隊の記録を読んだ人々に青行隊は困難には始めから平気の平左のような奇妙な印象を抱かせたのだと思う。

現在の労働者階級の闘いは、幹部闘争から大衆闘争へうつるという文字通りの方向を急速にとっている。この方向が益々すすめば、すでに私たちが日鋼の闘争の中で発見したような、大衆の中で鍛えられ歴史の流れをふまえた強い確信と見とおしをもち、職場大衆と密接に結びついた底力をもつ新しい人間像が、あらゆる職場から続々と生れるに違いない。

日本の新しい歴史は、まさに、そのような若々しい英雄主義に生きる青年たちの手によって創りあげられるのだろう。

このような労働者の新しい日本づくりに答え、日本の現代史を創りあげる任務をもつ私が、この記録をつくる中でおかしたような歴史を、その底を貫く法則に基づいてとらえられず、現象面のみをつかまえてゆくというすべりやすい道に再びたつならば、国民のための歴史学はリアルな現実の認識に基づいた科学でなく、下手なつくり話か、教訓的な作文になる危険をおかす、と思われる。

しかし、幸いに、私たちは、歴史を貫く法則をつかまえるのに命をかけた先人の蓄積をもっているし多くの先輩の援助もうけられる。

メーデーの行進が、何度も何度もつぶされながらも、幅広く長くなっていくように、職場の歴史をつくる運動も、この特集号を契機に、さらに多くの労働者や専門家と腕をくみながら進めたいと思う。

43

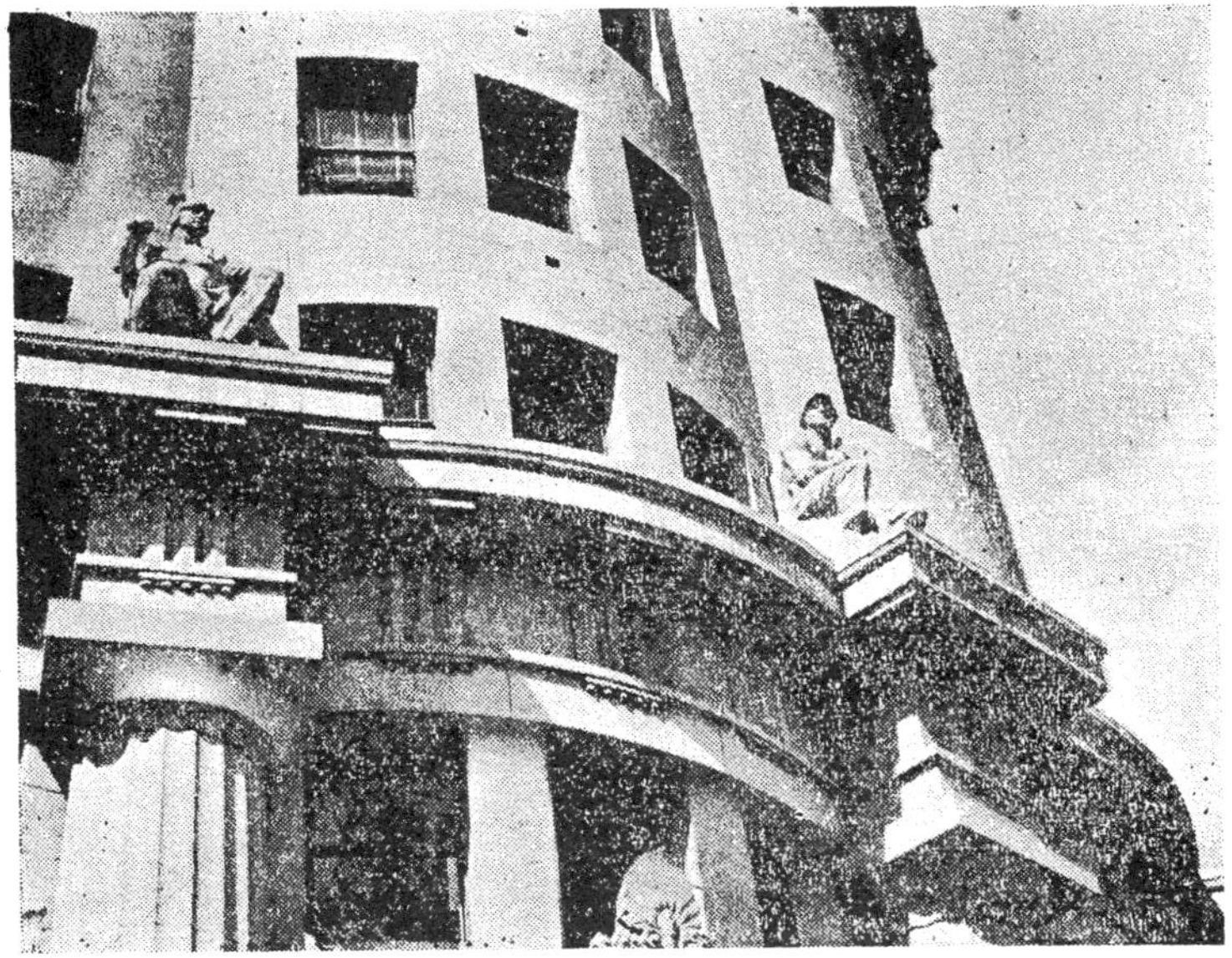

東証の歴史

私もついて行く

――きみよの手記――

職場の歴史をつくる会　東証グループ

私は兜町が好きです
白いドームの取引所が好きです
だから
株価の電氣表示器におびえのない生
活が欲しいのです
そして

44

のびのびとパンチのキイをたたきたい

新し空氣！
みんなが欲している 新鮮な大氣！
私は兜町が好きです
白いドームの取引所が好きです

巣立ち

今日よりは新しき心抱きて巣立ちせん幼きわれに
陽よ輝やきて

かんかんにおきた炭を山盛りにした大火鉢二つのひろい部屋は、駐留軍から接収解除されたばかりらしく、荒れはてていた。窓は破れ、壁は崩れ、荒い板がドアに釘づけになり、赤いペンキがＷＡＹ ＯＵＴ（出口）とかＥＸＩＴ（入口）とかところどころに記していた。

「外観は、すばらしく貫禄があるけれど内部は案外ね！がっかり」。

都内の少女らしい活溌そうなひとりが首をすくめていう。地方からでたばかりの私たち数人は黙って火鉢に手をかざしていた。

二十八年、三月の新入所員講習の日の第一日は、こうして開かれた。

この部屋で、私たちは、東京証券取引所というものの講義を聞いた。

東洋一の証券市場であるとか、日本経済界の中心であるとか、また、民主々義の新しい日本経済界を築く大きな使命をになっているということを。

そして、指定（今は特定）普通銘柄というものを知り、寄付《ヨリツキ》、大《オオ》引《ビケ》、玉《ギョク》、などのコトバを覚え、金ヘン、糸ヘンで大ゆれする日本の経済界を知ったのだ。講習の最終日、係の人が話した。

「この取引所には、労働組合というものがありません。資本主義の牙城だから必要ないのです。アカの人は絶対にとりません。すこしでもアカの感じのする人は、すぐ採用を取消します」と。

水をうったように静かであった。

「みなさんの待望の給料は、税込み総額六、四六〇円、本俸三、八〇〇円、その他」安い、安いというざわめきに「安いといえば安いし、高いとおもえば高い。しかし、喰べるだけのものはさしあげます」おちついた係の人のことばに静まりかえった中で、就職難におびえていた地方出の私の心は、はい、はいとすなおにうなずいていた。

「ただし、賞与は、年四回です」

「ああ！」救はれた。ほっとした思いのざわめきが風のように室内をよぎり、私の心を包んでしまう。

「賞与が三ヶ月ごとにある！」

九人家族で父一人の現金収入に大学から小学校までの、ヒヨコ七人が私の兄妹。私の卒業を待っていた母！

明るい気持で胸が躍った。このしゃれたドームのある、数少い特殊な職場のオフィスガール！ なんとすばらしい。

「お勤め、どちらですか」って聞かれたら、

「東京証券取引所です」って胸をはって答えよう。

人言ふに疑ひも持たずうなずきしこの幼な心を育
みゆかん

誇り持ち職場に出ずる朝々を想えば胸の高鳴りや
まず

「むかし」より歩んで

砲火ゆる朝鮮の野に菊摘みしをさなら愛し幼らか
なし

幼らの髪吹きわける轟砲を想えば悲し人の世よ血
よ

朝鮮に動乱の起きた二十七年の夏から、二十八年の三月にかけての時期は、いままでになかったほどの株式ブームを招き、取引所は半日で立会いを中止して清算事務を徹夜で続けたほどだから、客を扱う証券会社の仕事の忙しさはひどかった。証券会社の一女子事務員が、その労働強化にたえられず、その実情をある雑誌に投書したために馘首されたということもおこった。

このブームを機会に、アメリカの優秀な統計機を使用することになり、私たち女子数十名が採用されたのだ。でも、その機械は、八月にならないと日本へ到着しないという。八月までの半年間を、オモチャのような模型機と他の会社への出張練習で過したのだったが受入れ態勢の整っていない、しっかりと自分の席を据えられない職場をみてさびしかった。学校を卒業したての、新鮮な心をもち続けることの難しさにも同時に気がついて、そのことが寂しさを二倍にした。

一、考えること、読書すること

二、趣味に専心すること、遊ぶこと、旅行すること

三、他の職場の人々と〃語りあう〃こと

私は寂しさに負けまいとして、こんなことを漠然と考えた。何とか実行出来そうな気がしていた。それに、所内の人々の話も、日がたつに従ってぽつりぽつりと聞けるような落ち着きを、とりもどすことも出来た。が、その人々の話し声の暗さに、私は以前の不安を胸一杯にしなければならなかった。

「給料は安いよ、驚くほど」

そして、こんな会話が交されていた。

「あなた今月いくら引かれる？」

「三千円程……下宿代が大きいからなるべく節約しているのよ。でも現金がないから、ついクーポン使ってしまうでしょ。靴代の残りを払ったのと毛布を買ったのよ」

「とってもやってゆけないわ」

「残業で稼ぎましょうか」

「だめよ、帰りに何か食べるとアシが出ちゃうわ。なにしろ少いんですもの。それに私たち若いのよ！」

「ロウドウクミアイがあるといいな」

「ツクリマショウか？　でもコワイな」

ささやきあうだけで、いつも終ってしまうのだ。

そして証券会社の人々との座談会では、「不平を言ったり、相談をしたりすると、すぐ上に聞えてしまって皮肉られたりするんで恐しいわ」という女子事務員や、「ちょっと服を変えて来ると、上役に『いい年をして大したオシャレをする』などと嫌味をいわれるので……」という二人のお子さんを持つ戦争未亡人や、「この街へ入ると全くガリガリの出世欲にとりつかれるか、ダ性で生きてゆくかのどちらかになってしまうんです」と嘆く大学を卒業したばかりの男性の声。しかし、数年を、この街で過した人々の声は、もはや聞えはしないけれど……。

輝やくばかりに美しく、女らしくなった学友たちは、今はそれぞれの職場のホープとなっている。

「いまどき労働組合がないなんて──」

「よく不平をいわないわね。学校時代に、あなたそんなに、しんぼう強かった？」

「私たちなんか、坐りこみやったのよ。あなたより大人ね。団結すれば、恐いものなしよ。強くなれっ」

ああ、お友だちは皆、私より大人。私よりもすばらしい人生を、胸を張って生きている。どうしよう。どうしよう。……誰か、すっくと立ち上ってくれる人はいないのかしら。

私は……私はだめ、まだ自分の足では立ち上れない。私は、いえ、私だけでなく、私たちみんなが、このように考えながら毎日を過してきた。

家では「いいのよ、いいのよ、上を見れば限りがないものよ。給料遅配のところもあるんだから」と母にいわれる。「職のない人が何万といるんだよ」と父に諭される。

「でもいやっ」私はひとりでは立ち上る勇気がないくせに、それでも不満のつぶやきを止めなかった。

そして政治不安に出来高は激減し、デフレは日本中に浸透していった。

石壁にしとしとと秋の雨にじみ営業停止のビルに、暗き灯はともりたり

目をくぼませて

43

「年四回という賞与でもなければ、こんなところに、うろちょろしてるもんですか」

「忙しい時は徹夜、徹夜、注射うちながら、その日のうちに清算事務は遂行しなければいけないんだって」

「それで賞与の時は証券会社の十七・八才の場立連の半分だ。最高の人がですよ」

「ちょっとヒマになると赤字だ、赤字だ」

「意味のわからない大人事異動が突然発表されたり──」

希望に燃えていた私の胸から、少女の感傷が一枚一枚はがれていくような気がしていた。

夏の日は暑かった。九月には改築工事が完了するとのこと、震えて講習を受けたあの部屋が銀灰色のペンキに縁どられ、明るい螢光燈を天井に並べて、次第に私たちを迎える態勢を整えていた。

二十八年十月、アメリカからの統計機が正式に活動を始めた。どぎまぎしながらも、パンチオペレーターという珍しい名称に、心を躍らせた私たちは、練習機とは全く違う生き生きした気持をとりもどしてキイと取り組んだ。嬉しかった。ただ嬉しかった。

ミスが多いとか、手作業よりも遅いとか笑われたこともあった。みんな必死だった。課長も係長も、男子も女子も今に全機能を発揮させるぞと株界の危ぶむ注目を意識して頑張った。

あとで聞くと、この清算事務の機械化は、株界の中でも最も大きな論争の一つだったとのこと、すなはち、非近代的な労働強化でコナシてしまうという古老組と、この街では力の弱いインテリ組の機械化主張とで……。失敗したら、どんなことになったか──。

また、十月という月は、毎年の定期昇給の月だということを、私たちは知らなかった。同期入所の男子オペレーターが昇給していることも、九月の賞与の額が私たちと差がつけられていることも、私たち女子は知らなかった。けれども、それはいつかはわかる。同じ仕事をしているのに、同期入所なのに、どうしてかしら？　女の人たちは、ぶつぶつ言いはじめた。でも、大きな声にはならなかった。私も声にはしなかった。不満を抱いたままの私たちに、かかわりなく日は経っていった。その間にしっかりした基盤のない日本経済を如実に示して、株の取引高はぐんぐん低下していった。

め　ざ　め

登録取消を受けし会員のコードナンバーに赤線ひきて何処にか痛み覚ゆ

夏相場秋相場とて期待しつつまたも値崩るる株価キイにたたく

ガラス張のパンチ室には、ミズヨウカンを思わせる螢光燈が明るく輝やき、どっしりと据えられた四十数台の電気計算機に取り組む私たちの中にも次第に不満が拡がっていった。すなはち、

休憩室が欲しい、更衣室が欲しい、食堂が欲しい、それが出来ぬなら、せめて食事時のカーテンだけでもe・t・c

47

意志薄弱のわれなればせめて眉にと強くまゆずみをひく

冴えわたる星夜に祈る胎動は黒きビル崩す神怒なるらむ

七月に入ったばかりのある日のお昼休み。私は、ひとりお部屋に残って本を読んでいた。そこへ同じ文化部サークルのMさんが見えられて、小さな会合を持ちたいが、よく考えてからでよろしいですから参加しませんかといわれた。一瞬、目がくらむような気持がした。Mさんの真剣な様子に、ただ気の転倒した私は満足な返事もできないしまつ。考えても、考えてもあとじさりする私の心！こんなつもりではなかったんだけれど——。

その夜、目をおちくぼませて家に帰った私はそのことを父母に話した。

「そんなこと、おねがいだから、やめてね。参加しないで！　ほんとに、ほんとうにやらないでね。あなたは何も知らないんだから」と母。涙を浮べて私にいう。

「いい、いい、そんなことに、おまえひとり参加しなくたって大丈夫なんだ」と父。

どうしよう　どうしよう　Mさんの真剣なひとみ。どうしよう　クビ！　クビ！

よく朝、げっそり頬の肉のそげたのを意識しながら、どうしたことか一直線に係長の前へ行ってしまったのだ。入所当時、困ったことがあったら、おとうさん、おかあさんと同じように思って相談に来なさいといわれたことをかすかに思い出しながら——。

仰天した係長に、問われるままに、まるで催眠術にかけられた人形のような私は、会合の主人から、場所から、時間からを洗いざらい言ってしまったのだ。かすかに、いけないんじゃないかなという気はしていたらしいが、すっかりことの重大さに動顚している私だった。慌しく動きまわる課長、係長。始めて事の真相を知った私はあまりの軽はずみな行為にMさんに何と言いわけしたものか、すっかり迷ってしまった。決心してMさんのところに馳けつけた私は、泣きじゃくりながら私のおしゃべりのてんまつを話した。

さっと顔色を変えたMさんは、それでも「いいのよ、心配することはない。係長にも課長にも私から話をするから、決して心配することはないよ」と私を慰めてくださったが、何としても弱ってしまったらしくしばらく考えておられた。もしMさんが、このことで馘首されるようなことがあったら、あの瞳の大きな可愛らしいお嬢さんに、秘かに学資を送ろうと固く心に誓った私だった。（先日もお友だちにこのことを話したら、大変な決心をしたものねと笑われてしまったが）

そのまま私は、改めて自分の行動謹慎のために、会合に参加することをとりやめ、心疼く日を送っていた。

〃友と語りあう〃ことを知らない職場の二年生の私のすがたであったのだ。

しかしひそかな胎動は続けられているようだった。

組合　遂に結成！

夏の朝冴え冴え香る組合結成宣言書胸轟きて大きく呼吸す

日焼せし面ひきしめて説得に努める友は労組の幹部

（京子）

七月二十八日。私は、この日を忘れない。朝、八十年の暗い街の伝統に一刃のメスがひらめいたのだ。若々しい勇気があふれるばかりの男女数名の方々の手によって、各入口でつぎつぎに配られる宣誓文の紙、紙、紙、東京証券取引所労働組合の誕生の瞬間だった。これこそ、私たちが待ち受けていたものであった。明日への明るい希望の灯を見出した私たちの名前で署名用紙は、ぞくぞくと埋められ、数分にして過半数に達し、結成をみたのだった。

あの日の、あの晴れた朝の室内のざわめきを私は、いまもまざまざと思い出す。

「すごいわねえ。とうとう私たちにもできたのね」

「でも、どうなるかしら、心配だわ」

「心配？　この空をごらんなさいよ。このすばらしいお天気を、これこそ、組合結成日よりじゃないの」。T子さんの声にわく歓声。

「しっかり団結してゆきましょう」うなずきあう中に、なにか頼りなげな幼さがあるのを見逃せなかった私たち。

『まだ署名の済んでいない方は、お早く願いまあす』わざとふざけたようにいう係の人に「だれとだれが入ってるの？」とか「一番あとでいいわ」とかいう友に、私は、はっきりすすめることもできず署名用紙にサインして、きっちりと朱肉を捺した。

「ああ、とうとうやった！」と感嘆する証券会社の友の言葉を聞いて私は、自分の勇気のなさを恥しく、さびしく思っていた。

緊張しきった顔でMさんが見えられ、パンチ室全員加入を感謝して行かれた。

さあ、単調な日々がドテン返しとなった。総会、職場大会、総選挙、評議員会、労働歌の練習、赤旗を振る、労働協約、ユニオンショップ等々、やつぎ早やの新事実をかけ足で追いつづける。にがりきった理事者の顔の中を、証券従業員の好奇心と羨望のまなざしに呼びかけながらのかけ足だ。よろこびに満ちた明日への夢をしっかりと抱いてのかけ足は、なんと力強いものであったことか。係長以下、総組合員六五六名。

「シマにも時代の波が押し寄せたんだ」

「資本主義の牙城も時代の行進は止められない」

「一筋なわでは動かぬツワモノどもに、よく食いついたもんだ」——巷の声はさまざまだった。

八十年の封建性打破して生れし吾が労組

歴史の一ページ一九五四年七月二十八日（貞子）

如何ばかり苦しみ気づかいやつれしか讃えよ讃えよ勇ある人らを

どんな種から？（私たちの場合）

組合結成までの動きを、私は詳しく知らないので人聞きのことを書いてみる。

始め、大学を卒業した方々が小さな研究会のようなものを持ち、取引所では古株のMさんを入れてすすめて行くうちに取引所内の給与体系などの不合理な点に気付き、なんとしても組合を結成して皆に知らせるようにしなければならないということで動きはじめたのだそうだ。一人の仲間が五人の仲間を連れて来ることにして、場所をきめ、時間を定めたとのこと。取引所の幹部の数人、課長、係長の幾人かもうすうす気付いていたらしい。なかにはMさんが直接、「組合をつくりますよ」と宣言したのに対し「わたしたちは全く知らないということにしておいてほしい。しっかりやってくれ」と、ひそかな応援をする人もおられたとのこと。いかに取引所常任の幹部が無力かということを如実に示している。いつもは朴トツなMさんの恐しいような、危険な行動に思わず背筋がつめたくなった。

総会

「始めてだわ」「知らないなあ」「見かけたことないね」こんな会話がひそひそと交される。「委員長のHです」小柄の精悍な感じの人、「副委員長のTです」貴公子型の人、「副委員長を務めさせていただくMです」ほっかりとした暖かさを感じさせる最年長のMさん。「書記長のKです」ヌーボー的な人。知っているのはMさんだけ。みんな頬はやつれ、髪には油気が全然ない。女子の方三人、目をくぼませた婦人部長のSさん。宣誓文配布を手伝っただけよといいながらも感激に声も出ないKさん。なにかの催し物でもない限り所員全員が集うことなど一度もなかったことである。新入学の小学生の気持のように、期待と不安ですがるように委員たちを見守る。そして、協力をお願いしあい幼い組合は歩み始めたのだ。

初の要求

闘きかじりの労使の在り方をささやかな夕餉を前に妻に説きたり　（良　仙）

思ふままに発言し得ぬは悲しかりディスカッションに不慣れなる吾　（京　子）

労働歌響ける内に始めての要求通りて涙あふれし　（京　子）

さて、組合の初めての要求項目は、

一、九月期生活補給金一律二ヶ月の獲得
一、ユニオンショップ制を認めよ
一、労働協約の即時締結
一、最低賃金の確保と給与体系の確立
一、男女差別の撤廃
一、人事の明朗化
一、取引所の主体制の確立
一、兜町全従業員団結せよ
一、投資家保護の徹底

の九項目の盛だくさんとなった。

初心《うぶ》な組合の総会、筆太々と書かれたスローガンが講堂の緋の幕にさげられ、絶え間ない労働歌の合唱とゆらぐ幾本もの赤旗。

覇気に充ちた委員長の声がマイクを通じて響き渡る。ディスカッションを知らぬ組合員だけに意見は全然出されず、歌声と旗を振ることに今までの不満を爆発させているのみ。

団体交渉、団体交渉、労使ともにまったくの未知なことだらけ。若い執行部の熱意と一度に立ち上った六〇〇余名の組合員の歌声に怯えたのか、生活補給金は一・八ヵ月という圧倒的勝利に終った。

機関紙の発刊がプリント刷りから、活字となり、写真が入り、ユーモアが入り、労働協約、ユニオンショップの解説がかんで含めるやさしさで掲載されるようになった頃には、誕生三ヵ月を数える組合となった。

秋風が吹き始め、向いの会社の窓が夕陽に映える美しい日々であった。

第二回の闘争

団交の結果報告に感激せし夜半は労働歌耳はなれざり

赤旗の波ゆる昼のひとときを心しこめて労働歌うたはむ

高らかに労働歌うたふ青き朝意識して感激をもつわれ十九才

紅らみし木の実を活けしこの夜ふけ夜気吸ひつくす心持ちをり

ひきつづいて組合はベースアップの闘争と取組んだ。三ヵ月を経たとはいえ、労働歌も数知らず、スクラムの組み方も満足にできぬ私たちであった。勉強も不足、情報宣伝も不充分、ただ、第一回の要求がたやすく通ったことが、みんなの胸に積まれていた不満の出口を一層おしひろげたのであった。

一、完全ユニオンショップ制を認めよ
一、平均賃金一九、八四〇円の絶対獲得！（現行一二、三九九円）の六〇％アップ）
一、家族手当最高四、五〇〇円を支給せよ（現行二、五〇〇円）
一、交通費実費全額を支給せよ（現行最高五〇〇円）

このような四項目を掲げて新たな団交に入った。

この中の六〇％アップのことについては一番身近なことだけに組合員の論議の焦点となり、アンケートによる経済状態、及び、総会での活溌な討論の末の決定であった。

だれもが六〇％のベースアップと聞くとびっくりするが、決して個人、個人に六〇％アップをするのではなく、低賃金を加えて情実による激しい凸凹を修正するためには、ぜひとも必要な最低限の要求であったのだ。その凸凹の例として、例えば、四四歳の五人家族の守衛さんは一二、〇〇〇円で生活し、また、四二歳の同一勤続年数の従業員のある人は一四、〇〇〇円であり、ある人は四〇、〇〇〇円という月給を取っている。このような不順当さを修正するには当然の要求であったのだ。

本を読みながら手さぐりで団体交渉へ乗り出す若い組合執行部とそれに必死に縋っていく組合員と、対決する予備知識をまったく持ちあわせていない経営者との間で何回も、何回も、団交が重ねられた。回答はなかなか得られなかった。総会の席上でも、

「皆さん、団交の結果がいつ出るか見通しがつかないので、一応女子組合員の方は帰っていただきたいと思うのですが」との声が何回も聞かれる。

「帰りません、団交の結果報告を待ちます」

女子組合員の張りきった返答。

しかし、難航に難航を重ねる団交結果。

闘争態勢が整えられて行く。

白鉢巻に、墨くろぐろと〃東証労組〃と書き込んでビラ配りをする。霞市道路の街角で、ビルの横で、小さな証券会社の露路に、秋の朝の空気を胸いっぱいに吸いながら。

「まあ、しっかりやってください」落ちついた声で応援してくれる初老のサラリーマン。

「しっかりやれよ、がんばれよ」と幼顔残る場立さん。

「やってね！　うちの労組は御用なの、こしくだけなのよ」ヘップバーンのお嬢さん。

「おはよう」とビラだけをひったくる恥しがりやの青年。

そして、お昼休みのデモ行進。青行隊旗を持って、三々五々とドームの前に集る。鉢巻の姿に少女らしいりりしさをひそませる工夫をし、プラカードに、諷刺やら、ユーモアやウイットや、訴えを表わし、高らかに歌をうたいながら街を歩く。

放送局の係員がテープレコを持って追って来る。テレビが来るフラッシュが絶え間なくたかれる。ものすごい人だかり、奇異の目をみはる老舗の主人。感激に目をうるます事務員。三菱倉庫の屋上から歓迎の紙吹雪が散る。さあ、力いっぱい闘おう。

53

団　交　決　裂　！

労働歌はつづく大会はおわらんとす若き乙女らのスクラム固し　（文　雄）

団結のうたごえひびく団交に姿勢を正し強くダメ押す　（文　雄）

十月十三日の団交で十八日午後二時を期限として最後の回答を求めた結果は、あまりにも無惨な、余りにも非常識な経営者側の態度を知らされたことだった。

一、ユニオンショップ制の事実上の拒否。
一、部課長を含む平均賃金一六、九〇一円（二一％アップ）しかも十月の定期昇給分を含む。組合員のみの平均賃金は一五、〇〇三円とする。
一、家族手当、最高三、〇〇〇円支給
一、交通費実費全額支給
一、賞与は現行支給率よりの年平均〇・六ヵ月分の削除。

私たちの怒りは爆発した。これでは、実質的には僅か八％のベースアップでしかないのだ。0回答にも等しい。経営者の良識を信じていた私たちは完全に裏切られたのだ。

ス　ト　権　確　立

取引所の公共性と重大性を自覚し、努めて事態を平和に解決しようと努力して来た私たちは、なおも交渉に日時を費やそうという声にも耳を傾けた。しかし、完全に無駄だということを知って全員投票でスト権が確立された。スト通告！　機敏に動ける服装、お米を五合、ついに最悪事態となった。報道陣のあわただしい動き、私たちは団結だけが武器だ。聞けば理事者たちはひそかにスト対策に狂奔し、弾圧をくわだてているとか——

「民衆のハタアー」デンデン、「アカハタは—」デンデン——。

しっかりとスクラムを組み、ひきしまった心で歌をうたう。太鼓の音が殿堂に響き渡る。うなずきあいながら、〃団結〃こそ、最大の最良の唯一の武器なんだと改めて心に誓う私たちだった。

共　闘　の　人　々　と

スト通告を発した夜の講堂は、ぴりぴりとした触れれば裂けんばかりの空気であった。折しも、日鋼室蘭の激しい百十数日の争議近江絹糸、山梨中央銀行の争議、と注目を浴び続けの最中だった。たくましい日焼した炭労の人、馴れ切った自信たっぷりの国鉄、全商協、全倉庫、全電通その他の方々が、それぞれの組合旗を掲げて続々とつめかける。中でも激闘ぶりそのままの日鋼の方、私たちと同じように白鉢巻をした同年令の山中銀女子組合員の方に親しみを覚えた。

仲間、仲間、私たちは胸一ぱいの喜びに自己を忘れかけていた。そう、急に同志の増えたことに私たちは忘れかけていたのだ——

54

自分自身をしっかりとみつめることを――。

ほんとうに単純だった。透徹した頭脳で情勢を見究めることを忘ったのだ。甘かったのだ。私たちも、仲間たちも――

だけど仲間たちは強い！ おどおどとまどう私たちを勇気ずけ励まし、押しあげてくれた。そして、血のつながりを持った友が〃おにぎり〃を分けあい、一緒に歌をうたってくれたのだ。

どんなに心強かったことか――。


スト突入！

白きドームに蓆敷きて強きライトにポーズしつつ塩むすびの粒を食む

フラッシュにライトに瞳かがやかしスト突入の新事実意識せむわれ

十月二十六日、午前零時を期して、遂に「スト突入」のはり紙をいかめしい正面扉にしなければならなかった。

少し冷え込む深夜、ドームの中にムシロを敷いて私たちは待機した。

「十七班！ おにぎりを取りに来てくださあい」伝令の声に班長がすぐにとび出す。大きなお皿に山盛りのまっしろいおにぎり。「うわあ！」歓声！ 「おいしそうねっ」「うわあっ、たまらない！」

まだ番のまわらない班の人が羨望の叫びをあげる。

みるみる消れる皿盛りの山。「もひとつほしい」小さなつぶやきにほほえみあう。

「私、胸がいっぱいで食べられないからあげるわ」私は、お河童頭の夜間高校生のK子さんにあげる。

「どうもありがとう」素直に受け取る彼女に哀しいような愛しさがわく。

「疲労するから横になっていてください」伝令の声にごろり、ごろり。頭のそばに靴があり、鼻さきに背中があり、それでもスキ間をみつけて横になる。ふっと十年前のサイレンの鳴り渡る夜を想い出す。応援団体の続々つめかけるざわめき。ニュース映画のライト。テレビのライト。カメラマンのフラッシュ。

「ちょっと、ちょっと、そのおにぎりにぱくついててよ、ストップストップ。そのままで、えーェと、お皿をカラッポにしといてね」

新米らしいカメラマンが勇んで三脚を運んで歩く。友だちの笑い声。

ふっと、きびしいライト。私にむけられているテレビのレンズ。

「ねえ、眠ってて、眠ってて」私は恥しくなってハンケチで顔をおおってしまう。「ちえっ、ちょっとですからさあ、お嬢さん、寝顔だけ」みんなが、どっと笑う。私は、ハンケチをはずさない。翌朝

55

の新聞に〃鉢巻も湯汚れ、疲れきった女子組合員〃という見出しの写真があった。

報道陣の攻ゲキが一段落、K子さんが仰向きになりハンケチから瞳だけ出して天井をみつめている。一度もおかあさまの手許を離れたことのない十六歳の彼女は何を想い出しているのであろう。瞳がうるんでいる。

私も黙って天井の彫刻をみつめる。すばらしいエンゼルの彫刻。何時、誰が彫ったのか。このような状態で、まじまじとみつめられる時が来るとは夢にも思わなかったであろう。

「いい記念になるなあ、こんなことメッタにないことだもの、こんなことした時代もあったって思い出せるだけでもすばらしいや」私は少し言葉を荒く男の子のように言いきった。「そうね。でも、おかあさん、どしているかしら」K子さんの顔を見るにしのびず私はそっと洗面所に行くふりして玄関へ出た。この事実を意識して心に記憶しようと思う私の頭の上には「清酒、白雪」のネオンが赤く、青く無心に点滅していた。労働歌も深夜のこととてひかえ目にしている。楓川の水尾のみだれにネオンがゆらめくのをみつめているとふっと、新しい、明るい職場を想い、うれしさがこみあげてくる。

墨跡も新しい「スト突入」の張紙、夜が明けた。爆発するような歌声が国鉄の応援カーと共に兜町をゆさぶる。がっちり張られたピケ。うち振る赤旗。満ち陽の街に、つめかける人々の好奇なものをみる顔。ジャムパン、バターパン、バケツの水がつぎつぎに配られる。建築途中のお隣りのビルに足場をつくって腰を据えたカメラマン。くぐりぬけて歩く例のテープレコさん。三脚氏。


ゆとりを持って私はピケを張っていた。手早く薄化粧もしておいたから、寝不足とはいえそう醜くはないようにしておいたつもりだけれど……。「協和会の連中を動員して、ピケ破りが行われるぞ」との情報。がっちりと共闘の人に組って腕を組む。

何もない。歌をうたい続けた。
証券会社のNさんが応援に駆けつけて来た。
〃組合もない会社なのにクビになったら、どうするのかしら〃
私はNさんを追い返したいような気がしていた。

警官の兜の波と真対いておのづとスクラムの堅さ覚ゆる
（つね子）

鋪道にて乱闘の光景に憤激覚ゆこん棒の青かぶと鬼と思ひて
（つね子）

午後、激しいマイク合戦。「私たちの正当な要求が、どうして受け入れられないのでしょう」――私たち組合側の拡声機。

「ピケを解いてください。午後一時半より立会を強行します。ピケ

56

を解いてください」これは理事者側のマイク。「阪本公園に大勢の予備隊が待機している」との情報。そして、ピケの持場交代をして間もなく、鉄かぶと姿も、ものものしい予備隊員の一隊を見た。その数は組合員より多かった。私たちの心は凍った。「ポリ公帰れ！」

「税金泥棒」「ワッショイ、ワッショイ」共闘の人たちの激しい叫びに私たち組合員はためらった。

「すみませんけれど、そういう言葉は使わないことにしましょうよ」私は、はっきり言った。事実、いやだったのだ。「ワッショイ、ワッショイ」これでいい！　これでいい！

「西口、日興証券側に警官隊の出動！」さあ、さっき交替したばかりのところだ。警官との激しい揉み合いが時々わかる。

こん棒を振りあげ、靴でけり、私たちの建物を破る彼らの顔は能面のように思われた。「ピケが破られた！」「ほんと？」「まあ！」泣きじゃくりながら男子の方たちが私たちのところへ来た。

「きみたちは、同じ証券界に働く仲間なんだろ？　黙って眺めているだけなのか？」悲憤の涙をぐっとこらえながらいう私たちに、道に群がっている兜町の若者たちは、そっと去るか、無表情でいるかだった。「ね、どんなにあの人たちを苦しめ、縛っている力が大きいかがわかるでしょう」と慰めてくれる共闘の方々の言葉に改めてスクラムをしっかり組み直す私たちだった。業者のビルの窓ガラス越しにそっとハンケチで涙をふく人たちが見えた。その人たちに必死に叫び続ける。

「同じ仲間でしょう。一しょに闘いましょう。ねえ、立ち上って！　立ち上って！」叫び続け歌い続ける私たちは、窓ガラス越しの顔が一つ一つ消えていくのを歯ぎしりする思いで見つめながら、それでもやっぱり叫び続けた。経営者から要請を受けた官憲の弾圧のため、私たちは自主的にピケを解いた。七人の検束者が出た。

「これ以上犠牲者を出したくないっ！」委員長の悲痛な言葉に私たちは従った。

ネオンが昨夜と同じにまたたく夕暮、ニュース映画のきびしい明るさのライトを浴びつつ堂々と闘ったのだという自信で胸を張り、労働歌を高唱しながら、私たちは講堂に入った。街路に送ってくれる人々の中に拍手をする人がいた。「よくやり通しましたね！」と手をさしだす中年の婦人もあった。頷きながら迎えてくれる若い副委員長の眼にも涙があった。ぐいぐいとこみあげる口惜し涙に「闘いはこれからだよ」という共闘の人の励ましに強くうなずく私たち

だった。

赤旗を床に投げて憤る友の涙を涙で受けつ

ネオンの紅にじむ空にピケ張り通せし一日を彼方の如き思ひにて迎ぐ

その夜、埃にまみれたズボン姿を緑色の洋服に着換えて私は、あの玄関を出た。フラッシュがひらめいた。また〃家路につく女子組合員〃とでもつくのであろう。激しい悲哀に痛みつづける心をそっと抱いて一時間を省線にゆられる。

「ただいまっ、うわあうん、ううううう」なにもかも忘れて泣き出してしまった私に父も母も何も言はない。あたたかい御飯を盛ってくれる母の手がふるえている。何もいわない。「これからだ、やれっ、しっかりやれ」父の一言。私は、とめどなく頬をすべる涙をすすりあげながら、ばりばり音をたててりんごを噛り始めた。

ストの翌朝　五首

唇噛みて涙抑えし夜は明けてキイたたきみる心躍りて

「白鉢巻で泣き崩る」と新聞は報じたりポーズを常に考えねばならぬ

検束されし友に靴下編まむとリボン結びし幼面残る友はいふ

パンチのキイの変りなく軽き感触改めて喜びの心湧き来ぬ

原稿紙に生き生きと文字を書き吾は一端の労働者のつもりなるらし

検束された友へ

ピケを解いて講堂に入って私たちは、〇〇班々長のあなたが居られないことを確認し、改めて激しい怒りを覚えたのです。共闘の方六名、どんなに御家族の方々が心配なさったことでしょう。私たち

できるだけのことをいたしますから、どうぞ平静なお気持で私たちを信じていてください。一緒にスクラムを組み、歌う日が一日も早く来ますよう努力いたします。お元気なお顔で見えられます様に。

明日の闘いのために

都労委の斡旋案が提示されるまでは、鉢巻就労、サボで録め、デモなどの戦術がくり返えされていた。十一月五日、提示された。

一、いわゆる尻ぬけユニオンといわれるもの

一、家族手当、最高三、〇〇〇円

一、二七％のアップ（部課長を含む）

一、賞与は年四回（協議を有する）

円満解決するよう双方とも心がける、etc・十一月八日の総会で慎重討議ののち、受諾を決定した。より強固な団結を築くために。十一月十日の正午、静まり返った講堂に調印式の行程報告が終った。旗も見えず、歌声もなかった。闘争三役に何回かの任意出頭命令が来ているとのこと、「かれらは告訴状を撤回してない!」委員長の激しい怒りの声に、怒りを含む組合員六〇〇余名の瞳がもえた。「警官も笑った歌だよ」――仲間にはいい娘がたくさん働いている――パリッとした若者も胸をときめかす――そっといたわりあう私たちだった。

何のために?

残業も終って帰り仕度を整えている私たちの部屋の前を、どやどや三十数名の刑事、新聞記者の一行が通りすぎる。少しあおざめた顔で副委員長のTさんが先だっている。

「何かしら!」私は、不安を感じて地下の青行隊本部へかけ降りた。「家宅捜査だよ」落ちついた声でKさんがいう。また、フラッシュ、友好団体の旗布を拡げてはメモする数人。机のひきだしをあけてかきかまわす数人。

「何のために?」お友だちとすがりあって闘争本部へ行って見る。市場の時計が赤く無気味に七時をさしている。がらんとした場の中をゴクロウサマに、旗布と竿を別々にし、束にして、ひきづり歩く音が響き渡っていた。

気が緩んでいたな! 組合も……。日誌なんか押収されてしまって――。よく朝、友のひとり、ひとりに怒りをぶっけて歩く私だった。

不　当　逮　捕

ストの日に検束された友が私たちの手で私たちの中にもどって来てほっとしていた、ある朝、副委員長のMさんと法対部長のSさんが不当逮捕されたとの報に私たちはびっくりしてしまった。

刑事たちはどのように、幼い子らの前から父を、やさしい母の前から息子さんを連行して行ったのかしら。もう、胸がいっぱい。涙に瞳がくもってしまい可愛らしいお嬢さんの姿が思い浮べられるし、年とったおかあさまの気をもまれる姿が目にちらついてたまらなかった。しかし、釈放されてからお話をうかがうとお二人とも刑事さんたちを仰天させるように元気いっぱいだったらしい。お嬢さんたちも、おかあさまも、奥様も、父を、息子を、夫を信じきって安らかな気持でおられたとのこと、ただ喜びで私は何もいえなかった。

協約と賃上げ吾子らは知らず颱風来らん一日を遊ぶ　（又　雄）

夜遅く帰るしきたりつきて一年吾子らは朝のわが床に入りて来る　（又　雄）

水を浴み遅き夜食をはみをれば蚊帳をあげ眼をこすり吾子は出てくる　（又　雄）

明日を誓って

闘争態勢を解いた十二月二十八日、闘争委員長と青行隊長Uさんが遂に起訴された。

新年を迎えるというのに御気分が重いことでしょうと思うと、私たち組合員が、しっかりと後押してあげなければならない。

明日を誓いましょう

私たちが居ります

Uさん、はやくお元気になってしっかりとがんばってください。

新しき年迎えたりこの朝におゝらかに照る陽をむさぼらむ

〝この労組のびゆく〟と断ずる新聞にほほえみ交す吾ら女子組合員

兜町を去った友へ

よい先生となって、黒潮流るる町の若者たちに慕われていることでしょうね。矛盾だらけのこの街に苦しんで遂に去って行かれた、あなたに代って、私は、何としたら、明るく楽しく過せるかという ことに一生懸命です。この空の下で、お互いにのびてゆこう、と心がけている人々が、どんなにたくさんおられるかということも知りました。背骨《バックボーン》ある生徒さんを続々と輩出なさってくださること!

きみよ

兜町の〇グループのお友だちへ

ねえ、あなたたちって、ひとりひとりお話してみると、みんな、〝しっかりやってね〟っておっしゃるのよ。だけど、それだけじゃいけないんだと思うの。私たちの労組を頼みの綱として、不満や訴えをたくさん聞かせてくださることに私たちも一生懸命努力して報いようと思っています。ですから、あなたたちももっと強くなって、

人々。明日の保障もなく何年もうつ向いて暮して来た人たち。そして、それらを見て〃これではいけない〃と気がついたが諦めの気持の方が大きかった私。ずるずると絶望のふちにひきずられていく私を救ってくれたのが〃東証労組の結成〃であった。蘇えった思いで駆け足を続ける私に、街の友の悲痛な訴えが聞かされ、期待と不安と希望で見つめている多くの瞳が意識された。そして、争議。労働者の団結。労働運動への弾圧。警察、新聞、政治をあらゆる面からみつめ、考え、どうしてそれがなされなければならないのか。ということの考え。

徐々に目覚め、成長して行くことを発見した時、この〃私の心の成長〃そのものが、私の愛する職場の歴史となることを知ったのだった。拙い文字を、限られた日数で過ぎ去った日を振り返り、振り返り書くことが、このように楽しいことだとは思いもかけませんでした。

書きあげて仰ぐ星空しみじみと清らに生きむ生きむと思う

ある深夜煩をはらわれし心地して動哭しつつ生きる生きると呟やきぬ

組合日誌抄

—一九五四年—

ひとりひとりのお友だちを本当の仲間にしてください。こんなこと言ったら誰かが言いつけてしまうんじゃないかなんてこと考えないで〃みんな！ 東証の人たちともやって行こう〃って、あなたたち同志でスクラムをくんでくださったらもっと、お互いに怯えや猜疑心がなくなってしまうでしょう。取引所と業者といえば立場は違うといわれる方もおるでしょう。でも広い心を持ってごらんなさい。私たちは対する相手が一人です。同じ街に住み、同じような生活状態です。みんな親しいお友だちでしょう。

あとがき

資本主義の牙城と呼ばれている、私の職場の取引所が、他の名を〃黒いビル〃と呼ばれていることを知った私のおどろき。私は自分の職場に誇りを持ちたかった。この白いドームの私の職場が、国民の血と汗の結晶をしぼりとる中継所であったとは——。学窓を出て三年、ようやく周囲を見廻わす余裕を持てるようになった時、私は何を見、何を経験し、何を考えるようになったか。封建の鉄壁に取り囲まれた〃シマ〃と呼ばれる、この街に暗く意気なく毎日を過す

東証の新しい歴史によせて

ある証券会社従業員

東京証券取引所労働組合の活動に心から感謝する者として感想と意見を述べます。

東証に労組ができたことは言うまでもなく非常に意義のあることです。資本主義の殿堂といわれているところにできたということ、しかもまったく驚くほど封建的なところに労組が作られたということ、概して中産階級の人たちが働くと考えられ、投機的なことをする人達からだけで構成されていると考えられていた兜町に労組ができたということ、これらのうちに現在の社会のあらゆる矛盾、どうしようもない社会制度の矛盾が反映されております。そして山梨中央銀行、その他の労組や民主団体に対する弾圧と同時に東証に対するあらこつな官憲の弾圧は、日本の支配階級がこの矛盾した社会でめざめてたちあがる労働者の最低のぎりぎりの要求までふみにじって自分たちの利益を守ろうとしています。東証のストが日鋼室蘭のストと並んで重大事件だったことは充分うなずけます。

東証労組の証券界における地位は非常に重要です。兜町での労働運動の中心はやはり東証です。東証を中心として大きく兜町の労働運動は発展しました。そして東証は全国の証券取引所の中で最も大きいということと日本の首都にあるということでさらに、北浜の大証と共に最も重要な位置にあります。だから東証労組の要求は兜町

七月二八日　組合結成
　　三〇日　全員加入
八月二四日　大証労組スト　委員長以下二名派遣
　　二六日　第一回規約改正委員会
　　三一日　臨時組合総会
九月　二日　第一回団交
　　一〇日　生活補給金一・八ヶ月獲得
一〇月一二日　要求提出闘争宣言
　　一八日　スト権確立
　　二二日　都労委職権斡旋
　　二六日　二十四時間スト突入　大島さん以下七名不当逮捕
一一月　八日　組合側斡旋案受諾決定
　　一二日　組合事務所捜索をうけ書類物品を多数押収
　　二七日　茂木、鈴木両氏不当逮捕
一二月二八日　委員長、青行隊長起訴

—一九五五年—

一月二〇日　執行部改選、委員長再選さる
二月二〇日　全証労組を結成
三月一八日　地裁第一九号法廷で第一回公判
三月二〇日　三月生活補給金〇・五ヶ月分要求闘争宣言
四月一五日　〇・一六ヶ月の回答を受諾
　　　　　大証労組スト、就労闘争でもむ

この「歴史」は、東証の茂木又雄、青木きみよ、と、梅田欽治、平尾三郎・教育大の学生が参加した。

の各証券会社の従業員の要求でもあります。東証の労働者の勝利は兜町の従業員に勇気を与え、東証の労働者の地位の向上は兜町の従業員に確信を与えます。たとえ現在ではまだまだ東証の労組の仕事を理解しない人が多いにせよ、彼等もまた生活が不当におびやかされているのなら理解する条件はあるのだし、また理解させなければならない。理解するだろうという確信を持たなければなりません。このことは多くの中小証券会社で現実に労組が結成され、あるいは結成の準備をしており、またいわゆる大証券で〃給料が良い〃とされている会社の人も実際には生活難でおびやかされ、多くの不満を持っていることなどを見てもあきらかです。

　このようなことで東証労組の任務は東証労働者の生活の向上と兜町内の労働運動の促進という二つの面があるように思います。

　東証労組はまずしっかりと東証労働者の意識を高めさせなければなりません。前のストの時も東証の人たちはまわりの人に理解してもらおうとしてずいぶんビラをまきました。そしてこのことはまったく正しいことです。しかしまた同時に連日のように組合の大会つずきのため家に帰るのが遅れ、家の人達にどう言いわけをしたらよいのかわからなくて困っていた友や、家の人に絶対に組合のことに関係してくれるなといって泣かれて困っていたという人が少からずあったということを聞いています。特に世の人たちはこのことで多く悩んでいたようです。職場大会というのが持たれても意見を言う人が限られており、多くは執行部などの上級機関の決定をそのままくりかえして討議していたようです。むしろ職場大会では日常の組合員の生活の問題、いろいろなものに対する見方などをこそ出しあって討議するのでなければならないとおもいます。こういうふうに下からの力の結束と意志の統一なしには結局は労組は頭でっかちになり、本当にがっちりとしたものにならないでしょう。

　青年行動隊も作られておりますが、何らそれ自身の独自の活動をやっていないのではないでしょうか？　大証の例にみならって作ったとしても、親組合の決定をそのまま受け入れてやるというのでは青行隊の存在の意義はなくなってしまっているといえます。

　前に東証労組の機関紙に某大証券の寮における会社側の圧迫が書かれたことがあったようですが、これなどはわざわざその会社の名前を書いたためにその会社での民主的な活動に支障があったということがありました。これなどはあきらかに東証労組の警戒心のたりなさを物語っています。

　組合の執行部では自分のところでは経済闘争だけをやるのであり政治闘争はやらないのだということをいっているようですが、しかしもっと現実を見てもらいたいとおもうのです。あの英雄的な正当なストに対して官憲が弾圧を加えた時、東証の労働者たちは身をもって自分たちを圧迫するやつらは理事長とつながる日経連、すなわち日本政府、日本の支配階級だということを知ったのではないですか？　敵の力はものすごく強大です。労組はたしかに経済闘争を主とする組織です。しかしだからといって他団体との共闘を拒んだりしたり、相手の〃道徳〃などというものを信じこんだりするのはやつらを喜ばせるだけです。

　東証では組合委員長についての法廷闘争を組合の主要な闘争としてとりあげていた時があったようですが、しかし全証労協結成大会

で国鉄東京支部委員長が正しく言っていたように、絶対に法廷闘争だけで組合を強化することはできないとおもいます。いくら衆議院で不当労働行為をうったえたところで、政府は理解しようとしないことはあまりにも明白です。労働三法をいくらたてにとっても、どうにもなるものではありません。結局は法律というものは力関係によってきまるものです。法律の〃平等性・正当性〃というものを信じこむよりもまずそれこそ本当に身ぢかな問題、賃金闘争のようにはでなことでないものをぢみちに数多くさわることによってしか、労組を本当の意味で強化する基礎はできあがらないと思います。

　兜町には非常に多くの未組織の労働者がいます。かれらはとても安い賃金しか受取っておらず、会社をやめるものが多く、あるいは兜町独特の悪い雰囲気にそまってしまう人が多くいます。そして兜町を本当に民主的にするためには、これらの人たちにこそ注意をむけなければなりません。かれらは自分の安い給料について深く考える余裕を与えられず、組合についても関心を持たせられなくさせられているのです。

　そしてこのような人たちを組織し、これらの人たちをめざめさせる役割を東証の人たちが、中心的にやらなければならないと思います。

　東証の人たちは概して他の会社の人たちと話しあい、親密にしているでしょうか？　わたくしの聞いた範囲内では東証の人たちと最も仕事の関係でも近い人であるはずの才取でさえ、東証の人と話すのは何だか変に感じるといっている人がいます。

　ビラをまいただけではたしてどれくらいの人が運動を理解してくれるでしょうか？　やはりあくまで話しあいで説得すること以外に本当に運動を理解させることはできません。もっといろいろなことで東証の人たちと他の会社の人たちとで話しあう雰囲気が必要ではないでしょうか？　場の中でもひまな時には互いに話しがはずむようにありたいとおもいます。こういうことこそ東証労組をつよくするいしずえとなるでしょう。

　以上思ったことを長々と書いてしまいました。

　いろいろとまちがった意見があると思いますが、何とかして東証労組の援助をしたいと考えています。東証労組の一層の発展を希望します。

民科第十回全国大会お知らせ

　民科が創立されてからもう九年余りの月日がたちました。左記のように第十回記念全国大会が開かれます。みんなの活動の経験をもちより、悩みを語り合い、今年度の正しい方針をつくり出しましょう。

大会日程（東京　法政大学）

五月二十七日(金)夜　支部・部会代表者会議

二十八日(土)午前　本部報告、午後　活動報告

夜　分科会（歴史部会としては昨年の全国総会以後の活動を検討する予定。）

二十九日(日)午前・午後　討議　夜　懇親会

、なお、大会の詳細については民科本部より各支部に発送される「大会準備ニュース」・「同討議資料」・「報告・方針草案」あるいは「国民の科学」等を御検討下さい。

なえどこ

花の下で輪をつくろう（職場の歴史をつくる会のお花見）

ある労働者の歴史

私の田舎は、長野県でも北信にあたる。リンゴだけが取柄の、いつもは静かな平和な村だが、終戦後何回ともなく襲う水害に土地もだいぶ枯れてきた。

家のばあい田畑四反しかなく、水害のおい年など収かくが皆無の状態だった。戦時中の強制そかいで土地もなく、ようやく手に入れて開こんしたのもこれがせい一パイだった。二十四年の八月にいたっては、床上浸水二メートル、一瞬の間に家具が流され、破かいされてしまった。泥水がひいた後も、汚物の臭気で大変だった。家は八十度ぐらいに傾斜し、食物も手に入らず、その日ぐらしも困難だった。こんなとき、地元の共産党が手をさしのべたが、誰も援助を求めない。私の家も部落のドンじりを争っていただけに連日来た。「困ったことはないか、手伝ってやろうか」といって、帰りにはきまってパンフレットやアカハタをおいていく。家よりもひどいOさんは、がまんしきれなくなって、共産党にうったえた。Oさんを真ん中に多数で役場と交渉し毛布、ふとん、食りょうをせしめたが、良かったのはこのときだけ、その後、あとで村八分にされて、東京へ夜逃げした。おたがいに税金はおろか五十円の電灯料も払えない日常をかんがえると、他人事ではないような気がした。

私は翌年定時制高校へ入ったが、二百円の月謝が滞納し、一年でやめた。田畑がすくなく百姓もできないので、他所の野良仕事や土方などした。

このころ小作農家を歩きまわっている、職業のあっせん屋が来て、東京の製本屋を紹介されたが、おどろいたことには二週間見習で無給料、小づかいは月五百円位、そのかわり盆か正月には上衣やズボンは出すという。あまりのバカバカしさで、話に乗らなかった。別の口をたのんでいたら、同じく製本屋で、神田神保町だった。学校時代に自分に適した職業などをアンケートしたとき、鉄工所が好きだと書いた。また、男は機械屋になるのが本当だと思っていたが、選り好みをしても無駄な事だった。今度の製本屋は手取り千五百円。家じゃ一人でも減らさないと食べて行けない。

入ったは良いが、朝六時より夜十時まで時には午前二時までコキ使われる。働らかされる、飯どきに三十分休みがあるだけで、部屋は八畳に十二人もつめこまれ、押入れまで利用している。休日は月一回、仕事はつかれるが、本が山ほど積まれているのでうれしかった。いろいろな参考書より講談

本、エロ本まで読みあさっていったが、その中で戦前戦時を通じた右翼運動や団体を表題にした「我れ敗れたり」は一番感銘した。児玉誉士夫の少年時代、紡績工場の寄宿舎で、外出を禁じられ牢獄のような生活にも、なぜか自分に共通点を見出した。同じ神保町に住みながら、二ヵ月も交叉点を知らなかった当時、労働基準法とは八時間労働の事だけだと思っていたが、そこでは、八時間どころか、一日十七時間労働でしかも立ち通しなので、ひざがガクガクする。巡査は良く顔を見せた。基準法違反は巡査が取り締るものとばかり思っていたので、その都度期待していた。おやじは腰を低くして、ペコペコ頭を下げていた。帰りには講談本やエロ本を包んでいた。

不満だったことといえば、ただ、労働時間があまり長過ぎることだった。社会の動きを知るにも新聞もなく、読書だけが唯一の楽しみだった。「我れ敗れたり」によって思想的な事に大分ひかれた。旧軍隊の性質右翼団体やテロ団なども、それまで中学校で、平和や民主主義を説かれても、単に国際友好としか頭に入っていなかった私にとって、愛国心や大和魂は忘れていたものを引き出したように思われ、郷しゅうさえ感じた。文字や言葉にひきつけられたということも多分にある。また、この中に自分の生き方があるのじゃないかと思った。右翼に対する知識も書物から習いおぼえたにすぎなかった。

二ヵ月め、さすがに身体が参って、田舎へ身体が続かないことをうったえたが、帰郷することもできず、待っていると「鉄工所に仕事の口があるが、どうするか」と問いあわせが来た。渡りに舟とばかり話も聞かずに移ってしまった。勤まらなかったら、田舎で土方でもしょうと、そんな安易な気持もあった。工場は製本機械、印刷輪転機を製造し、神田と川口両方に工場を持っていた。入社した当時、見習工八名大半は年輩者で、家庭を持っている。工場の空気はすさんでいて、身体にいれずみをした人が多数いた。すべて腕力が支配し、弱い者はすみっこの方で小さくなっていた。若い連中が少しでも口返答すると「馬鹿野郎ッ」で鉄拳だ。何回もやられると胆っ玉がすわってくる。なぐられてもにらみかえす余裕も出てくる。人のいれかわりが激しく、入ったと思うと、一ヵ月くらいで出て行く。長くて半年、見習工の方が長くなってしまう。やはり給料に不平があったようだ。その人たちは、不満があると退いて行く。「なあにこんなとこやめりやいいんだ」これで万事カタがつく。反ぱつなどしない。

私の場合、たしかに製本屋よりは良くなった。部屋も六畳に二人、初任給百四十七円だった。労働時間も長くて十三時間、早ければ八時間。だが、食べる以上残業しなけりゃ、でも時間にも余ゆうができた。これを機会に、文学をこころざした。労働時間は短くなっても、残業すると疲れて勉強どころじゃない。すぐ眠くなる。毎日毎日同じことをくりかえしているのが馬鹿らしく、生きていてもつまらんと簡単に割り出し「死んでしまえ」なんて気になって、自殺でも取れる生命保険に入ったが、所詮死ねなかった。

この後新聞や雑誌で見るようにやはり教会へ行った。祈りの意味はわからなかったが、気のせいか心が休まるようだった。二回めよりYMCAに入ったが、意味のわか

らぬ事ばかり「神よ神よ」が入るし「汝の罪己れの罪」「許すべし」とか、自分の性質からして全然相反している。

何かをしないと世の中から脱落するようで、じっとしていることはできなかった。自分が知るかぎりの右翼運動に身をささげようと、浅草にある大日本愛国党本部の前まで行ったが、決心がつかず、一日隅田公園で考えたが今は思い直した。より多く右翼を学んでからでもおそくはあるまいと勝手なことを考えた。

入社以来一年半を経過していた。工場の人は大いに若返り、年ぱいの人は三人位。自称共産党員と、同じく地域の青年部々長が入ったのもこの頃で、「自称」の方は工場で一人でえらがっていたが、青年部々長の人はやめるまで私だけしか知らなかったようだ。人柄は良いが共産党員だということに反ぱつした。田舎にいたとき村八分にされた人を思うと、共産党とはまったく無思慮な人間ばかりだろうと思った。メーデーが暴動化したときも、労働者とか労働運動をこの目で見ようと興味半分に行ったが、アカまきこまれて負傷した人を見たとき、労働組合はテロだと思ってくらいだった。

工場の青年部々長が身もとがバレて、わずか四ヵ月で退社したが、そのとき共産主義とは何か？資本主義とは何か？を知りたくなって、調べ始めた。右翼の愛国主義や国すい主義に行きずまりを感じていたし。また、未知なものへの好奇心も多分にあった。自分が労働者であると知ったのも、このときじゃないかと思う。政党にしても自由党と共産党を対しょうにし、社会党を忘れていたのはうかつだった。「自分は労働者だ」と覚ったとき、一歩前進したわけだ。それまでは、労働者でありながら、労働者ということを口に出すのもいやだったのに。

工場の人がめまぐるしく変るのも、生産が停滞しているのも、すべてが自分の身のまわりにある問題だと思った。賃金にしても、単に「他所より安い」というのじゃなく自分たちが自分たちに相応する賃金をと考えるようになった。数多く本を読み、この目で社会の動きを見、自分たちの生活は自分たちの手でより良いものに築き上げてゆかねばならないということも、だんだん知って来た。（職場の歴史をつくる会一会員）

歴史の「歌ごえ」

職場に、農村に、日本全土をおおって、働く人びとの高らかな「歌ごえ」の運動が嵐のようにわきおこっている。この生産のにない手の明るい「歌ごえ」は、平和と民主主義と生活をまもるたたかいにとけこみ、たたかいを勇気ずけ、そこから新しい文化が生れはじめている。

いま、おなじ人びとによって工場の歴史、村の歴史の運動がはじめられた。この科学運動は「歌ごえ」のようにはなばなしくもなく、まだそれほど大きなものにもなっていない。だが、それは働く人びとが自らの手で科学しはじめたものであり、これまで良心的な科学者の手ですすめられてきた「国民のための歴史学」運動を、下からささえるだけでなく、大きく前進させる力をもっている。

新しい歴史学の創造の芽ばえは、歴史の主人公である働く人びとに、みずからの社会をきずくためのたたかいに勇気と確信を与えている。ながいあいだ支配階級に奉仕させられてきた歴史学は、大きくゆすぶられはじめた。それは歴史学の「歌ごえ」である。

（T）

毛布をかかえて

敷かれた布団はそのまま、昨夜、康子は遂に帰って来なかった。ラジオは朝早くからかけっぱなし、朝の台所で雑用に追はれてはいるが、耳だけは緊張してラジオの報道を逃さず聞いている。その時である。

「東証労組、二十四時間ストに突入」との報道があった。はっと立ちすくみ聞き入る。いよいよ最後の手段となってしまったのかとなにも手につかない。しばし茫然としてその場に座ってしまった。やがて心も落ちつき、ああ、こうしてはおられない。むろん、今夜も帰って来ないであろう。康子は出掛けに「声がカスレテ、喉が痛い」と言っていた。労働歌を歌うからだとは思っていても、心のすみに、もしや風邪でもひいているのではないかと心配になり毛布を持って行こうと思いついた。それに、用意しておいてタマゴもあり、これは何かとお骨折くださっておられる幹部の方たちにだけでもと用意してあったのだが、毛布と一しょに持っては見たが、このタマゴを持ち歩くことは駄目かも知れないと考え、毛布だけシッカリと胸にかかえてとび出した。電車を降り、小雨降る中をコートまで着て、大きな包みをかかえて鋪道を行く。東証へと急いだ。

東証近くの鋪道は証券会社の男の社員でいっぱいうづまり、どの道へ廻っても人でいっぱいで、私ごとき者の入るすきなどあろうはずはなく困ってしまった。しかし、何とかして入口のところまで行けば東証の誰かに手渡しすることができるだろうと思い、人の背後から大きな声で「恐れ入りますが用事のある者です。前に出してください」と言いながら、無理に人波をおし分け、へし分けして入って行った。やっとの思いで、東証の入口近くまでたどり着き、ほっとして前を見た瞬間、私は腰を抜かさんばかりに驚いてしまった。それまでは人の背後で何一つ見ることができなかっただけに、息の止る思いであった。警官の鉄兜の波、白鉢巻の労組の人の緊張した真剣な顔、顔、顔、私は胸がいっぱいになり涙をこらえることができなかった。やっとのことでここまでたどり着いただけに、簡単に引き返せるわけがない。

涙はとめどなく流れ、何時しか私は人前はばからず、ススリ泣いてしまっていた。康子から労組のようすはよく聞いてはいたが、赤旗をかざしてピケを張る、労働歌を歌う。スト突入のこうした事実を今、目の前に見て、団結の力、決意を持って立ち上った一糸乱れぬこの姿!! 巨大な取引所の建物を背景にもう何物をも怖れはしないと腕を組む。その腕が私には固い、強い鉄のクサリのように見えてならなかった。私は毛布の大きな包を持ったままこの光景を前にして泣きながら胸いっぱいの感に打たれ、しばし佇んでいた。

（例会で東証女子組合員と会員の話し合い）

このさわぎに毛布を手渡すことなどはどうしてできようか？　タマゴも置いてきてよかったなどと考えながら、諦めてこんどは人波の前の方から小さくなって「すみません通してください、すみません」と何十回となく頭をさげ、叱られながら、細い体に大きな包をかかえなほし、やっとの思いで鋪道に出ることが出来た。

ほっとしてふりむいて見たが、大きな建物が見えるだけ、今までの光景など見る由もない。建物を見つめて私は心の中で「労組の皆さん、がんばってください、負けてはならない、康子もがんばるんだよ」とつぶやきながら幾度となくふり返りふり返り東証をあとにした。

その夜、一時近く康子は帰って来た。家の者は一斉に飛び起きて玄関に出た。真赤に泣きはらした目、声は全く出ない。「疲れているだろう、すぐお休み」と言はれても、いまだにあの場の昂憤は消えていない。「警官は私たちの敵です」と口惜し涙にぬれていて寝ようともしない。おとうさんも私も「闘いはこれからだ、早くお休みなさい」と一生懸命に励ましてやった。しばらく沈黙が続いた。長いこと私は布団の中で、ススリ泣く康子の声を耳にしていたが、その声もそのうちに聞えなくなった。やっとねむったらしい。ほっとする。あたりはしーんとして何の音もない。

（岩崎みさを）

この一文は、あの東証争議を勇かんにたたかった一女子組合員のお母さんが、かかれた手記です。ここに示された母の愛情、これが争議を支えた大きな陰の力ではないでしょうか。本誌にのっている「東証の歴史」も、一層深く理解できるのではないかと思います。

ちかごろ、「家族ぐるみ」のことばがよく耳に入りますが、その一つとして、ここに紹介します。同じ様な事が沢山あると思いますが、編集係までお寄せ下されば幸に存じます。（職場の歴史をつくる会・編集係）

例会で当時を語る東証組合委員長

歴史学と国民

梅田欽治

平和と生活を守る戦後十年の国民のたたかいは、勝利への道すじを科学的につかみ、確実に力を蓄積してゆく広さと深さをかちとりはじめている。これは、客観的情勢の進展と国民的な体験を基礎としている。

この戦後十年の私たちの体験は、歴史学の分野においても貴重なものである。それは、歴史学においても国民のたたかい・生活との固い結びつきこそが発展の基礎であることを示している。科学の発展の真の源泉は、生活のなかにあるという貴い体験を、さらに深める以外には、ひからびた歴史学をよみがえらせることはできないし、堕落させようとする攻撃から歴史学を守ることはできないであろう。

戦後十年の国民のための歴史学の運動は、動揺をくり返してきた。経験主義は今もなお、私たちの主要なけっかんになっている。また、たたかいを主体的にとらえようとするあまり、その客観的要因を見失い、ひとりよがりにおちこむ傾向も出ていた。しかし、こうした弱さは、つねに国民の生活実践のなかでためされ、点検されることによってなおすことができる。国民との結びつきを深めること、これがこれからも私たちが努力していく方向である。

それとともに、私たちは平和と学問を愛する先輩の業績と理論的な蓄積を尊重しなければならないと思う。科学運動の発展はますます理論の高さを要求しているからであるし、また日本を破滅に追いやろうとする勢力は日本の学問の正しい発展をも破かいしようとしているからである。

ここで述べることはすべて、国民のための歴史学の実践のなかからでてきたことである。また一しょに運動をすすめている仲間たちの協力から生れたものである。

ここでは、職場の歴史をつくる運動が提起している問題を、整理することを目的とした。

このことは戦後十年の歴史学の歩みを整理することによって、より明確になることだと思う。しかし、こうした仕事は多くの人たちの討論によってのみ行いうるものであるし、とくに学界での成果と歴史学の運動が提起した課題との関連、また、それが国民をねむりとませる歴史観をどうほりくずしてきたか、という問題を明らかにすることが大切だと思う。この点では全く不十分であるが、これからみんなで討論して深めてゆこうと思う。

一

(一)　敗戦は日本の国民生活に大きな変化をもたらした。敗戦より二・一ストまでの時期は、民主化をたたかいとり、更にそれを拡大するために大きなエネルギーを発揮して前進した時期であった。

このたたかいのなかで歴史学はどのような発展をとげたか。その一つは戦時中の成果をうけつぎ発展させることにあった。それは歴史の全発展過程において諸階級の動きと本質、その経済構造と性質をつかみ出す生き生きとした歴史の把握にむけられたのであった。

しかし、この時期において、歴史学が国民と結びついた部面は天皇制のばくろを中心とした啓蒙活動に限られていた。この仕事は精力的にいろいろな方法によって行われたが、なかでも井上清氏の『くにのあゆみ批判』は大きな成果であった。それにもかかわらず、全体としては国民との結びつきは弱かったのである。

この時期に天皇制史観は後退したが、近代主義と結びついて、日本の国民を骨ぬきにする思想攻撃が行われた。歴史学と国民の結びつきの弱さは、これと十分にたたかうことができなかった。

(二)　二六〇万人の労働者によって行われようとした二・一ストは日本国民の戦後のたたかいにおいて一つの転機であった。それは国民自身が自分たちの政治的経験として「敵」を知っただけでなく、人間としての生きる権利を守るたたかいでも、安易な途によっては

かちとれないことを知らされたのである。これ以後、たたかいは工場においても農村においても着実なたたかいをつみあげてゆく方向にすすんできたのである。

一九四九年、中国革命の勝利によって、国際的には社会主義体制と資本主義体制の力関係は根本的に変化した。この国際的には平和の力が強くなったなかで、日本は朝鮮戦争の前線基地（一九五〇年）となり、サンフランシスコ条約により従属国になり下った。

このなかで国民のたたかいは、レッド・パージのはげしい攻撃と対決しながら確実な基礎を築きあげていった。そして、二つの誤った傾向——アメリカの占領を軽視する傾向とアメリカ占領軍とのみたたかおうとするあせり——をのりこえて正しい解放への途を歩みはじめたのである。

この国民のたたかいの発展のなかで歴史学はどうであったのか。

そのころ、次のような反省が生れてきた。それは「進歩的歴史家」の労作、そこに展開される歴史理論や現実の歴史過程の構想が「どのていどに大衆の要求におうじ満足をうるか、また大衆の日常の生活的政治的実践の原理となりうるかは大衆自身の意見をきくほか知ることができないのである。それほど今日の歴史学は、専門家、歴史家のための歴史学になりきっているのである」そして、「社会経済的構成をつらぬく革命的法則を示すことによって、政治史を階級闘争の最高の形態として具体的な歴史過程のうちに体系づけて示すことによって、大衆がこれを自己の武器として採用し、攻撃の目標とその問題解決の方法をみいだし、目的意識的に自己を解放しうるように協力すること、これが今日の学界にかせられた緊急の課題で

ある」（松本新八郎、歴史学の大衆化、歴評八号）ここでは非常にむづかしい言葉で語られているが、このことは更に、「民衆のいるところ、生活のあるところにはどこでも豊かな歴史がある。学者や教師の眼のとどかないところで営まれている歴史は、民衆自身が書かねばならない歴史である。資だんから歴史学者が民衆に歴史について講義することはたいせつな仕事であるが、それは民衆自身がみずからの歴史について考え、かつ書くことをたすけるためである。教だんの歴史学のせまさ、みじめさは、このような歴史が全国から現れてくるとき、いかんなくばくろされるであろう」（石母田正、村の歴史・工場の歴史、歴評一二号）といわれたのである。

中国革命の勝利は、その事実によって日本の歴史理論、日本国民の歴史意識に大きな援助となった。近代主義は、これによって打撃をうけた。歴史学研究会は、この時期に民族の問題をとりあげたが、何よりもこのような反省の方向を実践によってきり開いていったのは学生歴研の人たちであった。こうした意味で、一九五二年は一つの転機となった。義民顕彰の運動、村の歴史をつくる運動、民話、民族芸術をつくる運動が芽生えた。このあと村の歴史運動はひろがり、大学の歴史、母の歴史、工場の歴史へと発展してきた。この全成果をまとめて明らかにすることは、今後の歴史学の発展にとって大切なことであるが、ここでは実践が明らかにした問題点を示すにとどめる。

その第一は、歴史の仕事にのみ関係することではないが、「一緒に草取りをし、水汲みを手伝ってみて感じた〃仕事の苦労〃であり一緒にすいとんをすすってしった〃村の貧しさ〃であり、働いて知

った〃人々の新しい芽〃だった」ことであり、「〃あしたも来てくれ〃といわれながら、もう暗い山道を下ってゆく時、私達はやっと調査が始ったと云う期待とよろこびで一杯でした」（平井久子、私たちが体験したこと——村の歴史をつくって、歴評四〇号）という感動なのである。

村に入り、村の生活やたたかいとは無関係に、成果を学界にもちかえる調査とは反対に、そうした調査ではほんとうに村人（とくに貧農層）の立場に立った村の歴史はかけないという反省から、村の人たちと苦労をともにしてきた体験こそ、貴重な第一の成果だと思う。これは現在においても、これからの仕事においても、私たちにとって常に基本的な立場であり、私たちの感性をみがく出発点である。

つぎに、この時期の国民との結びつきが明らかにした歴史学の弱さは、どのような点にあったか。

山城国一揆の紙芝居について次のようなことがいわれた。「農民は苦しかったから起ち上ったというのではわからない。苦しくてもなかなか起ち上れないということを現在私たちは体験している。そこを明らかにしてほしい」という批判であった。このことは秩父騒動の紙芝居のときも同じであったし、現在まで何回もくり返してきている問題だと思う。

たしかに、米騒動のときでも、「史料を読んでいる私自身がいらいらしてくる位大衆の暴動に起ち上るまでの苦しい闘い（生活）があるのです。とことんまで生活が苦しくなっても子供を身売りしたり、もう起ち上ったらよいのにと私自身があせってしまうところで

も、大衆は地主（米屋）の家の前にひざまずき米をやすくしてくれとおがんでいるのです。史料を見ている私もこんなにも人の好い大衆をだましている奴らに憤激してしまいます。ここから大衆は騒動に起ち上ってゆくのです」（小菅、杉崎、竹村、梅田、一つの感想日本歴史講座月報）

このように、民衆の立場にたって歴史をみてゆくことがわかってきたのである。たたかいを主体的にとらえること、これがこの時期に力を注いだことであった。このことは、民衆の生活をはっきりつかむことにもつらなっている。山城国一揆の紙芝居をつくった東大教養学部歴研の人たちが感じたことは紙芝居の画をかくことになってはじめて「農民の服装や家の恰こうがはっきりしないし、農民の生活が判らないなんて歴史学の盲点だと思った」（座談会、山城物語を製作して、歴評三六号）のである。

もう一つの批判は、ひとりよがりにむけられたものであった。前に述べた山城国一揆の紙芝居を労働者にみてもらったとき、農民が火のなかに武器をくべるところはおかしい、と批判された。武器を捨てては、自治共和国は守れなかった筈だというのである。このことについて学生歴研の人は、「武器を焼くと言うのは、僕達の絶対平和主義的な感傷が顔を出したもので、やはり労働者の批判は正しいと思う」といい、「科学的に史実をつかもうとする努力がなくては人を動かすことは出来ない」（前同）と語っている。

こうした実践によって明らかになってきた歴史学の課題は、研究の仕方の上でも、共同研究、集団研究という新しい形を生み出す基礎をつくっていった。

この時期の成果は、全国いたるところで地味にすすめられている運動として、まだくみつくされていない状態である。しかし一方、たたかいを主体的にとらえるあまり、そのたたかいの客観的要因を見失い、ひとりよがりの傾向が出てくることもあった。これは、国民のたたかいが更に深まってきた昨年から今年にかけての情勢のなかで正されなくてはならないところにきている。

㈢　朝鮮戦争が世界の平和を愛する人たちの団結した力によって終ったことによって、従属国日本の経済は前よりもひどい危機においこまれた。日本の独占資本はあいも変らず、アメリカにすがって戦争への途で利益をむさぼろうとしている。この政策は、多くの中小企業の倒産や、大企業のうちにも生産を縮少せざるをえなくなってきた、という事実によって、破たんせざるをえないことは明らかである。

この一年間の国民のたたかいは、ビキニ事件を契機として急速に発展した原水爆禁止の平和を守るたたかいとともに、日鋼室蘭、近江絹糸、証券取引所など、身近かな要求から出発して戦闘的にたたかった労働者階級の統一行動によって強められた。この団結は、二・一スト以来の苦しい地道なたたかいのつみあげの上におこなわれている。

しかし、いまなお、反動の支配は強く、国民の統一と団結は弱い。こうした情勢の下で、平和と私たちの生活を脅かしているものを具体的、歴史的につかみ、また日本民族の伝統を正しくうけつぎたいという課題が提起されている。しかも、たたかいを具体的に知るだけではなく、たたかいは必ず勝利するという確信、歴史のに

ない手としての自覚、社会発展の法則を求めている。たたかいの客観的要因（必然性）をつかみ、自分たちの努力を意識的に強めてゆくという要求にほんとうにこたえるためには、もっと国民のたたかいと結びつき歴史学をきたえてゆかなければならないと思う。

この方向で系統的に努力してゆくこと、私たちの勉強したい要求をもとにして、さらに深めることが、これからの仕事である。

二

職場の歴史をつくる運動が昨年の後半から急速に生れてきて、現在、大きな工場の労働者と小さな工場の労働者を結びつけ、大きな工場にも、小さな工場にもひろがってきている。この運動の基礎はどこにあるのだろうか。

この間、『職場の歴史をつくる会』で、国鉄のロクさんやOさん・Sさんが、話してくれたなかに次のようなことがあった。「仲間のなかには、家族をかかえ食えなくて内職に靴みがきをやっているのがいる。昨年の十月ごろからとくに、生活は苦しくなってきた。それに、ちょっとした要求もなかなか通らないくらい、上からのしぼり方がひどく変ってきている。職制の連中だって、生活が苦しいばかりでなく、首切りの危険にさらされている。だから、われわれは職場から身近かな要求で団結してぶつかっているのだ」。

この話のなかには、はっきりと、昨年の後半から現在にいたる間の情勢の深刻さと労働運動の困難さ、しかもそのなかで職場から確信をもってたたかいをつみあげている労働者の決意が出ている。このたたかいの新しい段階が、職場の歴史運動の直接の基盤になっているのである。

あるとき、『職場の歴史』について話し合ったなかで、農村から出てきたばかりのK食堂の女子従業員が、次のように彼女たちの決意を語った。

「私たちはストに入って、はじめは大きな組合に援助してもらわなければ勝てない、と思い、国鉄やなんかに行った。だけど、私たちがわかったのは大きなところにたよって訴えにゆくのではなく、私たちと同じ状態にあって、しかも立ち上っていない人たちに訴え、そうした人たちにわかってもらう以外には、私たちは決して解放されないということでした」というのである。この人たちは雇主から犬猫同様に扱われて、耐えぬいたあげく、遂にストに立ち上ったのである。

また、同じ中小企業のN製作所（鉄工場）の人たちは、『職場の歴史を作る会』を「中小企業の総評みたいにしたい」と語り、自分たちの組合結成のたたかいを、同じような苦しいなかで、まだ立ち上れないでいる人たちに、ぜひよんでもらって、団結の思想をひろめたいという気持から、徹夜をして原稿をかき、がり切りをやって『N製作所労組の歴史』をつくったのである。

中小企業の労働者は、日本の近代史を通じて常に一番集中したしわよせを背おって、しかも、腕に生きるという職人気質や、親方にたいする義理人情によって力を合せて立ち上がれず、苦しいたたかいをつづけてきたのである。そうした歴史的なたたかいの上に、新しい転換がはじまったのが昨年から今年にかけての情勢であった。日鋼室蘭、近江絹糸のたたかいにはげまされて、多くの中小企業の

労働者が生活を守るたたかいに立ち上り、組合を結成した。そしてたたかいがすすみ、日本経済の危機が深まるなかで、中小企業の経営者自身も、経営を守るために立ち上らざるをえなくなってきている。

　中小企業の労働者が立ち上り、団結の思想が拡ってきているという情勢は、単に中小企業の労働者のたたかいにとって歴史的意義をもっているだけでなく、日本の国民のたたかいにとって正に歴史的転換を意味することなのである。

　この情勢の変化は、農村においても次第にはっきりしてきている。だから、職場の歴史運動だけでなく、村の歴史の運動も次第に質的な変化をとげてきている。今まで郷土史ということで学生や村の教員を中心にして行われてきた村の歴史をつくる仕事が、村におけるたたかいが深まってくるにつれて、山林地主の支配をもっと歴史的につかみ、また自分たちの村のたたかいの伝統をはっきりつかむために、青年を中心とした村びと自身が、歴史をつくる運動に参加してきていることである。

　労働者と農民の固い結びつきがなくては、解放されないたたかいのなかで、工場の歴史、村の歴史の運動もこうした方向に一歩前進するために力をつくしたいと思う。

　このような労働者のすすんだ層とおくれた層が手を結び、労働者と農民が力を合せて、困難な情勢のなかで着実な前進をはじめた現在のたたかいの基盤の上に、職場の歴史運動は育ってきているのである。では、この運動の役割は、どうであろうか。

　第一には、たたかいの政治的経験を整理し、それをひろめ、国民各層の団結を強めてゆくために役立ってゆくことである。こうした仕事は、村の歴史運動にあっても同じであるが、歴史学が平和と生活を守る大業に直接役立ってゆく面を示しているのである。

　しかし、こうした一面のみで歴史学をみてゆくのは不充分であって、職場の歴史運動においても次の点が大切であると思う。それは、職場の歴史をつくる仕事が、日本の歴史、とくに近代史の正しい理解と結びつくことによって、労働者自身の確信となることである。このことは従来、歴史家が「進歩的」な本を書くことや演だんから話すことによって努力してきたのであるが、これだけでは不充分であり、目的を達することはできない。いま学生を中心にして行われている職場の歴史運動は、学生や専門家自身が労働者自身の思想変革のたたかいにとびこみはじめているところに大切な問題をもっている。このことはまた、歴史学とくに近代史の部門において数多くの課題をつかみ出すこととなり、多くの専門家の協力を必要としてきていることをも明らかにしたのである。

　現在、反動勢力が、プラグマチズムの思想を意識的につぎこみ、戦争と生活の苦しさからぬけ出すことができないように思わせようとしているとき、日本の歴史の正しい理解によって社会発展の法則をつかみ、たたかいの確信とすることはとくに大切なことである。しかも思想上の攻撃は、国民の日常の具体的なものの考え方から育てようとしてきているとともに、全体としては思想体系として、もっともらしいよそおいをもって行われているのである。ここに思想上のたたかいの難しさがある。だから、労働者自身の思想変革のたたかいのなかにとびこむことによって、職場の歴史を作る運動が日

本の歴史の正しい理解と結びつくことは、非常に大切なのである。

　例えば、二・一スト（一九四七年）についてとりあげると仮定しよう。この場合、二・一ストについていろいろな考えが国民のなかに入れられている。例えば、あれは「左翼」のはね上りであったときめつけ、要するにアメリカの力による支配からぬけ出すことはできないのだという考えがある。しかし、いろいろな弱さはあったとしても、戦後においての大きな国民的な経験として、国民、とくに労働者階級のなかに生きているのである。そして、二・一ストこそは、戦後の民主化を拡大する国民のたたかいが、遂にアメリカの支配を危機に追い込み、アメリカ帝国主義をひきずり出して、国民みんなの前に「敵」としてはっきりさせたという国民自身の偉大な政治的経験であるところに、重大な政治的意義があるのである。

　このような歴史を職場の歴史でとりあげる場合、正しい見方を誤った考えと対決させることによって、労働者一人一人が確信をもってゆく思想変革のたたかいをみんなで協力し援助してゆくことが必要なのであり、また、このことによって私たち歴史の勉強をしているものが、労働者に指導されて確信をもち、正しい歴史の法則性をつかむことができるのである。これが、職場の歴史をつくる運動の大切な内容なのではないであろうか。

三

　百数十日のたたかいをつづけていた日鋼室蘭の一青行隊員は、『職場の歴史をつくる会』で「私はインテリを信じられない。大学を出た教養ある人たちが、いざ、たたかいが苦しくなると、みんな裏切ってしまうのだ」と語った。そこに出席した私たちは深刻な気持でこれを聞いたのである。

　この青行隊の人たちは、実は、ほんとうに信頼できるインテリはいないものかと訴え、なんでも読みたいと手あたり次第に本を読んでいた。この当時、日鋼室蘭の労働者は、行動の上では国民の先頭に立ってたたかっていながら、意識の上ではまだ全体が理論的に統一されておらず、一揆主義やいろいろな誤った傾向が出てきたりして悩んでいた。ここに国民の力を強めてゆくたたかいの具体的な内容が示されていた。

　このようなたたかいは日本の歴史を通じて行われてきた。そして、このたたかいの蓄積が現在の国民の力となっているのである。

　ある労働者のサークルで、日露戦争のときの反戦運動について話したとき、一人の労働者から質問された。「今の話はよくわかったが、国民の大多数は戦争を支持していたのではないか。そのなかでの反戦運動として話してほしい」というのである。

　この質問は、たしかに、歴史のとらえ方の上で重要な点をついでいる。私の話も、そうした弱さをもっていた。しかし、ほんとうの歴史は、なにを教えてくれるだろうか。

　㈠ たしかに日露戦争のとき、大多数の国民は反戦運動に参加していなかった。しかし、一方に大多数の国民が戦争を支持しており、他方で少数のものが反戦運動をやっていたというように、きりはなして歴史をつかむのは誤りである。

　㈡ 日清戦争のときには、日本平和会による平和運動が行われた。北村透谷などは、その機関誌「平和」によってキリスト教的立

場から平和と博愛をといた。しかし、その力は弱く、開戦とともに解散させられた。

日露戦争のときの反戦運動は、国民のなかに広くゆきわたらなかったにしても、平民社による反戦運動のなかには、天皇制とたたかう方向がうち出されてきているし、片山潜などによって国際主義思想がはっきりと生れているのである。こうした日清戦争から日露戦争にいたる間の反戦運動の発展の基盤はどこにあるのか。この点が大切だと思う。

㈢　日清戦争から日露戦争にいたる十年間に、国民の生活はますます苦しくなっていった。天皇制支配による戦争政策は国民の生活を破かいせざるを得ない。

例えば、戦争政策は、西陣の平和産業を破かいし、西陣職工とその家族は粥一椀に沢庵漬二切をつけた五厘の食事で飢をしのいでいる。（週刊平民新聞二〇号）しかも、苦しいのは首切られた職工だけでなく、西陣の職工を顧客としていた酒屋、八百屋、魚屋など商人も同じような悲惨な状態におとし入れられたのである。（同二三号）また、長野県の一兵士の家族は息子が家にいたときは生活の心配はなかったが、入営後は父が年とっているため近所の人たちのたすけによってようやく生活している。しかも、このおじいさんは「せがれが天子様の御用のために出ておりますから、あの通り天子様の御姿を（陛下の御肖像を指しつつ）拝し、せがれの写真をみて病気の苦痛も渡世の貧苦も耐えられます……」と軍人遺族救護義会の勧誘員に語っているのである。（同上一〇号）

このように、天皇制による戦争政策がすすめばすすむほど、国民の生活は戦争に反対し、天皇制に反対する方向においやられるのである。天皇制支配の矛盾は、このようにはっきりしている。

しかもなお、このおじいさんのように、多くの国民は意識の上では戦争を支持し、天皇を支持し、天皇を拝んでいるのだ。そして天皇制の攻撃は、臥薪嘗胆、勝てば生活は良くなる、という宣伝によって国民をつなぎとめようとしているのだ。こうした思想攻撃は、中間層を自己の側にひきつけ、労働者と農民をきりはなす政策と結合しておこなわれている。

㈣　こうした苦しみと悩みのなかで、国民は生活をたたかいつづけてきたのである。そして労働者の生活を守るたたかいと結びついたところでは、明確な反戦闘争が生れてくる。また比較的自分たちの気持を表現できる知識人のなかには、与謝野晶子や大塚楠緒子のような平和をうたった人がでてくるのである。とくに大塚楠緒子の『お百度詣り』――「ひとあしふみて夫思い、ふたあし国を思えども、三足ふたたび夫思う、女心に咎ありや………」のなかには、はっきりと生活と意識がまだ統一されない動揺が出ている。

このように、日露戦争のときの反戦運動も明らかに国民の生活とたたかいの基盤の上に行われたのである。このことは、日本の歴史、近代史を通じてつらなっている。私たちは、国民の生活（たたかい）の立場から正しくつかむこと、このことを日鋼室蘭の労働者は私たちに教えてくれたのである。

四

歴史学の分野で仕事にたずさわっているものにとって、もっとも

77

78

大切な仕事の一つは民族の伝統、とくにその革命的伝統を明らかにし、それを国民共通の財産にすることである。ところが、今まで私たちのなかには、二つの傾向があった。その一つは伝統があることを認めず、またそれを認めても、天皇制権力によっておしつぶされたために、革命的伝統は戦争中にきれてしまって現在につながっていないというのである。

もう一つの傾向は、革命的伝統は自由民権のたたかいであり、次には日清、日露戦争の反戦運動であり、また次には米騒動……というように民衆のたたかいを並べたてることである。

たしかに、こうしたたたかいは日本民族の誇りとする革命的伝統ではあるのだが、これでは、現在の労働者のたたかいにも農民のたたかいにもほんとうの援助にはならないのである。なぜなら、このようなとらえ方は国民のたたかいの立場からはなれた傍観者としてのとらえ方であるからである。

この二つの傾向は、正反対の立場に立っているようにみえて、実は、両方ともに、現在の国民の立場にたって歴史をみていないという点で根本的には同じなのである。

では、村の歴史・工場の歴史を中心とした歴史学の運動の当面の成果は、この問題についてどのようなことを明らかにしてるだろうか。

㈠　まず第一に、伝統は民衆のなかに根強く残っていることである。加波山七〇周年の運動にしめされているように、民衆自身によってうずもれていた伝統がよみがえり、新しい事実、新しい闘いの経験が明らかにされた。また、一昨年ごろから国民自身によって米騒動の思い出が語られ、苦しい生活のなかで三七年前の米騒動が想いおこされている。昨年夏、埼玉県のある町で民科米騒動研究会の人たちが原爆禁止署名をしたとき、電気屋の主人が「こんな署名がなんの役に立つんだ。おれは今、吉田に腹が立ってたまらないんだ。若いころ交番を川にたたきこんだのだが、近ごろの若いものはだらしがない」と怒りにもえて語った。この話の交番を川にたたきこんだのが米騒動のときだったのである。このようなことはほかにもある。東京の銀座で店を開いているある職人が、吉田の「外遊」のとき、「全くけしからん、天皇がゆくべきだ」と吉田に腹を立てていても天皇にたいする幻想を一方ではもっていながら、他方「おれは米騒動のとき、交番を大通りにひきずり出して焼いたんだ」とますます苦しくなってくる生活の憤まんと一しょに誇らしげに語ったことがある。この間、早大歴研と静大教育学部歴研の人たちが行った焼津での米騒動の調査に参加したときにも同じようなことを教えられた。この町では、米騒動のときはたった一晩の「騒動」でおわってしまったのだが、この町の四〇台以上の人たちにとっては、自分たちの一生に二度となかった経験として刻みこまれているのであった。私たちはおばさんたちの口から「ぐんと苦しくなった」当時の生活の様子や、米や麦を買い占めしてぼろもうけした奴らに「たんかを切って寄附を要求した」騒動の様子についてありありと聞くことができたのである。

これによってもわかるように、自由民権や米騒動の体験は決して消えることなく、それはいつの日か再びみんなの力となる日を待って、国民の一人一人、おじさんやおばさんの胸のなかにひめられて

いるのである。

　この民衆のなかに根強く残っている伝統は現在のたたかいのなかでよみがえり、そして再評価されてきているところに第一の問題があるのだ。

　㈡　明らかになったことは、このことだけではない。つぎに大切なことは、民衆の貴い政治経験を革命的伝統としてつかませないように、権力によって徹底的な攻撃が加えられているという事実である。このことは昔も今も変りはない。

　職場の歴史運動は、この点で大きな教訓を与えた。東京証券の場合でも、N工場の場合でも、それぞれの労働者にとって貴い体験であるだけでなく、昨年から今年にかけて国民全体にとっての大切な政治的経験が、直ちに権力によっておしつぶされ消されてしまうという事実にぶつかったのである。N工場の場合では、『N工場の歴史』がかかれたとき、おやじはおそれをなして労働者の郷里にまで出かけていってきりくずしを行った。やり方は、このようなやり方だけではなく、一人一人の労働者の生活のすみずみから、攻撃が加えられてくるのである。この攻撃とたたかう労働者を援助することによってのみ、ほんとうの『職場の歴史』がつくれるのである。

　先ほどあげた焼津の米騒動の場合においても、自分の一生に二度とない事件であり、「今なぜ米騒動がおきないのか。今の方がもっと苦しいのに……」と訴えるおばさんやおじさんたちが共通してつけ加えることは、「あれはヤクザがやったのです。まじめなものはやりませんよ」という言葉なのだ。天皇にたいして幻想をもちながら、しかも米騒動の体験を誇りをもって語ってくれた銀座の一職人の場合でも、この職人に、米騒動より現在まで日日の生活を通じて攻撃が加えられてきたことも教えていると思う。

　自由民権のときにおいても、米騒動のときにおいても、また現在のたたかいにおいても、民衆はふみつぶされつくしている。それは、暴力によってたたかいをつぶされたということだけではなく、そのたたかいの体験ははっきりと体に刻みこまれているのに、それが政治的経験として整理され伝統としてつかまえることによって確信にならないように攻撃につぐ攻撃が加えられ頭はしばりつけられているのだ。米騒動で三七才のとき捕った一老人が、現在もなお、そのころと同じように籠職の仕事をしながら「記憶がないからほかに行ってくれ」と苦しそうに語った顔を忘れることができないのだ。

　伝統がうずもれているということは、実は表面ははなやかではないにしても、生活そのものがたたかいであるという毎日の、それこそ三十数年も同じ職を守ってきた平凡な生活の連続のなかを流れているたたかいに伝統は生きつづけていることである。この悩みと苦しみのなかから、一人一人の胸に体験は秘められてきたのだ。

　㈢　以上二つの点の上に、更に大切な次のことを教えられた。伝統についての正しい理解は、現在のたたかいのなかで、私たちの祖先のたたかいも含めて私たちの政治的経験を整理し蓄積し、これからの確信をつかんでゆくこと、この国民のたたかいのなかでのみとらえうる、という実践的課題である。

　歴史学の分野で仕事をしているものにとって重大な責任は、国民の政治的経験を整理し、これが伝統としてつかまれること、つまりたたかいの確信となるためには、そのときどきの政治的評価――た

たかいの主体がどのように意識していたかにかかわりなく、そのたたかいが社会の発展のなかで客観的に果していた役割――と、そうした政治的評価をたたかいの主体がどのように認識し蓄積してきたか、を統一的に明らかにすることがなければ労働者・農民・そして国民のたたかいを本当に援助することはできないということである。

　私たちの理論の低さ、経験主義は、国民のたたかいによって点検され、つきあげられているのである。このことはまた、国民との結びつきを強める方向でのみ解決することができることをも明らかにしているのである。

五

　私たちは「勉強したい」という希望をもっている。しかも、自分のやりたい勉強のほかに、いろいろやらなければならない仕事があったり、なによりも「食う」ために追われているのが実情である。就職の機会はますます少くなり、歴史の勉強と全く縁のない職でも、あればよい方である。また、大学や研究所に入れた人たちも、封建的な人権をみとめないやり方のなかで苦しんでいるし、学生の場合でも、アルバイトをしなければならないとか、いろいろ障害がでてくる。

　このように、勉強したい希望も、ひとりではなかなかうまくゆかない状態である。

　そして、真面目に世の中のことや自分の将来のことを考えると、ひとりで書斎にこもって勉強しているのでは不安でたまらない。『職場の歴史をつくる会』の学生や専門家は、みんなこういう気持をもっているのである。

　私たちも労働者と同じように、生活を破かいされている国民の一人なのである。私たちも労働者と一しょに、身近かな要求から手をとりあってたたかってゆかねばならないのだ。

　現在、労働者階級は戦後十年のたたかいの蓄積の上にたち、直接には日鋼室蘭、近江絹糸など昨年の経験から学び、困難な情勢のなかで身近かな要求から団結して、着実にたたかいをすすめている。自分たちのたたかいの政治的評価をつかみ、たたかいの次の環をどうつかむか、一人一人が自覚して求めてきている。

　私たちは、勉強したい希望をみんなで助け合って解決し、歴史学の専門研究を深めてゆかねばならない。しかしまた、私たちはこの労働者のたたかいから率直に学び、そのたたかいを援助してゆくことによって、歴史の法則性を生き生きと正しくとらえることができる。ここに歴史の勉強のなかでの職場の歴史をつくる運動の意義があると思う。

　職場の歴史をつくる運動をすすめるなかで、専門家や学生の専門研究を深め、また専門研究を深めることによって運動を更に前進させるということをほんとうに実行するために、私たちは先学の業績をうけつぎ、みんなが一しょに人間的にも学問的にも生長してゆける集団研究の気風をつくりだしてゆこう。


（一九五五、四、一五）

魯迅と歴史学についての感想

――「忘れえぬ小さな出来事」によせて――

奈良和夫

魯迅

「忘れえぬ小さな出来事」

私が田舎から北京にやってきて、またたく間にもう六年が過ぎた。その間に見聞したいわゆる国家の大事件も、たくさんあったけれども、私の心の中には何の印象も残っていない。もしも、それらの事件の私に及ぼした影響をさがし出してみたとしても、せいぜい私の悪いクセを増長させるだけである。――実をいえば、悪いクセは、日ましに人を見下げる人間に私をしてしまったのだ。

しかし、小さな出来事ではあるが、私にとっては、意義があり、私を悪いクセから解放し、今だに私には忘れられぬ事件がある。

それは民国六年(一九一七年)の冬のこと、北風がビュビュと吹きまくってはいたが、私は生活のために、早朝出かけなければならなかった。早朝のことで、途中一人の人にも出合わず、やっとのことで人力車を見つけ、S門まで頼んだ。まもなく北風がやみ、路上の塵はサッパリと清められ、一本の真白い大道だけがあとに残っていた。車夫もいよいよ快調だった。S門に近づいたとき、突然、車の梶棒に一人の人間がひっかかって、ゆっくりと倒れた。

ぶったおれたのは女だった白髪まじっていて着物は、まったくボロボロだつた。彼女は大通りの横から、突然車の前を横切った。車夫はすでに道をあけていたが、彼女の破れた木綿の袖無しは、ボタンがかけてなかったので、微風にふかれて、外にひろがり、そのためについそれが梶棒にひっかかってしまったのである。幸い車夫が早く停ったのでよかったが、そうでなかったならば、彼女はきっとひっくり返って頭を割り血を出したことであろう。

彼女は地面にうつ伏した。車夫はすぐに立ち停った。私はその老婆にケガはなかったは

ずだと思い、また別にだれか見ているわけでもなかったから、車夫がよけいなことにかかわりあって、私をまたせるのかと思うと、ムカムカしてきた。

そこで、私は彼に向って「何でもないんだろう。急いでくれ！」といった。

車夫はてんで取合わず――あるいはまったくきこえなかったのかもしれないが、――梶棒をおろして、かの老婆を静かに助けおこして、腕をささえて立たせ、彼女にきいた。

「どうだい？」

「ころんでケガしたんだよ」

私は考えた。私は老婆がゆっくりと倒れるのをこの眼で見たのだ。ころんでケガをしたなんて、まったくのウソパチだ。狂言だ。実に憎いババアだ。車夫も車夫だ。自分からかかりあいを買ってでるなんて。イマイマしいヤツだ。もうどうなりとも勝手にするがいい。

車夫は老婆のいうことをきくと、少しもためらうことなく、やはり彼女の腕をささえながらソロソロ歩き出した。私は少しおかしいと思い、ふと前をみると、そこに巡査派出所があった。大風のあとなので、表に人の姿も見えなかった。車夫は老婆に肩をかして、派出所の正門の方へ歩いて行った。

私はそのとき、突然、一種異様な感にうたれた。車夫のホコリにまみれたうしろ姿が、一しゅん大きくなり、しかも歩いて行くにつれてますます大きくなり、仰ぎ見なければ彼の姿は見えぬくらいになった。しかし、彼は私にとって、だんだんにまた一種のおそろしさにかわり、ついには、毛皮の着物の下にかくしてある私の「ドレイ根性」をさらけ出そうとしているもののように思えた。

私の気力は、そのとき、たぶん氷のようになっていたであろう。じっとして、考える力もなく、派出所から巡査が出てくるのを見てやっと車を下りた。それほどに車夫の行動は私の心に一撃を加えたのだ。

巡査は私に近寄ってきて、「君はあらためて自分で車を雇いたまえ。車夫はもう引けないんだ」といった。

私は自然に外とうのポケットから一握りの銅貨を取り出して、「どうか車夫にやって下さい……」といった。

風はすっかりやんでいたが、通りはまだ静かであった。私は歩きながら考えた。私自身を反省するのがおそろしいくらいだった。車夫のあの親切な純真な行動はしばらくおくとして、あの一握りの銅貨は一体どんな価値があるのだろうか。彼への褒美《ほうび》だろうか。私は車夫をあのようにケチをつける理由があるだろうか。私は自分自身に答えられなかった。

このことは、現在にいたるも、ときどき思いだす。そこで私は、いつも苦痛をしのんで車夫のあの行動を自分自身にたいする反省の糧にしようと努力してきた。幾年来つみあげてきた学問も、私にとっては幼少のころ何の意味かわからずに読んだ「子曰く詩に云う」と同様、きれいさっぱりと忘れてしまった。そして、その学問が、車夫のあの行動にもケチをつける人間にしてしまったのだ。何のために学問をやってきたのだろうか。あの忘れえぬ小さな出来事だけは、いつも私の眼前に浮び、ある時は一層はっきりとよみがえり、私を恥じ入らせ、私をふるい立たせ、その上、あの車夫の素朴な行動に代表されるような中国民衆の色々な行動は、私の中国民族解放に向う勇気と新しい中国生誕への希望とを増してくれるのだ。(一九二〇年七月)

魯迅は一九〇二年に医学を勉強するために日本に留学した。そして仙台の医学校に入学した。丁度日露戦争の最中で、学校では教授が生物学の授業のときよく幻燈写真を使って説明したが、時間があまったときには、日露戦争の幻燈写真なども見せてくれ、ある日、ロシア軍のスパイになった中国人が日本軍につかまえられて処刑され、多くの中国人が騒ぎながらそれを見ている場面がでてきた。このことは魯迅の心を大きく打ち、魯迅は中国人の病気をなおすために医学を勉強したが、この写真を見て、身体が丈夫でも、大切なのは人間の魂である。人間の魂をめざめさせるのには、文学が一番よいと考えた。

一九一八年以来、多くの小説や評論を書きそれらの中でいつも中国人の封建的な奴隷根性に人間味のあるするどい批評を加えている。彼はどんな苦しみを加えられても自由な精神を失わず、外国の手先とならず、中国の人民を最後まで裏切らなかった。文学による人間の魂の改造をはかり、中国近代文学の父として中国のみならず、広く世界の人々から親しまれている。

数多い魯迅の作品の中で、私はこの「一件小事」が特に好きだ。一車夫の行動に、私は中国人民の偉大さを発見したような気がした。この作品を思い出すたびに、私に大塚甲山の「車夫」という次のような詩を思いおこさせるのである。

せめては馬と生れなば
擲たるる鞭はつらくとも
桶の秣に飽き足りて
休らふ夜半もあるべきを

饑に病み臥す妻と子の
叫きの声に両背け
挫けし足を忍びつつ
辻のほとりに客を喚ぶ

唯一銭を値切りつつ
重き轅を引かするは
今宵合に千金を
湯水の如く捨てし者

己が敵の身を乗せて
燃ゆる暑を走る時
たばしる汗と泪とに
道の砂も溶くるらむ

平民新聞第四一号
明治三七年八月

「一件小事」にでてくる車夫も、こうした気持を経験したかもしれない。

民国六年の冬といえば、毛沢東が「新民主主義論」の中で論じているように、中国の近代化の新しい出発点となった一九一九年の五四運動の約一年半前であった。またロシア革命が起った年でもあった。五・四運動以後中国ブルジョア民主主義革命の政治的指導者は中国プロレタリアートとなった。五・四運動以前の中国プロレタリアートの発展的な力は決して無視できない。すでに五・四運動以前に中国人民の偉大さと、中国人民にたいする信頼を確信した魯迅、そして自分自身に烈しい反省を加えている魯迅、その魯迅も偉大であった。そして後に「風波」をへて「阿Q正伝」の登場となった

魯迅の作品は、松枝茂夫氏をはじめとする中国文学を長年深く研究されている人たちによって、立派な日本文に訳されている。それなのに、中国語を勉強してからようやっと一

83

年になった私が、なぜ魯迅の「一件小事」を訳したのであろうか。いや訳さなければならなかったといったほうが適当かもしれない。

去年の九月、加波山事件七拾周年の記念祭に参加、その後の二回にわたる実地調査、これは私にとっては忘れられないことであり、そうした中で、迅魯が「一件小事」でいわんとしていることが、はっきりと、わかってきた。

加波山事件七拾周年祭に、デッチ上げによる不当検束を出したことは、阿南健一君の、「加波山蜂起七拾周年祭にさんかして」（歴史評論六一号）に報告されているが、記念祭に参加したものが、昨年十一月、第一回の調査に行ったとき、丁度、その真相発表大会が地元で開かれていた。第一回目は、附近の農民たちが主に集っていたが、それも老人が多かったが、彼らたちは、不当検束の真相を実に熱心にきいているのである。会場の静寂は「一件小事」に出てくる一種異様な感であった。報告者のわかりよい説明によって、彼らは人間にたいする迫害に怒り、それが決してMSA小麦と無関係ではないということをはっきりとつかんでいたのである。十一時頃まで続いた会も、寒い中を誰一人も帰るものもなく行われた。熱心にきいている農民たちの顔をみたとき、私はおそろしくなってきた。顔には何十年来の苦労がにじみで、その奥にひそんでいるはかりしれない力を、はっきりとみることができた。それは私に勇気と希望を与えてくれたのであった。そこに見出した勇気と希望は、可能性のものではなく、現実に見出したものであった。魯迅の勇気と希望もそうであった。あの力が歴史を推し進めてきたし、これからも推し進めて行くのだ。そうした人たちに答えられる歴史の創造が、私たちに課せられた一つの任務であろう。その時、私ははじめて「民衆にたいする信頼」とは、どういうものかわかった。

本年四月に行われた第二回目の調査で、私は主として農村の青年たちと話しあったが、今度は、彼らにたいする信頼とともに、自分自身の強い反省となって表われてきた。

彼らはこれからさき、農村に定住する人たちであり、実に真剣になって農村の将来を考え、また自分たちの村の歴史をつくってみようという熱意にもえていた。そうした彼らにとって、現在学校で習っている学科が、そうしたものに答えてくれないことをなげいていた。私たちの今後の調査活動も、彼らたちとの共同調査によって、はじめて生きたものになってくるし、彼らの不満の一部も、そうした中で解決されていくのではないかと思った。昨年の私たちの調査活動は、地元の先生たちを中心とする近代史研究会が生まれる一つの契機ともなり、今年からは、彼らたちの活動によって進められていく方向に向っている。私たちの新しい歴史学もそうした人たちとの密接な協力によって生れて行くのではなかろうか。私たちも今後そうした方向に向っていける人間になって行かなければならない。今年のメーデーには、彼らたちとともに参加したいと思っている。

魯迅の作品を生ましめた力、それは彼自身の偉大さもあるが、やはり彼をささえた中国民衆の、彼にたいする信頼も無視できない。彼が常に列強帝国主義と中国封建制度からの中国民族の解放を、文学・評論によって実践し、彼の学問的蓄積の上に立って、自分自身を中国民衆にまで引上げていった。魯迅の中国民衆は頭の中の民衆ではなく、現実の民衆であった。そこに「彼はかならら（九六頁へ）

84

——よりよき未来と生活のために——

関東農村青年集会 ルポ

三月廿・廿一日

於・埼玉県浦和市

三月廿・廿一日の二日にわたり、関東農村青年集会が埼玉県浦和市で開かれ、「世界の友と手をつなぎ、平和を守り原水爆に反対しょう」「農村と都市の青年が、お互いの生活のなやみを語り合い仲よくし合って、豊かな未来をきづいてゆこう」と、関東各県から六〇〇余名の青年が集った。

第一日は、十四の分科会にわかれて、今迄各地でやってきた色々な運動の経験を語り、又今一番なやんでいる問題を出し合って討論した。この日の分科会に、かねて大会準備会から民科歴史部会に討論に参加してほしい、との要請があったので、東京支部歴史部会からも運営委員四名が参加し第八分科会で今迄各地で進められてきた各サークルの成果をきき、どうしたらもっと多くの人たちが一緒に運動に参加して仕事を進めていくようになるのかを討論し合った。

他の分科会でも皆今迄のそれぞれの活動の経験を出し合い、一番苦しんでいる問題を出し合って、熱心に討論がくりひろげられた。

たとえば「職場を明るくするためには」の分科会では、日鋼室蘭の青年行動隊の人も参加して、国鉄土浦の職場の斗い、土浦病院の職場のなやみ、秩父の労組での問題が出された。又「われわれの美しい郷土を軍事基地化から守るためには」の分科会では妙義基地反対の経験を恩賀部落に住みついて土地の人と斗っている西本さんが報告し、関東各地の基地(立川、朝霞、厚木、相馬ヶ原)の人々が今なやんでいる色々な問題を、今日の恩賀部落の人々のこれまでの闘いの体験の中から解決のメドをつかみ、明日からの闘いを、もっと広くまわりの人々も一緒に起ち上れるように努力しょう。といったことが話し合われた。

この他、スポーツ、うた声、文化運動、次三男問題、青年団活動など各分科会でも、それぞれの運動の経験が話し合われ、これからの仕事の進め方について討論された。

大会風景

各分科会の討論で共通の問題となったことは、「今日どんなところで、どんな運動をやっていても必らずぶつっかることは、地元のボスから赤よばわりされて集りがなかなかもてないことである」といった問題であった。

こうした場合一番大切なことは「赤よばわりされた時、決してだまりこくってしまっては駄目で、沈黙することはボスの云っていることを認めることになり、今迄一緒にやってきた人々には自信をなくさせることになり、参加しょうと思っていた人には、思いとどまらせてしまうことになり、結局ボスの思う壺にはまることになる。こんな時仲間の一人一人と、今迄自分たちのやってきた事は誰のためになっていたのか、この運動をすすめることは誰にとって都合が悪いことになっているかをなっとくゆくまで話し合い確信をもつことである。そして、一人一人の確信を強めて、もっともっと運動を進めること以外に解決方法はない」。ということが、どこの分科会でも一致した考え方として出された。

このようにして夕方近くまで分科会の討論は熱心につづけられ、六時半から再び講堂に集って映画会が行われた。映画会を前にして、妙義基地反対共同闘争委員会として恩賀部落の西本さんが挨拶をした。「全国のみなさんのお力で妙義の闘いは勝利することが出来ました。これまでの長い苦しい闘いも本当に皆さんの援助があったからこそ闘いぬくことが出来たのです。闘いの当初東京から来た学生さんや工作隊の人たちを、村の人は唐ぐわをもって追かけまわしたのです。それにもかかわらず、労働者や学生さん達はあらゆる苦しさにじっとたえながら、一人一人村の人と、基地反対運動をより大きくするために、全国の労働者農民、市民と手をむすばなくては、決して勝つことは出来ないということをなっとくゆくまで話し合ってくれました。そして今日では、恩賀部落のおじいさんが遠く数里の道を馬をひっぱって全国の人から送られて来た救援の野菜をとりに町に出て来た時、町であった村の人に次のように話しているのです。『おらあ、最近つくづくありたいと思うだよ。今度の基地反対が始まってから、親類がふえただ。今じゃ全国の色んな人がこうしておらたちのために野菜を送ってくらしの面倒をみてくれたり、赤旗もって一緒にかけあいに行ってくれるだもの本当に有難いよ』このように今では皆の気持も以前とはすっかり変り労働者や学生さんと一緒に闘うようになりました。

しかし皆さん、この大会に残念ながら恩賀の青年は来ていないのです。このことをよく考えて下さい。恩賀の人は金が無いからこれなかったのではないのです。どうかみなさん、この次の大会には恩賀の青年も一緒に参加してもらえるように御協力をおねがいします」。恩賀の青年たちは何故来れなかったんだろうか、この問題は関東各地から来たくても来れなかった多くの仲間たちのなやみと共通であり、又多くの友達を一緒にさそってくることが出来なかった参加者の問題ででもある。

次いで「ともしび」「土の唄」「日本のうごえ」が上映された。映画会のあと参加者は準備会の好意で国鉄大宮の寮、埼大の寮に分宿することになった。

夜の座談会

十時すぎ国鉄大宮八重垣寮に、群馬、茨城の参加者が入り、早速大広間に集った。先ず県毎に懇親会をもつことにし、群馬、茨城の二つに分かれて、各サークル毎の自己紹介からはじめた。茨城の方では昨年日本代表として渡欧した県代表の井川氏の挨拶があり、各サークルの紹介の後今後の各団体間の連絡について話し合いが進められた。サークルで失敗した話、うまくいった話、皆ほがらかに話がはづむ。一方群馬の方でも国鉄を中心に県職其他のサークルの紹介があって、今日の大会に来る迄に皆とどういう話し合いをやってきたのかを報告し合った。群馬県職のサークルの人からは「私たちのところでは、今度の大会にくることが出来たのはわずか数人です。ですけどそのために職場での職制の圧迫と闘うなかでみんなの力で出してもらってきたのです。今私たちの職場の給料は普通の職場とちがって、検査中は一般職員同様に給料をもらえますが期間外の給料は、県に予算がないというので、工場での生産高によってしかも、それは相場の変動で価額が一定しないので、売上高も月々ちがうために給料に直接ひびき、いつも同じだけの給料をもらうためには残業もやらねばならず県の工場とはいいながら、他の会社と全く変らない労働条件です。私たちが、こんな不安定な状態では困るからと工場長にかけ合いますと、工場長は「私もいつも県の当局に予算をふやしてくれといってみるが、やはりどうしようもないのでねえ、みんなが、今よりもっと働くより仕方がないよ、だから毎日やっているコーラスなんかやめて、一時間でも多く残業する方がいいんだね」といって、一寸とも私たちの要求をとりあげない許りか、私たちのせめての歌うたのしみの集りもつぶそうとかかってきています。だから、今では毎日昼間のコーラスには、ただ歌いたいから集まるんじゃなくて、お互の職場の不満を出し合い、どうして闘ったらよいかを話し合うため、どんどん集ってきています。私たちはその中で、今度の大会の話をしました。そして、毎日ここで話しているなやみを、もっと多くの人たちと話して、どうやっていったらよいのかを話し合うためにこのサークルからも人をだそうといいますと、みんなが『じゃあ早速友達と話してみよう』ということになり、たちまち全工場の人たちが、私たちのなやみをまとめてそれを持込んでもらおうということになりその中で十円五十円とあつめられ、あっという間に六〇〇〇円集められました。そういったいきさつで私たちは皆の要求をもってここに来ることが出来たんです」。

国鉄八重垣寮での懇親会

　と報告された。このようにどこの職場からこの大会に来るんでも、職制との闘うことなしには来ることが出来ないし、又来るためにも多くの職場の人たちの援助なしには来ることは不可能であることがわかる。又群馬の農村青年の人は現在行われている歌声運動については、「今ではえらく農村でも歌声の運動は進んでいるようです。とくに民謡や踊りは盛んです。しかし、これが盛んだといっても、私たちのところでは、多くは年寄りの方がよく出かけられるのですが、若い者は一家の仕事の大部分を受持っているので、集ることは仲々困難です。私の近くの家の嫁さんなども歌いたくてたまらないんだけど、一番家の中の仕事が多く、それに夜など青年の集りに出ようと思っても家の人々が仲々許してくれず、出ることが出来ないのです。うたう会のもち方も、この様な問題をもっと考えてもらいたいのです」と話していた。

　たしかにこの点は農村での文化運動を進める上で大切な問題である。家にしばられて出ようにも出られない若い青年、婦人をどうして封建的な姑や其他の人々との話し合いの上で、一緒に参加出来るように活動するか、これは単に歌声運動丈では解決出来ない問題であろう。今一人の農村青年は、「私たちのところでは、歌やおどりの会をやろうとして有志が集って相談しましたが、仲々青年、婦人に参加してもらうことがむづかしいので、どうしょうかと思いました。私たちは小作ですので、皆が参加出来るようにするためには、青年団の集いには地主も小作もない様にしなければならんと思いました。ところが、部落の地主の娘さんが積極的に参加してくれて、私たちと一緒に歌ったり、ダンスをしたりしました。そしたら、小作の娘も誰でも、あんなに地主さんの娘も一緒に参加するのならというわけで、それからは、どんどん参加してくる様になりました。やはり地主対小作で闘うことも必要ですが、青年の集いでは其の事とは別に、もっとみんながたのしく歌いおどれるようにすることが一番運動を進める上で大切なんだということを本当に理解することが出来ました」と話している。

　このように、運動を発展させるためにはもっと多くの広い層の人々にどしどし参加してもらえる様に、運動の中心にある人々は皆の要求をよくつかまえておし進めてゆくことが重要であることを痛感させられた。

　次に討論された事は、話し合いを進める上での障害についてであった。「今では職場の人々の闘いを進める上でも、自分達の通っている所の友達にも自分たちの苦しみやなやみを話し合い、お互のおかれた状態を理解し合う中から闘いは前進することが出来る。」しかし今このような方向で進められている運動の障害となっている事は互に生活環境がどこで違いどこが共通なのかを理解する事の不充分さにある。

　例えば、国鉄群馬の人は「学生さんが職場の人と交流しょうといって一緒に色々な話をしてくれるだけれど、何だか俺たちに説教しに来ているみたいな話し方をするんですよ。たとえば、おれたちは『職場での闘いの方向をどこにおいたら、最もうまくゆくのだろうと、それを考えて頭がいっぱいになり、ぐるぐる頭はまわりながら、心がもやもやして、どうもすっきりしないでいる』と話すと、『結局、僕達も同じような点でシュリンクしているんですよ』という。シュリンクなんて俺たちにいったって、ピンとこないんです。せっかく共通の話がはづんで来ているときにこんな言葉を使われると、皆わからないから考えこんでしまって話がつきってしまう。ただこれは言葉丈の問題じゃないと思います。同じ立場に立つと同時に、相手の生活を本当に理解してゆくことなしには、単に同情とかそんなものでは、どうすることも出来ないと思います」。と話していた。これと同じことは、農村の人からも職場の人が、農村の人と話すときに同じような感じを受けると話していた。大切なことは、今すすめられている労働者と農民、インテリゲンチャの結合といったスローガンを、形でうけとめてやることではない。この話からもわかるように、学生は労働者や農村の人たちの生活を外側からみて、そこで話し合いをやるのではなく、お互に相手の生活の環境や条件をよく理解し合う様に努力する中で、共通のなやみを話し合いどうすればよいのかを話し合って、共同で解決の方向をみつけ出してゆくようにすること。これが最も大切なことであろう。

話がここまではづんできて、ふと時計をみるともう午前一時をとっくに過ぎている。第二日目も、大切だから、そろそろ一緒に寝よう。ということになり、就寝の準備を手伝うことにする。

この間に、群馬国鉄の人々に集っていただいて、東京での「職場の歴史をつくる会」の話をする。東京のこの集りは、今までここで出ていた、お互が毎日職場を明るくし、どうやって職制の圧迫をのりこえてみんな明るい楽しい生活をすることが出来るのかを、各職場での闘いの経験を出して整理し語り合い自分達の闘いに役立てようと、国鉄や東証や中小企業の職場の人々と学生が集ってやっている会であることを説明し、写真をみてもらいながら話を進める。そして、今後はもっと群馬の国鉄や、県職の人々とも連繋をもって、もっと広い層の人々に参加してもらおうと話し合って床についた。

床に入りかけたとき、群馬県職の歴評の読者の人が『母の歴史特集なんかとってもみんなによまれています。自分たちと同じなやみが書かれているので、今後の自分たちの闘いについて、色々と教えられた。といっています。これからも、あの様な特集を、どんどん進めて下さい』と話してくれた。

又茨城県下妻高校の学生が、「現在では、昨年の加波山のお祭りに東京から歴史の専門家が来て下さってからは、地元の私たちや先生で自分たちの手で郷土の誇りである事件をよくくわしく調査して、皆に知らせようとずっと町で研究会をもって進めています。これからも、どうか東京から色々と援助して下さい」と、話しかけてきた。東京からいった学生の一人がこの学生たちと、其後もしばらくの間、研究会の連絡や進め方について話し合った。

第二日

大会第二日の廿一日は、浦和市の小松原学園の講堂で定刻十時から開かれた。

はじめに、昨年の国際農村青年会議に参加した東北代表の婦人代表、関東代表、日本準備会の代表の人々の挨拶があった後、昨日行われた十四分科会の各責任者の総結報告があった。（この分科会の詳しい討論内容は、近く関東農村青年集会準備会からパンフレットとして出版されますのでそれを読んで下さい）

報告が終り、討論に入ると、山梨県の代表から「今度の大会には、四人しか参加出来なかった。皆生活が苦しくて出てこれないが、ここに寄せ書をして私たちに託してきている。それを、皆さんの前で発表したい」と発言があり、壇上に上り空色の一ひろ巾の布一

89

面に青年団の一人々の書かれた寄書がひろげられると、会場には嵐のような拍手が起り、それはいつか大会会場をゆるがすカッサイに変ってゆき、会場に出席出来たものも遠く山梨の山々で、今日の大会を胸にえがいて働いている仲間も同じ共通の気持が一瞬電光のように固く結び合ったように、じーんと熱いものが胸にこみあげてきた。

つづいて山梨の先生が「私は多くの子供たちをあづかる一小学校教師であります。実は私も生徒達と一緒にこの大会に来たかったのですが、仲々むずかしくてつれて来ることが出来ませんでした。しかし生徒たちは私に、「先生に、おれたちの作文やタコをもっていってもらおう」と時間中に書いた作文を、自分たちで作った平和のタコにはりつけて、私のところにもって来ましたので、これを一寸読ませてもらいます」と発言があり、拍手の中をタコをもって壇上に上り、次のような作文を読まれた。

戦争

もしもこれからせんそうが、おれはしぬかもしれねえから、おれは、せんそうはいやだけんども、おれはえらくないんだから、せんそうをやめろったってだれがやめるもんか、なんてころされるかもしらない。いくらおれがせんそうをするななんていったって、だれもきいてくれなかんべ。おれがせんそうにいくようになったら、おれは、てきとけんかをしなければならないんだ、てきをころすのもいやだ、せんそうをするのもいやだ、もしせんそうがきたら、せっぷくするかもしれない、おれがせっぷくをしたって、せんそうはやまないんだ、だからせんそうをやってても同じだけんども、せんそうはいやだ。

（原文のまま）このように子供達も同じ気持で、今日の大会を私たちと一緒に考え、自分たちの気持を作文に記して訴えている。大会の名で万場一致このタコを、ワルシャワの今年の国際農村青年集会に作品として送ることを決議した。このあと、茨城県代表から「大会を成功的にもってくれた準備会に県代表として感謝決議をしたい」と緊急動議が出され、結局大会参加者全員の名で準備会に対して、感謝決議がなされ拍手とかっさいの中に、午前の部を終った。

午後からは、各県のお国自慢の民謡やコーラスがあり、コーラスの後全員のフォークダンスを行い、最後に「世界民青連の歌」と「世界の青春」の全員合唱の中に、二日間にわたった第一回関東農村青年集会の幕を閉じた。

フォークダンスを皆でたのしくおどり、関東各県の仲間の一人一人と手を握り合い明日からの生活に闘いに、お互の友情と団結と希望を語り合ったこの集会は、来る八月のワルシャワの大会を目ざして各県各村での、これからの運動にどんなにか大きなよろこびと希望と確信を与えたことだろう。皆お互に肩をたたき合い手をふって大会会場を去っていった。

昨年の日本の歌声の運動が、今では全国の農村、都市の若者たちの生活の中にとけこんだように、今度の大会に集った若い仲間の一人一人が村の歴史を自分たちの手で明らかにするために、東京をはじめ関東各県の歴史部会の方、及び読者の方々の一層の援助と協力をおねがいしたいと思う。

（文責・杉崎隆）

90

書評

野の草のように
——母の地図——

壺井栄編

中島節子

この本のまえがきで、編者の壺井栄さんは風当りのはげしい道ばたに咲いたタンポポの花、ほこりをあび、むしりとられそれでもなお花を咲かせ、風にのってとび散った種はどこにでも根をおろす、そのタンポポの強靭さが大昔からの日本の母であったと思う、と語っておられる。その雑草のような苦難にみちた生活史である母の歩みを二十二篇集めたものがこの〃野の草のように〃の母の地図である。

本書は、大日本紡をはじめ多くの紡績工場に働く女子労働者達が血のにじむような母の歴史を真実に伝え、こんなみじめなことは再びくりかえさないようにと、寮のかたすみでいっしんに鉛筆をなめなめ涙ながらに綴った記録である。多くの母親が人間を生む機械としてしか考えられなかった母の時代を、私たち若いものは現在どうしたらよいのかという点について深く考えさせている。

頁をめくるたびに、こみあげるあついものを感じながら、牛か馬のようにこき使われ、ボロ雑巾のようにすてられ、希望もたのしみもなく、ただひたすらに子供の幸福のみを願っていた日本女性の姿をこれほどまでにきびしく、家族制度のなかでとらえているものは数が少いであろう。

倉持さんという十七才の少女は、「母さんはすべてを運命とあきらめているのだ。自由をうばわれ、家事と育児に追いまわされ一生をおくる——私にはとても耐えられない。母さんは何もかも自分の歩んできた道と比較して、私たちが何かすれば「だめだ、母ちゃんらはこうやったのだ」ときめつけ、母さんのたどった道を、私たちにも歩ませようとします。私にだって母さんがどんなに苦しんでこれまで生きぬいてきたか、分かりすぎるほど分っているのです。でも母さん、時代が変ったのですよ。私は自分の運命を切りひらいてゆけるだけの強い女になります。」と、語っているように、ともすれば母親は自分の歩んだ苦難の道を子供達には歩ませたくないと思いながらも、日本の農村に根深くくいこんでいる家族制度のなかにいつのまにかひきずりこまれているのではないだろうか。

ある少女はまた「若い私たちが逃げ腰では何年たっても、新しい農村の生活はうまれえないだろう。新しい生活を築かねばならない重い責任が若い私たちのうえにかかっているのである。」と語っている。このような少女たちは家につらなる女性の地位を向上させ、農村の半封建制という土台をつきやぶり日本の現実の社会に目をむけており、母達の悲劇を再びくり返すまいというかたい意志が大きな団結の力えと芽ばえはじめているのだと思う。

最近出されている紡績女子労働者の生活綴方にみられるように、小さい時から働きに出た彼女達が寮の生活のなかで身をもって体験したことは、社会のしくみに疑問をもったことである。穴ぐらのような生活からなんとかしてぬけ出ようとする気持が、一人から二人、二人から四人へと語りあい、それが生活綴方として実を結び、明日への道を切り開こうとする意慾にもえひろがっているのである。

すこしちがった例であるが、東京板橋区に小豆沢住宅主婦の会という集りがある。ここに集っている人たちは、首をきられ、過労から結核になった夫や、おさない子供をかかえて生活保護費をたよりに暮している人たちである。だがここの若い主婦たちほど明るく力強く生きている例は余りないだろうと云われる程、貧しい仲間たちが手をつなぎあって頑張っている。〃人の金でメシを喰う奴ら〃といわれ、心細さを身にしみて感じた人たちが、保護費をみんなで一緒にとりに行こうと考えたのがキッかけで、今では保護費の前がり、内職は保護費でさしひかないで、と要求を次々とかちとっている。

一人一人のお母さんがどんなにもがき、なやんでも苦しい生活からときはなされることはできない。現在のこどもたちが、お母さんたちとちがった点は、一人一人ではなく多くのなかまと語りはげましあうことのできる組織をもっていることである。この組織の力がいままで表面にあらわれなかった母の歴史をかきあげているのである。この組織のなかで、おさない少女たちが自分のおかれている位置や、将来のことをかんがえ、哀しい母の姿とちぶってめざめていくとき、新しい強い女性が生れでることであろう。

（光文社発行　一〇〇円）

☆　☆　☆

職場の歴史をつくる会では、さる四月十日井の頭公園でうららかな春の陽ざしをあびて、花見をかねてレクレーションをおこないました。五〇人あまりの、ともに働き、ともに学ぶ仲間たちは、アコーディオンの伴奏で〃黒いひとみ〃を元気一ぱいおどったり、運動会をおこなったり、はては福引までとびだしゆかいに春の一日をすごしました。これはそのときの一コマです。

東証の人たちと一しょに(組合本部にて)

この特集ができるまで

三月上旬のある日、お互のより一層の結びつきを深めるために計画された最初の機関誌「職場の歴史をつくる会ニュース」の編集の仕事を会の機関誌係の三人が歴評の人たちと一緒にやっていました。

仕事の途中で、「母の歴史の特集のように職場の歴史の特集が五月のメーデーに間に合うようにできたらなあ」と突然A君が云いました。それがきっかけとなりまるでせきをきった水のように皆の気持が「よし」と一致して生れたのがこの特集です。

では、この特集の中の作品を労働者たちがどのような気持で生みだしたのでしょうか。それは会員の竹村さんの、「職場の歴史を作る会ニュース・第一号」にのった次の文を読んでいただくのが最も適当だと思います。

N製作所の歴史が生れるまで

「今日の会、どうだった?」会ではだんまり屋のE君に、私は話しかけた。

「俺は、うまく言えないけどよお、新しい人がこなかったね、学生は多くなったようだけど、俺たちは、俺たちみたいに、組合を作ったばかりか、今、つくろうとしている人たちの話を聞きたいんだよ、そんな人たちに、うちの工場のことも話したいなあ」

E君は、ぽつり、ぽつりと話してくれた。

×　　×　　×

前に会の性質について、皆で話し合ったとき、会では、やはりだんまり屋のS君が、思いつめたように口をきった。

「皆が笑うかも知れないがよお、この会を俺は、中小企業の労働者の総評みたいにしてゆきたいんだ。」

S君が、何をいうかと聞き耳をたてていた一同は、そのとっぴな考えに思わず、笑ってしまった。

この二つの話の中に、私は「N製作所の歴史」が、皆があっと驚くように早くつくり出された秘密をとく鍵があるように思うので、それを手がかりにしながら考えてみたい。

はじめのころ、よく、工場の歴史を書こうという座談会をやったが、N製作所の人たちは、〝俺たちにはとっても文章を書く暇もないし、つかれてねるのがせい一ぱい。固い本なんか読んでいないしなあ〟と話すことが多かった。

それで、恥かしい話だが私は、〝この人たちが書くようになる迄には、大変な時間がかかるかも知れない。文章の書き方なども援助しなければなあ〟など、あたかも、子供に、作文を義務的に書かす教師が、いだくような気持をもっていた。

こんな気持でいた時に、噴火山のようにN製作所の歴史がとび出したのだから、本当に驚いたのである。——あとで話し合ってわかったことだが、会員の中には私のような考え方をしていた人も可成あったようである。

N製作所の人たちは、組合をつくって二、三ヵ月しかたっていない。しかし、誰の力にもたよらず、長い間かかって、自分たちで考え、親方にさとられぬようにこそこそ集って相談しながら、組合をつくっていった前史をもっている。この地道な闘いの末に、ほとんど絶対に見えた親方の力をはねとばして組合をつくった時のよろこびは、どんなであっただろう。

——去年の正月までは、皆、酒をのむとよくけんかしたり、寮のガラスをこわしたことが多かったが、今年の正月は、そんなことは一度もなかったという話を聞いても、このことは、はっきりと私たちでも知ることができるのである。——

だからこそ、N製作所の人たちは、まだ組合をつくっていない人たちのこと＝新しい人の問題が、切実に自分たちのものとして、うけとめられ、考えられてくるようになるのであろう。早くこの喜びを伝えたい、伝えてゆくことによって自分たちの生活ももっとよくなるに違いないという確信によって、はげしい勢で、〝N製作所の歴史〟が生み出されていったのである。私は国民のための歴史学をどうつくり出してゆくかという問題は、どんなテーマをきめるかで何カ月もなやんだり、どう史料をあつめるか、書く前に先ず理論書を山ほど読まねばならぬとか云った考え方とは、程遠いものであるということを学んだ。

〝N製作所の歴史〟の経験を誠実に学ぶという学風を、私たちの会のすみずみにまでひろげていくという努力の中から、おのずと私たちの会の方向も出てくるように思う。

〝N製作所の歴史〟に誠実に学ぶということは、国鉄のSさんもいっていたように、もっといろいろな職場の歴史を書くということではないだろうか。E君やS君たちの努力を、この会に出て来ていない無数の働く人々にひろめることと〝まずつくろう〟ということとは、同じことである。

ざんねんながら、私たちにはこれまで、まだまだこのような努力が足らなかったように思う。なぜなら、N製作所の親方の方が我々よりはるかにS君やE君たちのやったことを真剣に考え、自分なりに行動しているのである。

親方は、私たちの会に出てくる連中の家を、しらみつぶしにたずね、〝息子さんがあの会に出ると将来よくないことがある〟と母親をおどかしているし、その努力は東京だけにとどまらず、遠く長野県のS君の実家にまで出かけて行こうとしているのである。

私たちは、今までの反省を、この親父のあり方と関連させて考えてゆこう。私は、最後にたえず自らを反省し、誠実にN製作所の人たちに学んで自分の考え方を深めてゆく、Hさんの事にふれてみたいと思う。

Hさんは、今迄に何回となく〝労働者に学ばねばならぬということはわかります。けれども私はもっといろいろな本を読んで自分をしっかりさせてから、働らく人と一緒に勉強した方がよいのではないでしょうか〟と私に話していた。ときには、会をやめたいがという手紙を頂いたこともある。

そのころ、Hさんはなやみぬいて、T大学の姉さんに「会をやめようと思うが」と話された。ところが日ごろ「もっと学生は学生だけで勉強する方がよい」とHさんに忠告していた姉さんが、「ここに泉あり」を一度みて、もう一度考えてごらんと言われたのである。

——Hさんの話を聞いた時姉さんは「ここに泉あり」をみて、自分の今までの生き方とあのような集団の生き方のみぞを感じ、一週間以上も勉強が手につかない最中であった。

日さんは、このような人だ。しかし、N製作所の人たちは、学生の中では一番日さんと親しく話し合っている。

日曜日をつぶして〃N製作所の歴史〃を組合の人たちがプリントしていた時も、日さんはだまって一人で手伝いにいっていた。

親方の圧迫にK君のお母さんが怒って、K君をやめさせた時も自分のように驚いてK君の家までたずねていった。私は、さきに書いたように、この会にはまだまだかたいふんいきや、不充分さが残っている。しかし、唯一つ、自信を持って云えることは、この会は、日さんのような人たちによって動いているということである。

E君やS君たちは「この会だけが、俺たちを勇気づける」といっている。

国鉄のS君も〃私は命をかけてもやる〃とも云われた。

皆さん、自信をもって進みましょう。

（民科歴史部会　竹村民郎）

私たちはこの特集にのせたものを今後ますます内容の豊かなものにしていくと同時に、この会は「歴史が完成いたしました。では解散しましょう」という性格のものでないことをはっきりつかんでいます。

それは最近会員以外の人たちをさそって大勢で遠足に行って楽しく歌ったり踊ったりした事や、ある会員のお父さんが今度大阪から東京に移って来たので会で歓迎会をやろうと準備を進めている事によくあらわれていると思います。

また私の場合は歴史を学んでいる学生です。この会の明るい空気をそのまま毎日の学校生活に反映させる努力をつみ重ねていく事が大切であると思っています。

中世史料講読や古文書学などを学校で勉強することも、現代を正しく理解し、よりよい明日を作る力ともなるからなのです。

私は封建時代のことを専門に勉強しているのですが、この会での皆の話はとても生き生きとひびきます。そして一応わかったようなつもりでいた日本独占資本の問題や労働運動の問題について「俺は何も知らないんだな」とはっきりしたりするしまつで、それからまた新しい希望がわいてきます。

のろのろした足どりですが会をもっともっと発展させようという気持は皆が同じです。

うどんをたべながら編集の話し合いは進む

私たちはこの気持を土台に、会をよりよいものにするため努力します。

最後に参加を希望される方や、お気付の点や、経験を交流したいと希望される方は、民科気付で「職場の歴史をつくる会」あてどしどし連絡下さるようお願いいたします。

（編集係　高橋秀夫）

（八十四頁より）　ず自分と人民が一緒だと信じ、革命の脈搏を感じ、人民の力を彼の周囲に感じ、彼自身も一人の力ある戦士で、そして人民の力は向うところ敵なく、かれの力もまた向うところ敵なしと感じたにちがいない。だから彼は何ものもおそれずに前進するのだ」（馮雪峰「魯迅回想」）

現在進められている「職場の歴史」をつくる運動の中でもそれに積極的に参加された学友たちが、みんな「一件小事」で、魯迅が経験した「民衆にたいする信頼」を確信していかれるのである。

世界科学者連盟第四回総会のお知らせ

四月十一日、世界科学者連盟から民科本部あてに、つぎの手紙がとどきました。

拝啓、世界科学者連盟第四回総会が、一九五五年九月の最終の週にひらかれることになりましたのでお知らせします。

正確な日どりと場所は、できるだけ早くおしらせします。

議事日程はまだ最終的にきまっていませんが、少くとも同封の草案に列挙してある点は、含まれることになりましょう。あなたが議事日程にいれた方がよいとお考えになる問題および討議してほしいとお考えになる決議案、執行委員会の推せん、などについて、できるだけ早くおしらせ下されば幸いと存じます。　敬具

一九五五年三月二九日

臨時書記長　ピカール

なお、同封されていた議事日程の原案はつぎのとおりです。

議事日程案

1、会長の開会、大会運営委員会の選出
2、会長あいさつ
3、臨時書記長の報告
4、会計報告
5、世界科学者連盟の出版物についての報告
6、地方ビューローの報告
7、加盟団体の報告
8、質問書についての報告、科学者の経済状態に関する問題
9、「国際科学者会議」のための準備についての報告
10、科学者の社会的・法律的責任
11、迫害の犠牲となった科学者のための基金
12、諸委員会の選出
13、委員会の報告
14、決議
15、執行委員会の推せん
16、その他

昭和三十年四月二十五日　印刷
昭和三十年五月一日　発行

定価　七〇円

申込み送金は　半ヶ年　四〇〇円送共
編集部へ　三ヶ月　二〇〇円送共

東京都千代田区神保町二ノ四民科内
歴史評論編集部

編集発行人　林　基

振替東京六六〇八三番

印刷所　鎌倉印刷株式会社

東京都千代田区小川町三ノ八
発売所　株式会社河出書房

日本橋の水(その二)………まつしま・えいいち
特集　国民的科学の創造のために
民衆の豊かな生活を求めて…吉沢　和夫
——民話の会の成果と課題——
農民の生活感情に
とけこんで…………山野　洋子
——つくる発のしごと——
川崎労働者のサークルから…須田　一郎
民族の叫び…………坂本　俊夫
地方史　八日市町史の編纂
渡辺　守順
浪曲問題に関する討議……民科芸術部会
第四〇号　一九五二年　一一月号
歴史的精神について………藤間　生大
民族問題としての
アメリカ黒人問題………菊地　謙一
朝鮮民主人民共和国の
成立過程…………中徹　浩
愛国者山岡領雲の生涯………西田　勝
たたかいのあと(2)………山内みな子
秩父の村の歴史
石間をわるしぶき………都立大歴研
私たちが体験したこと………平井　久子
短間をわるしぶき
に寄せられた批判………加藤　文三
第四一号　一九五三年　一月
新しい年をむかえて………石母田　正
平和擁護運動の歴史………平野義太郎
一二・九前後………野沢　豊
—抗月民族統一戦戦の形成過程—
続・歴史的精神について……藤間　生大
歴史文学所感
民族の叫びをめぐって……大谷　竹雄
特集「村の歴史」の前進のために
軽井沢と御影用水・
権十稲荷………大石慎三郎
松木長操三百年祭について…林田満寿夫
新本村義民祭に参加して……福武　彦三
堅田町史編纂について……堅田公民館報
文政二年十村断獄始末……若林喜三郎
大和の竜門騒動………奥田修三
木村博一
第四二号　一九五三年　二月
特集　歴史教育
危機における
歴史教育の課題………坂田　仲一
郷土史を中心
とした歴史教育………飲島　積
中国での愛国主義
と歴史教育………野原　四郎
中学日本史の検討
その一「中学日本史」………ねず・まさし
その二「日本のあゆみ」………佐藤伸雄
矢田昌子
その三「日本の発展」
「日本の成長」………矢野　寛
中国における学風の改革……南
再び「村の歴史」の創造のために
丹後義士義民追頌祭………岩崎　英精
文政五年宮津藩一揆物語……池田　敬正
紙芝居「村の地蔵の物語」……京都支部
歴史部会
藤田五郎の死………服部　之総
第四三号　一九五三年　三月
中世農村生活の現実的展開…林屋辰三郎
一向一揆の構造とその展開…松山　安
農村における水の役割………馬場　昭
江戸時代における諸役人の収
賄つまみ食について………大石慎三郎
歴史学についての反省と問題提起
国民的歴史学について………矢田　四郎

昭和二十四年十二月十二日国鉄特別扱承認雑誌第一五一四号
昭和二十八年五月二十五日第三種郵便物認可
昭和三十年五月一日発行(毎月一回発行)

歴史評論　五月号

定価七十円

●──編者紹介

竹村民郎（たけむら・たみお）

一九二九年　大阪市生まれ

元大阪産業大学経済学部教授

主要著書　『大正文化帝国のユートピア　世界史の転換期と大衆消費社会の形成』（増補）三元社、二〇一〇年

『竹村民郎著作集』全五巻　三元社、二〇一一〜一五年

編集復刻版
「職場《しょくば》の歴史《れきし》」関係《かんけい》資料集《しりょうしゅう》 第4巻 ISBN978-4-86617-040-4
第2回配本［第3巻〜第4巻］分売不可 セットコード ISBN978-4-86617-038-1
2018年5月30日発行
揃定価 本体40、000円＋税

編者 竹村民郎
発行者 山本有紀乃
発行所 六花出版
〒101-0051 東京都千代田区神田神保町1-28
電話 03-3293-8787 ファクシミリ 03-3293-8788
e-mail : info@rikka-press.jp

組版 昴印刷
印刷所 栄光
製本所 青木製本
装丁 臼井弘志
乱丁・落丁はお取り替えいたします。 Printed in Japan